20,15

5-2764

6.

Room # 4-

893-4110

891-2737   Mrs. Lehara

Easton   6.³⁰

« textes à l'appui »

le développement du sous-développement

andré
gunder frank

le développement
du sous-développement :

l'amérique latine

traduit de l'anglais
par christos passadéos

FRANÇOIS MASPERO
1, place Paul-Painlevé - Vᵉ
PARIS
1979

© Librairie François Maspero, Paris, 1969 (pour la langue française)
ISBN 2-7071-0313-6

Préface

Ces essais ont été rédigés en guise de contribution à la révolution en Amérique latine et dans le reste du monde et ils se trouvent réunis ici dans l'espoir qu'ils pourront aider le lecteur à participer à la révolution d'une manière plus complète que l'auteur. Ces essais résultent de l'effort réalisé par l'auteur — comme par des millions d'autres personnes — pour assimiler la révolution latino-américaine et l'inspiration qu'elle trouve dans la révolution cubaine dont nous célébrons le glorieux dixième anniversaire en écrivant ces lignes. En tant que tels, ces essais constituent l'expression de problèmes et d'époques en pleine mutation. C'est de ces problèmes qu'ils sont nés, bien qu'étant saisis à travers le prisme également changeant de la prise de conscience et de la compréhension de l'auteur. En rédigeant ces textes, celui-ci s'est situé presque totalement par rapport à la pratique et à la théorie des révolutionnaires latino-américains ou de ceux qui étaient prêts à le devenir au moment — et souvent sur les lieux — de la rédaction.

La réunion de ces essais en un volume unique, en espagnol et en portugais, aussi bien que la construction de l'image complexe qui ressort de leur classement répondent essentiellement au désir de les rendre plus accessibles aux révolutionnaires latino-américains — ou au moins à ceux d'entre eux qui cherchent à formuler une théorie révolutionnaire pour servir leur pratique révolutionnaire — à qui ce livre est dédié. Dans la mesure où la révolution est mondiale, et où toutes ses parties constituent un ensemble unique, il est possible que les éditions anglaise, française, italienne et allemande actuellement en préparation soient de quelque utilité pour les révolutionnaires de ces pays. Quant à ceux qui n'ont pas l'intention de se consacrer à la révolution et à la construction d'une société digne de l'homme, l'auteur n'a rien à leur dire.

L'Amérique latine souffre d'un sous-développement *colonial*, qui plonge ses peuples dans une dépendance économique, politique et culturelle, dépendance qui se définit non pas tant par rapport à eux-mêmes que par rapport à une puissance métropolitaine étrangère. En conséquence, afin de pouvoir circuler, ces essais, comme les écrits de la plupart de nos camarades latino-américains, ont dû, à maintes reprises, être publiés et republiés (et ce souvent sans que l'auteur le sache) dans d'innombrables journaux, magazines, revues de tirage international (c'est-à-dire métropolitain), national ou même souvent local. Certaines de ces publications sont encore disponibles mais nombreuses sont celles qui n'existent plus — à la suite des putsches militaires, ou bien encore parce que liées au processus naturel de naissance et de disparition des mouvements politiques et de leurs organes. Plusieurs de ces essais n'ont *pas* été publiés au moment et dans les lieux prévus ; ils ont été traduits et retraduits entre l'anglais, l'espagnol, le portugais et le français, et ont circulé — souvent de manière clandestine — sous une forme ronéotypée (l'essai n° 8 a été publié au moins dix fois en plusieurs langues, et l'essai n° 9 a connu — ou a subi — trois différentes traductions en espagnol, effectuées dans trois pays différents d'Amérique latine. Il y a là un exemple des blocages qui freinent les communications sur le continent). Bien que ce recueil ne puisse supprimer ces blocages, il pourra peut-être surmonter certains d'entre eux.

Ces essais sont classés et regroupés de manière à développer l'argument central qui ressort de l'ensemble des études de l'auteur : le sous-développement en Amérique latine (et ailleurs) s'est développé en tant que produit de la structure coloniale du développement capitaliste mondial. Cette structure a complètement pénétré l'Amérique latine, formant ainsi — et transformant encore à l'heure actuelle — la structure coloniale et la structure de classes du sous-développement à travers le continent, aux niveaux aussi bien national que local. En conséquence, le développement du sous-développement se poursuivra en Amérique latine jusqu'à ce que ses peuples se libèrent de cette structure de la seule manière qui soit possible, par la victoire révolutionnaire violente sur leur propre bourgeoisie et sur l'impérialisme. La question qui se pose dans les circonstances actuelles de l'Amérique latine et du monde entier est donc de savoir ce qu'il convient de faire. Ces essais ont été écrits afin d'explorer certaines de ces circonstances et de chercher à savoir ce qu'il faut faire, quand cela est possible, sinon partout et immédiatement, ou du moins ce qu'il faut éviter de faire.

Le premier texte introduit la thèse du développement du sous-développement et présente le contexte et l'orientation générale de l'argument qui sera explicité et développé dans le reste du recueil. Cette thèse qui a été développée à propos du Chili et du Brésil dans un ouvrage antérieur de l'auteur, *Capitalisme et sous-dévelop-*

pement en Amérique latine [1], se trouve ici étendue à l'Amérique latine dans son ensemble. En fait, cet essai est constitué par une série d'hypothèses de recherche reliées les unes aux autres et qui servent de guide pour une étude plus approfondie devant mener soit à leur confirmation, soit à leur démenti et à leur transformation. Plusieurs autres essais réunis ici peuvent être valablement considérés comme faisant partie de cette étude approfondie bien qu'ils ne constituent pas une tentative organisée de vérification pour l'Amérique latine. Cette tâche reste à réaliser et il est possible que l'auteur ou des lecteurs de cet ouvrage l'entreprennent à l'avenir. Entre-temps, en collaboration avec S.A. Shah, l'auteur est en train d'étendre cette même approche au problème de l'élimination du sous-développement en préparant une anthologie en deux volumes des analyses portant sur les causes du sous-développement et sur les politiques de développement capitalistes et socialistes, à l'échelle tricontinentale de l'Asie, de l'Afrique et de l'Amérique latine considérées dans leur ensemble. Cet ouvrage, intitulé *Le Sous-développement,* devrait être achevé dans un an à peu près.

La deuxième partie (comprenant les essais de 2 à 7) examine les « vêtements de l'empereur » nord-américain en matière de sciences sociales et dévoile la nudité et le néant scientifique qui se cachent derrière son imposture idéologique. Cette pseudo-science et cette idéologie sont exportées de manière de plus en plus intense, par d'innombrables voies, vers une Amérique latine culturellement coloniale, où elles sont diffusées non seulement parmi les étudiants mais également, et sous des formes diverses, dans le peuple. Si les masses d'Amérique latine et des autres pays sous-développés veulent parvenir au développement, elles ne doivent pas devenir les proies de la diffusion idéologique de cette pseudo-science. La plus grande part de notre recherche n'est d'ailleurs pas consacrée aux formes les plus orthodoxes ou les plus réactionnaires de la pensée et des politiques de développement. Au contraire, l'examen et la critique visent expressément les aspects *les plus progressistes et les plus libéraux* de la même idéologie du développement. Cet examen révèle que, quelles que soient les intentions subjectives en cause, les conséquences objectives de cette vision apologétique et libérale du développement ne sont pas moins réactionnaires que celles de la version conservatrice et orthodoxe du problème. En fait, comme l'indique ma femme Marta Fuentes — qui n'a aucune prétention scientifique et qui n'aspire qu'à servir la cause de la révolution —, ceux qui adoptent et acceptent ces positions libérales ne sont que des réactionnaires plus stupides que les réactionnaires ordinaires. Cependant, il ne suffit évidemment pas de rejeter cette pseudo-science *politique* réactionnaire. Il ne s'agit pas non plus pour les révolutionnaires de tisser un « nouvel habit » synthétique pour

---

1. Paris, 1968, F. Maspero, éditeur.

« l'empereur ». Au contraire, ils doivent le détrôner et abattre ses collaborateurs coloniaux et néo-coloniaux à travers la pratique révolutionnaire — qui exige également une théorie véritablement révolutionnaire. Les autres essais, pour la plupart rédigés à la suite de nombreux contacts avec diverses formes de pratique révolutionnaire à travers l'Amérique latine, représentent des tentatives pour contribuer à la construction de la théorie révolutionnaire exigée par l'indispensable pratique révolutionnaire.

La troisième partie examine certains des aspects économiques et des manifestations politiques de l'impérialisme, en tant qu'éléments qui déterminent et qui engendrent le sous-développement en Amérique latine. Toutefois, une compréhension adéquate de ce rapport n'est pas possible en dehors du contexte historique du développement impérialiste mondial et de la dépendance en Amérique latine. Pourtant, étant donné que l'étude de ce contexte constitue la majeure partie de notre ouvrage antérieur, ce développement historique n'est pas traité dans cette section, bien qu'il soit brièvement abordé dans certaines parties des essais 1, 2 et 25 du présent volume. Les essais contenus dans la deuxième partie ne peuvent que souligner l'existence de certains développements nouveaux et de certaines conséquences de la politique extérieure (générale aussi bien qu'économique) nord-américaine, qui constituent essentiellement le produit et la continuation de plusieurs siècles de développement capitaliste mondial. D'ailleurs, de nombreux aspects politiques et militaires de la politique impérialiste contemporaine, intimement reliés les uns aux autres, ne sont pas traités dans cet ouvrage de manière suffisamment approfondie. Les attributs culturels et idéologiques — semblablement reliés entre eux — de cette politique impérialiste et de ses conséquences en Amérique latine sont complètement passés sous silence dans cette deuxième partie ; nous y faisons toutefois allusion de manière implicite au cours de l'examen des « vêtements de l'empereur ».

La quatrième partie, consacrée à la politique interne et aux luttes de classes, fait porter la discussion sur la science « locale » en Amérique latine et dans certains des pays qui la composent, en un domaine où le débat — entre Latino-Américains et entre révolutionnaires — est le plus vaste. Une grande partie de ce débat sur les alliances et les tactiques de classes concerne les différentes perceptions — ou conceptions — de la structure sociale latino-américaine. Jusqu'à une date récente, de manière implicite ou explicite, la thèse la plus couramment admise prétendait que l'Amérique latine comprenait une société ou une économie « dualiste » dans laquelle la bourgeoisie nationale (ou les « entrepreneurs de la classe moyenne », pour reprendre le terme erroné que l'on utilise si souvent) du secteur capitaliste avancé peut et doit poursuivre une politique de classe consistant à étendre le capitalisme et le développement à l' « autre » Amérique, féodale et archaïque. Au contraire, la thèse principale de la quatrième partie, et qui

10

trouve sa confirmation dans les preuves fournies par les essais 14 à 24, affirme que l'Amérique latine connaît une société et une économie dialectiquement intégrées, ce qui contraint à l'heure actuelle la bourgeoisie — y compris ses secteurs les plus nationalistes — à poursuivre des politiques qui, quelle que soit l'importance du développement qu'elles engendrent pour la minorité, condamnent la majorité des Latino-Américains à un sous-développement sans cesse plus profond, et la bourgeoisie elle-même à une dépendance accrue par rapport à la bourgeoisie métropolitaine du système néo-impérialiste, et à son absorption par celle-ci. Les essais 15 à 17 présentent une partie de l'argument et de la démonstration en ce qui concerne le secteur rural en général et le latifundium en particulier (contribuant par là-même à confirmer les deux dernières hypothèses de l'essai 1) ; l'essai 18 étend l'argument à cette population des zones urbaines que l'on qualifie à tort de « marginale » ; et les essais 19 à 22 examinent les limitations objectivement déterminées des capacités et des politiques bourgeoises contemporaines, en se fondant surtout sur les exemples du Brésil et du Mexique. Les deux derniers essais de la quatrième partie (23 et 24) étendent explicitement l'argument et ses conséquences à la ligne révolutionnaire, qui est de combattre la bourgeoisie et le capitalisme en Amérique latine même.

L'essai final revient au point de départ du recueil et reprend une grande partie de l'argumentation contenue dans les autres textes, en essayant toutefois de pousser le raisonnement plus loin par une explicitation scientifique de la relation qui existe entre la structure coloniale ou néo-coloniale « externe » et la structure de classe « interne » de l'Amérique latine, et par l'affirmation politique qu'en vertu de cette relation, mais sur le plan tactique, l'ennemi immédiat de tous les révolutionnaires d'Amérique latine est constitué par leur propre bourgeoisie, et ce en dépit du fait que sur le plan stratégique l'impérialisme demeure l'ennemi principal. Par ailleurs, cet essai de conclusion complète les première et deuxième parties en posant de nouveaux problèmes de recherche, exprimés toutefois à un degré de spécificité accru et — nous l'espérons — à un niveau de raffinement théorique supérieur.

Etant donné que ces textes ne sont pas présentés par ordre chronologique, l'année au cours de laquelle chacun d'eux fut rédigé (1965 ou 1965-66) ou bien rédigé et revu (1964-65) se trouve indiquée pour chaque essai. Le lecteur devrait tenir compte de la date de rédaction dans la mesure où chacun de ces essais est le produit et l'expression d'un moment historique donné, et ce sur deux plans. L'auteur ayant été animé de manière consciente de motivations politiques (ce qui, loin d'exclure toute valeur scientifique, comme l'affirment les libéraux, ne fait que la renforcer), chacun des essais exprime de manière intentionnelle — et peut-être aussi, dans une certaine mesure, de façon inconsciente — une partie du moment de l'histoire mondiale au cours duquel il fut rédigé. Et depuis

11

la victoire de la révolution cubaine, l'Amérique latine et le monde ont assisté à des crises et à des transformations politiques importantes. En deuxième lieu, chaque essai reflète une étape dans le développement scientifique et politique de l'auteur lui-même. Ce développement — comme c'est le cas pour tout le monde — a été partiellement influencé par ces crises et ces transformations ; toutefois, l'auteur étant arrivé en Amérique latine en 1962 sans connaître la région et sans expérience politique, son développement personnel a également suivi une orientation propre. (La formulation de certains essais a, de la même façon, partiellement subi l'influence de la revue ou de l'audience à qui ils étaient destinés ; toutefois, en raison de la multiplicité des éditions — que nous avons mentionnée ci-dessus — il serait fastidieux de les citer toutes dans ces lignes.)

Ainsi, le premier en date des textes de ce recueil (le n° 19 sur le Mexique) a été écrit au début de 1962. Il révèle un échec complet au niveau de la compréhension — ou même de l'existence — de l'impérialisme, compréhension sans laquelle il est impossible par la nature objective des choses, de parvenir à une connaissance minimale de la réalité latino-américaine. Ce même essai (aussi bien que le texte n° 17 sur la réforme agraire, rédigé plus tard au cours de la même année) révèle également que l'auteur faisait sienne à l'époque la thèse orthodoxe selon laquelle l'Amérique latine souffrait de féodalisme ou de séquelles féodales, et la révolution mexicaine aurait été anti-féodale. (La fausseté de ce dernier point est admirablement démontrée par James Cockroft dans un ouvrage, actuellement sous presse, publié par l'*University of Texas Press*.) Cet essai sur le Mexique est toutefois inclu dans le recueil actuel parce qu'il révèle une insatisfaction naissante concernant la thèse générale du dualisme, la thèse du féodalisme n'en étant qu'une version particulière. Notre dénonciation ultérieure de la thèse selon laquelle il existe deux Amériques latines et notre affirmation — annoncée dans cet essai sur le Mexique — qu'il n'existe qu'une seule société capitaliste, dialectiquement intégrée et oppressive, faisant à son tour intégralement partie du système capitaliste — c'est-à-dire impérialiste — mondial, nous ont conduit à rejeter la thèse du féodalisme dans l'essai n° 23, rédigé en décembre 1963 et consistant en une revue du livre *Whither Latin America* [2] (New York, *Monthly Review Press,* 1963), dont deux chapitres étaient constitués par nos deux essais mentionnés ci-dessus. (La même thèse se trouve rejetée et une alternative est proposée sous une forme bien plus détaillée dans le chapitre « Le capitalisme et le mythe du féodalisme dans l'agriculture brésilienne », contenu dans notre livre précédent rédigé en 1963 [3].) D'autre part, et ce en toute franchise, cet essai reflète également l'optimisme

2. *Où va l'Amérique latine ?*, F. Maspero édit., Paris, 1964.
3. *Capitalisme et sous-développement en Amérique latine*, A. G. Frank, F. Maspero édit., Paris, 1968.

de l'année au cours de laquelle le débat sino-soviétique avait jeté une grande lumière sur le révisionnisme et le réformisme de la théorie et de la pratique du communisme orthodoxe et durant laquelle le mouvement de guérillas prenait de l'essor au Venezuela et en Amérique latine.

Au même moment l'auteur entreprenait également son étude de l'impérialisme en commençant toutefois par ses mécanismes les plus visibles et les plus superficiels plutôt que par sa structure et sa dynamique internes qui en constituent des éléments plus importants. Les deux idées principales de l'essai n° 10 sur l'intégration économique latino-américaine (essai également rédigé en 1962) n'ont été malheureusement que trop confirmées par le déroulement historique ultérieur. Comme nous l'avions prévu en 1962, les grands monopoles américains sont devenus les principaux bénéficiaires du marché « élargi » ; et l'intégration « externe » — comme cela fut confirmé par la conférence des présidents américains à Punta del Este qui renversa du tout au tout l'ordre de priorité établi en 1961 à Punta del Este par l'Alliance pour le progrès — est devenue une vaine tentative pour rejeter et remplacer les transformations internes, et principalement la réforme agraire, en tant que solution aux problèmes économiques et politiques sans cesse plus aigus de l'Amérique latine. (L'échec des politiques de « réforme agraire » menées par les gouvernements bourgeois a été prévu dans l'essai n° 17 bien avant que des présidents comme Frei et Belaunde ne soient élus et n'essaient de les imposer au Chili, au Pérou et ailleurs.) Les essais sur les mécanismes de l'impérialisme (n°ˢ 8 - 12) ont été rédigés alors que ces nouvelles formes d'action du capital monopoliste étranger étaient encore en train d'être introduites en Amérique latine. Il semblait alors aussi important de les dénoncer et d'exposer leurs conséquences génératrices de sous-développement qu'il l'est aujourd'hui de les analyser en profondeur. (L'essai n° 8, publié pour la première fois dans le supplément dominical d'un grand journal brésilien, devint un sujet de débat au Parlement et dans la presse.)

Plusieurs essais de la quatrième partie, et plus spécialement les essais n°ˢ 20, 21 et 22, ont été écrits afin de dénoncer la faiblesse congénitale — ou peut-être faudrait-il dire structuralement déterminée — de la bourgeoisie « nationale » en Amérique latine face à l'avance du néo-impérialisme ou néo-colonialisme après la guerre de Corée aussi bien que la nécessité pour la bourgeoisie (comprenant l'aile « comprador » aussi bien que l'aile « nationale ») d'étendre ce même système sous la forme d'un colonialisme interne et d'une aggravation du degré d'exploitation dans chaque pays — une telle nécessité ayant dicté l'abandon du populisme des années trente et quarante. L'objectif politique de tous ces essais était d'intervenir dans le débat qui se développait dans les milieux de la gauche — et plus spécialement entre ceux qui étaient encore prisonniers des théories et des pratiques des partis communistes orthodoxes et les éléments fort dispersés de la « nouvelle gauche » latino-américaine, l'auteur ayant depuis longtemps renoncé à dialoguer avec les libéraux — concernant les types d'alliances politiques que la gauche devrait ou ne devrait pas contracter avec des secteurs de la bourgeoisie, et la ligne politique que les forces de gauche devraient elles-mêmes appliquer. A la suite de circonstances particulières, certains essais (le n° 11 par exemple, rédigé pour être publié dans la revue de commerce extérieur du gouvernement mexicain, et les n°ˢ 16 et 18, rédigés sous contrat passé avec la commission économique des Nations unies pour l'Amérique latine) ont un style plus « nationaliste » ou « réformiste » que révolutionnaire ; toutefois, l'intention de l'auteur a toujours été de soutenir les éléments et les politiques les plus révolutionnaires en Amérique latine.

Cette intention politique et la réalisation scientifique sans cesse accrue que la ligne politique orthodoxe de la gauche était fondée (ou reposait) sur des bases qui, à l'examen, révélaient une grande pauvreté pratique et une extrême faiblesse théorique, conduisirent néanmoins l'auteur à examiner les racines historiques du sous-développement contemporain et à rechercher des formulations plus conformes à la réalité et plus convaincantes sur le plan théorique, des formulations qui puissent constituer une contribution au développement de la théorie révolutionnaire exigée par la pratique révolutionnaire. C'est ainsi que l'auteur a rédigé les études publiées dans *Capitalisme et sous-développement* et les textes n°ˢ 1, 15, 20 et 25 du présent recueil (et qui ne sont en fait que des projets de recherches actuellement en cours), dans lesquels il a essayé d'analyser la dimension historique du système impérialiste, ses contradictions structurales et les phénomènes contemporains qui en résultent. Un produit second de cet effort se trouve constitué par l'analyse critique de la théorie bourgeoise, analyse que l'on trouve dans la deuxième partie de cet ouvrage. C'est à partir de 1964 que l'auteur commence à démontrer par exemple qu'à l'heure actuelle l'Amérique latine (ou un secteur de son agriculture) ne peut être féodale dans la mesure où les conquérants et les colons ibériques, loin d'implanter des institutions féodales sur le continent, ont intégré immédiatement celui-ci au système capitaliste mercantiliste en pleine expansion. Simultanément — et ce de plus en plus en compagnie et sous l'influence réciproque d'amis latino-américains tels que Alonso Aguilar au Mexique, Anibal Quijano du Pérou, Edelberto Torres du Guatemala, Enzo Falleto et Luis Vitale au Chili, Fernando Henrique Cardoso, Ruy Mauro Marino et Theotonio dos Santos du Brésil, avec lesquels d'ailleurs nous ne sommes pas toujours d'accord en matière de politique immédiate —, l'auteur a cherché à dégager une nouvelle formulation théorique du sous-développement à partir de cette expérience historique et contemporaine. Dans cette formulation, la dépendance structurale et l'exploitation croissante du capitalisme en Amérique latine sont au cœur même du développement continu du sous-développement. (C'est également cette approche qui est retenue par l'auteur et son ami indien S.A. Shah dans leur analyse des différents types et des causes communes du sous-développement à l'échelle intercontinentale dans *Sous-développement,* l'ouvrage en préparation que nous avons évoqué ci-dessus.) En outre, il est évident que l'objectif principal de cet effort scientifique demeure franchement politique et humain : il s'agit de libérer l'homme de l'exploitation et de construire une société qui soit digne des possibilités humaines.

Pour répondre à la question des moyens qui mènent à cet objectif — en bref : *que faire ?* — il faut aller au-delà de cet ouvrage. Le dernier essai de la quatrième partie, le n° 24, écrit en 1968 (cinq années après l'essai n° 23 partiellement inspiré par les guerillas au Venezuela et six mois après la mort de Che Guevara) soulève des questions concernant l'analyse de la structure de classe, la mobilisation des forces politiques et les thèses de Debray. Ces thèses demeurent en grande partie sans réponse (une réponse est-elle d'ailleurs possible ?) dans nos propres travaux comme dans ceux des autres auteurs, à l'exception toutefois de quelques rares écrivains et militants politiques latino-américains. L'essai de conclusion, préparé pour le congrès culturel de La Havane tenu en janvier 1968, représente une tentative pour rendre ces problèmes accessibles à la recherche et préparer une approche expérimentale fondée sur le fait que la structure coloniale et néo-coloniale de la dépendance économique, politique et culturelle de l'Amérique latine engendre des transformations de la structure de classe et une aggravation des contradictions politiques que seule une révolution socialiste peut résoudre.

C'est un honneur pour nous que d'exprimer notre reconnaissance, pour leur aide et leurs encouragements, à nos nombreux amis et plus spécialement ceux de la *Monthly Review* à New York, Buenos-Aires et Santiago, aussi bien qu'à plusieurs camarades et organisations qui doivent demeurer dans l'anonymat et qui ont fait l'impossible pour publier ou faire circuler plusieurs de ces essais. Nous exprimons avec plaisir notre reconnaissance à Thacher Robinson et à la Louis M. Rabinowitz Foundation pour le précieux soutien financier qu'ils nous ont accordé en 1962 puis en 1965-66 quand un grand nombre de ces essais furent écrits ou revus. Il est impossible d'évaluer la dette politique, intellectuelle et morale que nous avons contractée et l'aide que nous avons reçue pour la conception et la réalisation de ce livre en ce qui concerne la révolution cubaine et latino-américaine et nos camarades révolutionnaires — quelques-uns sont connus de l'auteur, comme sa femme Marta, et dont la plupart resteront inconnus de lui et de l'avenir — à qui ce travail est dédié.

A.G.F.
Santiago-du-Chili,
1er janvier 1969.

15

Je souhaite remercier Nancy Howell LEE, Philip WAGNER, Rodolfo STAVENHANGEN, Alonson AGUILAR, Saïd SHAH, et surtout Marta Fuentes FRANK, David ABERLE, Barton PARKS et les autres rédacteurs de *Catalyste*, qui m'ont aidé tant pour le fond que sur le plan de la rédaction, dans la préparation de cette étude. Toutefois, j'endosse la pleine responsabilité des critiques contenues dans cette étude et de son ton polémique, surtout en ce qui concerne les thèses émanant du Centre de recherches de développement économique et de changement culturel, ainsi que de sa revue que je mentionne dans ce texte sous le sigle de *EDCC*, et dont je fus moi-même un collaborateur. Ce fut peut être une erreur de ma part de n'avoir pas suivi les conseils de quelques-unes des personnes citées ci-dessus et qui souhaitent me voir compléter ma critique par une alternative constructive. Cette alternative, je me suis efforcé de la présenter dans l'article intitulé « The Development of Underdevelopment », *Monthly Review*, vol. 18, nº 4 (septembre 1966) et dans *Capitalisme et Sous-développement en Amérique latine* (New York, *Monthly Review Press*, 1967 ; Paris, François Maspero éd., 1968).

1

Sociologie du développement
et sous-développement de la sociologie

Cet essai a pour objet l'étude de la sociologie du développement telle qu'elle est pratiquée actuellement par les pays développés, notamment par les Etats-Unis, à des fins d'exportation vers les pays sous-développés. Un examen critique montre que cette nouvelle sociologie du développement est infirmée par l'expérience quand elle est confrontée à la réalité, qu'elle est inadéquate sur le plan théorique, quant à ses normes scientifiques classiques, et politiquement inefficace dans son objectif présumé qui est de promouvoir le développement des pays sous-développés. De plus cette inadéquation s'aggrave avec le développement de la société qui la produit. Cette sociologie devient de plus en plus sous-développée, comme la société sous-développée à laquelle elle est appliquée.

Afin de permettre une estimation détaillée de cette sociologie du développement, j'examinerai les tendances ou les modes théoriques représentés par des écrits de certains sociologues. Néanmoins, ma critique s'étend à l'ensemble de la sociologie du développement. Afin d'éviter un choix arbitraire, il convient de laisser les représentants de cette sociologie du développement choisir eux-mêmes les modes d'approche principaux aussi bien que la plupart des auteurs qui sont examinés ici. Donnons-leur donc la parole.

Manning Nash, rédacteur en chef, jusqu'à une date récente, d'*EDCC* a écrit [1] :

1. Manning NASH, « Introduction, Approaches to the Study of Economic Growth » dans « Psycho-Cultural Factors in Asian Economic Growth » (Issue Editors : Manning NASH et Robert CHIN, *Journal of Social Issues*, vol. 29, n° 1 (janvier 1963), p. 5.

« Il n'existe, à mon avis, que trois méthodes pour aborder le problème du changement social et du développement économique.

La première est celle de l'*Index Method* : les traits généraux d'une économie développée sont présentés comme un type idéal et opposés comme tels aux traits également présentés comme « typiques » d'une société et d'une économie pauvres. D'après cette approche, le développement est considéré comme le passage d'un type à un autre. On trouve de bons exemples de ce genre dans l'ouvrage de Hoselitz intitulé *Sociological Factors in Economic Development* [2], dans celui de Parsons, *Structure and process in modern societies* [3], ou dans certains des travaux de la sociologue Marion J. Levy Jr [4]...

« La seconde méthode consiste à voir le processus du développement sous l'angle de l'acculturation. L'Occident (ici conçu comme la communauté atlantique des pays développés et de leurs prolongements d'outre-mer) diffuse la connaissance, le savoir-faire, l'organisation, les valeurs, les techniques et les capitaux à un pays pauvre, de sorte que, peu à peu, sa société, sa culture, ses hommes deviennent des variantes de ce qui a fait le succès de la communauté atlantique. Nous pouvons trouver des exemples de ce mode de raisonnement dans Moore et Feldman, *Labor Commitment and social change in developing areas* [5] (qui comprend également des essais de Nash et Hoselitz), dans l'ouvrage de Lerner *Passing of traditional society* [6] ou dans les nombreuses explications sur la façon dont l'Union Soviétique et le Japon « s'y sont pris »...

« La troisième méthode [...] est constituée par l'analyse du processus qui se déroule actuellement dans les pays dits sous-développés. Cette approche conduit à une hypothèse moins importante, à une appréciation plutôt prospective que rétrospective du changement social, à une prise en compte global du contexte politique, social et culturel du développement... [7] »

---

2. Bert. F. Hoselitz, *Sociological Factors in Economic Development* (Glencoe, the Free Press, 1960). Hoselitz est fondateur et rédacteur en chef d'*EDCC*.

3. Talcott Parsons, *Structure and Process in Modern Societies* (Glencoe, The Free Press, 1960).

4. Voir surtout Marion J. Levy Jr., « Contrasting Factors in the Modernization of China and Japan », *EDCC*, Vol. 2, n° 3 (octobre 1963) ; réimprimé dans S. Kuznets, W. E. Moore et J.-J. Spengler, eds. *Economic Growth : Brazil, India, Japan* (Durham, Duke University Press, 1955). Levy mentionne un thème voisin dans son article « Some Aspects of individualism and the problem of modernization in China and Japan », *EDCC*, Vol. 10, n° 3 (avril 1962).

5. Wilbert Moore et David Feldman, *Labor Commitment and Social Change in Developing* (New York, Social Science Research Council, 1960).

6. Daniel Lerner, *The Passing of Traditional Society : Modernizing the Middle East* (Glencoe, The Free Press, 1958).

7. Manning Nash, *op. cit.*

Nash discute ces divers courants de la pensée américaine contemporaine sur le développement économique et le changement culturel dans son introduction à un recueil d'essais signés, entre autres, par Everett Hagen (qui a présenté sa thèse pour la première fois dans les colonnes d'*EDCC*) [8], par David Mc Clelland (qui a fait une analyse du livre de Hagen dans les colonnes d'*EDCC*) [9], et par John H. Kunkel (qui a récemment discuté la troisième approche dans *EDCC*) [10]. Nash présente les essais de ces auteurs comme représentatifs de la troisième méthode et en loue « la dialectique de connaissance sociale et de confrontation d'affirmations hardies contraires aux faits dans des affirmations plus hardies encore et plus élégantes ». Robert Chin, coéditeur du recueil, déclare que ces auteurs « rendent des services de pionniers » [12].

La classification, le sommaire, et l'évaluation de Nash concernant les « trois seules méthodes pour s'attaquer aux problèmes de la transformation sociale et du développement économique » peuvent servir utilement de point de départ en ce qui concerne notre propre examen et notre évaluation de ces approches. Nash se trompe du tout au tout quand il prétend que ces modes d'approche épuisent les possibilités qu'il y a de s'attaquer aux problèmes de la transformation sociale et du développement économique. Il a toutefois raison quand il constate que ces modes épuisent pratiquement les approches des sociologues américains à l'égard de ces problèmes contemporains d'importance vitale [13].

Nous proposons donc d'examiner et d'évaluer la validité empirique, l'adéquation théorique et l'efficacité opérationnelle (au niveau de la détermination d'une politique) de ces trois approches aux problèmes du développement. Sur le plan de l'importance relative,

---

8. Everett HAGEN, « The Theory of Economic Development », *EDCC*, Vol. 6, n° 3 (avril 1957). Voir aussi son ouvrage *On the Theory of Social Change* (Homewood : Dorsey Press, 1962).

9. David McCLELLAND, « A Psychological Approach to Economic Development » *EDCC*, Vol. 12, n° 3 (avril 1964) et *The Achieving Society* (Princeton : Van Nostrand, 1961).

10. John H. KUNKEL, « Values and Behavior in Economic Development », *EDCC*, Vol. 13, n° 3 (avril 1955).

11. Manning NASH, *op. cit.*, pp. 5-6.

12. Robert CHIN, « Préface, A New Social Issue », *Journal of Social Issues, op. cit.*, p. 111.

13. Je n'ai malheureusement pas pu me procurer l'essai non encore publié de Seymour Martin LIPSET, « Elites, Education and Entrepreneurship in Latin America », essai qui compte 111 pages. Dans cet essai, M. Lipset, qui est sans doute le spécialiste américain de sociologie politique contemporaine le plus fort sur le plan des techniques et le plus apprécié, donne une interprétation magistrale du développement latino-américain, interprétation qui est libre de toutes les erreurs majeures et de la plupart des erreurs secondaires d'ordre empirique, théorique ou opérationnel que nous critiquons ici.

c'est le critère de l'efficacité qui retiendra tout d'abord notre attention ; nous considérerons ensuite l'adéquation théorique et la validité empirique de ces approches. En effet, si la politique conseillée est inefficace, elle rend suspecte la théorie dont elle découle ; si la théorie que l'on utilise est inadéquate, peu importe de savoir si les affirmations relatives à des aspects particuliers de la réalité se trouvent être en fait empiriquement exactes. Toutefois, contrairement à la logique du cas, des raisons tenant à la commodité de l'exposé nous conduisent à commencer par un examen de la validité empirique de chaque approche, cela nous permettant de nous familiariser avec le mode étudié. Nous passerons ensuite aux questions relatives à l'adéquation théorique et à l'efficacité opérationnelle.

L' « index approach » ou méthode des types idéaux.

L'index method constitue une tentative pour aborder le problème du développement économique et de la transformation culturelle à travers la statique comparative appliquée à des types idéaux polaires *(polar ideal types)*. Faisant référence à l'approche des économistes en général et à ceux de la Banque mondiale en particulier, Charles Kindleberger avait depuis longtemps qualifié cette approche de *gap approach* ou méthode de l'écart. Il s'agit de soustraire les caractères typiques idéaux (ou indices) du sous-développement à ceux du développement, et ce qui reste détermine le programme de développement [14]. Il est possible de distinguer deux variantes majeures de cette approche de l' « écart » : la méthode des variables de modèle de Hoselitz, et la méthode des étapes historiques que l'on associe le plus souvent à l'heure actuelle à Rostow. La seconde variante diffère de la première en ce sens qu'elle fait appel à l'expérience historique des pays développés afin d'intercaler des « étapes » dans l'écart qui sépare le développement du sous-développement. Une nouvelle variante de cette dernière approche, la méthode des variations historiques de Gerschenkron, que nous n'examinons pas dans ce texte, puise dans la même expérience historique pour introduire la possibilité de variations dans les étapes de développement des pays sous-développés. Les trois variantes ont ceci de commun qu'elles postulent que le sous-développement constitue un état originel susceptible d'être caractérisé par des indices de traditionalisme et que, par conséquent, le développement consiste à abandonner ces caractéristiques et à adopter celles des pays développés.

---

14. Charles P. KINDLEBERGER, « Compte rendu de *The Economy of Turkey ; The Economic Development of Guatemala ; Report on Cuba* », *Review of Economics and Statistics*, Vol. 34, n° 4 (novembre 1952).

Les variables de modèle.

Ce mode d'approche découle non seulement de la conception de Max Weber concernant le type idéal en général, mais également de quelques types idéaux particuliers de Weber qui ont été plus tard élaborés et systématisés par Talcott Parsons. Hoselitz prend les variantes de modèle du *Social system* [15] de Parsons et les applique à l'étude du développement économique et de la transformation culturelle.

Les variables de modèle, d'après le *Dictionnaire de sociologie,* sont « des types de choix ouverts à des êtres humains motivés ; ce sont des dichotomies [...] chacune représentant des extrêmes polaires. *L'universalisme* et le *particularisme* en sont des exemples. En d'autres termes, tout individu se trouvant dans une situation exigeant un choix dans ses rapports avec les autres doit se demander s'il va agir selon une norme universellement acceptée ou bien selon un précepte particulier à la situation dans laquelle il se trouve. En d'autres termes, va-t-il agir selon la règle, ou bien par rapport aux qualités particulières à la personne vers laquelle il oriente son action ?

« Un autre exemple est constitué par la *réalisation* et l'*assignation* (que l'on appelle quelquefois *performance* et *qualité*). Dans ce cas, une personne, en décidant de son action, concentre son attention soit sur les aspects « réalisés » de l'autre personne (comme ses qualifications professionnelles) soit sur ses qualités « assignées » (comme le sexe, l'âge, la classe sociale, etc.). [...] Un exemple encore est celui de la *spécificité* et de la *diffusion* et dans ce cas le choix tient compte de facteurs limités et spécifiques. Citons par exemple le contraste qui existe entre un contrat auquel on adhère et des obligations plus vastes et plus diffuses telles que la loyauté familiale. [...] L'objectif de cet ensemble de variables de modèle est de permettre aux sociologues d'identifier les choix typiques qui sont effectués et plus spécialement ceux qui relèvent d'une quelconque institutionnalisation [...] L'analyse des variables de modèle peut être utilisée pour identifier des similitudes et des différences entre les cultures ; il est également possible d'en restreindre l'usage en se référant à des aspects de la société ou à des sous-systèmes de type institutionnalisé tels que les systèmes politiques... » [15bis] D'après Parsons, tout système social et tout acte social peuvent être analysés en profondeur en ne se servant que de cinq paires de variables de modèle, qui sont censées caractériser toute action sociale possible. Ces cinq paires de variables de modèle comprennent les trois

---

15. Talcott Parsons, *The Social System* (Glencoe, The free Press, 1951).
15 bis. Jeffery Duncan Mitchell, *Dictionary of Sociology,* London, Routledge and Keagan Paul, 1967, pp. 130-131.

ensembles définis ci-dessus et utilisés par Hoselitz auxquels s'ajoutent l'*affectivité* et la *neutralité affective*, et l'*auto-orientation* et l'*orientation collective*.

En 1953, Hoselitz exposa pour la première fois sa théorie sous le titre de *Social structure and economic growth*[16] ; il a depuis repris la même thèse (en l'approfondissant, dit-il, dans une note en bas de page) en 1963 sous le titre de *Social stratification and economic development*[17]. Il affirme que les pays développés révèlent les variables de modèle suivantes : l'universalisme, la réalisation (*achievement*) et la spécificité fonctionnelle, alors que les pays sous-développés se caractérisaient par leur contraire : le particularisme, l'assignation (*ascription*) et la diffusion fonctionnelle (*functional diffuseness*). Afin de parvenir au développement, conseille Hoselitz, les pays sous-développés doivent éliminer les variables de modèle du sous-développement et adopter celles du développement. Ajoutons que *EDCC* a consacré un grand nombre de pages à la diffusion de cette approche à l'étude du développement économique et du changement culturel[18].

La validité empirique.

Hoselitz caractérise les pays développés comme étant universalistes et non particularistes. Nous aurons l'occasion de constater que ces pays sont normativement universalistes. Pourtant la réalité, la littérature et même les exégèses sociologiques de plusieurs pays développés révèlent un particularisme important. C'est plus spécialement le cas du Japon[19], de la France[20] et de l'Europe en géné-

---

16. Bert F. Hoselitz, « Social Structure and Economic Growth », *Economia Internazionale*, Vol. 6, n° 3 (août 1953), reproduit dans *Sociological Factors in Economic Development, op. cit.*, chap. 2. Cela ne signifie naturellement pas que ce mode d'approche épuise l'œuvre de Hoselitz. Au contraire, elle embrasse un grand nombre de domaines : sociologie, économie, histoire, etc. D'autre part, cette partie de l'œuvre de Hoselitz organise et résume un très large éventail de travaux dus à d'autres sociologues.

17. Bert F. Hoselitz, « Social Stratification and Economic Development », *International Social Science Journal*, Vol. 16, n° 2 (1964).

18. Outre l'article déjà cité de Levy, voir par exemple « India's Cultural Values and Economic Development : A Discussion », *EDCC*, Vol. 7, n° 1 (octobre 1958) ; Clifford Goertz, « Religious Belief and Economic Behavior in a Central Japanese Town : Some Preliminary Considerations », *EDCC*, Vol. 4, n° 2 (janvier 1956).

19. James Abegglen, *The Japanese Factory* (Glencoe, The Free Press, 1958).

20. Nicole Delefortrie-Soubeyroux, *Les Dirigeants de l'industrie française* (Paris, Armand Colin, 1961).

ral [21], où l'existence du particularisme se manifeste aussi bien parmi les classes supérieures que parmi les classes inférieures. Le particularisme est surtout puissant et généralisé dans la classe ouvrière, tant en Europe [22] qu'aux Etats-Unis, et ce parmi les nouveaux immigrants récemment venus d'Europe et parmi les groupes d'émigrants américains non blancs, qu'ils soient ruraux ou récemment urbanisés. D'ailleurs, un grand nombre de ceux qui, aux Etats-Unis et dans d'autres pays développés, brandissent le drapeau de l'universalisme, dissimulent en fait des intérêts privés à relent particulariste. Nous aurons l'occasion plus loin de constater que les pays développés exportent le particularisme vers les pays sous-développés, le tout étant enveloppé dans des slogans universalistes tels que liberté, démocratie, justice, bien commun, libéralisme économique et libre échange, libéralisme politique et élections libres, libéralisme social et libre mobilité sociale, et finalement libéralisme culturel et libre échange d'idées telles que celles que nous examinons ici même [23].

Hoselitz caractérise également les pays développés comme étant orientés vers la réalisation. Afin d'examiner la contrepartie de cette variable dans la réalité, il importe de la diviser en trois sous-variables : la récompense, le recrutement et la motivation. Aux Etats-Unis, la récompense dans le cadre des rôles assumés est certes étroitement dépendante de la réalisation. Mais le recrutement à l'intérieur d'un rôle, bien qu'étant substantiellement lié à la réalisation au sein des classes moyennes, dépend fortement de l'assignation, tant aux niveaux supérieurs de la gestion des entreprises — comme Granick l'a montré dans sa comparaison des règles de gestion américaines et soviétiques [24] — que parmi la grande masse des pauvres de l' « autre Amérique » *(other America),* ainsi que Michaël Harrington l'a si dramatiquement démontré [25]. L'assignation de certains rôles au Noir américain et la récompense qui en découle sont suffisamment éloquents pour n'appeler aucun commentaire si ce n'est à travers son *Freedom Movement* actuel. En outre, Harrington indique que, loin d'être moins « assignative » *(ascriptive),* la société

21. David Granick, *The European Executive* (Garden City, Doubleday, 1962).

22. Ferdynand Zweig, *The British Worker* (Harmondsworth, Penguin Books, 1962) ; *The Worker in an Affluent Society : Family Life and Industry* (London, Heinemann, 1962) ; Raymond Williams, *Culture and Society 1780-1950* (Harmondsworth, Penguin Books, 1961).

23. Frederick Clairmonte, *Economic Liberalism and Underdevelopment - Studies in the Desintegration of an Idea* (Bombay and London, Asia Publishing House, 1960).

24. David Granick, *The Red Executive* (Garden City, Doubleday, 1960).

25. Michael Harrington, *The Other America, Poverty in the United States* (New York, Macmillan, 1960) ; Gabriel Kolko, *Wealth and Power in America, an Analysis of Social Class and Income Distribution* (New York, Praeger, 1962).

américaine le devient de plus en plus, et ce du haut en bas de l'échelle — niveau moyen inclus.

D'un autre côté, le recrutement des rôles au Japon se fonde pour une large part sur la réalisation, comme Abegglen et d'autres encore l'ont fait observer [26]. Toutefois la récompense au sein du rôle, selon Abegglen, est fortement « assignative » dans la mesure où elle se fonde sur des facteurs tels que l'âge, les obligations familiales, etc. L'importante distinction entre recrutement et récompense (que l'on n'opère que rarement quand on discute de la réalisation ou de l'assignation) et les différences manifestes sur ce plan entre les pratiques japonaise et américaine, semblent expliquer dans une large mesure le désaccord qui existe à ce sujet. Par exemple, Bellan [27] et Levy [28], qui soulignent l'orientation du Japon vers la réalisation comme cause de son développement se réfèrent au recrutement des rôles. En revanche, Abegglen [29], qui insiste sur le schéma de comportement assignatif au Japon, pense apparemment à la récompense dans le cadre des rôles. L'autre variable de réalisation, la motivation individuelle ou « besoin de réalisation », selon le terme de David Mc Clelland [30], alors même qu'elle est de plus en plus confondue avec la catégorie weberienne de l'assignation et de la récompense dans les rôles sociaux, constitue un problème fort différent que nous discuterons au moment d'examiner le troisième mode d'approche.

En troisième lieu, Hoselitz prétend que dans les sociétés développées les rôles sont fonctionnellement spécifiques plutôt que diffus, et que la spécificité des rôles contribue à produire le développement alors que la diffusion des rôles a des effets contraires. Pour juger de cette affirmation, il nous faut d'abord nous interroger sur la pertinence de la dichotomie entre spécificité et diffusion par rapport à la structure de l'interaction étudiée.

Convient-il de distinguer entre, d'une part, la structure de l'interaction entre *ego* et *alter*, structure qui est normalement définie en un rôle diffus en tant que rapport complexe (père-fils, professeur-étudiant, officier-soldat, etc.) et, d'autre part, la structure de l'interaction dans les rôles fonctionnellement spécifiques qui sont intégrés de telle manière que l'*ego* est systématiquement père, professeur, officier, etc., et l'*alter*, fils, étudiant, soldat, etc. ? En un mot, quelle est l'importance de la différence entre la spécificité des rôles et la diffusion des rôles, si les rôles spécifiques socialement significatifs et prédominants se retrouvent assemblés en un homme ou en une poignée d'individus « portant plusieurs chapeaux » soit simultané-

26. James ABEGGLEN, *op. cit.*

27. Robert BELLAH, *Tokugawa Religion* (Glencoe, The Free Press, 1957).

28. Marion J. LEVY, *op. cit.*

29. James ABEGGLEN, *op. cit.*

30. David MAC CLELLAND, *The Achieving Society, op. cit.*

ment soit successivement et en ordre rapide et institutionnalisé ? En effet il s'agit là de la structure des rôles « fonctionnellement spécifiques » de la société, où d'après C. Wright Mills, la minorité régnante domine ce que le président Eisenhower a dénommé le « complexe militaro-industriel » et dans laquelle Douglas Dillon de la Dillon and Reed and Cᵒ vient siéger au cabinet en tant que secrétaire du Trésor (ministre des Finances) ; dans laquelle Robert McNamara, président-directeur général de la Ford Motor Company, devient secrétaire à la Défense — en succédant à « Engine Charley » Wilson, auteur du célèbre *bon mot* ° : « Ce qui est bon pour la General Motors est bon pour tout le pays » ; et dans laquelle le gros des commandes militaires s'adresse à une demi-douzaine de firmes géantes qui emploient un très grand nombre d'officiers de haut rang en retraite [31].

Notre propre profession n'est pas aussi isolée de cette structure des rôles que Hoselitz pourrait nous le faire croire en parlant de la spécificité des rôles : les *brain trusts* de Roosevelt et de Kennedy ont coopté toute une série de spécialistes des sciences sociales. L'aide apportée au développement des pays sous-développés par l'historien de Harvard Arthur Schlesinger Jʳ a jusqu'ici consisté à rédiger le célèbre Livre blanc sur Cuba qui cherchait à justifier l'invasion imminente de la Baie des Cochons. Il a plus tard avoué avoir menti au sujet de l'invasion, et ce « dans l'intérêt de la nation ». L'économiste de l'université de Stanford, Eugène Staley, a écrit *The Future of Underdeveloped Countries* [32] qu'il a ensuite intégré dans le notoire plan Staley-Taylor (il s'agit bien du *général* Maxwell Taylor) qui visait à placer quinze millions de Vietnamiens dans des camps de concentration pudiquement qualifiés de « hameaux stratégiques ». Depuis l'échec de cet effort pour planifier le développement, l'historien de l'économie Walt Whitman Rostow du *Massachusetts Institute of Technology* a gravi de nouveaux degrés dans cette voie en rédigeant *The Stages of Economic Growth, A Non-Communist Manifesto* [33]. Il a défini ces étapes alors qu'il se trouvait au *Center for*

° En français dans le texte. (N. du T.)

31. C. Wright MILLS, *L'élite du pouvoir* François Maspero, Paris 1969 ; Fred J. COOK, *The Warfare Sate* (New York, Macmillan, 1962) ; voir aussi Tristan COFFIN, *The Armed Society* (Baltimore, Penguin Books, 1964).

32. Eugene STALEY, *The Future of Underdeveloped Countries* (New York, Harper, 1964).

33. Walt Whitman ROSTOW, *The Stages of Economic Growth, A Non-Communist Manifesto* (Cambridge, University Press, 1962) (*Les étapes de la croissance économique*, Paris, le Seuil, 1960). Dans le portrait de Rostow récemment dessiné par le *New York Times*, il est dit ceci : « Depuis que McGeorge Bundy et Bill D. Moyers ont quitté la Maison Blanche, M. Rostow, ancien professeur au Massachusetts Institute of Technology, est devenu le porte-parole de la Maison Blanche pour les affairse étrangères (...). Il organise maintenant les lunchs-conférences présidentiels du mardi et y prend part. Le secrétaire d'Etat Dean Rusk,

International Studies on the Charles River — qui est financé par la C.I.A. — et il les a rendus opérationnels sur les bords du Potomac en tant que directeur de politique générale et de planification (Director of Policy and Planning) du président Kennedy auprès du Département d'Etat (ministère des Affaires étrangères) et en sa qualité de principal conseiller du président Johnson pour le Vietnam. C'est au nom de la croissance économique vietnamienne que Rostow est devenu le principal architecte de l'escalade, du napalm sur le Sud, des bombardements sur le Nord et ainsi de suite. Puis sans aucun doute à cause du particularisme universaliste et de l'assignation réalisée, Eugène Rostow, après avoir professé le droit international à l'université de Yale, s'en va le pratiquer aux côtés de son frère à Washington. Pendant ce temps, ayant rempli son rôle de doyen des Humanités à Harvard, Mc George Bundy devient le supérieur de W.W. Rostow à Washington où il paraît sur les écrans de télévision pour expliquer aux incrédules et aux trompés en quoi cette théorie et cette politique de développement économique sont humanitaires ; après quoi il s'en va diriger la Ford Foundation et présider à l'influence qu'elle exerce sur l'éducation et la recherche. A la lumière des rôles multiples, manifestes et institutionnalisés et de la « diffusion » de ces doyens de l'érudition humaniste et de ces professeurs de science sociale appliquée, la direction clandestine du projet Camelot par le département de la Défense et le financement de l'Union nationale des étudiants des Etats-Unis par la C.I.A. ne sont que des épisodes insignifiants.

Toutefois, ce qui intéresse Hoselitz et nous-mêmes, c'est le développement économique et le changement culturel des *pays sousdéveloppés*. Il est par conséquent plus important d'examiner la réalité du sous-développement et la définition erronée qu'en donne Hoselitz à partir de la méthode des types idéaux. Hoselitz caractérise les pays sous-développés comme étant particularistes plutôt qu'universalistes. Et pourtant, normativement, les pays sous-développés sont également fort universalistes. Il suffit de jeter un coup d'œil sur la presse, la radio et une bonne part de l'idéologie éducative de n'importe quel pays sous-développé pour y trouver autant d'universalisme que dans les institutions correspondantes des pays développés. Le journal le plus influent du Mexique consacre plus de copie aux Etats-Unis « universalistes » que le *New York Times* n'en publie sur l'ensemble du monde hors des Etats-Unis ; et une revue américaine, le *Reader's Digest*, qui excelle à répandre les normes et l'idéologie américaines et « universalistes », jouit au Mexique d'une plus grande diffusion que l'ensemble des huit principaux magazines mexicains [34]. Ce qui, en un sens, donne raison

le secrétaire de la Défense Robert S. McNamara et le secrétaire à l'Information George Christian sont d'habitude les seuls autres invités. » *New York Times*, 13 avril 1967.

34. Pablo Gonzales CASANOVA, *La Démocratie au Mexique*, Anthropos éd., Paris, 1965, p. 202.

à Hoselitz, c'est le fait que ce type d'universalisme n'est guère plus profond dans les pays développés que dans les pays sous-développés ; en effet, là aussi il ne sert en fait que de façade à un particularisme sous-jacent. D'un autre côté, il existe dans les pays sous-développés certaines formes d'universalisme indépendamment de la façade superficielle constituée par les organes particulièrement chargés de la formation de l'opinion publique. Il y a des grèves générales et des grèves politiques blâmées par tant de ces mêmes observateurs des pays développés ; il existe aussi un nationalisme militant qui fait froncer les sourcils à ces mêmes observateurs comme allant à l'encontre du bien universel et, partant, du bien particulier de tel ou tel pays sous-développé ; on trouve également dans les pays sous-développés un large soutien accordé aux mouvements anti-colonialistes et antinéocolonialistes que les pays développés combattent par la force des armes et par une propagande prétendument universaliste pour la liberté, etc., au Vietnam, en Malaisie, au Congo, dans la République Dominicaine et ailleurs. Tout cela semble indiquer que l'universalisme est après tout un phénomène fort répandu et profondément enraciné dans les pays sous-développés parmi des groupes qui ne sont pas les équipes privilégiées dirigeant les organes de communication universalistes.

Hoselitz s'écarte encore plus de la réalité lorsqu'il déclare que, dans les pays sous-développés, les rôles sociaux, économiques et politiques sont presque exclusivement répartis en termes de normes assignatives. Il affirme nettement que les pays sous-développés n'accordent que peu d'intérêt à la réalisation économique dans leur détermination du statut social et que leur leadership politique est principalement déterminé selon des normes assignatives [35]. Ceux qui n'ont jamais vécu dans le « château » universaliste des sciences sociales américaines seront choqués de constater que Hoselitz et bien d'autres avec lui qualifient d'assignatif le leadership politique national engendré par les interminables putsches militaires d'Amérique latine [36], et par l'émergence des bourgeoisies « nationales » à travers l'Afrique [37]. Pourtant, le caractère irréel de la conception populaire américaine du monde — conception qui est ostensiblement « scientifique » — permet à Hoselitz et à d'autres de suggérer que le pouvoir politique latino-américain se trouve aux mains de quelque

---

35. Bert F. Hoselitz, « Social Stratification and Economic Development », *op. cit.*

36. John J. Johnson, ed., *The Role of the Military in Underdeveloped Countries* (Princton, Princeton University Press, 1962) ; *The Military and Society in America* (Stanford, Stanford University Press, 1964) ; Edwin Lieuwen, *Arms and Politics in Latin America* (New York, Praeger, 1960) ; *Generals and Presidents, Neo-militarism in Latin America* (New York, Praeger, 1964).

37. Frantz Fanon, *Les Damnés de la terre* Maspero, Paris, 1961 ; mal traduit en anglais et publié sous le titre de *The Wretched of the Earth* (New York, Grove Press, 1966).

oligarchie foncière traditionnelle ou même féodale. Les tenants de cette conception refusent de comprendre que, dans tous les pays capitalistes sous-développés, le pouvoir réel, qu'il soit militaire ou civil, appartient (même s'il est exercé par des nationaux) à ceux qui occupent les rôles les plus élevés dans l'organisation économique et, plus particulièrement, à ceux qui ont des liens commerciaux et financiers avec la métropole développée [38]. Cette métropole est de plus en plus constituée par les Etats-Unis — ce point stratégique à partir duquel ces spécialistes des sciences sociales effectuent leurs curieuses observations et nous donnent d'étranges descriptions concernant la partie sous-développée du monde. En Asie, en Afrique et en Amérique latine, qui sont des régions prétendues assignatives, de nombreux occupants de ces rôles économiques et politiques dominants ont atteint leur position par leur réalisation, et cela tout récemment. Cela étant d'ailleurs plus vrai dans ces zones que dans les pays développés d'Europe et d'Amérique du Nord [39] orientés vers la réalisation. Nous voyons ainsi que, dans les pays sous-développés, l'attribution des rôles économiques et politiques les plus importants découle nettement de la réalisation et non de l'assignation.

Il faut toutefois noter que, dans les pays sous-développés, l'attribution des rôles par la réalisation est également fréquente pour les rôles d'échelon inférieur. Tel a été au moins le cas depuis que la pénétration mercantiliste et capitaliste a complètement transformé ces sociétés, et souvent depuis plusieurs siècles. Seuls les spécialistes des sciences sociales de la métropole conquérante semblent incapables de voir avec quelle efficacité cette pénétration a intégré ces sociétés au système mondial dominant et avec quel degré d'universalisme ce système a imposé son organisation sociale et l'aliénation qui en découle pour les peuples que Frantz Fanon a appelés les « damnés de la terre » [40].

Evidemment, la répartition des récompenses dans les pays sous-développés, au moins en ce qui concerne les rôles les plus élevés, est également déterminée par la réalisation, au sens que Hoselitz

---

38. José Luis CECENA, *El Capital Monopolista y la Economia di Mexico* (Mexico, Cuadernos Americanos, 1963) ; Ricardo LAGOS, *La Concentracion del Poder Economico en Chile* (Santiago, Editorial del Pacifico, 1961) ; Carlos MALPICA, *Guerra a Muerte al Latifundio* (Lima, Ediciones Voz Rebelde, 1963) ; Jacinto ODDONE, *La Burguesia Terrateniente Argentina* (Buenos Aires, Populares Argentinas).

39. Voir par exemple José Luis DE IMAZ, *Los que Mandan* (Buenos Aires, EUDEBA, 1964).

40. Frantz FANON, *op. cit.* Il y a longtemps que Rosa Luxemburg a observé le degré de pénétration capitaliste dans les pays sous-développés, cela dans son livre *L'Accumulation du capital*, François Maspero éd., Paris 1967, surtout Section 3. J'ai exploré le même domaine dans le livre *Capitalisme et sous-développement en Amérique latine, op. cit.* « El Nuevo Confusionismo del Precapitalismo Dual en America Latina », *Economia* (Mexico), n° 4 (mai-juin 1965).

donne à ce terme. Dans les économies sous-développées monopolistiques, plus encore que dans les économies développées, le succès financier se détermine par la spéculation heureuse et l'extorsion ; la répartition du revenu qui en découle se trouve être encore plus inégale. Il semble donc que, contrairement aux affirmations de Hoselitz, l'assignation dans les pays sous-développés [41] compte pour moins et la réalisation pour plus dans la distribution des récompenses. (Cela pose l'hypothèse que, selon nos normes universalistes, il nous est possible de qualifier ce type de succès de « réalisation » ; c'est là ce que nous voudrions éviter.)

Enfin, Hoselitz déclare que, dans les pays sous-développés, les rôles sont fonctionnellement diffus plutôt que spécifiques. Cela est partiellement vrai. Dans les pays sous-développés, les pauvres, qu'ils soient classés comme travaillant dans le secteur primaire, secondaire ou tertiaire, pratiquent en effet plusieurs métiers à la fois : dans leur lutte pour survivre, ils sont agriculteurs, commerçants, colporteurs, artisans, travailleurs d'occasion, voleurs et fournisseurs de sécurité sociale au bénéfice d'autrui [42]. A l'autre extrémité de l'échelle socio-économique, les rôles ne sont pas moins diffus. Il n'est que de lire la presse quotidienne ou de subir les conséquences de la domination monopoliste pour savoir que les rôles de domination sont en fait diffus, ainsi que le suggère Hoselitz, et également que les rôles économiques sont prédominants dans le cadre de cette domination, ce que nie Hoselitz. En outre, il convient également d'observer que, dans les sociétés sous-développées, toute une série de rôles intermédiaires occupés par certains membres des classes moyennes tels que les officiers de l'armée, les bureaucrates gouvernementaux, les cadres subalternes, les administrateurs, les policiers et d'autres encore, sont fonctionnellement fort spécifiques. Leurs titulaires servent la fonction spécifique consistant à faire marcher l'ensemble du système d'exploitation dans le sens diffus, mais particulier, de ceux qui sont parvenus à la domination, tout comme l'administrateur d'une plantation dirige la plantation et les esclaves du propriétaire selon les intérêts de ce dernier. Il n'est sans doute pas étonnant de constater que c'est précisément parmi les occupants de ces rôles intermédiaires que les valeurs universalistes sont prédominantes [43].

41. Commission économique des Nations unies pour l'Amérique latine, *The Economic Development of Latin America in the Post-War Period* (New York, United Nations, 1963), E/CN. 12/659.

42. Commission économique des Nations unies pour l'Amérique latine, *The Social Development of Latin America during the Post-War Period* (New York, United Nations, 1963), E/CN. 12/660.

43. Theodore R. Crevanna, ed., *Materiales para el Estudio de la Clase Media en America Latina* (Washington, Union Panamericana, 6 volumes, 1950-1951) ; Marshall Wolfe, *Las Clases Medias en Centro America : Caracteristicas que Presentan en la Actualidad y Requisistos para su Desarrollo* (New York, Nations unies, E/CN. 12/CCE/Rev. 2), et Nations

En un mot, si nous examinons les modèles des rôles sociaux dans les pays développés et sous-développés, au lieu d'être aveuglés par une grossière perspective de « types idéaux », dérivée d'un wébérisme plus ou moins dégénéré, nous pourrons conclure que les caractéristiques que Hoselitz et d'autres attribuent aux pays développés et sous-développés débouchent sur une conception déformée et inadéquate de la réalité sociale. Il s'agit là cependant de l'insuffisance la moins grave parmi celles que l'on peut relever dans la manière dont Hoselitz et d'autres abordent le développement économique et le changement culturel. Qu'il soit si facile de mettre en cause la validité d'une telle conception du développement et du sous-développement — à savoir que Hoselitz découvre quelques éléments de particularisme, d'assignation et de diffusion dans les pays sous-développés, alors que nous pouvons aisément y trouver universalisme, réalisation et spécificité — indique déjà qu'aucun des modèles de variables soulignés par Hoselitz, n'est important pour ce qui est de caractériser le développement et le sous-développement, ou n'est crucial pour les déterminer. D'où le soupçon qu'il ne s'agit pas là des facteurs importants les plus déterminants pour le développement et le sous-développement ; en d'autres termes, on peut très sérieusement remettre en question l'adéquation théorique et l'ensemble de l'approche de Hoselitz.

L'adéquation théorique.

Ayant ainsi remis en cause la validité empirique des hypothèses de Hoselitz, il nous est possible d'examiner l'adéquation théorique de sa thèse. En premier lieu, nous examinerons son choix des rôles à étudier ; en deuxième lieu, son choix d'un système social à analyser ; et, finalement, nous aborderons le point le plus important, à savoir la manière dont il traite la structure sociale du développement et du sous-développement.

Il est sans doute préférable d'aborder cette étude en se demandant comment Hoselitz et nous-mêmes pouvons différer à ce point dans notre manière de caractériser le modèle des variables ou des rôles dans les pays sous-développés. La réponse se trouve partiellement dans la différence qui existe entre les rôles que nous considérons comme étant importants pour le développement et le sous-développement. Il apparaît que, dans l'analyse de Hoselitz, tous les rôles ont à peu près le même poids quand il s'agit de caractériser et de déterminer le sous-développement. Ainsi, la recette de Hoselitz pour parvenir au développement est d'amener le maximum de

---

unies, *Le Développement social de l'Amérique latine, op. cit.* ; John L. JOHNSON, *Political Change in Latin America, The Emergence of the Middle Sectors* (Stanford, Stanford University Press, 1958).

rôles — on pourrait presque ajouter : et quels que soient ces rôles — à cesser d'être particularistes, assignatifs et diffus pour devenir universalistes, fondés sur la réalisation et fonctionnellement spécifiques. Plus le changement quantitatif des rôles qui passent d'un modèle à l'autre est important et plus le développement sera, semble-t-il, important. Notre conception, en revanche, a plutôt mis l'accent sur les rôles situés dans les échelons supérieurs des systèmes de stratification économique et politique, ainsi que sur un petit nombre de rôles à l'échelon inférieur dans la mesure où ils sont plus importants pour le développement que de simples « rôles en général ».

Si les rôles sociaux n'ont pas tous le même poids et la même importance dans le développement et le sous-développement — ce qui semble évident —, alors il n'est pas légitime de leur attribuer un poids égal au niveau de la théorie. Si, comme Hoselitz, nous élaborons des modèles idéaux de rôles-types pour le développement et le sous-développement (ce qui constitue déjà en soi une procédure douteuse), alors en construisant le type idéal, nous devons sûrement attribuer un poids supérieur aux rôles qui sont en fait les plus importants pour le développement et le sous-développement, même s'ils sont moins nombreux. Toutefois, lorsqu'il caractérise les sociétés tant développées que sous-développées, Hoselitz évite systématiquement de se livrer à l'examen spécifique des rôles économiques et politiques situés au sommet de l'échelle sociale. Si Hoselitz prêtait à ces rôles le poids qui est clairement le leur dans la détermination du développement ou du sous-développement, il ne lui serait pas possible de caractériser comme universaliste, orientée vers la réalisation et fonctionnellement spécifique, une société dans laquelle l'équipe dirigeante du complexe industriel-gouvernemental-militaire poursuit des fins particularistes ; ou de caractériser comme particularistes, assignatifs et fonctionnellement diffus les pays qui sont gouvernés par des oligarchies détenant un pouvoir économique, politique et militaire dérivé de privilèges monopolistes commerciaux et qui ont recours fréquemment à la force armée pour protéger et renforcer ces privilèges. Il lui serait encore moins possible de faire reposer ses arguments théoriques relatifs au développement et au sous-développement sur une telle base empirique.

En deuxième lieu, nous pouvons nous poser la question de savoir à quel univers social pense Hoselitz, quand il dit que le développement est caractérisé par certaines variables et le sous-développement par d'autres. Hoselitz et de nombreux autres auteurs associent le particularisme, l'assignation et la diffusion en milieu sous-développé à la famille extensive, à la tribu primitive, à la communauté ethnique *(folk community)*, au secteur traditionnel d'une société dualiste, ainsi qu'aux pays sous-développés et à une fraction du monde en général. Mais jamais n'est effectuée la liaison avec la partie développée du monde, ni avec l'organisation sociale actuellement dominante dans le monde pris dans son ensemble. En

31

vérité, il ne semble pas s'intéresser au problème de savoir où le changement devrait se produire puisqu'en discutant du sous-développement, après avoir mentionné l'un de ces points, il passe aisément et presque imperceptiblement à un autre, en laissant naturellement toujours de côté les deux derniers points. Hoselitz n'élucide jamais quel est au juste l'ensemble social dont il voudrait transformer les modèles de rôles pour les faire passer d'un ensemble de variables à un autre afin d'engendrer le développement. A ce niveau, l'inadéquation théorique est encore plus éclatante ; en effet, il contredit la règle généralement acceptée de la théorie sociale, et de toute théorie scientifique qui commande de rechercher, pour s'y référer, le système global dans le cadre duquel la réalité (en l'occurrence le sous-développement) peut être expliquée et transformée. Le système social qui est aujourd'hui l'élément déterminant du sous-développement n'est certainement pas la famille, ni la tribu, ni la communauté, ni l'une des parties d'une société dualiste ni même, comme nous chercherons à l'établir ci-dessous, tel ou tel pays ou groupe de pays sous-développés considérés isolément.

Les caractéristiques ethniques *(folk)* étudiées par Robert Redfield et que Hoselitz semble associer aux variables de modèle de la société sous-développée ne caractérisent globalement aucune société actuellement existante. Au mieux peuvent-elles caractériser des « sociétés tribales » dont un nombre minime connaît aujourd'hui encore l'indépendance. Redfield lui-même n'a jamais parlé qu'en termes de sociétés ethniques non tribales lorsqu'il a étudié pour la première fois le Yucatan et le Tepotzlan. Et même alors il a intitulé son livre *The Folk Culture of Yucatan* [44]. Lorsque, plus tard, il s'est consacré à la société et la culture paysannes *(Peasant Society and Culture)* [45], Redfield s'est longuement efforcé de montrer que les paysans que l'on peut caractériser ethniquement ne vivent que dans des *fractions* de sociétés, dans la mesure où ils ne sont paysans qu'en vertu de leur rapport avec la ville, dont la fonction sert de complément à la leur dans le cadre du même ensemble social qui les incorpore tous deux. D'un autre côté, dans son étude de la communauté paysanne guatémaltèque de Cantel [46], Manning Nash lui-même a indiqué que l'apparence des caractéristiques universalistes orientées vers la réalisation, et fonctionnellement spécifiques, associées au syndicalisme ouvrier — et leur nouvelle disparition après le putsch militaire de 1954 dont John Foster Dulles était

---

44. Robert Redfield, *The Folk Culture of Yucatan* (Chicago University Press, 1941) ; « The Folk Society », *American Journal of Sociology*, vol. 42, n° 4 (janvier 1941).

45. Robert Redfield, *The Little Community and peasant Society and Culture* (Chicago University Press, 1960) ; voir aussi *The Primitive World and its Transformations* (Ithaca, Cornell University Press, 1955).

46. Manning Nash, *Machine Age Maya* (Glencoe, The Free Press, 1958).

si fier — doit être suivie au-delà des frontières de la communauté et jusqu'au système national. Compte tenu de l'origine notoire de ce coup d'Etat militaire, nous pourrions ajouter que cette apparence devrait même être rapprochée du fonctionnement et de la structure du système international que Hoselitz ne mentionne jamais, mais dont Cantel, le Guatemala, et tous ses habitants constituent des parties intégralement — sinon heureusement — déterminées. Du point de vue empirique, théorique ou politique, il n'est donc pas indifférent de savoir quel système social sera choisi pour être étudié ou transformé en vue de promouvoir son développement économique. Le choix de Hoselitz est empiriquement inacceptable parce qu'il ne se propose pas d'étudier le système dont les caractéristiques sont déterminantes pour le développement et le sous-développement. Sa méthodologie est insatisfaisante sur le plan théorique parce qu'il ne se réfère pas à l'ensemble social déterminant ainsi que le conseille Redfield aux spécialistes des sciences sociales [47].

En troisième lieu, l'exposé de Hoselitz sur le développement économique et le changement culturel n'est pas satisfaisant pour des raisons théoriques encore plus importantes : son analyse contredit son propre titre *Social Structure and Economic Growth* (structure sociale et croissance économique), dans la mesure où il néglige la structure et plus spécialement la structure du développement. Les déficiences d'ordre empirique et théorique que nous avons discutées plus haut à propos d'analyses semblables à celle de Hoselitz font évidemment partie intégrante de cette négligence. Toutefois, la carence de ceux qui utilisent cette méthode d'approche sans tenir dûment compte de la structure prend une importance si lourde de conséquences qu'elle appelle des observations particulières.

Hoselitz suit l'exemple de Talcott Parsons qui, pour célébrer le centième anniversaire du *Manifeste communiste,* applique la signification théorique et les conséquences politiques de sa propre théorie et de celle de la « sociologie moderne ».

« Marx tendait cependant à considérer la structure socio-économique de l'entreprise capitaliste comme une entité unique et indivisible plutôt qu'à la décomposer par l'analyse en une série de variables distinctes. C'est justement cette décomposition analytique qui constitue, en ce qui nous concerne ici, le trait le plus typique de l'analyse sociologique moderne [...] Il en résulte une modification de l'optique marxiste [...] L'accent structural principal n'est plus placé sur [...] la théorie de l'exploitation, mais plutôt sur la structure des rôles fonctionnels... » [48]

Le bien-fondé de l'analyse de cette méthode par Parsons est déjà empiriquement déterminé par la méthodologie susmentionnée de

---

47. Robert REDFIELD, *The Little Community, op. cit.*

48. Talcott PARSONS, « Social Classes and Class Conflict in the Light of Recent Sociological Theory », dans *Essays in Sociological Theory* (rev. éd., Glencoe, The Free Press, 1954), p. 324.

Hoselitz consistant à limiter son propos à la somme arithmétique des rôles sociaux en général et à laisser dans l'oubli tout ce qui concerne la structure sociale, politique et économique de la société particulière étudiée.

En cela, Parsons, Hoselitz et, de manière générale, tous les récents théoriciens de la sociologie ne modifient pas seulement la pensée de Marx, mais ils s'écartent également de Weber. Le structuralisme et le globalisme *(holism)* de Parsons se bornent à l'analyse d'un modèle totalement abstrait d'une ou de toutes les sociétés réelles ou imaginaires ; il ne s'agit pas d'étudier telle ou telle société réellement existante. Marx et Weber, s'ils se sont fondés sur des modèles et des types idéaux d'ordre théorique, ont toujours refusé de s'écarter pareillement de la réalité. Certains autres théoriciens récents — comprenant surtout des anthropologues sociaux de l'école structuraliste-fonctionnaliste britannique, qui se sont consacrés à l'étude de sociétés globales existantes — ne respectent pas les normes de la sociologie classique par certains autres points. Ils sélectionnent de petites « sociétés » situées en Afrique ou ailleurs, les étudient et les analysent comme si elles étaient dotées d'une existence isolée et indépendante du système impérialiste dont elles faisaient intégralement partie au moment de l'étude. Hoselitz abandonne la sociologie classique et fait franchir de nouvelles étapes à la sociologie moderne. Il abandonne le globalisme structural de Parsons comme ne convenant qu'à des entités globales abstraites. Pourtant il ne se joint pas aux anthropologues qui partent sur le terrain pour étudier la structure sociale d'« ensembles » sociaux. Hoselitz rejette allègrement le globalisme comme le structuralisme pour se consacrer aux variables de modèles. Les théoriciens ci-dessus se séparent encore plus de la théorie classique, ce qui constitue un handicap des plus sérieux pour ceux qui souhaiteraient étudier le développement économique et le changement culturel. Au mieux la « théorie sociologique moderne » fait-elle appel au globalisme et au structuralisme pour expliquer l'existence des parties ou simplement pour démontrer les relations qui existent entre elles, mais non pour analyser ou rendre compte de l'existence de la structure sociale dans son ensemble. En conséquence, ces théoriciens qui prétendent analyser le *développement* et le *changement* culturel négligent de faire porter leur analyse théorique sur les origines passées, les transformations présentes, ou les perspectives futures du système social existant en tant que tel.

Pourtant Hoselitz et — comme nous le verrons — les partisans des deuxième et troisième modes d'analyse franchissent tous un nouveau pas qui les éloigne encore de Parsons et les entraîne bien au-delà de ce que Weber aurait osé imaginer dans sa fantaisie la plus déchaînée. Ils prétendent que, pour éliminer le sous-développement et engendrer le développement, il n'est que de transformer certaines variables, certains rôles ou certaines parties du système social — en d'autres termes il n'est guère nécessaire selon eux de changer la structure du système lui-même. En toute logique, Hoselitz et les autres ne peuvent adopter cette position qu'en se ralliant à l'une ou l'autre des hypothèses suivantes : 1) le sous-développement et le développement sont uniquement liés aux caractéristiques de la simple majorité des rôles de la société, et non pas à la structure de cette société ; 2) étant donné que le développement et le sous-développement sont liés à la structure du système social, la structure du système peut être transformée par le simple changement de certaines de ses parties ou de leurs caractéristiques. La première de ces hypothèses s'oppose directement à toutes les normes de la théorie sociale scientifique ; la seconde est en contradiction avec l'ensemble de la réalité empirique.

On ne saurait trop insister sur l'importance des fautes d'ordre empirique et théorique que comporte l'approche de Hoselitz et de ceux qui le suivent dans cette voie. La réalité empirique que nous avons discutée révèle bien que cette critique de Hoselitz et consorts, fondée sur des considérations théoriques, ne repose absolument pas sur un appel isolé à des normes théoriques arbitraires. Il faut ajouter que le poids des normes scientifiques, que ces analyses ne respectent pas, ne découle pas tant de leur caractère universellement reconnu que de leur réalisme et de leur efficacité : si, dans leurs observations et leurs analyses du développement économique et du changement culturel, Hoselitz et les autres avaient suivi ces normes du structuralisme et du globalisme, ils n'en seraient pas venus à la conclusion empiriquement erronée selon laquelle c'est l'attribution assignative des rôles en général qui maintient les pays sous-développés dans leur état. Ils se seraient non seulement rendu compte que, dans les pays sous-développés, les rôles politiques et économiques fondamentaux sont assignés et récompensés par la réalisation — et c'est en l'occurrence le moins que l'on puisse dire puisque après tout ce n'est ni l'assignation ni la réalisation qui importe vraiment —, mais également que ces rôles et leurs détenteurs ne représentent rien d'autre que quelques-unes des manifestations de la véritable structure du développement et du sous-développement dans un système mondial qui engendre ces rôles, dont les détenteurs ont à leur tour pour fonction de maintenir le système et, de manière plus particulière, le sous-développement.

L'efficacité opérationnelle.

Trois exemples suffiront à montrer que les recettes de Hoselitz concernant la politique à suivre n'aboutissent pas aux conséquences prévues. En premier lieu, si nous voulons en croire C. Wright Mills [49] ou William H. Whyte [50], l'existence ou le renforcement de

49. C. Wright MILLS, *L'élite du pouvoir, op. cit.*
50. William H. WHYTE, Jr., *L'homme de l'organisation*, Paris, Plon, 1957.

l'assignation et de la fonctionnalité diffuse des rôles dans les milieux gouvernementaux, militaires et d'affaires aux Etats-Unis n'ont pas à ce jour réduit ce pays au sous-développement. Le deuxième point qui nous paraît significatif est le suivant : la réalisation supposée de rôles fonctionnellement spécifiques et la poursuite de normes universelles parmi, par exemple, les magnats des affaires et leurs exécutants militaires en Amérique latine n'ont pas à ce jour provoqué le développement de leur pays, et rien n'indique qu'ils soient en voie de le faire.

Le troisième point — qui n'est sans doute pas le plus important — qui apporte une nouvelle contradiction à la thèse de Hoselitz offre un intérêt particulier dans la mesure où il nous est fourni par Hoselitz lui-même. Ainsi que nous l'avons déjà vu, les variables de modèle de développement de Hoselitz s'associent en particulier à la montée des classes moyennes ; et des spécialistes de l'Amérique latine tels que Johnson [51] aux Etats-Unis et Gino Germani [52] en Argentine, ainsi que d'autres, ont soutenu que, plus la mobilité sociale est grande et la classe moyenne importante, plus le développement peut se produire. Pourtant Hoselitz a récemment pris l'initiative de tester sa thèse en la confrontant avec la dure réalité latino-américaine. Il a pu y constater, selon ses propres écrits, que les pays disposant des classes moyennes les plus importantes, à savoir l'Argentine et le Chili, ne sont nullement ceux qui présentent le plus de développement [53]: Il convient toutefois de souligner trois points concernant les classes moyennes en Amérique latine. *Primo,* leur structure sociale correspond étroitement à celle à laquelle Hoselitz souhaite imputer le développement économique et le changement culturel. *Secundo,* comme dans l'Allemagne nazie et l'Italie fasciste, ce sont précisément ces couches moyennes qui fournissent principalement le soutien « populaire » accordé aux dictatures militaires ultra-réactionnaires ; cette attitude s'est manifestée de manière particulièrement impressionnante à l'occasion du putsch militaire brésilien en 1964 [54]. *Tertio* — et il s'agit là d'un fait qui n'est pas sans rapport avec le précédent ou avec le caractère chimérique des recettes proposées par Hoselitz, Johnson, Germani, et d'autres —, on constate que dans tous les pays sous-déve-

---

51. John J. Johnson, *Political Change in Latin America, op. cit.* ; « The Political Role of the Latin American Middle Sectors », *The Annals of the American Academy of Political and Social Science,* vol. 334 (mars 1961).

52. Gino Germani, *Politica y Sociedad en una Epoca de transición* (Buenos Aires, Paidos, 1962) ; *Politica e Masse* (Belo Horizonte, Publicacoes de Revista Brazileira de Estudos Politicos, 1960).

53. Bert F. Hoselitz, « Economic Growth in Latin America », *Contributions to the First International Conference in Economic History,* Stockholm, 1960 (The Hague, Mouton et Co, 1960).

54. V. p. 310, « L'éviction de Goulart ».

loppés (comme d'ailleurs aussi aux Etats-Unis, ainsi que l'a récemment démontré Gabriel Kolko [55]) lorsque le revenu de ces classes moyennes augmente, il le fait non pas tant aux dépens des riches qu'aux dépens de la grande masse des pauvres dont le revenu en termes relatifs et même absolus est ainsi réduit, dans ces pays, à un niveau inférieur [56]. Dans les pays sous-développés, le développement économique et le changement culturel par la promotion et la montée des classes moyennes (ou de leurs variables de modèle) n'ont pu se produire parce que — entre autres raisons — il est matériellement impossible qu'un tel phénomène ait lieu, compte tenu de la structure du système qui ne peut conduire qu'à la poursuite du sous-développement pour la majorité.

Les étapes de la croissance.

Dans la première méthode des types idéaux que Nash appelle *index method* et que nous qualifions de « méthode de l'écart » *(gap approach)*, il nous est possible de distinguer une deuxième variante. Ici, l'identification de l'écart entre les caractéristiques du développement et celles du sous-développement comprend la spécification des étapes intermédiaires et de leurs caractéristiques. Bien que Nash ait mentionné Rostow en liaison avec ses travaux antérieurs sur les propensions au développement [57], il est préférable de prendre *les étapes de la croissance économique (stages of Economic Growth* [58]*)* comme exemple de cette variante de la première méthode. Notre examen et notre évaluation de l'approche de Rostow et d'autres méthodes fondées semblablement sur des « étapes » exigeront moins de temps dans la mesure où une bonne partie des critiques adressées à Hoselitz s'applique également à ces méthodes et où, de plus, les « étapes » de Rostow ont déjà fait l'objet de bon nombre de critiques spécifiques de la part d'autres auteurs [59]. Nous

55. Gabriel Kolko, *Wealth and Power in America, op. cit.*

56. Anibal Pinto, « Concentracion del Progreso Tecnico y de sus Frutos en el Desarrollo Latinoamericana », *El Trimestre Economico,* vol. 32, n° 125 (janvier-mars 1965). Voir aussi son *Chile : Una Economia Dificil* (Mexico, Fondo de Cultura, 1965).

57. Walt Whitman Rostow, *The Process of Economic Growth* (New York, Norton, 1952).

58. W. W. Rostow, *The Stages of Economic Growth, op. cit.*

59. Néanmoins, la plupart des critiques adressées à l'ouvrage de Rostow ont été superficielles et se sont limitées à des querelles de détails portant sur la détermination des étapes. Ce caractère superficiel de la critique est patent dans les « Appraisals and Critiques » de la « Doctrine de Rostow » par Meier, Kuznets, Cairncross, Habbakuk et Gerschenkron dans *Leading Issues in Development Economics,* ed. Gerald Meier (New York, Oxford University Press, 1964). Un simple fait révèle l'étroitesse

prétendons toutefois que les *étapes de la croissance économique* de Rostow appellent une critique plus fondamentale encore, sur un plan aussi bien empirique que théorique et politique.

D'après Rostow, « on peut dire de toutes les sociétés qu'elles passent par l'une des cinq phases suivantes : la société traditionnelle, les conditions préalables du démarrage, le démarrage, le progrès vers la maturité, et l'ère de la consommation de masse ».

Examinons d'abord la société traditionnelle : c'est celle dont la structure est déterminée par des fonctions de production limitées, fondées sur la science et la technologie prénewtoniennes et sur des attitudes prénewtoniennes à l'égard du monde physique.

La seconde étape de la croissance est celle où se trouvent les sociétés en voie de transition, lorsqu'elles créent les conditions préalables au démarrage ; il faut du temps en effet pour que la société traditionnelle subisse la transformation qui lui permettra d'utiliser les ressources de la science moderne, d'empêcher une diminution des revenus, et ainsi de jouir des bienfaits et des options que lui offre l'accumulation des intérêts composés.

Nous atteignons maintenant la ligne de faîte, par-delà laquelle s'ouvre une ère nouvelle dans la vie des sociétés modernes : la troisième étape de l'évolution que nous étudions, celle du démarrage. Le démarrage est la période pendant laquelle la société finit par renverser les obstacles et les barrages qui s'opposaient à sa croissance régulière. Les facteurs de progrès économique, qui jusqu'ici n'ont agi que sporadiquement et avec une efficacité restreinte, élargissent leur action et en viennent à dominer la société. La croissance devient la fonction normale de l'économie. Les intérêts composés s'intègrent dans les coutumes et dans la structure même des institutions. Il est entendu que le démarrage exige que soient réunies les trois conditions suivantes, qui sont étroitement liées les unes aux autres : 1) Une hausse du taux de l'investissement productif, qui passerait par exemple de 5 ou moins 5 à plus de 10 % du revenu national (ou du produit national net, P.N.N.). 2) La création d'un ou plusieurs secteurs importants de l'industrie de la transformation ayant un taux de croissance élevé. 3) L'existence ou la mise en place rapide d'un appareil politique social et institutionnel, qui exploite les tendances à l'expansion [59 bis].

Les étapes de Rostow et la thèse qu'il en dégage ne sont pas valables d'abord parce qu'elles ne correspondent en aucune façon

---

de vue des économistes américains : Meier, dont le livre a fait l'objet de comptes rendus favorables louant la largeur et la maîtrise des sujets traités, n'a pas inclus la critique de Rostow sans doute la plus pénétrante qui ait été publiée jusqu'ici, celle de Paul A. BARAN et d'Eric HOBSBAWM, « The stages of Economic Growth », *Kyklos* (Bâle), vol. 14, fasc. 2 (1961).

59 bis. W. W. ROSTOW, *The Stages of Economic Growth : A Non-Communist Manifesto* (Cambridge, The University Press, 1964), pp. 4, 6, 7, 39.

à la réalité passée ou présente des pays sous-développés dont elles sont censées guider le développement. Il est aussi explicite chez Rostow qu'il est implicite chez Hoselitz que le sous-développement constitue l'étape initiale de ce qui est censé être une société traditionnelle — qu'il n'y a eu, en d'autres termes, pas d'étape antérieure au présent stade de sous-développement. De plus, il est également explicite chez Rostow que les sociétés actuellement développées étaient autrefois sous-développées. Mais cela est contraire à la réalité. Cette approche tout entière du développement économique et du changement culturel attribue une histoire aux pays développés tout en niant que les pays sous-développés en aient possédé une. Il est évident que les pays aujourd'hui sous-développés ont eu une histoire tout comme les pays développés. Aucun d'entre eux — et l'exemple de l'Inde est particulièrement révélateur [60] — n'est aujourd'hui ce qu'il était il y a quelques siècles ou même quelques décennies. En outre, il suffit même de consulter n'importe quel manuel scolaire d'histoire pour comprendre que, depuis au moins plusieurs siècles, l'histoire des pays aujourd'hui sous-développés a été intimement liée à celle des pays actuellement développés.

En vérité, l'expansion économique et politique de l'Europe depuis le xve siècle en est venue à intégrer les pays actuellement sous-développés en un courant unique d'histoire mondiale, lequel a simultanément donné naissance au développement actuel de certains pays et au sous-développement aussi actuel de certains autres. Toutefois, dans leur tentative d'élaborer une théorie et une politique pour les pays sous-développés, Rostow et consorts ont analysé les pays développés comme s'ils avaient été isolés de ce courant de l'histoire mondiale. Il tombe sous le sens que toute tentative sérieuse pour élaborer une théorie et une politique du développement des pays actuellement sous-développés doit se fonder sur l'étude de l'expérience vécue par les pays sous-développés eux-mêmes — c'est-à-dire sur l'étude de leur histoire et du processus historique mondial qui a plongé ces pays dans le sous-développement. Pourtant cette tâche consistant à édifier une théorie et une politique réalistes du développement n'a été poursuivie par aucun des chercheurs qui se sont penchés sur le problème du développement économique et du changement culturel en se servant des modes d'approche qui, selon Nash, épuisent toutes les possibilités existantes. Nous constatons donc à nouveau que ces trois méthodes pour étudier et résoudre les problèmes du développement écono-

---

60. R. PALME DUTT, *India Today and Tomorrow* (London, Lawrence et Wishart, 1965) ; A. R. DESAI, *Social Background of Indian Nationalism* (Bombay, Popular Book Depot, 1959) ; Jawaharlal NEHRU, *The Discovery of India* (New York, John Day, 1946) ; V. B. SINGH, *Indian Economy Yesterday and Today* (New Delhi, People's Publishing House, 1964).

mique et du changement culturel ne font qu'épuiser ce qui a été fait à ce jour ; elles n'épuisent pas ce qui peut être fait et moins encore ce qui doit être fait. Il est impossible, à moins de fermer les yeux, de découvrir dans le monde d'aujourd'hui un seul pays ou une seule société comportant les caractéristiques de la première étape de Rostow, l'étape traditionnelle. Cela n'est guère surprenant, étant donné que l'élaboration des étapes de Rostow ne tient compte ni de l'histoire des pays actuellement sous-développés, ni de leurs relations essentielles avec les pays développés. L'approche de Rostow néglige totalement le fait qu'à travers ces relations les pays aujourd'hui développés ont complètement détruit la trame elle-même (qu'elle ait été « traditionnelle » ou non) de ces sociétés, telle qu'elle existait auparavant. Tel a été en particulier le cas de l'Inde qui a subi une désindustrialisation [61], de l'Afrique où la traite des esclaves avait transformé la société bien avant que le colonialisme ne procède à une nouvelle transformation [62], et de l'Amérique latine où les civilisations hautement avancées des Incas et des Aztèques ont été radicalement supprimées [63]. Les rapports entre les métropoles mercantilistes et capitalistes et leurs colonies sont parvenus à supplanter la structure sociale, politique, économique préexistante ou — dans le cas des politiques de « table rase » pratiquées en Argentine, au Brésil, aux Antilles et ailleurs — à implanter la structure actuelle de ces pays, à savoir la structure du sous-développement [64].

Ces relations prolongées entre les pays désormais sous-développés et les pays développés au cours d'un même processus historique n'ont pas seulement affecté l'enclave exportatrice des pays sous-développés, ainsi que le prétendent les tenants de la thèse presque universellement admise et tout aussi empiriquement et théoriquement erronée de la société ou de l'économie « dualistes » [65]. Au contraire, cette relation historique a transformé toute la trame

---

61. *Ibid.*
62. Basil Davidson, *The African Slave Trade* (Boston, Atlantic-little, Brown, 1961) ; Jack Woddis, *Africa, The Roots of Revolt* (London, Lawrence et Wishart, 1960).
63. Eric Wolf, *Sons of the Shaking Earth* (Chicago, Chicago University Press, 1959).
64. Sergio Bagu, *Economia de la Sociedad Colonial. Ensayo de Historia Comparada de America* (Buenos Aires, Ateneo, 1949) ; Celso Furtado, *The Economic Growth of Brazil* (Berkeley, University of California Press, 1963) ; Aldo Ferrer, *The Argentinian Economy, An Economic History of Argentina* (Berkeley, University of California Press, 1967) ; Anibal Pinto Santa Cruz, *Chile, Un Caso de Desarrollo Frustrado* (Santiago, Editorial Universitaria, 1958) ; André Gunder Frank, *Capitalisme et sous-développement en Amérique latine, op. cit.* ; Ramiro Guerra y Sanchez, *Sugar and Society in the Caribbean* (New Haven, Yale University Press, 1964).

sociale des peuples dont les pays sont actuellement sous-développés, tout comme cela s'est fait dans les pays développés [65]. (Nous aborderons de nouveau ce problème de la société ou de l'économie dualiste dans la section consacrée plus loin au diffusionnisme.)

S'il est impossible de constater l'existence de la première étape de Rostow, qualifiée de traditionnelle, dans les pays sous-développés, sa seconde étape, qui comprend les conditions préalables au démarrage du développement économique, brille encore plus par son absence. Ce qui caractérise cette seconde étape de Rostow, c'est la pénétration des pays sous-développés par la diffusion d'influences d'origine étrangère — ces origines se situant principalement dans les pays développés — qui détruisent le traditionalisme et engendrent en même temps les conditions préalables qui permettront le démarrage ultérieur de la troisième étape. (Cette question sera également examinée dans la section consacrée au diffusionnisme.) L'erreur empirique concernant la deuxième étape de la théorie de Rostow est si manifeste qu'il suffit de lui consacrer une discussion assez brève. Comme nous l'avons noté à propos de la première étape, les parties asiatique, africaine et latino-américaine sous-développées du monde, même si elles étaient traditionnelles au sens rostowien du terme — ce qui constitue une thèse fort douteuse compte tenu du haut degré de civilisation et de développement technique qui avait été réalisé en divers points de ces trois continents — ont certainement été et sont encore affectées par les conditions qui règnent dans la métropole maintenant développée, dont elles subissent d'un autre côté les influences. Pourtant, ces mêmes conditions et ces mêmes influences provenant de la métropole, dont l'ancienneté compte plusieurs siècles, n'ont pas engendré le développement économique ni même conduit à un démarrage vers le développement dans un seul des « 75 pays », comme on les a qualifiés au cours de la conférence sur le commerce mondial et le développement tenue à Genève en 1964.

Cette conférence fut convoquée parce que les deux tiers ou presque de la population mondiale qui habitent ces pays ont conscience du fait que ces conditions de la « seconde étape » imposées par la métropole, loin de promouvoir leur développement économique comme Rostow et d'autres « sages » métropolitains le prétendent, ont, non seulement pour effet d'entraver leur développement économique, mais également d'aggraver leur sous-développe-

---

65. J. H. Boeke, *Economics and Economic Policy of Dual Societies* (New York, Institute of Pacific Relations, 1953) ; Jacques Lambert, *Os Dois Brasis* (Rio de Janeiro, Ministerio de Educaçao e Cultura, s. d.).

66. Paul A. Baran, *Economie politique de la croissance*, Maspero éd., Paris, 1967 ; André Gunder Frank, *Capitalisme et sous-développement en Amérique latine*, op. cit.

ment [67]. La raison de ce phénomène est la suivante : la réalité du sous-développement que les deux premières étapes de Rostow masquent ou nient est que l'intégration de ces pays et de leur population dans l'expansion du système mondial mercantiliste puis capitaliste a d'abord provoqué leur sous-développement, et que, de plus, leur participation continue à ce même système a pour effet de maintenir et même d'aggraver ce sous-développement [68]. Ainsi que l'a affirmé le Premier ministre Jawaharlal Nehru dans son ouvrage *The Discovery of India* (La Découverte de l'Inde) :

« ... presque tous les problèmes vitaux auxquels nous sommes confrontés aujourd'hui, sont la conséquence de la domination britannique : le problème des princes, des minorités, le manque d'industrie, la misère de l'agriculture, le retard sur le plan social et surtout la tragique misère de notre peuple. » [69]

Plutôt que de contester l'autorité de Rostow et de la plupart de ses collègues des pays développés en nous bornant à faire appel à l'autorité de Nehru et de ses semblables des pays sous-développés, nous préférons faire appel à l'évidence des faits, évidence qui détruit la thèse rostowienne. Cette évidence vient des pays de type « table rase », c'est-à-dire ceux qui n'avaient aucune population avant d'être incorporés dans le système mercantiliste et capitaliste en plein développement. Aujourd'hui, plus de la moitié de la superficie et de la population de l'Amérique latine — en particulier, l'Argentine, l'Uruguay, le Brésil et l'ensemble des Antilles — occupe des régions qui, à l'époque de leur incorporation dans le système mercantiliste axé sur l'Europe, étaient soit entièrement dépourvues de toute population, soit repeuplées à la suite de l'extermination rapide de la population qui existait avant l'impact colonial. Aucun de ces pays n'a jamais connu la première étape de Rostow : la métropole mercantiliste n'a pas conquis et colonisé ces régions afin d'instituer le traditionalisme rostowien, mais pour les exploiter à travers l'établissement de mines, de plantations sucrières et de

---

67. Voir Conférence des Nations unies sur le commerce et le développement (Genève, 1964). Document des Nations unies E/CONF. 46, et surtout le rapport du secrétaire général dans la note 92.

68. Paul A. BARAN, *Economie politique de la croissance, op. cit.* ; Gunnar MYRDAL, *Rich Nations and Poor* (New York, Harper and Brothers, 1957), également publié sous le titre de : *Economic Theory and Underdeveloped Regions* (*Théorie économique et pays sous-développés*, Paris, Présence Africaine, 1959) ; Yves LACOSTE, *Les Pays sous-développés* (Paris, Que Sais-je, P.U.F., 1959) ; Frantz FANON, *Les Damnés de la terre, op. cit.* ; André Gunder FRANK, *Capitalisme et sous-développement en Amérique latine, op. cit.*

69. Cité dans Paul BARAN, *Economie politique de la croissance, op. cit.*, p. 192.

ranches d'élevage de caractère exclusivement commercial. En fait, il faudrait dire que ces régions et ces populations sont entrées dans l'histoire mondiale en pénétrant directement dans la seconde étape de Rostow. Mais quatre siècles plus tard, les conditions et le contact de la seconde étape de Rostow n'ont pas conduit au démarrage de la troisième étape et, moins encore, aux quatrième et cinquième stades de développement. Aujourd'hui, ces régions autrefois dépourvues de toute population sont tout aussi sous-développées que celles jadis habitées qui furent semblablement intégrées dans le système capitaliste mondial. En vérité, contrairement à la conception de Rostow concernant le second stade — et, ainsi que nous le verrons plus loin, contrairement à l'essentiel de la thèse diffusionniste — plus le contact passé de ces régions avec la métropole a été étroit et plus elles sont aujourd'hui sous-développées. Parmi de nombreux exemples, citons les régions des Caraïbes et du Nord-Est brésilien, autrefois exportatrices de sucre, les régions de Minas Gerais dans le centre du Brésil qui exportaient des minerais, les hautes terres andines de la Bolivie et du Pérou et, dans le centre du Mexique, les célèbres régions minières de Zacatecas et de Guanajuato [70].

L'histoire des pays sous-développés démontre largement que les deux premières étapes de Rostow sont imaginaires. La réalité contemporaine de ces pays indique que ses deux dernières étapes sont utopiques. Après tout, si ces pays devaient maintenant se retrouver à la quatrième étape, qui est celle de l'acheminement vers la maturité, ou à la cinquième, qui est celle de la consommation de masse, nous ne pourrions les qualifier de sous-développées — et Rostow n'aurait pas inventé ses étapes. De plus, alors que dans la version que nous donne Rostow de la réalité, ces deux dernières étapes utopiques ne sont que la somme mécanique des deux premières étapes imaginaires, plus la troisième, dans la dramatique réalité des pays sous-développés, c'est précisément la structure de leur sous-développement — que Rostow « blanchit » de son traditionalisme et de ses conditions préalables d'origine extérieure — et leur relation structurale avec les pays développés (que Rostow ne mentionne même pas) qui ont depuis si longtemps empêché la réalisation des deux dernières étapes. D'après l'argumentation de Rostow, il ne nous reste plus que la troisième étape et, selon notre propre façon de voir les choses, la seconde tare fondamentale du raisonnement rostowien tout entier.

Rostow voudrait nous faire croire que dans sa troisième étape, celle du démarrage, il a réalisé la synthèse théorique de la transformation qualitative dynamique qui conduit de la structure du

---

70. André Gunder FRANK, *Capitalisme et sous-développement en Amérique latine* » *op. cit.*

sous-développement à celle du développement. Pourtant, sa théorie n'est pas dynamique et il n'isole en aucune façon les caractères ou le changement structuraux. Surtout, il n'intègre pas à sa théorie la structure réelle du sous-développement et du développement. Bien au contraire, il refuse totalement de la prendre en considération. La théorie de Rostow, comme la plupart des théories historiques fondées sur la distinction de plusieurs étapes, ne constitue qu'un exercice de statique comparative. Alors même qu'il identifie des étapes de développement, il ne dit rien sur la manière de passer de l'une à l'autre. Cela ne vaut pas moins pour la troisième étape que pour les quatre autres. Le caractère irréel de la dynamique de Rostow n'est pas fait pour nous surprendre, car, nous l'avons vu, sa statique elle-même est parfaitement irréelle ; ses étapes ne correspondent à aucune réalité dans les pays sous-développés. Comment donc la conception qu'il a du développement d'une étape à l'autre pourrait-elle correspondre à la réalité du monde sous-développé ?

Que l'argumentation de Rostow ne tienne pas compte de la structure, un fait l'indique déjà : il situe la charge principale du développement dans la troisième étape où il ne considère que le taux d'investissement et de croissance. La preuve finale de l'inadéquation théorique des étapes rostowiennes, pour ce qui est de comprendre et d'éliminer la structure du sous-développement, nous entraîne naturellement encore plus loin. En ignorant complètement l'histoire des pays sous-développés, Rostow laisse obligatoirement dans l'ombre la structure de leur sous-développement. Les changements affectant les institutions et l'investissement (changements qu'il postule comme constituant le démarrage permettant de sortir du sous-développement) n'affectent en rien la véritable structure du sous-développement. Preuve en est que des pays comme l'Argentine [71] qui, selon

71. Aldo FERRER, *op. cit.*, et « Reflexiones Acerca de la Politica de Estabilización en la Argentina », *El Trimestre Economico*, Vol. 30, n° 120 (octobre-novembre 1963). Deux étudiants argentins ont récemment rédigé des thèses de doctorat sous la direction du professeur Walt Rostow auprès du Massachusetts Institute of Technology dans lesquelles ils cherchaient à identifier, au niveau de l'histoire économique de leur propre pays, les séries d'étapes de la croissance économique définies par leur professeur. D'après eux, la période des conditions préalables aurait pris fin en 1914 quand le réseau ferroviaire fut achevé et que toute la riche région des pampas avait été mise en valeur sous une forme pastorale ou agricole. Et pourtant, pour une raison ou pour une autre, le développement n'a pas suivi et le démarrage ne s'est pas produit avant, une fois de plus selon leurs calculs, la date de 1933. Mis en face d'une telle situation, ils n'ont pas hésité à inventer une étape de la croissance entièrement nouvelle qu'il faudrait peut-être d'ailleurs considérer comme une étape de non-croissance adaptée au cas argentin et qu'ils ont qualifiée de « Grand

Rostow, sont en train de démarrer dans le développement, deviennent sans cesse plus sous-développés sur le plan structural et qu'en vérité aucun pays sous-développé n'est jamais parvenu à démarrer et à sortir de son sous-développement en suivant la voie tracée par les étapes de Rostow.

Les erreurs d'ordre empirique et théorique de Rostow s'étendent au-delà de son analyse du sous-développement et des pays sous-développés, pour affecter sa manière de caractériser le développement des pays développés. Alors même que ce texte n'est pas consacré aux pays développés, il nous paraît néanmoins nécessaire de signaler l'erreur qu'il commet dans sa définition du développement dans la mesure où, comme Hoselitz et bien d'autres, Rostow fonde une grande part de sa politique du sous-développement sur l'idée qu'il se fait des pays développés. Rostow est particulièrement explicite quand il affirme que l'Angleterre a été le premier pays à s'industrialiser en mobilisant ses propres ressources après avoir connu certains changements structuraux internes. D'autres pays actuellement développés, dit-il, se sont également développés à partir de leurs ressources propres, si ce n'est que le développement préalable de l'Angleterre et d'autres pays les a aidés à créer les conditions préalables de leur propre démarrage. Une fois de plus, Rostow se trompe sur le plan des faits comme sur le plan de la théorie. Il est largement démontré que l'Angleterre et d'autres pays ne se sont pas développés en comptant sur leurs seules ressources propres. Les mercantilistes anglais tels que Thomas Mun [72] en étaient convaincus. Cantillon [73] et Marx [74] n'avaient pas de doute à ce sujet non plus. Parmi nos contemporains, Earl Hamil-

---

Retard » (Big Delay). D'ailleurs, même leur démarrage n'a pas été suivi de progrès rapides. En 1959, des experts de la commission économique des Nations unies pour l'Amérique latine déclaraient : « Depuis la période de la grande dépression mondiale [...] la production par tête a augmenté à un taux moyen atteignant à peine la moitié du taux d'accroissement constaté entre le commencement du siècle et le déclenchement de la dépression. » Il apparaît donc que l'Argentine avait en fait atteint un niveau relativement élevé de revenus dès la première moitié du siècle et que, dans les années qui ont suivi, l'expérience de l'Argentine a été caractérisée par le retard, la stagnation et, pour emprunter un autre terme aux économistes de la CEAL, l' « étranglement ». Carter Goodrich, « Argentine as a New Country », *Comparative Studies in History and Society*, Vol. vii (1964-1965), pp. 80-81.

72. Thomas Mun, *England's Treasure by Foreign Trade or the Balance of our Foraign Trade in the Rule of our Treasure* (Oxford, Basil Blackwell, 1959), d'abord publié en 1664.

73. Richard Cantillon, *Essai sur la nature du commerce en général*, édité, avec une traduction en anglais et d'autres matériaux, par Henry Higgs (New York, A. Kelley, 1964).

74. Karl Marx, *Le Capital*, Vol. iii (Moscou, Maison d'éditions en langues étrangères, s.d.).

ton [75], Eric Williams [76], qui est devenu Premier Ministre de Trinidad et Tobago, et Basil Davidson [77] ont une fois de plus démontré le rôle essentiel joué par les pays sous-développés dans le financement de l'accumulation des pays actuellement développés. Si les pays à présent sous-développés devaient réellement suivre les étapes de la croissance des pays aujourd'hui développés, ils devraient découvrir d'autres peuples encore pour les exploiter et les conduire au sous-développement, comme l'ont fait avant eux les pays maintenant développés.

Evidemment, cette conception erronée qu'a Rostow de la réalité doit obligatoirement conduire (ou faut-il dire plutôt qu'elle découle ?) à une erreur théorique de premier ordre et d'une importance vitale en ce qui concerne la théorie et la politique du développement. Cette erreur est commune non seulement aux deux variantes de la première méthode, mais également à l'ensemble des trois modes d'approche du développement économique et du changement culturel que nous examinons ici [78]. Chacun de ces modes considère les

---

75. Earl J. HAMILTON, « American Treasure and the Rise of Capitalism », *Economica* (Londres) n° 27 (1929) ; *American Treasure and the Price Revolution in Spain 1501-1650* (Cambridge, Harvard University Press, 1947). Voir aussi la suite donnée à cet ouvrage par P. Vilar, « Problems of the Formation of Capitalism », *Past and Present,* novembre 1956.

76. Eric WILLIAMS, *Capitalism and Slavery* (Chapel Hill, University of North Carolina Press, 1944) ; réimprimé par Russel and Russel, New York, 1963, et publié en livre de poche par André Deutsch, Londres, 1964.

77. Basil DAVIDSON, *The African Slave Trade, op. cit.* ; *Old Africa Rediscovered* (Londres, Gollancz, 1959).

78. La même erreur affecte également une autre variante que l'on associe particulièrement au nom d'Alexandre Gerschenkron, auteur de *Economic Backwardness in Historical Perspective* (Cambridge, Belknap Press of Harvard University, 1962) (*L'Afrique avant les blancs,* Paris, P.U.F., 1963). Gerschenkron introduit des variations dans les types idéaux du développement. Il affirme que, puisque le modèle de développement des retardataires, tels que l'Allemagne, diffère de celui des pays qui se sont développés à une époque antérieure, il n'est que raisonnable de supposer que le modèle de ceux qui auront un retard encore plus grand — c'est-à-dire les pays encore sous-développés — différera davantage encore du modèle et des étapes de la croissance déjà établies. Cette analyse pourrait sembler constituer un net progrès par rapport aux autres approches. En fait, il n'en est rien. Comme c'est le cas pour les partisans de la première approche, rien n'indique chez Gerschenkron qu'il ait conscience du fait que les pays sous-développés ont également une histoire qui exige d'être étudiée ; il ne semble pas se rendre compte non plus que si l'on veut faire un effort sérieux pour comprendre le sous-développement et en éliminer les causes, les relations de ces pays avec les pays actuellement développés sont beaucoup plus importantes que l'étude de l'histoire de la partie développée du monde, dont l'expérience a été totalement différente. La variante qu'offre Gerschenkron à partir de la première méthode doit donc être également écartée comme étant inadéquate.

caractéristiques du développement et du sous-développement comme étant *sui generis* par rapport au pays concerné. Quand leurs auteurs veulent bien procéder à une étude de structure, ainsi que nous l'avons déjà vu dans le cas de Hoselitz, ils se bornent à l'examen de certaines parties de la structure intérieure du pays en question. Aucune de ces méthodes ne comprend un examen de la véritable structure du développement et du sous-développement — ou de la structure du système historique qui a engendré ces phénomènes et dans le cadre duquel ils se déroulent tous deux. En ce qui concerne l'efficacité de la politique préconisée par Rostow, les faits parlent d'eux-mêmes : aucun pays ayant connu le sous-développement n'est jamais parvenu à se développer en suivant les étapes de Rostow. Est-ce pour cela que Rostow essaie maintenant d'aider les peuples du Vietnam, du Congo, de la République Dominicaine et d'autres pays sous-développés à surmonter leur faiblesse empirique, théorique et politique par son aide intellectuelle manifestement non communiste au développement économique et au changement culturel en ayant recours aux bombes au napalm, et aux armes chimiques et biologiques, à l'occupation militaire [78 bis] ?

Ainsi il apparaît à l'examen que la première méthode des types idéaux pour aborder les problèmes du développement économique et du changement culturel se révèle être empiriquement fausse, théoriquement inadéquate et inefficace sur le plan de l'application. La raison fondamentale pour laquelle l'ensemble de cette approche doit être rejeté par ceux qui veulent sérieusement comprendre et résoudre les problèmes de développement économique et de changement culturel est la suivante : dans toutes ces variations, cette approche ignore la réalité historique et culturelle des pays sous-développés. Cette réalité constitue le produit du même processus historique et du même système structural que le développement des pays actuellement développés : le système mondial dans le cadre duquel les pays maintenant sous-développés vivent leur histoire depuis des siècles ; c'est la structure de ce système qui constitue la cause historique — encore aujourd'hui déterminante — du sous-développement. Cette structure est omniprésente ; elle s'étend de la partie la plus développée du pays le plus développé au secteur le plus sous-développé du pays le plus sous-développé. Même si

---

78 bis. *Le New York Times* : « Mr. Rostow est l'un des architectes de la politique des Etats-Unis au Vietnam et il en est fier. » *New York Times*, 13 avril 1967. W.W. Rostow a un jour expliqué la logique qui avait été celle du State Department pendant la course aux armements des années 1950 : il s'agissait d'obliger l'URSS à « gaspiller » ses ressources en armement en lui interdisant de s'en servir, pour soutenir son taux de croissance. « Tasks of the American Labor Movement », *Monthly Review*, Vol. 18, n° 11 (avril 1967), p. 12. Est-ce aussi une logique semblable qui justifie les étapes de la croissance que M. Rostow est fier d'imposer au Vietnam et à la Chine dans les années 1960 ?

la première approche devait étudier la structure du sous-développement au niveau interne des pays sous-développés — ce qui n'est pas le cas, comme nous l'avons vu —, elle serait incapable d'analyser et de comprendre correctement cette structure interne et moins encore de permettre la formulation d'une politique capable de la transformer. Ceux qui s'engagent dans le premier type d'analyse, aussi bien que ceux qui choisissent la seconde et la troisième méthode, évitent délibérément l'étude de la structure internationale du développement et du sous-développement dont la structure interne du développement n'est qu'une partie. Il apparaît par conséquent que, sur l'ensemble de ces plans, celui des faits, celui de la théorie et celui de l'application, la première approche du développement économique et du changement culturel est inadéquate et doit donc être rejetée.

L'approche diffusionniste.

La seconde approche que retient Nash considère le développement comme résultant de la diffusion de certains éléments culturels qui se propagent des pays développés aux pays sous-développés. Cela implique bien sûr l'acculturation de ces éléments par les pays sous-développés. Cette diffusion partirait de la métropole des pays capitalistes avancés pour atteindre la capitale nationale des pays sous-développés et, de là, elle toucherait les capitales provinciales et, enfin, le hinterland périphérique.

D'après cette conception, étant donné que le développement est constitué par, et résulte de, la diffusion et l'acculturation, le sous-développement subsiste en raison des obstacles ou de la résistance à cette diffusion. Le sous-développement est censé représenter l'état « traditionnel » initial tout autant que dans la première approche. On se pose encore moins de questions au sujet des causes et de la nature du sous-développement que dans la première approche. En fait, les diffusionnistes ne suggèrent pas aux peuples du monde sous-développé qu'ils recherchent les causes du sous-développement et le moyen de les éliminer ; au contraire, ils conseillent à ces peuples d'attendre et de faire bon accueil à la diffusion de l'aide au développement d'origine intérieure.

Nash souligne la diffusion « des connaissances, des techniques, des méthodes d'organisation, des valeurs et du capital », qu'il considère comme étant les facteurs primordiaux de la seconde approche du développement économique et du changement culturel. Pour la commodité de l'exposé, nous allons regrouper ces facteurs dans les trois rubriques suivantes : 1) le capital ; 2) les techniques qui comprennent les connaissances et l'expérience professionnelle ; et 3) les institutions qui comprennent les valeurs et l'organisation.

Le capital.

En ce qui concerne la diffusion du capital, la thèse de la deuxième approche part de la proposition suivante : étant pauvres, les pays sous-développés manquent de capital d'investissement et par conséquent il leur est difficile et même impossible de se développer et, partant, d'échapper à leur pauvreté. Par conséquent, les pays développés plus riches peuvent diffuser du capital dans les pays sous-développés ; ils doivent le faire et ils le font, favorisant ainsi le développement économique de ces derniers. La vraisemblance de cette proposition initiale — selon laquelle c'est la pauvreté qui entrave les efforts des pays sous-développés pour investir et se développer — a été fortement contestée sur le plan théorique par Paul Baran [79] : cet auteur a fourni de nouvelles preuves d'ordre théorique et empirique qui infirment cette proposition [80]. Nous ne nous étendrons pas plus longtemps ici sur cette proposition étant donné qu'elle constitue l'hypothèse — ou la justification — qui ne sert que de point de départ à la thèse diffusionniste. Au lieu de cela, nous examinerons la thèse elle-même, à savoir que les pays développés diffusent du capital dans les pays sous-développés et, partant, contribuent à leur développement. Cette thèse est soutenue dans *EDCC* par, entre autres auteurs, Martin Bronfenbrenner [81] et par Daniel Garnick [82] qui conteste l'argumentation de Bronfenbrenner. Toutefois, quel que soit leur désaccord, tous deux sont d'accord sur un point : les pays développés fournissent réellement du capital aux pays sous-développés. On constate d'assez vifs et nombreux désaccords entre les auteurs qui se sont penchés sur le problème de l'aide et de l'investissement extérieurs. Ces vues contradictoires ont été exposées dans un recueil publié par Gerald Meier, intitulé *Leading Issues in Development Economics* [83], aussi bien que par Ray-

---

79. Paul Baran, *L'économie politique de la croissance, op. cit.*

80. André Gunder Frank, *Capitalisme et sous-développement en Amérique latine, op. cit.*

81. Martin Bronfenbrenner, « The Appeal of Confiscation in Economic Development », *EDCC*, Vol. 3, n° 3 (avril 1955) ; « Second Thoughts on Confiscation », *EDCC*, Vol. 11, n° 4 (juillet 1963) .

82. Daniel H. Garnick, « The Appeal of Confiscation Reconsidered. A Gaming Approach to Foreign Economic Policy », *EDCC*, Vol. 11, n° 4 (juillet 1963) ; et « Further Thoughts on Confiscation », *EDCC*, Vol. 12, n° 4 (juillet 1964).

83. Gerald Meier, *op. cit.*

mond Miksell (*U.S. Private and Government Investment Abroad* [84])
ou Benjamin Higgins dans son chapitre consacré à « l'investissement
étranger et l'aide étrangère », chapitre contenu dans son ouvrage
Economic Development [85]. Mais tous ces auteurs, et d'autres encore
dans *EDCC* [86], semblent se rallier entièrement à la proposition selon
laquelle le flux de capital se dirige des pays développés vers les
pays sous-développés. Une fois de plus, le seul désaccord existant
semble découler des faits.

Les estimations fort conservatrices de l'United States Department
(ministère) of Commerce indiquent qu'entre 1950 et 1965 le flux total
de capital figurant sur des comptes d'investissement et se déplaçant
des Etats-Unis vers le reste du monde s'est élevé à 23,9 milliards
de dollars, alors que les rentrées correspondantes de capital provenant des profits se sont élevées à 37 milliards de dollars, soit une
rentrée nette de 13,1 milliards de dollars pour les Etats-Unis. Sur
ce total 14,9 milliards de dollars ont quitté les Etats-Unis pour se
rendre en Europe ou au Canada alors que 11,4 milliards pénétraient
aux Etats-Unis en empruntant la direction inverse, soit pour les Etats-
Unis un déficit net de 3,5 milliards. Toutefois, entre les Etats-Unis
et l'ensemble des autres pays, c'est-à-dire principalement les pays
pauvres et sous-développés, la situation est inversée : 9 milliards
de dollars d'investissement ont afflué dans ces pays, alors que
25,6 milliards de dollars représentant des profits en refluaient, ce
qui représente *un flux net allant des pauvres vers les riches* de
16,6 milliards de dollars [87]. Certaines autres statistiques également
disponibles soulignent un mouvement identique de capital allant
des pays sous-développés aux pays développés [88]. Le seul défaut
de ces données est qu'elles sous-estiment largement le flux réel de
capital allant des pays sous-développés pauvres vers les pays développés riches. En premier lieu, elles sous-estiment le flux de capital
qui va des pays pauvres vers les pays riches au titre de l'investissement [89]. En deuxième lieu, elles masquent le fait que la majeure

84. Raymond F. Mikesell, éd. *United States Private and Government
Investment Abroad* (Eugene, University of Oregon Books, 1962).

85. Benjamin Higgins, « Foreign Investment and Foreign Aid », dans
son ouvrage *Economic Development* (New York, Norton, 1959).

86. Chi Ming-hon, « External Trade, Foreign Investment and Domestic
Development : The Chinese Experience, 1840-1937 », *EDCC*, vol. 10,
n° 1 (octobre 1961).

87. Harry Magdoff, « Economic Aspects of American Imperialism »,
Monthly Review, Vol. 18, n° 6 (novembre 1966), p. 39.

88. Keith B. Griffin et Ricardo French-Davis, « El Capital Extranjero
y el Desarollo », *Revista Economia* (Santiago), Vol. 83-84 (1964), pp. 16-
22 ; et André Gunder Frank, « On the Mechanism of imperialism : The
Case of Brazil », *Monthly Review*, Vol. 16, n° 5 (septembre 1964).

89. *Ibid.* José Luis Ceceña, *El Capital Monopolista y la Economia de
Mexico* (Mexico, Cuadernos Americanos 1963) ; et Michel Kirdon,
Foreign Investment in India (London, Oxford University Press, 1965).

partie de capital que les pays développés possèdent dans les pays sous-développés n'a jamais été envoyée des premiers vers les seconds, mais au contraire a été acquise par les pays développés dans les pays actuellement sous-développés.

Ainsi, d'après l'United States Department of Commerce, sur le capital total obtenu et utilisé — quelles qu'en soient les sources — au cours des opérations américaines au Brésil en 1957, 26 % provenaient des Etats-Unis, le restant étant obtenu au Brésil, y compris 36 % provenant de sources brésiliennes extérieures aux firmes américaines [90]. Cette même année, sur le capital américain directement investi au Canada, on comptait 26 % de capital provenant des Etats-Unis, le restant étant semblablement recueilli au Canada [91]. Toutefois, à partir de 1964, la part de l'investissement américain au Canada provenant des Etats-Unis n'était plus que de 5 %, de sorte que la contribution moyenne des Etats-Unis au capital total utilisé par les firmes américaines au Canada au cours de la période 1957-1964 n'a été que de 15 %. Le restant tout entier des « investissements à l'étranger » a été obtenu au Canada au moyen de profits non distribués (42 %), de charges d'amortissement (31 %), et de fonds recueillis par les entreprises américaines sur le marché canadien des capitaux (12 %). Selon une étude entreprise par des firmes américaines procédant à l'investissement direct et opérant au Canada, au cours de la période 1950-1959, 79 % des firmes avaient recueilli au Canada plus de 25 % du capital nécessaire à leurs opérations canadiennes, 65 % des firmes avaient recueilli au Canada plus de 50 %, plus de *47 % des entreprises américaines investissant au Canada avaient obtenu au Canada la totalité du capital nécessaire à leurs opérations canadiennes, et ce à l'exclusion de tout financement américain.* Il y a lieu de croire que cette dépendance américaine par rapport au capital étranger, en ce qui concerne le financement des « investissements étrangers » américains est encore plus grande dans les pays pauvres et sous-développés qui sont encore plus faibles et vulnérables que le Canada. Telle est donc l'origine du mouvement de capitaux d'investissement allant des pays sous-développés pauvres aux pays développés riches.

En troisième lieu, ces données ne tiennent compte ni du déclin notoire de la participation relative des pays sous-développés aux échanges internationaux, ni de la détérioration des termes de l'échange qui coûte actuellement aux pays sous-développés bien plus de capital que les recettes nettes ou brutes des investissements

90. Claude McMillan Jr., Richard F. Gonzales, avec Leo G. Erickson, *International Enterprise in a Developing Economy, A Study of U.S. Business in Brazil*, M.S.U. Business Studies (East Lansing, Michigan State University, 1964), p. 205.
91. Ces données sur le Canada et les suivantes proviennent de A.E. Safarian, *Foreign Ownership of Canadian Industry* (Toronto, McGraw Hill Company of Canada, 1966), pp. 235, 241.

et des prêts provenant des pays développés [92]. (De toute façon, comme on l'a vu ci-dessus, les recettes nettes sont négatives.)

En quatrième lieu, ces données sur le flux des capitaux d'investissement ne tiennent pas compte du mouvement de capitaux encore plus considérable allant des pays sous-développés vers les pays développés au titre des services. En 1962, l'Amérique latine n'a pas dépensé moins de 61 % de ses recettes en devises étrangères pour l'achat de services que les pays développés étaient censés lui rendre. La moitié de ce montant, soit 30 % de ces recettes totales, était constituée par des versements au titre de profits officiellement comptabilisés et par le service de la dette. L'autre moitié était constituée de versements latino-américains aux pays développés, c'est-à-dire surtout aux Etats-Unis, au titre des transports et des frais d'assurance, des voyages, d'autres services, de dons, de transferts de fonds et d'erreurs et d'omissions (pour ce qui est des mouvements de capitaux comptabilisés). D'un autre côté, la perte de capital que subit l'Amérique latine au titre des comptes de services est en accroissement constant : alors qu'en 1961-1963 elle était de 61 %, en 1956-1960 elle n'avait été que de 53 % [93]. Cette sortie de capital représente 7,3 % du Produit National brut de l'Amérique latine, ou 10 % si nous ajoutons les 3 % du PNB perdus à la suite de la détérioration récente des termes de l'échange ; et cela équivaut à deux et trois fois — ou même plus — le capital que l'Amérique latine, pauvre en capitaux, consacre aux investissements nets destinés à son propre développement [94]. Certains autres types

---

92. Rapport du Secrétaire général de la conférence « Vers une nouvelle politique commerciale d'échanges pour le développement », Actes de la conférence des Nations unies sur le commerce et le développement (New York, Nations Unies, 1964, E/CONF. 4/141, Vol. II, pp. 9-13, 42) et autres documents de la conférence. Il convient de noter (cf. supra) qu'en comparant la perte de capital des pays sous-développés due au déclin des termes de l'échange avec « l'entrée nette de tous les moyens de financement (prêts, investissement et subventions) », l'ONU fait entrer les « réinvestissements privés », c'est-à-dire y compris le capital d'investissement qui n'arrive nullement de l'extérieur, soit net, soit brut, mais qui est engendré dans les pays sous-développés eux-mêmes.

93. André GUNDER FRANK, « Services Rendered », Monthly Review, vol. 17, n° 2 (juin 1965) ; André GUNDER FRANK, « Servicios Estranjeros o Desarollo Nacional ? », Comercio Exterior (Banco Nacional de Comercio Exterior S.A., Mexico, Vol. 16, n° 2, février 1966), et la traduction anglaise de ce dernier, légèrement revisée, « Foreign Invisible Services or National Economic Development ? », ronéotypé.

94. Les 7,3 % sur les 6 195 millions de dépenses de services dans ibid. sont calculés comme pourcentage des 84 458 millions de dollars du PNB en 1962 selon le rapport de la Commission économique des Nations unies pour l'Amérique latine, Estudio Economico de America Latina, 1963 (New York, Nations unies, 1964, E/CN. 12/696/Rev. 1), p. 6. Ce document est également la source de toutes les données utilisées dans les calculs des articles cités dans la note 93. Les 3 % ont été calculés par

de pertes en capital subies par les pays sous-développés ne sont pas compris dans ces calculs ; citons par exemple le drainage notoire de matière grise (*brain drain*), ou la sortie de capital humain financé par les pays pauvres afin de bénéficier plus tard aux pays riches. Dans de telles conditions, il nous est permis de nous demander qui diffuse et qui reçoit le capital ?

Indépendamment de la question du montant et de l'orientation du capital diffusé se pose le problème du type d'aide et d'investissements étrangers dans les pays sous-développés et des conséquences qu'ils peuvent y avoir. La domination et l'investissement métropolitains dans le secteur primaire des pays sous-développés (citons par exemple la production de sucre, de bananes, de minéraux et surtout de pétrole) n'ont en aucune façon réussi à provoquer le développement des pays sous-développés ; bien au contraire, ils ont dressé toute une série d'obstacles à ce développement, ce point ayant été suffisamment démontré pour sembler incontestable, et ce même dans les pays développés.

L'investissement étranger dans les secteurs de l'industrie et des services soulève de nouvelles questions. Il n'est nullement certain que ce type d'investissement aide les pays sous-développés à se développer. Toutefois, à quelques exceptions près, les auteurs des pays développés n'ont jamais mis en doute et, *a fortiori,* n'ont jamais analysé les prétendus bénéfices qu'était censé procurer aux sous-développés cet investissement étranger. En revanche, les économistes et les hommes d'Etat des pays sous-développés contestent de plus en plus ces prétendus bénéfices et vont même jusqu'à analyser les obstacles à l'industrialisation et au développement économique créés par l'investissement étranger. Par exemple, un congrès où étaient représentées 34 écoles d'économie d'Amérique latine a récemment conclu que :

« L'investissement étranger direct exerce de nombreux effets défavorables sur la balance des paiements, sur l'intégration économique et sur la formation de capital de nos pays. Il détermine dans une large mesure le caractère et l'orientation de nos échanges extérieurs, stimule la concurrence monopolistique, absorbe ou subordonne les entreprises nationales plus faibles. Pour toutes ces raisons, il est nécessaire d'adopter des voies et des moyens propres à contrer ces effets négatifs [95]. »

---

la Commission des Nations unies pour l'Amérique latine, *El Financiamiento Externo de America Latina* (New York, Nations unies, 1964, E/CN. 12/649/Rev. 1), p. 33.

95. « Relatorio de la III Reunión de Facultades y Escuelas de Economia de America Latina », Mexico, 21-25 juin 1965. Publié dans *Presente Economico* (Mexico), vol. 1, n° 1 (juillet 1965), p. 63, et dans *Comercio Exterior* (Mexico), vol. 15, n° 6 (juin 1965), p. 439 ; et *Desarrollo* (Colombia), n° 1 (janvier 1966), pp. 7-9.

Au cours de sa campagne électorale qui lui valut la présidence de l'Argentine, Arturo Frondizi écrivit :

« Il convient de se rappeler que le capital étranger agit habituellement comme un agent perturbateur de la moralité, de la politique et de l'économie de l'Argentine.

[...] Une fois installé, grâce à des concessions excessivement libérales, le capital étranger a obtenu des crédits bancaires qui lui ont permis d'étendre ses opérations et donc ses profits. Ces profits sont immédiatement expédiés à l'étranger, comme si tout le capital d'investissement avait été apporté par le pays. Ainsi, l'économie nationale en est venue à renforcer la capitalisation de l'étranger et à s'affaiblir elle-même [...] La tendance naturelle du capital étranger dans notre pays a été en premier lieu de s'établir dans des régions offrant des profits élevés [...] Lorsque les efforts, l'intelligence et la persévérance des Argentins créaient une entreprise économique indépendante, le capital étranger la détruisait ou bien tentait de lui susciter des difficultés [...] Le capital étranger a eu et continue d'avoir une influence décisive sur la vie sociale et politique de notre pays [...] D'habitude, la presse est également un instrument actif de ce processus de domination [...] Le capital étranger a exercé une influence particulière sur la vie politique de notre nation en s'alliant à l'oligarchie conservatrice [...] c'est-à-dire avec ceux qui se rattachent au capital étranger par des liens économiques (directeurs, personnel bureaucratique, juristes, journaux qui reçoivent de la publicité, etc.) et avec ceux qui, sans avoir de relations économiques avec le capital étranger, finissent par se laisser dominer par le climat politique et idéologique qu'il engendre [96]. »

Octaviano Campos Salas, avant de devenir ministre de l'Industrie du Mexique, résuma comme suit les conséquences de l'investissement étranger :

« a) Le capital étranger privé s'empare à titre permanent des secteurs à profit élevé en expulsant le capital national ou en lui interdisant l'accès du secteur, en ayant recours aux amples ressources financières de son siège social et en se servant du pouvoir politique qu'il exerce quelquefois. b) La mainmise permanente sur des secteurs importants de l'activité économique entrave la formation du capital national et crée des problèmes d'instabilité de la balance des paiements. c) L'investissement étranger privé nuit à la politique monétaire et fiscale anticyclique — en se produisant en période d'expansion et en se retirant en période de dépression. d) Les exigences des investisseurs étrangers privés qui demandent des concessions pour créer un « climat favorable » à l'investissement dans les pays récepteurs sont excessives et sans limites. e) Il est bien moins

---

96. Arturo FRONDIZI, *A Luta Antiimperialista* (Sao Paulo, Editoria Brasilence, 1958) ; traduction de *Petroleo y Politica* (Buenos Aires, Editorial Raigal, 1955).

cher et plus conforme au désir des pays sous-développés de parvenir à l'indépendance économique, de louer les services de techniciens étrangers et de payer des redevances pour l'utilisation de brevets, que d'accepter le contrôle permanent de leur économie par de puissants consortiums étrangers. f) Le capital étranger ne s'adapte pas à la planification du développement [97]. »

Il est donc loin d'être évident que les pays sous-développés seraient encore plus sous-développés s'ils ne recevaient pas de capital étranger [98]. Evidemment, toute diffusion, celle de capital incluse, ne constitue pas une aide au développement économique.

Les techniques.

Les techniques ne sont que partiellement diffusées. Toutefois, le problème ne peut se ramener — comme les diffusionnistes voudraient nous le faire croire — à une insuffisance de la quantité de technologie diffusée et moins encore à une résistance culturelle opposée par les régions techniquement arriérées à l'acceptation et à l'utilisation de la technique. Le problème des techniques et de leur diffusion découle de la même structure monopoliste du système économique, et ce aux niveaux mondial, national et local. Au cours du développement économique du système capitaliste à ces divers niveaux, les pays développés ont toujours diffusé à leurs dépendances coloniales satellites les techniques dont l'utilisation dans les pays coloniaux et maintenant sous-développés a servi les intérêts de la métropole ; et la métropole a toujours réprimé, dans les pays actuellement sous-développés, les techniques qui contrarient ses propres intérêts et son propre développement. C'est ce qu'ont fait

---

97. Cité dans Camara Textil del Norte, « Las Inversiones Extranjeras y el Desarrollo Economico de Mexico », *Problemas Agricolas e Industriales de Mexico*, vol. 9, n° 1-2 (1957).

98. Pour une analyse plus détaillée de ce problème, voir : José Luis CECENA, *El Capital Monopolista y la Economia de Mexico, op. cit.* ; Fernando CARMONA, *El drama de America Latina, El caso de Mexico* (Mexico, Cuardenos Americanos, 1964) ; Arturo FRONDIZI, *op. cit.* ; Silvio FRONDIZI, *La Realidad Argentina* (2ᵉ éd., Buenos Aires, Praxis, 1967), vol. 1 ; Hamza ALAVI, « US Aid to Pakistan », *Economic Weekly* (Bombay), numéro spécial, juillet 1963 ; et André GUNDER FRANK, « Brasil, Exploitation or Aid ? », *The Nation* (New York), 16 novembre 1963 ; « On the Machanism of Imperialism », *op. cit.* ; *Capitalisme et sous-développement en Amérique latine, op. cit.* ; et « Foreign Investment in Latin America Underdevelopment from colonial Conquest to Néo-Imperialist Integration », dans *Imperialism and Revolution*, David Horowitz éd. (Londres, Bertrand Russel Peace Foundation, sous presse), publié en espagnol sous le titre de « La Inversion Extranjera en el Subdesarrollo Latino-Americano desde la Conquista Colonial hasta la Integracion Neo-Imperialista », *Desarrollo* (Colombia), n° 5 (janvier 1967).

les Européens pour l'irrigation et les autres installations techniques agricoles aux Indes, au Moyen-Orient et en Amérique latine ; c'est également ce qu'ont fait les Anglais pour la technique industrielle de l'Inde, de l'Espagne et du Portugal [99]. Il en va de même aux niveaux nationaux et locaux ; la métropole nationale met en avant dans son *hinterland* les techniques qui desservent ses intérêts en matière d'exportation et réprime les techniques préexistantes agricoles ou artisanales, communautaires ou individuelles qui nuisent à l'utilisation de la capacité de production et de consommation des zones rurales, dans le sens du développement métropolitain.

Tout au long de ce processus historique, la métropole a conservé un degré élevé de monopole sur la production et les techniques industrielles, monopole auquel elle n'a renoncé qu'après s'être assurée d'une autre source de monopole dans l'industrie lourde ; de nos jours, la métropole commence à renoncer lentement à ce monopole, ayant développé une source encore plus récente de monopole technique : l'électronique, les produits synthétiques, la cybernétique et l'automation en général. Loin de diffuser dans les pays sous-développés de plus en plus de techniques importantes, les pays développés ont aujourd'hui tendance à accentuer la mesure dans laquelle les nouvelles techniques servent de fondement à la domination monopoliste que la métropole capitaliste exerce sur ses colonies économiques sous-développées.

Sous le titre *The U.S. Business Stake in Europe,* la revue d'affaires américaine *Newsweek* a récemment analysé certains faits relatifs à la diffusion des techniques qui semblent contredire assez nettement le credo diffusionniste :

« En fait, les Européens les mieux informés considèrent que l'avance technologique des grandes entreprises américaines constitue le fait le plus troublant de l'invasion du dollar. Une commission d'étude française est parvenue à la conclusion qu'à l'avenir la concurrence par les prix cédera le pas devant la concurrence par les innovations, concurrence qui sera tellement acharnée que seules quelques entreprises de dimensions internationales — c'est-à-dire principalement américaines — pourront survivre [...] Les industries européennes fonctionneront de plus en plus à partir d'accords portant sur l'utilisation de brevets étrangers ; elles deviendront des succursales de sociétés-mères situées aux Etats-Unis, qui leur vendront leur savoir-faire et qui auront la haute main sur la gestion européenne [...] Les publications et les hommes politiques français

---

99. On trouvera par exemple une analyse de ce processus pour l'Inde dans l'ouvrage cité à la note 60 ; pour l'Amérique latine à la note 62 ; pour la Chine à la note 132 ; pour l'Espagne dans José LARRAZ, *La Epoca del Mercantilismo en Castilla (1500-1700)* (2ᵉ éd., Madrid, Atlas, 1943) ; pour le Portugal dans Alan K. MANCHESTER, *British Preeminence in Brazil its Rise and Decline* (Chapel Hill, University of North Carolina Press, 1933).

de la droite, de la gauche et du centre ne cessent d'accuser les Etats-Unis de colonisation économique, de satellisation, de vassalisation [...] Un président-directeur général de Bruxelles résume la situation ainsi : " Nous sommes en train de devenir des pions manipulés par les géants américains " [...] Un responsable d'Olivetti, discutant des alternatives opposables à la pénétration de la General Electric affirme : " ... Mais même si nous avions fusionné avec les machines Bull en France et Siemens en Allemagne (qui par la suite a passé un accord d'exploitation sous licence avec RCA), nous aurions quand même été étouffés et éventuellement éliminés par les géants américains [...] Les coûts de recherche sont trop élevés. Le décalage technologique entre les deux rives de l'Atlantique est une donnée objective [...] Nous avons étudié très soigneusement la possibilité d'une solution européenne [...] Il n'existe pas de solution européenne à ces problèmes. " [100] »

Contrairement donc à ce que les diffusionnistes voudraient nous faire croire, la dure réalité de la diffusion technique — et ces membres des cercles d'affaires européens en sont bien conscients — ne peut se ramener à une simple diffusion des techniques sous la forme d'une aide au développement dispensée par les pays les plus développés à ceux qui le sont moins. Naturellement, le problème de la diffusion des techniques et du développement économique est encore moins celui de la résistance culturelle découlant du traditionalisme ou des « variables » de Hoselitz. Si ces économies européennes puissantes et développées ne peuvent trouver de solution européenne au véritable problème du développement posé par l'écart technique (plutôt qu'au problème imaginé par les diffusionnistes), quel espoir reste-t-il aux économies faibles et sous-développées, prises dans le même système, de trouver une telle solution [101] ? Il n'est sans doute pas accidentel de constater que parmi les pays européens et les pays précédemment sous-développés, c'est seulement dans les pays socialistes — l'Union soviétique et la Chine — qu'une « solution à ces problèmes » a été trouvée.

Les institutions.

La diffusion passée, présente et future des institutions et des valeurs des zones développées vers les zones sous-développées est

100. « The U.S. Business Stake in Europe », *Newsweek*, 8 mars 1965, pp. 67-74.

101. Voir André GUNDER FRANK, article sur le Brésil, *op. cit.*, et en particulier la dernière partie de « Le développement capitaliste du sous-développement au Brésil » dans *Capitalisme et sous-développement en Amérique latine, op. cit.* Voir aussi « The Growth and Decline of Import Substitution in Brazil », *Economic Bulletin for Latin America* (New York, Nations unies), vol. 9, n° 1 (mars 1964).

un fait indéniable. L'élaboration de toute une théorie du développement économique à partir d'un tel fondement est tout autre chose. En dehors de Manning Nash — qu'il convient sans doute de classer dans cette catégorie, bien qu'il rejette le diffusionnisme dans sa forme la plus grossière —, les théoriciens qui se penchent sur la diffusion des institutions et des valeurs à partir des pays développés et sur la résistance des « receveurs » sous-développés, ont été bien représentés dans les pages de l'*EDCC* [102]. Sur le plan technique, la théorie diffusionniste pourrait traiter de la diffusion de n'importe quel type d'institutions et de valeurs. En pratique toutefois, l'école diffusionniste s'est concentrée sur la diffusion du libéralisme, qu'il soit vieillot ou rénové (bien qu'on le qualifie rarement ainsi) — et il s'agit là d'ailleurs de l'essentiel de ce qui a été diffusé au cours du siècle dernier de la métropole vers les pays aujourd'hui sous-développés. En conséquence, nous nous pencherons plus spécialement sur la diffusion du libéralisme dans ses formes économiques, politiques et sociales. De plus, les variables que sont l'universalité, l'orientation vers la réalisation et la spécificité fonctionnelle, et à partir desquelles Hoselitz identifie le développement économique, ne sont guère autre chose que le libéralisme transposé dans un jargon aux résonances techniques. C'est apparemment cela que Hoselitz aimerait voir diffusé afin de voir transformer le sous-développement en développement. Le diffusionnisme constitue-t-il une théorie valable du sous-développement et la diffusion du libéralisme ou de tout autre chose peut-elle représenter une politique efficace de développement économique ?

Le libéralisme économique a été — et est encore — diffusé non pas de manière générale, mais dans des circonstances spécifiques très particulières. Son exportation à partir de la métropole est l'une des expressions des intérêts particuliers de ceux qui le diffusent, de même que son importation par les pays sous-développés est une expression des intérêts particuliers de ceux qui s'y adaptent sur le plan culturel. Les circonstances spécifiques de la diffusion et de l'acculturation du libéralisme et les intérêts particuliers qui s'y rattachent, comme toutes choses, ont été et sont encore déterminés par la structure et le développement du système économique, social et politique ambiant. L'économiste allemand Friedrich List a, dans les années 1840, souligné le fait qu'un juge de la Cour suprême

---

102. Manning NASH, « Social Prerequisites to Economic Growth in Latin America and South-East Asia », *EDCC*, vol. 12, n° 3 (avril 1964) ; Burkhard STRUMPEL, « Preparedness for Change in Peasant Society », *EDCC*, vol. 13, n° 2 (janvier 1965) ; S.N. EISENSTADT, « Breakdown of Modernisation », *EDCC*, vol. 12, n° 4 (juillet 1964) ; William N. PARKER, « Economic Development in Historical Perspective », *EDCC*, vol. 10, n° 1 (octobre 1961) ; S.N. EISENSTADT, « Sociological Aspects of the Economic Adaptation of Oriental Immigrants in Israël. A case Study in the Problem of Modernization », *EDCC*, vol. 4 (avril 1966) ; et d'autres encore.

des Etats-Unis avait observé en ce qui concerne l'un des articles de foi les plus importants du libéralisme que, tout comme le reste des produits britanniques, la doctrine du libre-échange fut produite en premier lieu pour l'exportation [103]. Quelques années plus tard, le général Ulysse S. Grant, président des Etats-Unis, faisait remarquer que :

« ... Durant des siècles, l'Angleterre a compté sur le protectionnisme, l'a porté à l'extrême et en a obtenu des résultats satisfaisants. Il est incontestable que c'est à ce système qu'elle doit sa puissance actuelle. Deux siècles plus tard, l'Angleterre a décidé qu'il convenait d'adopter le libre-échange, estimant que le protectionnisme n'a plus rien à lui offrir. Fort bien, messieurs, la connaissance que j'ai de mon pays me fait penser que dans les deux cents prochaines années, quand l'Amérique aura tiré tout ce qui est possible du protectionnisme, elle adoptera elle aussi le libre-échange [104]. »

Le président Grant ne s'est trompé que d'un siècle : depuis la Seconde Guerre mondiale, c'est-à-dire depuis que les Etats-Unis sont parvenus à une suprématie industrielle incontestée et au quasi-monopole mondial qui était celui de la Grande-Bretagne au siècle précédent, tout leur effort tend vers l'exportation du libre-échange, cette exportation étant directe ou se faisant à travers l'influence dominante qu'ils exercent sur des institutions internationales telles que le GATT, le Fonds monétaire international et la Banque mondiale. Le libre-échange, comme la libre entreprise, ne constitue qu'un monopole protecteur déguisé — comme Frederick Clairmonte l'a si bien démontré [105].

Les circonstances et les intérêts qui amenaient les pays sous-développés à s'adapter volontiers, au cours du XIXe siècle, au libre-échange international et au libéralisme économique interne — et au libre-échange en matière de techniques et à la libre entreprise, au cours du XXe siècle — peuvent être résumés ainsi :

« La doctrine du libéralisme importé d'Europe a ainsi trouvé un terrain fertile dans notre pays [le Chili] et elle s'est développée avec vigueur. Elle a constitué le fondement théorique propre à consolider les intérêts des forces dominantes, d'autant plus qu'elle représentait et exprimait leurs désirs [106]. »

Il convient de citer intégralement cette autre observation plus spécifique et plus pénétrante encore :

---

103. Friedrich LIST, *National System of Political Economy* (Philadelphia, 1956).

104. Cité dans Pedro SANTOS MARTINEZ, *Historia Economica de Mendoza Durante el Virreynato* (Madrid, Universidad Nacional del Cuyo, 1959), p. 125, et traduit de l'espagnol par l'auteur.

105. Frederick CLAIRMONTE, *Economic Liberalism and Underdeveloped Countries...*, *op. cit.*

106. Max NOLFF, « Industria Manufacturera », dans *Geografia Económica de Chile* (Santiago, Corporación de fomento de la producion, vol. 3, pp. 162-3).

« Les groupes de pression qui dominaient la politique économique du pays étaient des libres-échangistes déterminés : ils étaient plus libres-échangistes que Courcelle-Seneuil, le chef célèbre et respecté du libre-échangisme doctrinaire ; ils étaient très nettement plus catholiques que le pape [...] Les exportateurs de produits miniers du Nord étaient libres-échangistes. Cette politique n'était pas fondamentalement due à des raisons de doctrine — bien que ces raisons ne fussent pas totalement absentes —, mais plutôt au simple fait que ces messieurs étaient dotés d'un certain bon sens. Ils exportaient du cuivre, de l'argent, des nitrates et d'autres minerais [...] ils étaient payés en livres sterling ou en dollars [...] Il est difficile d'imaginer que l'altruisme ou une quelconque vision prophétique de l'avenir aient pu induire ces exportateurs à payer des droits d'importation ou d'exportation afin de faciliter l'éventuelle industrialisation du pays. »

Veliz décrit ensuite comment les exportateurs de produits agricoles et de bétail et les grandes maisons d'importation opéraient en vertu de la même logique. Il ajoute :

« Telle était donc la puissante coalition d'intérêts qui dominait la politique économique du Chili au cours du siècle dernier et durant une partie du siècle actuel. Aucun de ces trois ne s'intéressait le moins du monde à l'industrialisation du pays. Ils monopolisaient les trois pouvoirs à tous les niveaux : le pouvoir économique, le pouvoir politique et le prestige social[107]. »

Aldo Ferrer découvre un phénomène semblable dans l'Argentine du XIXe siècle :

« Les marchands et les propriétaires de bétail, qui représentaient les forces dynamiques dans le développement du littoral, s'intéressaient principalement à l'accroissement des exportations. Le libre-échange devint ainsi à la fois la philosophie et la pratique de ces groupes [...] La liberté d'exportation signifiait aussi la liberté d'importation[108]. »

Ferrer traite ensuite de l'Argentine d'aujourd'hui après son prétendu démarrage industriel des années 1930 et 1940 et après l'expulsion de Peron et l'abrogation de sa politique dans les années 1950 par ces mêmes groupes et par leurs alliés étrangers — désormais principalement américains — qui lui ont substitué la politique du Fonds monétaire international :

« En janvier 1959, l'Argentine commença à appliquer un plan de stabilisation [...] En même temps, la structure des taux de change fut libéralisée et le peso dévalué [...] D'ailleurs la dévaluation était devenue un instrument de politique économique expressément destiné à transformer la structure interne des prix en faveur du secteur d'exportation [...] Compte tenu des conditions objectives qui pré-

107. Claudio VELIZ, « La mesa de Tres Patas », *Desarrollo Economico* (Buenos Aires), vol. 3, nos 1 et 2 (avril-septembre 1963), pp. 237-242.
108. Aldo FERRER, *The Argentinian Economy, op. cit.*, p. 56.

valent dans l'économie argentine aussi bien que sur le marché mondial, les difficultés de ce type de réajustement se reflètent dans le fait que la stagnation n'a pas été surmontée et que les rigidités du système économique qui la détermine, loin d'être résolues sont devenues de plus en plus graves [...] La politique financière et monétaire [...] s'est accompagnée d'une redistribution fortement régressive du revenu [...] Il s'est produit une forte contraction des affaires [...] Le déficit de la balance des paiements et du gouvernement budgétaire, aussi bien que le problème de la montée des prix subsistent toujours [...] En fait, le plan de stabilisation et les recommandations reçues de l'extérieur n'ont été qu'un instrument dans les mains des secteurs qui ont vu leurs intérêts, aussi bien immédiats qu'à long terme, bénéficier de l'impact de la politique suivie en matière de répartition de revenu et du réajustement structural *régressif* de l'économie argentine [109]. »

Deux autres exemples bien connus sont révélateurs en ce qui concerne la manière dont le libéralisme économique dans l'économie interne des pays sous-développés favorise le monopole et donc le sous-développement de la majorité. Le premier de ces exemples a été au XIXe siècle le morcellement, au nom du libéralisme, des terres indiennes sous propriété communautaire, leur distribution en propriétés privées et la concentration monopoliste qui en a découlé durant l'époque de la réforme libérale — concentration qui a largement dépassé celle de l'ère colonialiste autocratique [110]. Un autre exemple est constitué par la concentration monopoliste actuelle de plus en plus intense et qui affecte la finance, le commerce, l'industrie et (encore) la terre dans les pays sous-développés placés sous l'égide de la « libre » entreprise du monde « libre » [111]. Il est donc évident que la diffusion et l'accumulation du libéralisme économique à partir des pays métropolitains développés (ou en cours de développement) vers leurs satellites sous-développés — aussi bien d'ailleurs que la diffusion et l'acculturation qui se produisent à l'intérieur même des pays sous-développés — correspondent à des intérêts qui engendrent des conséquences que l'on peut résumer en un seul mot, celui de monopole. Contrairement à l'édifice théorique complexe des classiques et des néo-classiques qui fut soigneusement élaboré à Manchester (la première ville à pénétrer dans l'ère industrielle moderne)

---

109. Aldo FERRER, « Reflexiones acerca de la Politica de Establización en la Argentina », *op. cit.*, pp. 501-514.

110. Antonio GARCIA, *La democracia en la Teoria y en la Pratica, Una Tercera Posicion Frente a la Historia* (Bogota, Editorial Iqueima, 1951) et *Bases de la Economia Contemporanea, Elementos para una Economia de Defensa* (Bogota, 1948) ; Moisés GONZALEZ NAVARRO éd., *Vallarta en la Reforma* (Mexico, Ediciones de la Universidad Nacional Autonoma, 1956) ; et *La Colonizacion en Mexico 1877-1910* (Mexico, 1960) ; Jesus REYES HEROLES, *El Liberalismo Mexicano* (Mexico, Universidad Nacional Autonoma, Faculdad de Derecho, 3 vol., 1957-1961).

111. Voir les ouvrages cités dans les notes 38, 56 et 66.

et que l'on exploite encore assidûment, la diffusion du libéralisme économique a très largement contribué à l'implantation, au maintien et au renforcement du monopole économique, tant au niveau national qu'international. A travers ce monopole, le libéralisme économique a contribué au développement économique de *ceux qui le diffusent*, à ce que la Commission économique des Nations unies pour l'Amérique latine qualifie de développement limité et « orienté vers l'extérieur » [112] des capitaux des pays sous-développés ; et à un sous-développement sans cesse aggravé pour la majorité de la population mondiale qui a été et qui est encore « libéralement » contrainte d'en subir les conséquences.

On ne saurait dire que la diffusion du libéralisme politique, qui a accompagné et suivi l'expansion du libéralisme économique, soit de nature très différente. Etant donné que les conséquences de la diffusion du libéralisme politique apparaissent clairement dans l'analyse ci-dessus du libéralisme économique, et puisqu'elles sont explicites dans nos journaux quotidiens, il n'est pas nécessaire d'avoir recours à l'analyse que fait Lénine dans l'*Etat et la Révolution* sur les rapports entre le pouvoir politique et économique et les institutions, ou d'en discuter ici [113]. Il convient seulement de préciser que les rapports entre le pouvoir économique et le pouvoir politique — que le président Eisenhower mentionne de nouveau en parlant du « complexe industriel et militaire » [114] et dont C. Wright Mills parle dans l'*Elite du pouvoir* [115] — sont encore plus intimes dans les pays sous-développés que dans les pays développés dont parlent Lénine, Eisenhower et Mills.

Bien que le terme ne soit pas utilisé, nous pouvons également observer la diffusion d'un « libéralisme social » qui s'accompagne elle aussi d'une certaine acculturation. Le libéralisme moderne prend surtout la forme d'une promotion de la « mobilité sociale » et des « classes moyennes » dans les pays sous-développés. Comme les autres formes de la même doctrine, le libéralisme social est censé conduire à une société démocratique plus ouverte capable de réaliser un développement économique plus intense et plus rapide. Nous avons noté plus haut que l'approche de Hoselitz en termes de variables de modèle tend à se rallier à cette thèse, et que Johnson et Germani, parmi d'autres auteurs, proposent la promotion des classes moyennes et de la mobilité sociale en tant que théorie et politique de développement. Johnson diffuse cette doctrine à partir

---

112. Commission économique des Nations unies pour l'Amérique latine, *The Economic Development of Latin America in the Post-War Period, op. cit.,* et autres publications.

113. V.I. Lénine, *L'Etat et la révolution,* dans *Oeuvres choisies en deux volumes* (Moscou, Maison d'éditions en langues étrangères, s. d.), vol. 2, partie I.

114. Cité dans Fred J. Cook, *The Warfare State, op. cit.*

115. C. Wright Mills, *L'Elite du pouvoir, op. cit.*

des Etats-Unis [116], et Germani travaille dans le sens de son acculturation en Argentine lorsqu'il rédige un article intitulé *Estrategia para Estimular la Mobilidad Social* (une stratégie pour promovoir la mobilité sociale) [117]. Toutefois, comme le libéralisme économique et politique, le libéralisme social devrait plutôt être qualifié de libéralisme individuel. Il s'agit de la liberté dont dispose une poignée d'individus pour se mouvoir, pour monopoliser et, partant, restreindre le développement de l'ensemble économique, politique et social. Ceux des habitants des pays sous-développés qui ont émigré de la campagne à la ville ou qui sont passés d'un niveau économique et social inférieur à un niveau plus élevé déclarent souvent sous une forme ou une autre qu'ils ont réalisé leur propre réforme ou leur propre révolution individuelle. Ce faisant, ils expriment non seulement le conservatisme qui reflète leur désir de maintenir leur position nouvellement acquise, mais également une vérité scientifique et sociale fondamentale qui semble échapper à l'attention des diffusionnistes et de ceux qui raisonnent comme eux : la mobilité « sociale » constitue en fait une mobilité *individuelle* et en tant que telle elle ne transforme pas les structures sociales ; c'est bien plutôt une transformation de la structure sociale qui rendrait possibles la mobilité *sociale* et le développement économique.

De même que pour les autres types de libéralisme, les preuves (fournies en partie par Hoselitz lui-même, comme on l'a vu plus haut [118]) s'accumulent qui indiquent que la diffusion vers les pays sous-développés des institutions et des valeurs du libéralisme social est hautement sélective tant au point de vue diffusion qu'à celui d'acculturation. La diffusion sélective est déterminée par la structure du système international comprenant les rapports structuraux qui existent entre les sociétés émettrices et les sociétés réceptrices et les sous-sociétés que celles-ci comprennent. Loin d'aider au développement des pays sous-développés, le libéralisme social l'entrave. Ainsi que nous l'avons déjà observé, la mobilité sociale et la montée des classes moyennes dans les pays sous-développés rendent la distribution du revenu moins égalitaire, et non l'inverse [119] ; et sur le plan économique et politique, elles favorisent non pas le changement, mais la conservation et le renforcement du *statu quo* économique, politique et social [120].

---

116. John J. Johnson, *Political Change in Latin America : The Emergence of the Middle Sectors, op. cit.*

117. Gino Germani, « Estrategia para Estimular la Mobilidad Social », *Desarrollo Economico* (Buenos Aires), vol. 1 (1962).

118. Bert F. Hoselitz, « Economic Growth in Latin America », *op. cit.*

119. Anibal Pinto S.C., *Chile : Una Economia Difficil, op. cit.*, et sa « Concentracion del Progresso Tecnico y sus Frutos en el Desarrollo Latino-Americano », *op. cit.* ; voir aussi Gabriel Kolko, *op. cit.*, pour les Etats-Unis.

120. Voir « Détruire le capitalisme pas le féodalisme », p. 318.

L'adéquation théorique.

De même que pour notre examen de la première approche, notre examen de la validité empirique des hypothèses de la seconde approche constitue une excellente manière pour évaluer leurs formulations théoriques conjuguées. Comme la première méthode, l'approche diffusionniste fait montre de sérieuses déficiences théoriques dans la mesure où elle ne parvient pas à rendre valablement compte de la structure déterminante et du développement du système social dans le cadre duquel se produisent la diffusion, l'acculturation ainsi que le développement économique et le changement culturel. Le défaut théorique le plus important du diffusionnisme est sans doute le fait qu'il postule le dualisme au lieu du globalisme structural et dynamique. Dans les pages d'*EDCC*, la théorie du dualisme elle-même a été le plus explicitement mise en avant et défendue par Benjamin Higgins [121] qui ne rejette le dualisme social de Boeke [122] que pour maintenir que le dualisme repose sur un fondement technique et économique. Le fait qu'il soit explicitement mis en avant dans *EDCC* par des auteurs et des chercheurs venus du monde entier indique bien le caractère extrêmement répandu du dualisme [123].

Bien que l'adhésion explicite à la thèse de la société ou de l'économie dualiste soit d'habitude réservée à la seule analyse des pays sous-développés, la thèse dualiste est implicite dans l'ensemble de l'analyse du développement que nous étudions dans ce texte.

Les trois approches que nous considérons cherchent toutes à analyser aussi bien les différences entre les pays développés et les pays sous-développés que les inégalités qui existent dans le cadre

---

Review, vol. 15, n° 8 (décembre 1963) ; Rodolfo Stavenhagen, « Sept thèses erronées sur l'Amérique latine » *Partisans* n°s 26-27, 1966 ; Claudio Veliz, « Social and Political Obstacles to Reform », *World today* (Londres), janvier 1963, réimprimé dans Oscar Delgado, ed., *Reformas Agrarias en la America Latina* (Mexico, Fondo de Cultura, 1965).

121. Benjamin Higgins, « The Dualistic Theory of Underdeveloped Areas », *EDCC*, vol. 4, n° 2 (janvier 1956) ; voir aussi son *Economic Development*, op. cit.

122. J.H. Boeke, *The Structure of the Netherlands Indian Economy* (New York, Institute of Pacific Relations, 1946), et l'ouvrage définitif *Economics and Economic Policy of dual Societies*, op. cit.

123. P.T. Ellsworth, « The Dual Economy : A New Approach », *EDCC*, vol. 10, n° 4 (juillet 1962) ; Walter Elkan, « The dualistic Economy of the Rhodesias and Nyasaland », *EDCC*, vol. 11, n° 4 (juillet 1963) ; Samir Dasgupta, « Underdevelopment and Dualism. A note », *EDCC*, vol. 12, n° 2 (janvier 1964) ; Tsunehico Watanabe, « Economic Aspects of Dualism in the Industrial Development of Japan », *EDCC*, vol. 13, n° 3 (avril 1965).

de ces derniers, en attribuant des structures économiques et sociales distinctes et dans une large mesure indépendantes aux secteurs développés et sous-développés, chacun étant doté de sa propre histoire et de sa propre dynamique — si tant est qu'il en a une. (En fait, nous avons souvent constaté que l'un de ces deux secteurs se voit dénier toute histoire.) C'est ainsi que Jacques Lambert affirme dans son ouvrage *Os Dois Brasis* (Les Deux Brésil) :

« Les Brésiliens sont divisés en deux systèmes d'organisation économique et sociale [...] Ces deux sociétés n'ont pas évolué au même rythme [...] Elles sont séparées par des siècles [...] L'économie dualiste et la structure sociale dualiste qui l'accompagne ne sont pas des phénomènes nouveaux ni typiquement brésiliens — elles existent dans tous les pays inégalement développés [124]. »

Dans ce sens, le secteur des plantations ou des mines d'un pays sous-développé est considéré comme une enclave de l'économie métropolitaine développée, enclave qui serait enkystée en territoire étranger. L' « enclave » n'est pas considérée comme faisant réellement partie de l'économie de subsistance prétendument isolée du pays sous-développé lui-même ; et l'on pense qu'elle exerce une influence économique et sociale très faible sur ce secteur isolé aujourd'hui, cette influence étant nulle dans le passé [125]. De même, dans un pays que l'on considère comme étant un peu moins sous-développé, une partie de la population, composée habituellement d'indigènes, est considérée comme vivant en dehors de l'économie de marché et en marge de la société nationale et du monde dans son ensemble [126]. Cette conception d'une économie et d'une société dualistes, que ce dualisme soit attribué à des facteurs culturels, sociaux, technologiques ou économiques, donne alors naissance à la théorie diffusionniste et aux mesures pratiques concernant la diffusion du capital, des techniques et des institutions.

La théorie dualiste et les thèses diffusionnistes qui se fondent sur elle sont inadéquates parce que le prétendu dualisme structural est contraire à la réalité historique à la fois passée et présente [127] : *l'ensemble tout entier* de la réalité sociale des pays sous-développés

---

124. Jacques Lambert, *Os Dois Brasis*, *op. cit.* Voir aussi son nouveau livre *L'Amérique latine* (Paris, P.U.F., 1963).

125. L'argument classique de l'économie d'enclave est celui de J.H. Boeke, *op. cit.*

126. Pablo Gonzalez Casanova, *La Démocratie au Mexique*, *op. cit.*, et maints autres ouvrages. Le « Seminario de Integracion Nacional » du gouvernement guatémaltèque explicite toute l'idée par sa seule désignation.

127. Voir ci-dessus notre examen des travaux de Rostow et André Gunder Frank, *Capitalisme et Sous-développement en Amérique latine*, *op. cit.*, surtout le chapitre intitulé « Le capitalisme et le mythe du féodalisme dans l'agriculture brésilienne ». Pour une étude plus approfondie du dualisme en général et des thèses dualistes particulières de Jacques Lambert et de Celso Furtado au sujet du Brésil, et de Pablo Gonzalez Casanova au sujet du Mexique, voir mes articles « El Nuevo

est depuis longtemps pénétré par le système mondial dont il fait partie intégrante et qui l'a transformé et intégré. Les faits relatifs à cette pénétration et la thèse de la transformation et de l'intégration, qui en sont les conséquences, ont été présentés et défendus de manière convaincante pour l'Amérique centrale par Eric Wolf [128] ; pour l'Inde par Marx [129], Dutt [130] et Desay [131] ; pour la Chine par Owen Lattimore [132] ; pour l'Afrique par Woddis [133], Suret-Canale [134] et Mamadou Dia [135] ; et même pour l'Indonésie, berceau du dualisme par Wertheim et Geertz [136] (qui fut autrefois associé aux recherches de Higgins et qui est actuellement le collègue de Hoselitz).

Plus spécifiquement — ainsi que Eric Wolf [137] s'est donné beaucoup de mal pour le démontrer en ce qui concerne l'Amérique centrale, et l'auteur de ces lignes pour le Brésil [138] —, il n'est pas exact, comme le prétendent explicitement ou implicitement les diffusionnistes et bien d'autres avec eux, que l'isolement des populations indigènes, qu'elles soient ou non paysannes, tende à diminuer avec le temps et jusqu'à l'intégration complète dans la société nationale, qui dès lors cesse d'être dualiste. Au contraire, le degré d'intégration et les autres aspects des rapports que ces populations entretiennent avec l'extérieur — national ou étranger — varient de diverses manières principalement déterminées par la structure et le développement du système capitaliste national ou international, et ensuite seulement par les propres efforts très partiellement victorieux

---

Confusionismo del Pre-Capitalismo Dual en America Latina », *Economia* (Mexico), n° 4 (mai-juin 1965) et « La Democracia en Mexico », *Historia y Sociedad* (Mexico), n° 3 (novembre 1965).

128. Eric WOLF, *Sons of the Shaking Earth, op. cit.*

129. Karl MARX, dans *Sur le colonialisme* (Moscou, Maison d'éditions en langues étrangères, s. d.).

130. R. PALME DUTT, *India Today and Tomorrow, op. cit.*

131. A.R. DESAI, *The Social Background of Indian Nationalism, op. cit.*

132. Owen LATTIMORE, « The Industrial Impact on China 1800-1950 », *Première conférence internationale d'histoire économique,* Stockholm, 1960 (La Haye, Mouton et Co., 1960).

133. Jack WODDIS, *Africa, The Roots of Revolt, op .cit.*

134. Jean SURET-CANALE, *Histoire de l'Afrique occidentale* (Paris, Editions sociales, 1961).

135. Mamadou DIA, *Réflexions sur l'économie de l'Afrique noire* (Paris, Présence africaine, 1960).

136. W.F. WERTHEIM, *Indonesian Society in Transition, A Study of Social Change* (2e édition révisée ; La Haye et Bandoung, W. van Hoeve Ltd, 1959), et Clifford GEERTZ, *Agricultural Involution, The Process of Ecological Change in Indonesia* (Berkeley, University of California Press, 1963).

137. Eric WOLF, *Sons of the Shaking Earth, op. cit.*, et « Types of Latin American Peasantry », *American Anthropologist,* vol. 57, n° 3 (juin 1955).

138. André GUNDER FRANK, *Capitalisme et sous-développement en Amérique latine, op. cit.*

de ces populations pour se défendre contre les conséquences oppressives du système.

Le dualisme n'est pas seulement théoriquement inadéquat parce qu'il présente faussement et refuse d'analyser le système capitaliste aux niveaux international, national et local, mais également parce qu'il ne se conforme pas aux normes du globalisme, du structuralisme et de l'historicité. Les partisans du dualisme contredisent le globalisme en établissant explicitement deux touts théoriques face à un tout social unique qu'ils ne peuvent ou ne veulent pas voir. En ce qui concerne le structuralisme, les dualistes sont nettement en défaut, dans la mesure où, s'ils perçoivent et traitent d'une quelconque structure, il ne s'agit au mieux que de la structure des parties. Ils ne traitent pas — ou même ils en nient l'existence — de la structure du système d'ensemble qui détermine les rapports entre les parties, c'est-à-dire la structure qui engendre le dualisme de la pauvreté et de la richesse, d'une culture et d'une autre et ainsi de suite. En ce qui concerne le développement historique des phénomènes sociaux qu'ils étudient, les dualistes et les diffusionnistes se livrent soit à une négation de toute histoire pour l'une des parties, soit à une observation de son évolution sociale en dehors de la perspective historique nécessaire pour l'interpréter de façon adéquate. Et, naturellement, ils s'abstiennent systématiquement quand il s'agit d'accorder la moindre considération au développement historique du système social dont le donneur qui diffuse et le receveur qui subit l'acculturation ne sont que des parties. Il n'est donc pas étonnant de constater que des diffusionnistes et autres dualistes qui s'arrêtent aux apparences se méprennent sur leur signification et leurs conséquences pour le développement économique et le changement culturel.

Comme l'a dit Marx, la science serait sans objet si l'apparence externe des choses devait correspondre à leur signification profonde. Ainsi la tâche de la théorie sociale scientifique, tâche que négligent d'accomplir les dualistes et autres tenants des trois approches qui nous occupent, n'est pas de mesurer la différence qui existe entre les parties, mais au contraire d'étudier les rapports qui existent entre ces parties afin de pouvoir expliquer pourquoi elles sont différentes ou dualistes. Si la politique de développement économique et de changement culturel a réellement pour objet d'éliminer ces différences — ou celles d'entre elles qui sont considérables —, alors il s'agit de transformer les rapports qui engendrent ces différences : en d'autres termes, il s'agit de transformer la structure du système social *tout entier* qui se trouve à l'origine de ces relations et, partant, des différences de la société « dualiste ».

Il est malheureux — bien que non inexplicable — que la théorie et la politique dont nous traitons ici tendent à s'écarter de cette tâche. Avec leur approche des types idéaux prétendument structuralistes et historiques, les disciples de Weber se détournent de l'objectif et de la méthode scientifique de leur maître et ne se livrent à rien d'autre qu'à leur cruelle caricature. De la même façon, les dualistes et les diffusionnistes-acculturationnistes sont en train de corrompre la vision et l'œuvre de l'un de leurs principaux inspirateurs actuels, Robert Redfield. En créant le type idéal de la communauté ethnique (*folk community*), et en analysant la diffusion dans le continuum ethnique urbain (*folk urban continuum*) [139], aussi bien que dans ses travaux postérieurs sur les rapports qui existent entre haute et basse culture (*high and low culture*) [140], Redfield a — sans doute inintentionnellement — encouragé les étudiants actuels du développement économique et du changement culturel à adapter un dualisme et un diffusionnisme qu'il a lui-même rejetés dans ses dernières années.

Redfield a enseigné que, dans des situations de contacts culturels, la diffusion ne se fait jamais à sens unique. En conséquence, de ce point de vue, l'accent mis par les diffusionnistes sur la diffusion de la métropole vers la périphérie, et l'exclusion de fait du mouvement inverse les dissocient de Redfield, tout en constituant des procédés inacceptables sur le plan théorique. D'ailleurs, bien que Redfield ait été loin d'être un structuraliste (bien qu'il n'ait épargné aucun effort pour souligner le besoin de globalisme en théorie sociale scientifique), il n'en a pas moins attiré notre attention sur la détermination structurale de la diffusion mutuelle entre haute et basse culture à l'intérieur d'un même système social. Néanmoins, les leçons de Redfield ne semblent pas avoir impressionné la majorité des diffusionnistes qui utilisent cette terminologie tout en déformant sa pensée.

Enfin, c'est Redfield plus que n'importe qui au cours de ces dernières années qui a insisté sur l'idée suivante : il ne peut y avoir de paysans sans la ville à laquelle ils sont liés et qui les définit en tant que paysans, et il ne peut y avoir de ville sans l'existence de paysans ou de leur équivalent [141]. Il est donc évident qu'au moins vers la fin de sa vie Redfield lui-même a reconnu et souligné *l'interdépendance et l'unité globales* des pôles typiques idéaux et des secteurs sociaux dualistes qu'il a rendus si populaires. Il peut sembler déplorable que Redfield n'ait pas étendu son globalisme au système social d'ensemble et à l'évolution historique, bien que ses dernières préoccupations portant sur les rapports entre haute et basse culture constituaient peut-être un pas dans ce sens. En revanche, il est certainement plus que déplorable que tant de ses sectateurs diffusionnistes et dualistes aient abandonné le réalisme empirique et le globalisme scientifique de leur mentor pour leur

---

139. Robert REDFIELD, *The Folk Culture of Yucatan*, op. cit., et *The Little Community and Peasant Society and Culture*, op. cit.

140. Robert REDFIELD, *Human Nature and the Study of Society*, papers of Robert Redfield, ed. Margaret Park Redfield (Chicago University Press, 1962).

141. Robert REDFIELD, *Peasant Society and Culture*, op. cit.

substituer le diffusionnisme le plus simpliste et le plus grossiè-
rement non globaliste.

L'efficacité opérationnelle.

En tant que politique de développement économique et de changement culturel, le diffusionnisme s'est révélé largement inefficace.
Le contact et la diffusion séculaires entre les pays métropolitains
et les pays actuellement sous-développés n'ont pas engendré le développement économique de ces derniers. De même, aucun type de
diffusion des capitales vers les provinces des pays sous-développés
n'a entraîné le développement de ces *hinterlands*. Il se peut que
les nouvelles techniques aient accentué la diffusion et l'aient rendue
plus forte qu'à certains moments du passé, mais assurément pas
plus forte que celle de l'ère des contacts initiaux, laquelle, loin
d'amorcer le développement, a donné lieu au sous-développement
des pays actuellement sous-développés. En soi, une diffusion plus
intense n'engendre pas un développement plus grand. En outre, la
diffusion qui suit la création de nouvelles routes, d'autobus, de
transistors, etc., ne stimule pas le développement économique des
régions touchées. Au contraire, elle a souvent contribué à les
enfoncer dans un sous-développement plus profond et plus déses-
péré.

Sous sa forme actuelle, le diffusionnisme est fondamentalement
inefficace en tant que politique de développement économique et
de changement culturel. Car ce n'est pas tant la diffusion qui
engendre un changement dans la structure sociale que la transformation de la structure sociale qui permet une diffusion efficace.
Le développement, le sous-développement et la diffusion sont tous
fonction de la structure sociale. Afin que les parties sous-développées
du monde puissent se développer, la structure du système social
mondial doit changer aux niveaux international, national et local.
Cette transformation structurale ne peut toutefois être provoquée
par la diffusion. Au contraire, la structure du système lui-même à
tous ses niveaux détermine le montant, la nature, l'orientation et
les conséquences de la diffusion passée ou présente — diffusion
qui, à ce jour, n'a engendré le développement que pour quelques-uns
et le sous-développement pour les masses, et qui continuera sans
doute à le faire. En conséquence, la structure de ce système doit
changer afin de rendre possible le développement pour tous et de
permettre à la diffusion de contribuer à ce développement.

L'approche psychologique.

Nash présente le troisième mode d'approche comme étant « le plus profitable » et, d'après lui, il conduit à « des hypothèses sur une échelle plus réduite, à une vue plus prospective que rétrospective sur le changement social ». En outre, Nash écrit :

« Ces pages que je recommande à votre attention sont des exemples de la dialectique de la connaissance sociale, de la confrontation d'affirmations audacieuses avec les faits, et de l'intégration de faits généraux dans des assertions sans cesse plus audacieuses et sans cesse plus élégantes [142]. »

Toutefois, un an plus tard, en comparant le mode d'approche psychologique (qui est dans une certaine mesure le premier) à son propre second mode tel qu'il est publié dans *EDCC*, Nash semble s'être ravisé :

« Il est peu vraisemblable que l'analyse des "facteurs sociaux spécifiques" préalablement requis (tels que l'absence d'entrepreneurs, la faible motivation réalisatrice, le particularisme, la pénurie de capitaux) fournisse le moindre élément systématique susceptible de favoriser une meilleure compréhension de la croissance... [143] »

Quand Nash déclare que ce mode d'analyse conduit à des hypothèses sur une échelle plus réduite, il a parfaitement raison, ainsi que nous le verrons plus loin. Il convient toutefois de noter ici que les deux premiers modes se sont avérés inadéquats précisément dans la mesure où l'échelle de leur théorie et de leurs hypothèses est déjà trop réduite pour envisager de manière adéquate la dimension et la structure du système social qui engendre aussi bien le développement que le sous-développement.

Comme se le rappellera tout historien de la pensée sociale, Marx a opéré un renversement de la pensée de Hegel et a remplacé l'idéalisme par le matérialisme historique. De plus, il s'est servi d'une théorie et d'hypothèses se situant sur une échelle relativement importante, théorie et hypothèses qu'il a obtenues à partir de son examen du système capitaliste dans son ensemble. Etant véritablement globaliste, Marx a été conduit — de manière inéluctable, comme Parsons l'a indiqué plus haut — à observer que l'exploitation est le fondement nécessaire de ce système et à la conclusion qu'un tel fondement engendre la polarisation du système. Comme cette conclusion n'était pas du goût des démocrates-sociaux tels que Weber et Durkheim, dont Parsons est devenu le disciple,

142. Manning NASH, « Introduction... », *op. cit.*, pp. 5-6.
143. Manning NASH, « Social Perequisites to Economic Growth... », *op. cit.*, p. 242.

ils se mirent en devoir d'élaborer une autre théorie du système social, en commençant par ses parties constituantes plutôt que par l'ensemble lui-même — procédure qui, comme l'indique Parsons, minimise inévitablement l'exploitation et donne au système un aspect intégrateur plutôt que polarisateur et désintégrateur. Néanmoins, bien que Weber et Durkheim aient intentionnellement et explicitement abandonné l'approche, les conclusions et la doctrine de Marx, ils continuèrent de souligner nettement l'importance de la structure sociale et, surtout pour ce qui est de Weber, de l'histoire également. Même Hoselitz — qui est un disciple direct de Weber tout autant que par l'intermédiaire de Parsons, et qui est un partisan du premier mode d'analyse — continue de s'intéresser au rôle joué par la structure sociale (qu'il fait même figurer dans son titre), en dépit de l'attrait que conserve à ses yeux le troisième mode d'approche de David McClelland (apparemment à l'exclusion d'Everett Hagen) [144].

Le service de pionniers — pour reprendre le terme de Robert Chin, coéditeur de Nash — qu'ont rendu ces derniers spécialistes du développement économique et du changement culturel, est justement constitué par le fait qu'ils ont renoncé à toute prétention et à toute pratique du structuralisme social et scientifique. Ils « freudianisent » Weber à tel point qu'ils ne le suivent absolument plus. En fait, ils nient spécifiquement l'importance de la structure sociale et l'analyse structurale. Bien que Hagen introduise le terme « social » dans son titre, il a la franchise d'expliquer dans sa préface que sa théorie n'est aucunement sociale, mais plutôt psychologique — ou, à vrai dire, psychiatrique [145]. McClelland, dans son compte rendu du livre de Hagen paru dans *EDCC*, se déclare d'accord : il le qualifie d' « approche psychologique au développement économique », bien qu'il ne considère pas que cette dernière atteigne le niveau de ses propres normes [146]. Pour ne pas demeurer en reste, McClelland est tout à fait explicite quand il déclare à ses lecteurs que ce n'est pas la structure sociale comme le disait Weber, ni même l'assignation et la récompense des rôles sociaux fondés sur la réalisation, comme le pense Hoselitz, mais uniquement un fort degré de motivations individuelles ou de besoins de réalisation qui constitue l'alpha et l'oméga du développement économique et du changement culturel :

« Dans ces termes les plus généraux, l'hypothèse affirme qu'une société disposant d'un degré généralement élevé n de réalisation produira plus d'entrepreneurs énergiques qui, à leur tour, donneront lieu à un développement économique plus rapide [...] Nous devons

---

144. Bert F. Hoselitz, « Role of Incentives in Industrialization », *Economic Weekly* (Bombay), vol. 15, nos 28, 29 et 30, numéro spécial, juillet 1963.

145. Everett Hagen, E., *On the Theory of Social Change, op. cit.*

146. David McClelland, « A Psychological Approach... », *op. cit.*

être satisfaits d'apprendre qu'un haut niveau *n* de réalisation conduit la population à adopter la plupart des comportements nécessaires pour remplir avec succès le rôle d'entrepreneurs, tel qu'il a été défini par les économistes, les historiens, les sociologues [...] Toute la conception de l'histoire se modifie dès lors qu'on a retenu l'importance de la motivation réalisatrice. Durant un siècle, nous avons été dominés par le darwinisme social, par la notion implicite ou explicite faisant de l'homme la créature de son milieu, que celui-ci soit naturel ou social. Telle était l'optique de Marx quand il préconisait le déterminisme économique et quand il affirmait que la psychologie de l'homme se trouve façonnée en dernière analyse par les conditions dans lesquelles il doit travailler. Même Freud rejoignait ce courant de pensée en enseignant que la civilisation était une réaction aux besoins primitifs de l'homme et aux forces répressives des institutions sociales, à commencer par la famille. Presque toutes les générations passées de spécialistes des sciences sociales ont pris la société comme point de départ et ont essayé de créer l'homme à son image. Même la théorie de l'histoire de Toynbee se fonde essentiellement sur les défis du milieu, bien qu'il reconnaisse que certains états d'esprit peuvent engendrer des défis internes [147]. »

Dans sa contribution au volume édité par Nash et Chin, McClelland se fait encore plus explicite :

« Ce dont nous avons besoin, c'est d'un renversement total de la pensée sociale occidentale et, plus particulièrement, de la pensée américaine. Depuis Darwin, les spécialistes des sciences sociales sont presque inconsciemment partis de la prémisse selon laquelle le milieu est primordial et l'organisme humain apprend tant bien que mal à s'y adapter [...] En conséquence, si l'on veut vraiment transformer quelque chose de fond en comble, il faut commencer par modifier les arrangements matériels du milieu qui, à leur tour, transformeront graduellement les institutions et finalement les idées. Et pourtant, comme dans le cas présent, il semble assez évident que le processus est tout aussi souvent, peut-être même plus souvent, inversé [...] Il ne s'agit là que d'une preuve supplémentaire qui vient appuyer la conviction croissante parmi les spécialistes des sciences sociales que ce sont les valeurs, les motivations ou les forces psychologiques qui déterminent en dernière instance la cadence du développement économique et social [...] *The achieving society* (la société de réalisation) suggère que les idées sont en fait plus importantes en ce qui concerne la détermination de l'histoire, que les arrangements d'ordre purement matériel [148]. »

---

147. David McClelland, *The Achieving Society*, *op. cit.*, pp. 205, 238, 391.

148. David McClelland, « Motivational Patterns in Southeast Asia with Special Reference to the Chinese Case », *Journal of Social Issues*, *op. cit.*, p. 17.

Le cercle est donc bouclé et nous voici bel et bien revenus à Hegel. A cette seule exception près que les prescriptions de McClelland relatives au progrès ne sont pas tout à fait les mêmes que celles de Hegel. Dans le dernier chapitre de son ouvrage intitulé *Accelerating Economic Growth* (accélération de la croissance économique), McClelland donne un résumé de ses recettes dans ses sous-titres : « Comment stimuler la marche dans une autre direction et la moralité du marché » ; « L'accroissement de la réalisation *n* » ; « Comment diminuer la domination du père » ; « La conversion au protestantisme » ; « Les mouvements de réforme catholique et communiste » ; « Les effets de l'éducation sur la réalisation *n* » ; « La réorganisation de la vie de fantaisie » ; « Comment utiliser plus efficacement les ressources existantes de la réalisation *n* » ; et finalement, il formule la recommandation suivante :

« Nous terminons donc sur une note pratique : un plan permettant d'accélérer la croissance économique en mobilisant de manière plus efficace les ressources considérables *n* de réalisation d'un pays développé qui coopèrent sélectivement, mais directement, avec les ressources de réalisation *n* les plus élevées — mais à un niveau inférieur — des pays sous-développés, et ce plus particulièrement au niveau des petites ou moyennes entreprises situées dans les régions provinciales... [149] »

Ce « nouveau service de pionnier » s'inspire incontestablement de l'accent mis par Weber sur les valeurs dans son ouvrage *L'éthique protestante et l'esprit du capitalisme* [150], et plus encore du rôle primordial accordé par Schumpeter à l' « entrepreneurship » dans son ouvrage *La Théorie du développement économique* [151]. Le renouveau de l'intérêt académique accordé au développement économique après la Deuxième Guerre mondiale fut bientôt suivi par un retour à la lettre sinon à l'esprit des œuvres de Weber et Schumpeter. Un grand nombre de livres et d'articles furent consacrés au rôle de la religion et des valeurs dans le développement économique et bon nombre d'entre eux parurent dans l'*EDCC,* ainsi que nous l'avons vu [152]. En même temps, l'université Harvard institua un *Research Center in Entrepreneurial History* et fonda la revue *Exploitations in Entrepreneurial History.* Des articles sur l' « entrepreneurship », en tant que facteur essentiel du développement économique et du changement culturel, furent publiés dans *EDCC* et ailleurs [153]. Les

---

149. David MacClelland, *The Achieving Society, op. cit.,* pp. 391-437.

150. Max Weber, *The Protestant Ethic and the Spirit of Capitalism* (Londres, G. Allen and Unwin, 1930).

151. J.A. Schumpeter, *The Theory of Economic Development* (Cambridge, Harvard University Press, 1934).

152. Voir note 18.

153. On en trouvera des exemples récents dans : Alec F. Alexander, « Industrial Entrepreneurship in Turkey : Origins and Groxth », *EDCC,* vol. 8, n° 4, première partie (juillet 1960) et Arkadius Kahan, « Entre-

preuves qui se sont multipliées pour nier le rôle que l'entrepreneur schumpeterien était censé jouer dans le développement économique, non seulement dans les pays sous-développés, mais également dans les Etats-Unis du XIXᵉ siècle [154] n'ont pas empêché les partisans de l'idéalisme psychologique en matière de développement économique d'avancer des théories comme celles de Hagen ou de McClelland. Elles n'ont pas non plus empêché *EDCC* d'emboîter le pas et de publier toute une série d'études qui réinterprétaient le monde pour démontrer la prétendue importance de la motivation réalisatrice [155]. De plus, dans le compte rendu de *The Achieving Society* publié dans *EDCC*, S.N. Eisenstadt conclut :

« ... Le fait qu'en discutant ce livre nous le confrontons avec l'œuvre de Weber donne la mesure de l'importance des problèmes soulevés par la tentative de McClelland [...] McClelland nous a donné un ouvrage très stimulant et très important que l'on ne saurait ignorer si l'on s'intéresse soit aux grands problèmes de l'impact de l'orientation motivationnelle sur la société, soit au problème plus spécifique du développement économique [156]. »

John H. Kunkel aussi bien que l'*EDCC* ont récemment eu le mérite d'évaluer ce « service de pionnier » :

« Tant que l'on considère que les activités de l'homme sont fonction des valeurs ou de la personnalité, il n'est guère nécessaire d'accorder une grande attention au milieu social immédiatement environnant, car ce n'est pas tant la structure sociale présente que celle du passé qui est le plus impliquée dans la formation des valeurs et de la personnalité. Selon ces vues, la détermination des conditions sociétales préalables au développement économique ne peut que préparer le terrain pour une industrialisation qui ne se produira que plusieurs années ou même plusieurs décennies plus tard. Toutefois, dès que le comportement est considéré comme étant largement fonction de la structure sociale environnante, à la fois passée *et* présente — qui affecte le comportement à travers le jeu continu de la détermination des stimulants actifs et discriminatifs —,

---

preneurship in the Early Development of Iron Manufacturing in Russia », *EDCC*, vol. 10, nº 4 (juillet 1962).

154. W. Paul STRASSMAN, *Risk and Technological Innovation : American Manufacturing Methods in the Nineteenth Century* (Ithaca, Cornell University Press, 1959) et « The Industrialist » dans John J. JOHNSON, ed., *Continuity and Change in Latin America* (Stanford University Press, 1964).

155. Norman N. BRADBURN et David BERLEW, « Need for Achievement and English Industrial Growth », *EDCC*, vol. 10, nº 1 (octobre 1961) ; Juan B. CORTES, « The Achievement Motive in the Spanish Economy between the 15th and the 18th Centuries », *EDCC*, vol. 9, nº 1 (octobre 1960) ; James N. MORGAN, « The Achievement and Economic Behavior », *EDCC*, vol. 12, nº 3 (avril 1964).

156. S.N. EISENSTADT, « The Need for Achievement », *EDCC*, vol. 11, nº 4 (juillet 1963), p. 431.

le système social actuel prend une importance considérable. Les conditions préalables — sur le plan du comportement — au développement économique, ne sauraient être créées que par des altérations de la structure sociale ou de certains de ses éléments, considérés de manière assez large, et qui comprennent également le système économique d'une société donnée [...] Sur le plan théorique, rien ne justifie le pessimisme relatif à la capacité des pays sous-développés de s'industrialiser en peu de temps. Les conclusions pessimistes concernant le temps qui est nécessaire pour la préparation des conditions psychologiques appropriées en vue du développement économique se fondent essentiellement sur une conception erronée de l'homme et sur le mépris des principes de la formation et du maintien du comportement qui découlent de la psychologie expérimentale [157]. »

Néanmoins, dans sa contribution au recueil d'articles publiés par Nash et Chin qui donnent des exemples de ce troisième mode d'approche, la critique de Kunkel se fonde largement sur des principes psychologiques et se borne essentiellement à une critique méthodologique des affirmations empiriques de la troisième approche [158]. Il en est de même pour la critique à laquelle se livre Eisenstadt dans son compte rendu du livre de McClelland [159]. En outre, l'alternative que propose Kunkel dans sa contribution à *EDCC* se borne à suggérer que la méthodologie behavioriste est capable de triompher des déficiences méthodologiques de l'approche adoptée par Hagen et McClelland [160]. A ce sujet, Kunkel observe avec justesse :

« Hagen fait un large usage de la personnalité en tant qu' " état interne " des individus. Les caractéristiques de l' " état interne " découlent de la théorie psychanalytique et on s'en sert alors pour étayer la théorie et les rapports hypothétiques entre les faits observés et les caractéristiques déduites. Lorsque l'on utilise, dans l'étude du développement économique, des concepts et des théories psychanalytiques, les problèmes de la validation des concepts rendent difficiles toute expérimentation et toute acceptation des généralisations occasionnelles sur des bases autres que la foi [...] L'analyse des cas est inadéquate. Hagen infère des causes à partir des effets, mais il n'offre aucune preuve qui puisse valider l'inférence à laquelle il se livre. McClelland postule une gamme de besoins en tant que composante de l' " état interne " d'un individu ; toutefois, cette méthode d'analyse implique des inférences à partir du compor-

---

157. John H. KUNKEL, « Values and Behavior in Economic Development », *op. cit.*, pp. 276-277.
158. John H. KUNKEL, « Psychological Factors in the Analysis of Economic Development », *Journal of Social Issues*, *op. cit.*
159. S.N. EISENSTADT, « The Need for Achievement », *op. cit.*
160. John H. KUNKEL, « Values and Behavior... », *op. cit.*

tement qu'il est difficile de valider si l'on veut expliquer les données recueillies par McClelland et ses associés [161]. »

Kunkel aussi bien qu'Eisenstadt estiment que le travail de ces chercheurs qui se consacrent au développement économique et au changement culturel est inadéquat en ce sens qu'il ne parvient pas à établir une cause efficiente et méthodologiquement adéquate entre les étapes psychologiques de caractère supposément causal et le développement économique qui est censé en découler. Dans sa contribution à *EDCC*, Kunkel cherche à fournir cette relation causale efficiente — relation qui ne dépend pas d'inférences invérifiables relatives aux états d'esprit intérieurs [162].

Quels que soient les mérites ou les démérites méthodologiques du recours de Kunkel au béhaviorisme, il se borne à formuler des hypothèses sur une échelle réduite, pour reprendre le terme de Nash, et à recommander de menus changements ; on peut en dire autant de sa méthodologie de remplacement. Kunkel lui-même conclut :

« S'il est exact que le comportement d'effort ou de lutte (*striving behavior*) est, comme tout autre, façonné par des renforcements différentiels (tels que la récompense et la punition par les parents, comme Kunkel nous le dit par ailleurs), il n'y a pas de raison pour qu'un état interne [...] soit nécessairement postulé comme élément essentiel dans l'analyse du développement économique [...] Divers éléments sélectionnés du mouvement sociétal sont aujourd'hui susceptibles de subir un changement, ce qui rend possible la formation des modèles de comportement nécessaires au développement économique [...] Etant donné qu'habituellement ce ne sont pas quelques aspects du milieu sociétal qui peuvent être modifiés, les efforts actuels en vue de créer les conditions préalables du comportement doivent débuter sur une échelle réduite [163]. »

Il semble donc que, pour évaluer l'adéquation théorique de ce troisième mode d'approche, nous devrions faire encore appel à d'autres critères tels que l'historicité et le structuralisme globaliste

---

161. John H. KUNKEL, « Psychological Factors... », *op. cit.*, pp. 72-73, 82. On trouvera aussi une critique semblable dans S.N. EISENSTADT, « The Need for Achievement », *op. cit.*

162. Cet effort rappelle la tentative célèbre mais malheureuse pour remédier à l'explication par les fonctionalistes de l'existence des institutions par la téléologie, tentative effectuée par George C. HOMANS et David H. SCHNEIDER dans leur ouvrage *Marriage Authority and Final Causes, A Study of Unilateral Cross Cousin Marriage* (Glencoe, The Free Press, 1955) ; rejetant la cause finale de l'équilibre sociétal en tant qu'explication de l'existence d'une institution, Homans et Schneider ont cherché à la remplacer par une cause efficiente identifiable, bien que — et la chose est étrange — leur « cause efficiente » fût un état interne, c'est-à-dire une autre cause semblable à celle que nous critiquons dans ce texte.

163. John H. KUNKEL, « Values and Behavior... », *op. cit.*, pp. 275, 277.

dont nous nous sommes déjà servi lors de notre examen des deux premières approches.

En tant qu'éditeur d'un ensemble de travaux qui constituent autant d'exemples du troisième mode d'approche, Manning Nash prétend que, sur les trois modes qu'il est capable de discerner, c'est ce troisième qui semble « le plus profitable ». Un de ses aspects profitables est qu'il conduit « à une vision prospective plutôt que rétrospective du changement social ». Autrement dit, Nash pense, semble-t-il, que les spécialistes des sciences sociales qui suivent la troisième approche sont en train de rendre des services de pionniers non seulement parce qu'ils renoncent au structuralisme de Weber, et laissent également derrière eux Bert Hoselitz — qui, après tout, ne se contente pas de conserver un certain structuralisme mais jouit également d'une réputation mondiale en tant que spécialiste de l'histoire économique —, mais aussi parce que, en refusant de regarder en arrière, ces pionniers laissent également derrière eux l'approche et l'analyse historiques et rétrospectives de Weber.

Toutefois, Nash ne se contente pas simplement de louer cet effort et de recommander aux étudiants du développement économique et du changement culturel d'oublier l'histoire passée des pays sous-développés concernés. Au contraire, il en vient à nier que les pays sous-développés aient jamais eu la moindre histoire. Selon lui, le troisième mode d'approche pose trois principaux problèmes d'ordre théorique.

« *Premièrement,* tenir systématiquement compte de la diversité des sociétés *traditionnelles.*

Deuxièmement, rechercher les sources de résistance [...] parmi les différents types de *traditionalité.*

Troisièmement, étudier pourquoi une société peut ou ne peut pas en venir à se situer quelque part entre sa *base initiale* et le modernisme [164]. »

En d'autres termes, les sociétés sous-développées n'ont pas d'histoire, elles ont été traditionnellement ce qu'elles sont maintenant, c'est-à-dire sous-développées. Il s'agit là, en vérité, d'une « affirmation audacieuse » ; toutefois, soumise à une « confrontation avec les faits » cette affirmation s'avère clairement n'être qu'une imposture. Comment Nash a-t-il pu se livrer à une telle assertion après avoir travaillé sur le terrain pour sa thèse de doctorat dans une communauté issue d'un peuple dont l'histoire est mondialement célèbre, et dont il a étudié les dernières soixante-dix années, et après avoir intitulé son livre *Machine Age Maya* [165] ? Est-ce un service de pionniers que rendent les tenants et les champions du troisième mode d'approche quand ils tiennent de moins en moins compte de l'histoire des pays sous-développés qu'ils prétendent

---

164. Manning NASH, « Introduction... », *op. cit.*, p. 4.
165. Manning NASH, *Machine Age Maya, op. cit.*

étudier (surtout après s'y être rendus eux-mêmes, en tel ou tel point du « terrain ») et quand finalement ils en viennent à nier que les pays sous-développés et le sous-développement aient la moindre histoire ? A qui donc profite ce « service de pionniers » ?

La réponse à cette question apparaît si nous appliquons le critère du globalisme structural à la question de l'adéquation théorique du troisième mode d'approche et si nous examinons l'efficacité de la politique de développement économique et de changement culturel issue de cette approche.

Kunkel note avec justesse au sujet de la théorie et de la pratique de ce troisième mode d'approche qu'il n'y a pas lieu d'accorder une attention considérable au milieu social immédiatement environnant étant donné que ce n'est pas la structure sociale qui importe. « Mais la critique de cette méthode n'est sans doute pas aussi clairement explicite que celui qui l'a formulée, McClelland lui-même : « Les idées sont en fait plus importantes en ce qui concerne la formation de l'histoire que les arrangements purement matérialistes [...] du milieu humain, que celui-ci soit naturel ou social. » Le troisième mode d'approche du développement économique et du changement culturel représente peut-être le dernier pas sur la voie du progrès pionnier, voie qui tourne le dos au globalisme structural et classique. La structure économique, sociale et politique actuelle n'a aucune importance : il n'est guère besoin de changer le *statu quo* contemporain.

Que faut-il donc faire d'après ces pourvoyeurs de connaissance dialectique sociale (c'est ainsi que Nash qualifie les services qu'ils rendent) ? Quelle est l'efficacité de leur pratique de promotion du développement économique et du changement culturel et à qui s'adresse-t-elle ? McClelland nous dit ce qu'il convient de faire : « Accroissement de la réalisation *n*... conversions au protestantisme... Education... Réorganisation des loisirs. » Comme McClelland le reconnaît lui-même, non seulement Marx, mais même des savants aussi progressistes que Spencer, le père du darwinisme social, Toynbee, le père du néothomisme et Freud, le père de la psychiatrie individuelle, aussi bien que l'ensemble de leur progéniture intellectuelle, n'ont jamais été suffisamment progressistes pour croire et pour prétendre que la condition sociale économique si profondément inhérent à une société puisse être simplement changée par le seul fait d'apprendre à un nombre plus grand d'individus à se prendre en main et de stimuler leur besoin de réalisation, comme le voudrait McClelland ; ou parce qu'ils auront refusé de se faire abattre par l'adversité, ainsi que le voudrait Hagen ; ou même parce que des enseignants et des parents auront conté aux enfants des histoires de héros, de sorte qu'en grandissant ces enfants pourront eux-mêmes devenir d'héroïques agents de développement. Ce degré de progrès et de progressisme devait attendre la venue de David McClelland et de ses disciples !

McClelland rend quelque hommage à une source particulière de

« corévélation » de sa vision du développement économique et du changement culturel : il s'agit des communistes, et plus particulièrement des communistes chinois [166]. Il ne leur accorde aucun mérite pour avoir suivi les enseignements de Marx ou d'autres spécialistes des sciences sociales aux théories desquels McClelland nie toute valeur ; ils n'ont aucun mérite non plus pour avoir transformé une structure économique, sociale ou politique — transformation dont McClelland nie le besoin ; aucun mérite non plus pour avoir fait la révolution, que McClelland ne daigne même pas mentionner. Au lieu de cela, il les félicite d'avoir compris et mis en pratique la vérité selon laquelle les idées et la réalisation *n* favorisent le développement économique ; les Chinois, nous rappelle McClelland, réalisent un développement économique plus rapide que les Indiens [167]. Il omet toutefois de préciser sur la base de quelle structure économique, sociale et politique se fait un tel développement : les Chinois ont sans doute plus de réalisation *n* et de puissance *n* [168]. D'après McClelland, peu importe de savoir comment cette structure détermine la répartition du pouvoir et la direction de la réalisation. En dépit de ce généreux coup de chapeau aux communistes chinois, il ne nous faut guère de perspicacité pour discerner la véritable appartenance et l'efficacité d'une politique de développement économique qui — suivant l'exemple de membres de la communauté académique de Cambridge, Massachusetts aussi hautement motivés que W.W. Rostow [169], McGeorge Bundy, Arthur Schlesgir Jr et peut-être David McClelland lui-même — favorise la réalisation *n* et la réorganisation des loisirs à l'intérieur de la structure économique, sociale et politique existante, sur le plan interne comme à l'étranger.

En complimentant les communistes, McClelland ne félicite pas vraiment ceux qui le méritent. C'est Franck Buckman et son mouvement mondial pour le réarmement moral (MRA) qui ont justement prêché la politique de développement économique et de changement culturel, que David McClelland a désormais parée de sa robe académique. La politique qu'il recommande aux agents de développement est de fermer les yeux et de laisser telle quelle la structure économique, sociale et politique du *statu quo* ; de préparer au contraire chaque individu à se réarmer moralement et spirituellement

166. David McClelland, « Motivational Patterns in Southern Asia... », *op. cit.*, et *The Achieving Society, op. cit.*, pp. 412-413.

167. David McClelland, *The Achieving Society, op. cit.*, p. 423.

168. David MacClelland, « Motivational Patterns... », *op. cit.*

169. « Les anciens collègues d'université de M. Rostow, membres de l'ancien personnel de la Maison Blanche de Kennedy [...] critiquent violemment son influence croissante et condamnent son intellectualisme agressif, considérant celui-ci comme une marque d'opportunisme tendant à consoler le président en le trompant et ce plus particulièrement en ce qui concerne le Vietnam », *New York Times,* 13 avril 1967.

face au long chemin du développement économique, du changement culturel et du progrès social. Le caractère politique et l'efficacité de cette politique de développement sont amplement démontrés par ceux qui l'appliquent et qui comprennent des dialecticiens de la pratique, des serviteurs progressistes et des partisans avoués du MRA aussi renommés que l'ex-chancelier allemand Adenauer, l'ex-premier ministre japonais Kishi, l'ex-premier ministre du Katanga et du Congo Tchombé, et le second président du Brésil après le coup d'Etat militaire de 1964, Costa e Silva.

Conclusion.

Ayant examiné chacun des trois modes d'approche et d'analyse des problèmes du développement économique et du changement culturel, il nous est à présent possible d'en donner une brève appréciation d'ensemble. La première constatation qui s'impose est la profonde similitude de ces méthodes sur le plan de l'inexactitude empirique, de l'inadéquation théorique et de l'inefficacité opérationnelle. Pourtant, cette similitude n'a rien pour nous surprendre. Elle n'est que le reflet de la similitude fondamentale de leurs points de départ respectifs, sur le plan intellectuel comme sur le plan idéologique. Ainsi, la première méthode se fonde sur des types idéaux dans la mesure où elle dresse un schéma des caractéristiques prétendument typiques du développement. La seconde approche cherche à savoir comment ces caractéristiques typiques du premier mode sont prétendument diffusées des pays développés vers les pays sous-développés. Enfin la troisième méthode — et c'est là que réside son « service pionnier » — nous explique comment les caractéristiques typiques, qui sont identifiées dans la première approche et diffusées conformément à la seconde, doivent être assimilées par les pays sous-développés si ceux-ci souhaitent un jour parvenir au développement. C'est là en trois mots toute la somme de cette théorie et de cette analyse du développement économique et du changement culturel ; nous avons là l'alpha et l'omega de toutes les possibilités que Manning Nash parvient à concevoir ; c'est grâce à cette limitation de sa conceptualisation, sinon de la théorie et de la réalité, que Nash parvient à sa troisième méthode, comme il le dit, « à travers l'argument résiduel » (*via the argument of residue*).

Les pionniers de ces trois méthodes ont effectué quelque progrès ; au dualisme social, ils ont ajouté le dualisme sociologique. L'ensemble de leurs théories et de leurs théorisations se trouve fendu par le milieu. Ils voient une série de caractéristiques, constatent l'existence d'une structure sociale, si tant est qu'il en est une ; ils construisent une théorie pour une partie de ce qui a été le système mondial socio-économique pendant un demi-millénaire, et construisent un autre modèle et une autre théorie pour l'autre partie. Et tout cela au nom de l'universalisme. Ils prétendent qu'une partie du système, constituée par l'Europe occidentale et l'Amérique du Nord, diffuse le développement et l'aide vers l'autre partie, constituée de l'Asie, de l'Afrique et de l'Amérique du Sud, pour lui permettre de se développer. Ils prétendent pareillement que les métropoles nationales de ces trois continents, qui ont déjà reçu les bienfaits de cette diffusion, aident à leur tour en entraînant derrière elles leur propre *hinterland*. Ils soutiennent que ce démarrage des pays sous-développés et de leurs métropoles nationales est freiné par la charge que constituent les *hinterlands* arriérés. Curieusement, quoique heureusement, à l'exception des plus irresponsables parmi eux, ils ne prétendent pas semblablement que le démarrage et le développement des métropoles capitalistes mondiales en Europe et en Amérique du Nord se trouvent gênés par le frein de leur *hinterland* sous-développé constitué par l'Asie, l'Afrique et l'Amérique latine. Ils posent la question de savoir d'où sont censés venir les capitaux qui financeront le développement des métropoles nationales des pays sous-développés, et ils répondent que ces capitaux doivent venir — et viendront — des pays développés. Ce qui est faux, puisqu'en fait ils proviennent des colonies internes de ces métropoles nationales. Ils demandent d'où viennent les capitaux qui alimentent le développement des pays déjà développés, et ils répondent que ces derniers les tirent d'eux-mêmes ; ce qui est également erroné dans la mesure où ces capitaux ont été tirés des pays actuellement, et de ce fait, sous-développés. Comme c'est le cas pour la plus grande partie de ce qui reste de l'universalisme des pays développés, l'universalisme théorique de leur science sociale n'est qu'une farce et un mensonge. S'il nous est possible d'emprunter quelque chose à l'arsenal des pionniers de cette troisième méthode, nous dirons alors que les théoriciens de ces trois approches à l'étude du développement économique et du changement culturel, qui aiment à se qualifier de théoriciens du dualisme universaliste, semblent souffrir de schizophrénie intellectuelle et politique [170].

Afin de rendre plus claires encore la signification et la valeur réelle de cette sagesse conventionnelle, il nous est possible de l'illustrer — non moins exhaustivement que Nash quand celui-ci le résume — par cette caricature de Steinberg qui représente les deux soutiens méthodologiques de la société qui engendrent cette sagesse : le père Noël et Sigmund Freud, la caricature étant parue en couverture d'un numéro du *New Yorker*. Steinberg suggère que la société américaine repose sur — et évolue autour de — ces dieux jumeaux ; et nous pourrions ajouter qu'il en est de même de l'idéologie du développement économique et du changement culturel

---

170. J'examine d'autres failles théoriques du secteur fonctionnaliste de la théorie de la science sociale dans mon article « Functionalism, Dialectics and Synthétics », *Science and Society,* vol. 30, n° 2 (printemps 1966).

que cette même société engendre et exporte. Comment les peuples des pays sous-développés parviendront-ils au développement économique ? En attendant Noël, et puis en acceptant le cadeau de diffusion qu'apportera le Père Noël venu du Nord. Quel cadeau le Père Noël réserve-t-il donc aux peuples des pays sous-développés ? Le tout dernier message de Sigmund Freud. Si seulement les peuples du monde mythiquement caractérisés de sous-développés voulaient, comme nous, apprendre à adorer l'autel de ces dieux jumeaux, eux aussi pourraient accéder au changement culturel et au développement économique ! Faut-il s'étonner si les peuples du véritable monde sous-développé exigent de tourner leurs regards au-delà de ce que les autres rêvent comme étant possible, afin de découvrir une théorie du développement économique et du changement culturel qui soit empiriquement conforme, théoriquement adéquate et politiquement applicable à leur réalité, à leurs besoins et à leurs aspirations ?

La direction vers laquelle il convient de rechercher une nouvelle théorie du développement économique et du changement culturel qui soit mieux adaptée aux pays sous-développés nous est suggérée par les insuffisances mêmes de la triple approche correspondant à la théorie que nous venons d'examiner. En premier lieu, alors que cette théorie est empiriquement erronée en ce qui concerne la réalité passée et présente de la partie sous-développée du monde, de son secteur développé et du monde dans son ensemble, une théorie adéquate devra être cohérente avec l'histoire et la réalité contemporaine du développement et du sous-développement. En deuxième lieu, alors que l'approche en question est théoriquement inadéquate dans la mesure où elle ne parvient pas à identifier le tout social déterminant, ne tenant compte ni de l'histoire de la partie sous-développée ni de ses rapports avec la partie développée, et encore moins du monde dans son ensemble, et parce qu'elle ne se conforme pas à la structure du système social mondial, une théorie alternative se doit de refléter la structure et le développement du système qui a donné naissance et maintient à l'heure actuelle le développement structural et, avec lui, le sous-développement structural en tant que manifestations simultanées et mutuellement engendrées du même processus historique. En troisième lieu, tandis que la politique de développement qui se rattache à cette approche est toujours plus conservatrice et qu'elle conseille d'accepter le *statu quo structural* les bras croisés en attendant les cadeaux des bienfaiteurs à bras ouverts, une politique de développement économique et de changement culturel devra être politiquement sans cesse plus révolutionnaire et aider les peuples des pays sous-développés à prendre en main la destruction de cette structure et le développement d'un autre système. Si les pays développés ne peuvent diffuser le développement et la théorie du développement vers les pays sous-développés, alors les peuples de ces pays devront se développer par eux-mêmes. Ces trois modes d'approche constituent bien « les habits de l'empereur » qui ont servi à voiler la nudité de son impérialisme. Plutôt que de tailler un nouvel habit pour l'empereur, ces peuples devront le détrôner et penser à se vêtir eux-mêmes.

National School of Economics
National Autonomous University of Mexico
Mexico, D.F., Mexico

et

Department of Economics
Sir George Williams University
Montreal 25, Canada.

2

Fonctionalisme et dialectique[1]

L'approche de Pierre Van Der Berghe dans son article « Dialectique et fonctionalisme : vers une synthèse théorique », paru dans le numéro d'octobre 1963 de l'*American Sociological Review*, constitue un excellent point de départ pour l'examen de certains aspects élémentaires, mais fondamentaux, de l'analyse fonctionnelle et dialectique, aspects que l'auteur précité n'a pas cru devoir mentionner et que les fonctionalistes semblent généralement ignorer dans leurs analyses de société ou dans l'analyse sociale qu'ils font du fonctionalisme.

L'article en question prétend découvrir quatre points de convergence, de coïncidence ou de synthèse entre le fonctionalisme et la dialectique. En effet, 1) les deux approches seraient holistiques ; 2) elles convergeraient quant au rôle attribué au conflit et à l'accord, à l'intégration et à la désintégration ; 3) elles partageraient une conception évolutionniste des transformations sociales ; et 4) toutes deux seraient essentiellement fondées sur un modèle de l'équilibre. Bien que l'étude du fonctionalisme et de la dialectique à travers ces quatre points censément convergents ne puisse constituer un pas scientifiquement important vers une analyse théorique équilibrée et féconde de la structure et de la transformation sociale, analyse que l'auteur prétend élaborer dans sa « synthèse », elle peut cependant nous permettre de dégager clairement les postulats théoriques, le fondement empirique et les implications politiques du fonctionalisme

---

1. L'œuvre féconde des sociologues latino-américains Fernando Henrique Cardoso et Rodolfo Stavenhagen nous a grandement aidé dans l'élaboration de cette étude.

et de la dialectique. Elle peut également nous permettre de mesurer les limites véritables de toute tentative de synthèse.

L'holisme.

La théorie dialectique et le fonctionalisme sont tous deux holistiques. Mais c'est là que toute ressemblance prend fin. L'holisme fonctionaliste et l'holisme dialectique diffèrent l'un de l'autre au moins par trois points élémentaires mais fondamentaux : *primo,* par leur approche de l'ensemble ; *secundo,* par les questions qu'ils posent à l'ensemble ; et troisièmement, par l'ensemble qu'ils choisissent d'étudier.

Les niveaux d'abstraction de l'holisme fonctionaliste et de l'holisme dialectique sont totalement différents. Les auteurs, même médiocres, qui se fondent sur la dialectique, raisonnent d'abord sur le cas d'une société existante donnée et se livrent ensuite à l'analyse théorique intégrale de cette société et de sa transformation. En revanche, les meilleurs fonctionalistes eux-mêmes évitent presque toujours l'étude globale d'une société. Quand ils s'y livrent, c'est pour se détacher complètement du réel ou bien pour prendre la théorie fonctionaliste comme point de départ.

L'archétype de l'analyse fonctionaliste holistique contemporaine est, bien entendu, celle de Talcott Parsons. Mais l'analyse fonctionaliste qu'il fait du système social n'est même pas censée être une analyse d'un quelconque système social existant. L'holisme de Parsons — si l'on peut encore ici parler d'holisme — consiste en une analyse d'un ensemble abstrait, ou d'un modèle totalement abstrait et supposé universellement valable d'une ou de toutes les sociétés existantes ou imaginaires. En conséquence, les corrélations holistiques fonctionnelles qu'il élabore si méticuleusement sont issues d'un modèle préétabli par lui-même et ne correspondent à aucune société connue. Et si même nous étions amenés à nous méprendre involontairement en prenant l'abstrait pour du concret, l'autre sommité contemporaine, mondialement célèbre, du fonctionalisme, Claude Levi-Strauss est là, qui se donne beaucoup de mal pour être explicite : il déclare ne travailler qu'avec un modèle fonctionaliste et il soutient que tous les fonctionalistes font et doivent faire de même, en y croyant ou en n'y croyant pas. En vérité, personne à notre connaissance n'a jamais tenté d'effectuer une analyse holistique parsonienne d'une société réellement existante et moins encore de la nôtre ; et s'il y avait quelqu'un d'assez insensé pour le faire, Levi-Strauss le prévient d'avance de la certitude de son échec. Il n'y a guère ici de coïncidence ni même de convergence avec les chercheurs qui se servent de la dialectique pour tenter d'étudier la société réelle dans laquelle nous vivons — et moins encore avec les meilleurs d'entre eux qui y parviennent.

La plupart des fonctionalistes, qu'ils soient parsoniens ou non, et qui ont étudié un tant soit peu la réalité ont, bien entendu, limité leur examen holistique à une certaine partie de la société de leur choix et aux rapports fonctionnels de cette partie avec l'ensemble de la société en question. Les meilleurs fonctionalistes non parsoniens, tels Malinowski, Radcliffe-Brown, Evans-Pritchard, Meyer Fortes, Raymond Firth, Max Gluckman, Fred Eggan ou Edmund Leach, qui sont relativement peu nombreux *et qui eux se sont consacrés* à l'étude globale d'une société existante, se sont trouvés contraints de s'éloigner du fonctionalisme et de tolérer une lacune assez grave entre leur description des nombreuses parties de la réalité sociale concrète de la société et leur démonstration analytique concernant les relations fonctionnelles qui existent entre ces parties (et seulement entre elles) au sein d'un ensemble équilibré — lacune qui n'est comblée, ainsi que l'ont démontré plusieurs de leurs disciples, que par leur propre foi fonctionaliste et celle de leurs lecteurs. Toutefois, aucun fonctionaliste n'a été, à ce jour, animé d'une foi suffisamment puissante pour lui donner le courage et les moyens nécessaires de tenter une telle analyse holistique de notre propre société ou même de s'attaquer au problème des relations existant entre leurs sujets d'étude favoris et notre propre société. Radcliffe-Brown, par exemple, n'a jamais fait justice à son compatriote Cecil Rodhes : en ne lisant que celui-là, nous ignorerions totalement l'existence et l'œuvre de celui-ci. Nous mesurons là le gouffre qui sépare de tels auteurs de la dialectique marxiste.

Une différence sans doute plus importante encore est constituée par le fait que l'holisme du fonctionalisme et celui de la dialectique ne se posent absolument pas la même question en ce qui concerne le tout. Le fonctionalisme n'utilise l'holisme que pour expliquer les parties de l'ensemble, alors que la dialectique s'en sert pour appréhender cet ensemble lui-même — et, partant, les parties qui le composent. Les meilleurs des fonctionalistes eux-mêmes n'essayent, ni même ne prétendent essayer, d'analyser, d'expliquer, de rendre compte, de comprendre et encore moins de prévoir l'existence — sans même parler de l'apparition ou de la disparition — d'un système (ou d'une structure) social particulier. Au contraire, suivant en cela leur théorie, les fonctionalistes considèrent toujours la structure sociale existante comme étant donnée et allant de soi ; et l'intérêt aussi bien théorique qu'apparemment pratique qu'ils lui portent se limite à la valeur analytique de cette structure en vue d'expliquer l'existence de telle ou telle partie institutionnelle à laquelle les fonctionalistes se plaisent à limiter leur étude scientifique.

De façon plus explicite, nous pouvons noter que des fonctionalistes tels que Merton, Davis, Durkheim, Radcliffe-Brown et d'autres encore ont commencé leur étude fonctionaliste holistique de la réalité sociale en tentant d'expliquer l'existence d'institutions sociales particulières (mais jamais de la structure sociale ou du système social lui-même) par rapport à leur fonction dans le système social. Cette tentative ayant échoué, ils se sont repliés sur la tâche moins ambitieuse qui consiste à montrer le fonctionnement de ces institutions dans le cadre du système.

La tentative initiale des fonctionalistes d'expliquer ou de rendre compte de l'existence d'institutions particulières en se référant à leur fonction dans le système social a évidemment échoué en raison du caractère inacceptable de ses fondements téléologiques. La nécessité de cet échec a été démontrée de manière analytique par des philosophes-critiques tels que Hempel et Nagel, et a été amplement confirmée de façon empirique par le débat sophistique entre Levi-Strauss, Homans et Schneider portant sur le mariage entre cousins. D'ailleurs, si, en dépit même de la courageuse tentative et de l'échec de Homans et de Schneider, il était possible de substituer une cause « motivationnelle » ou toute autre cause efficiente à la cause finale téléologique, classique mais inacceptable, de l'intégration sociale ou de la conservation structurale, la tentative de rendre compte de l'existence d'une institution par sa fonction viendrait quand même buter sur des obstacles issus de son propre raisonnement *post hoc, ergo propter hoc*.

La prise de conscience de l'existence d'un tel talon d'Achille a mené de nombreux fonctionalistes à livrer bataille sur un front différent, où ils sont moins vulnérables. Au lieu de poursuivre leurs efforts visant à rendre compte de l'existence d'une institution en vertu de sa fonction, ils cherchent désormais à montrer comment elle s'articule fonctionnellement avec d'autres parties du système social. Consacré à une recherche moins ambitieuse telle que celle-ci, le fonctionalisme s'est révélé, en vérité, être un instrument utile, à condition d'être convenablement utilisé. Mais, dans une telle optique, Marx lui-même peut être qualifié de fonctionaliste quand il suggère que « la religion est l'opium du peuple ». En vérité, avec une telle limitation dans le sens et dans la perspective, l'identification et l'analyse de la fonction sociale font intégralement partie de l'analyse marxiste ou de toute autre analyse dialectique de la société. Comme le remarquait Kingsley Davis récemment en paraphrasant John Maynard Keynes, à long terme, nous sommes tous fonctionalistes. Ainsi, essayer à ce niveau d'opérer la synthèse entre le fonctionalisme et la dialectique ne constitue pas un progrès, mais une déformation de la dialectique marxiste et des autres analyses de la société aussi bien que des points communs qu'elles peuvent avoir avec toute autre science sociale.

Cependant, ce passage des fonctionalistes à l'examen de la seule fonction d'une institution particulière, quand il ne se rattache pas théoriquement et pratiquement au progrès scientifique sur tous les autres plans, comme c'est le cas pour les meilleures analyses marxistes, rend à son tour les fonctionalistes vulnérables d'une autre façon. En effet, ce faisant ils abandonnent l'holisme. En dernière analyse, ce qui rend le fonctionalisme holistique, c'est, ou bien qu'il se consacre au tout ou du moins qu'il interprète la partie en fonction du tout. Mais quand les fonctionalistes, comme les économistes, relèguent la théorie de l'équilibre général au premier paragraphe de leur analyse (ou, de façon plus courante, oublient tout à fait d'en parler) et quand ils ont recours à une analyse partielle de l'équilibre afin de rattacher une partie du système social à une ou plusieurs autres parties, alors ils abandonnent même le fondement holistique de tout édifice de synthèse possible.

Ainsi, il existe une grande différence entre les questions que posent au tout le fonctionalisme et la dialectique. Les fonctionalistes, s'ils n'abandonnent pas tout à fait le principe universellement reconnu de l'holisme, ne demandent à l'ensemble que d'expliquer l'élément. Sur l'ensemble lui-même, ils ne posent aucune question ; ils ne se demandent pas pourquoi ni comment il existe, d'où il est issu ni ce qui est en train de lui arriver ; ils ne se demandent pas s'ils l'aiment ou pas ; ils prennent simplement le système tout entier tel qu'il est et acceptent volontiers sa structure sociale telle qu'ils la trouvent. Dans le meilleur des cas, ils essayent d'en comprendre et, peut-être, d'en réformer une partie. Inversement, pour le marxisme, il est impératif de commencer par analyser et expliquer l'origine, la nature et le développement du système social tout entier et de sa structure en tant qu'ensemble global, et ensuite d'utiliser la compréhension du tout ainsi obtenue comme fondement nécessaire pour l'analyse et la compréhension des parties. C'est en cela que le marxisme peut prétendre relever de l'holisme. Nous pouvons donc nous rendre compte une fois de plus de la différence fondamentale entre le fonctionalisme et la dialectique, et du caractère trompeur de toute tentative de synthèse.

Le troisième point par lequel la similitude holistique du fonctionalisme et de la dialectique apparaît comme étant irréelle et d'ordre purement formel, concerne l'ensemble constituant l'objet de l'étude et les critères utilisés pour le choisir. On dit que poser la bonne question nous donne déjà plus de la moitié de la bonne réponse ; et poser une mauvaise question — par exemple en choisissant mal l'ensemble à étudier — exclut que l'on obtienne jamais la bonne réponse. Il est bien connu — et certains s'en félicitent — qu'il n'existe ni en théorie ni en pratique fonctionaliste de contrainte quant au choix de tel ou tel ensemble en tant qu'objet d'étude : la famille, le club, la communauté, la branche économique, la nation, le monde libre, un système social imaginaire, tout cela peut parfaitement convenir. Et les critères du choix entre ces divers sujets relèvent le plus souvent de l'intérêt personnel du chercheur ou de son bon plaisir. Les meilleurs des fonctionalistes eux-mêmes, quand ils cherchent à découvrir et à éliminer la cause du mal social, de l'infortune, de l'ignorance, du crime, de la pauvreté, de l'exploitation, du sous-développement, de la guerre ou de tout autre phénomène, prétendent froidement et sans vergogne trouver la solution dans la structure de la communauté ethnique ou tribale — et même, de plus en plus souvent dans l'étude de l'homme primitif. On pourrait ainsi penser que les rapports théoriques et empiriques qui existent entre cet objectif et l'analyse de tel ensemble social par opposition à tel autre n'ont aucune signification pratique. Toutefois, il est légitime de s'interroger sur les causes de l'intérêt des fonctionalistes (ou du moins de leur préférence clairement affichée) pour l'examen de tels ensembles et non de tels autres, dans le but de résoudre les problèmes les plus urgents de l'humanité. Quoi qu'il en soit, toute personne se livrant à une recherche holistique et qui est encore capable de saisir ne serait-ce que la perspective mondiale impliquée par son journal quotidien doit forcément se rendre compte à quel point il est empiriquement erroné, théoriquement inadéquat et pratiquement absurde de rechercher les causes et *a fortiori* les remèdes de nos maux dans l'étude de la structure sociale d'une seule communauté censément isolée, faisant partie d'un seul des secteurs d'une société censément dualiste, appartenant à une société censément nationale, qui elle-même ne relève que de la tierce partie d'un monde que Wendell Wilkie a déjà qualifié avec justesse comme constituant un tout.

Les marxistes, bien sûr, abordent le problème de l'ensemble pratiquement et théoriquement déterminant en se référant au seul système mondial capitaliste, et les meilleurs d'entre eux à la structure de la société mondiale qui comprend désormais non seulement le capitalisme mais également le socialisme. Il n'existe pas de marxiste sensé pour affirmer, au nom du matérialisme historique — qui ne doit pas, comme cela est souvent le cas, être confondu avec le déterminisme économique — que la structure productive des moyens de production (et les voies d'accès qui y conduisent) dans le cadre de la famille, de la communauté ou même de l'Etat moderne constituent le facteur déterminant essentiel des luttes de classe, de l'évolution historique ou de tout autre chose. La raison en est, évidemment, que les critères de sélection utilisés par les dialecticiens marxistes afin d'étudier l'ensemble social déterminant ne dépendent guère de leur convenance ou de leurs désirs personnels, mais bien plutôt de la réalité sociale elle-même. Contrairement à ce que l'on affirme souvent dans certains milieux, les marxistes, du moins sur ce plan et à l'inverse de certains autres, ne prennent pas leurs désirs pour des réalités. Au contraire, ils envisagent la réalité telle qu'elle est et, la trouvant inacceptable, ils cherchent à la transformer ; et étant holistiques dans la mesure où ils tiennent compte de la détermination de la partie par le tout, ils ne cherchent pas à transformer cette partie isolément. Contrairement aux fonctionalistes, ils cherchent à promouvoir les transformations sociales en changeant la structure sociale du tout qui détermine les parties.

Notre examen élémentaire du fonctionalisme et de la dialectique marxiste révèle ainsi l'existence de différences fondamentales concernant leur caractère holistique. Cette première synthèse est totalement viciée par le fait que le fonctionalisme et la dialectique ne se réfèrent absolument pas au même tout, ne s'y intéressent pas de la même façon, et n'en dégagent pas les mêmes conclusions.

Intégration et conflit.

La seconde tentative de synthèse du fonctionalisme et de la dialectique se fonde sur leur prétendue convergence en ce qui concerne l'intégration sociale et le conflit social. Le fait est que les fonctionalistes rejettent, de façon explicite ou implicite, toute tendance à la désintégration sociale dans le long terme ; et la théorie fonctionaliste nous assure qu'il existe (et même qu'il doit exister) une tendance à l'intégration sociale dans tous les systèmes sociaux existants. Cependant, l'analyse fonctionaliste n'apporte aucune preuve empirique susceptible d'établir l'existence d'une telle tendance à l'intégration dans le long terme ; ses propres fondements relevant d'ailleurs du court terme, elle en est incapable. D'où les fonctionalistes tirent-ils donc le fondement analytique d'une prétendue nécessité d'intégration et — les deux propositions allant de pair — d'une soi-disant impossibilité de désintégration ?

Un spécialiste aussi éminent que Talcott Parsons traite ce problème très succinctement et, de ce fait, il souligne la divergence bien réelle et le caractère imaginaire de la synthèse entre le fonctionalisme et la dialectique en ce qui concerne l'intégration sociale. Pour célébrer le centenaire du *Manifeste communiste*, Parsons a publié un essai intitulé « Classes sociales et luttes de classes à la lumière de la théorie sociologique récente » (réédité dans ses *Essays in Sociological Theory*) où il explique que « les marxistes considèrent la structure socio-économique de l'entreprise capitaliste comme une entité unique et indivisible au lieu de la décomposer analytiquement en une série de variables distinctes. C'est cette décomposition analytique qui constitue, dans le domaine qui nous intéresse présentement, le trait le plus caractéristique de l'analyse sociologique moderne [...] Elle résulte d'une modification du point de vue marxiste [...] l'accent principal sur le plan de la structure n'est plus mis sur [...] la théorie de l'exploitation, mais plutôt sur la structure des fonctions... » Par conséquent, « le conflit n'a plus le même caractère inévitable ». De cela il découle, ainsi que Parsons le note quelques pages plus loin, que « la stratification constitue dans une importante mesure une structure intégrante dans le système social. Dans ce contexte, l'ordonnance des relations est nécessaire à la stabilité ». Ainsi, le fondement analytique de la prétendue nécessité d'intégration que postulent les fonctionalistes ne peut être plus explicité qu'il ne l'est par Parsons : si nous partons des parties et que nous nous dirigeons vers le tout social, mais sans jamais l'atteindre — et c'est ainsi que procèdent généralement Parsons et d'autres fonctionalistes et sociologues modernes —, alors le conflit social interne revêt un caractère d'intégration. Ce n'est qu'en partant de l'ensemble social et en le décomposant en ses différents éléments — ainsi que le font les marxistes — que le conflit se révèle aussi et fondamentalement comme un facteur de désintégration. Les Chinois qui se sont penchés sur le problème l'ont brièvement posé de la façon suivante : « Deux se réunissent-ils en un ou bien un se divise-t-il en deux ? » La réponse dépend de la nature de la réalité : est-elle en fait un tout intégré ou bien n'est-elle constituée que d'une série de parties isolées ? En d'autres termes, ils semblent penser que si nous avons en réalité affaire à un système capitaliste global et intégré, alors nous avons également affaire à sa désintégration.

Fidèle à sa foi fonctionaliste, Van den Berghe écrit dans son article cité ci-dessus que « le modèle d'intégration ou d'équilibre doit être sauvé en raison de son utilité [...] Un minimum d'intégration doit certainement être maintenu pour permettre à un système social quel qu'il soit de continuer d'être » (p. 697). Nous pourrions demander quelle est au juste l'utilité du modèle si Parsons n'avait déjà fourni la réponse en termes particulièrement nets : « Elle résulte d'une modification du point de vue marxiste [...] L'accent principal sur le plan de la structure n'est plus mis sur [...] la théorie de l'exploitation. » Ce qui rend nécessaire l'intégration et le maintien du modèle est explicité à la page suivante de l'article en question : « Je pense qu'il est juste de parler d'une tendance du long terme vers l'intégration [...] toutefois, plutôt que d'abandonner le modèle nous devons tenter de le modifier. » Comme l'ordre social existant, le modèle fonctionaliste doit être sauvé et non pas abandonné. Après tout, ainsi que le note Talcott Parsons, il est utile dans la mesure où il permet de ne plus mettre l'accent sur l'exploitation.

La prétendue synthèse qui emprunte à la dialectique l'analyse du conflit pour l'ajouter au fonctionalisme fait peu de cas de la pensée des fonctionalistes en reniant leur analyse sociale, n'ajoute rien de nouveau à la théorie du fonctionalisme, et déforme la dialectique marxiste et son analyse des luttes de classe et de la cohésion sociale au point de les rendre méconnaissables.

Les fonctionalistes ont toujours intégré une certaine dose de conflit social dans les fondements mêmes de la théorie structuraliste-fonctionaliste. Citons par exemple Simmel (le conflit), Gluckman (coutume et conflit), Leach (les systèmes politiques), Durkheim et Merton (l'aliénation) ou même le plus intégriste des fonctionalistes, Radcliffe-Brown (l'humour, les rapports avec les frères de la mère). Pour les fonctionalistes néanmoins, la fonction du conflit social n'est constituée que par l'intégration sociale. Tous les autres conflits sociaux — la révolution et la désintégration sociale — ne relèvent plus de la théorie et de la pratique du fonctionalisme.

Cette limitation du fonctionalisme étant donnée, il serait effec-

91

tivement possible de trouver dans la dialectique marxiste un complément précieux. Evidemment, à l'inverse des fonctionalistes, les dialecticiens marxistes analysent aussi les conflits sociaux désintégrateurs et incorporent leur existence et leurs conséquences à la théorie dialectique. De plus, se mettant une fois de plus en contradiction avec le fonctionalisme, mais en accord avec la réalité, les dialecticiens opèrent une distinction entre les types et les degrés de conflit social au lieu de leur attribuer en bloc un poids théorique à peu près équivalent. Ainsi les dialecticiens marxistes peuvent également intégrer les conflits non désintégrateurs à leur théorie. Pour ne prendre qu'un seul exemple (qui n'est cependant pas sans importance), les marxistes tiennent nettement compte du caractère socialement intégrateur des rapports de classe dans la mesure où, pour reprendre la célèbre proposition de Durkheim et celle de Parsons citée plus haut, le procès de production est organisé à travers la coopération des classes dans la division du travail. Ce n'est pas pour rien que le marxisme met tant l'accent sur le caractère social de la production. Mais cela n'empêche ni les marxistes ni la théorie dialectique de voir le caractère annexe et non social de la distribution capitaliste du produit, l'intervention résultante de la structure monopoliste dans le processus de production qu'elle-même engendre et les luttes de classe désintégratrices qui en découlent. C'est précisément cette capacité de distinguer et d'analyser de telles contradictions qui confère à la théorie marxiste son caractère dialectique et la rend fondamentalement différente du fonctionalisme. Est-ce donc là l'aspect de la théorie dialectique qui doit être récupéré dans le fonctionalisme ? Non. La dialectique du conflit et de l'opposition et le fonctionalisme s'excluent de façon réciproque et intégrale.

L'essence de la *dialectique* du conflit et de l'opposition se trouve dans l'interpénétration holistique des pôles contraires — l'unité des contraires — au sein du tout et qui rend ce tout double et pourtant unique, dualiste et pourtant holistique. Ainsi, la dialectique marxiste considère les classes sociales comme elle considère les autres contraires : elles n'existent que dans une relation réciproque de cohésion et partant de conflit et non dans un rapport d'additivité mécanique comme l'affirme la théorie fonctionaliste de la stratification. Le point central de la question est alors constitué par l'interpénétration de l'intégration et de la désintégration, de la structure et de la transformation et, sur un plan dynamique, de la négation. Dans le fonctionalisme, il n'y a rien de tout cela. La démarche « synthétique » proposée pour rendre compte de l'intégration et du conflit ne relève pas tant d'une tentative d'opérer la synthèse entre le fonctionalisme et la dialectique que d'un effort de sauver le fonctionalisme à tout prix, même si cela implique non seulement une déformation de la théorie dialectique, mais aussi un refus de prendre en considération les aspects valables de la pratique fonctionaliste.

L'évolution.

En ce qui concerne également le problème de l'évolution, le fonctionalisme et la dialectique divergent plutôt qu'ils ne convergent. Comme ils l'ont fait pour le conflit social, les fonctionalistes ont depuis longtemps introduit la transformation sociale au centre même de l'analyse fonctionaliste de la société. Raymond Firth, Max Gluckman, Fred Eggan, Edmund Leach et même les plus célèbres des fonctionalistes, Malinowski et Evans-Pritchard, doivent en grande partie leur renom à leur analyse de la transformation sociale. Il s'est sûrement produit une transformation sociale à Tikopia [2], en Afrique bantoue, dans les terres indiennes d'Amérique, dans les hautes terres de Birmanie, dans les Trobriands [3] et en terre Nuer. Les chercheurs fonctionalistes utilisaient-ils une prose dialectique sans le savoir ? A cela nous répondons par un non catégorique.

Les fonctionalistes et d'autres encore parlent depuis longtemps de transformation sociale. Mais ils ne parlent pas d'évolution et moins encore cherchent-ils à soumettre cette évolution à une analyse dialectique. Procédant de la même façon que pour le conflit social (voir par exemple la précision et la dextérité révélatrices de Raymond Firth dans son allocution présidentielle au Royal Anthropological Institute, sous le titre de « Organisation sociale et transformation sociale »), les fonctionalistes limitent leur analyse de la transformation sociale à ce qui se déroule *dans le cadre* de la structure sociale du système existant, et qui est déterminé par elle. Ils ne considèrent pas les transformations *du système social lui-même* et de sa structure. En vérité, ils sont obligés de procéder ainsi puisque, d'après leur théorie, c'est la structure sociale qui est à l'origine de la transformation et non l'inverse, comme dans la théorie marxiste. C'est pour cela que certains fonctionalistes eux-mêmes, tels que Dahrendorf et Leach, ont senti depuis quelque temps que la théorie fonctionaliste comprenait un aspect utopique et pourtant conservateur qu'il convenait d'éliminer en réformant la théorie — sans toutefois mettre au rancart ses fondements structuraux. Toute tentative d'identifier les transformations sociales que considèrent les fonctionalistes et qui se déroulent dans le cadre de la structure sociale avec les transformations évolutionnaires qui affectent aussi bien le système lui-même que ses éléments, revient à déformer complètement la définition classique de l'évolution, et à tourner le dos non seulement à Morgan et Engels mais aussi à Gordon Childe, Leslie White et Julian Steward. Bien que n'excluant pas de telles transformations cycliques, spontanées ou relevant du hasard, les transformations évolutionnaires sont à la fois quantitativement et qualitativement

---

2. Ile des Nouvelles Hébrides. (N.d.T.)
3. Iles de Nouvelle Guinée. (N.d.T.)

différentes. D'après la conception marxiste de l'évolution, non seulement la structure sociale permet ou provoque une certaine transformation sociale, comme c'est le cas dans la conception fonctionaliste, mais — et ceci est plus important — le processus de transformation sociale en cours détermine la structure sociale du moment. La transformation sociale et l'évolution ne sont pas considérées comme une succession abstraite, mais mécaniste, de thèses, d'antithèses et de synthèses, mais plutôt comme l'existence réelle et simultanée, au sein d'une réalité sociale donnée, de son passé, de son présent et de son avenir. Et la source majeure de l'évolution et de la transformation la plus importante est constituée par la division dialectique du tout en aspects contradictoires. Dans ces conditions, comment le fonctionalisme pourrait-il analyser l'évolution du but social si, ainsi que nous avons pu le constater, il ne prétend même pas étudier ce tout ?

L'équilibre.

La somme de l'holisme, de l'intégration et de la transformation fonctionalistes fait de la théorie fonctionaliste un modèle de l'équilibre. Comme le note Raymond Firth dans son essai précité sur l'organisation et la transformation sociales, l'analyse fonctionaliste de cette transformation se fonde sur la notion de choix social équilibrant entre les alternatives variables, mais limitées, posées par la structure sociale existante et sur la transformation sociale cyclique et équilibrante qui en résulte dans le cadre de cette structure sociale invariable et stable. Il en est tout autrement de la dialectique. En théorie — et sans même parler de la réalité — dialectique, loin d'être de caractère purement cyclique et d'être limitée par la structure, la transformation sociale suit plutôt un mouvement en spirale et a pour effet de changer la structure de la société. Dans de telles conditions, il est légitime de s'interroger sur la réalité de la convergence du fonctionalisme et de la dialectique sur le plan de l'équilibre, et sur leur synthèse. La réponse nous est donnée à la page 704 de la synthèse effectuée par M. Van den Berghe : « Le fonctionalisme et la dialectique convergent en un modèle d'équilibre qui est compatible avec l'hypothèse d'une tendance à l'intégration dans le long terme. » En fait, la convergence réside dans l'hypothèse de l'intégration et la synthèse se fonde sur la déformation de la dialectique et sur l'ignorance ou l'omission d'un aspect *sine qua non* de la dialectique comme du marxisme, à savoir le fait que la réalité sociale comprend sa propre négation désintégrante et que le tout social comporte le germe structural et déséquilibrant de sa transformation et de son évolution propres.

Afin de réaliser une « synthèse théorique » du fonctionalisme et de la dialectique, les fonctionalistes sont obligés de dépouiller la dialectique de sa théorie et de son analyse de la formation, de l'existence et de la transformation du tout social déterminant. Ils doivent dénoncer l'identification de ce processus avec le matérialisme historique comme étant insoutenable, rejeter la division et l'interpénétration dialectiques des contraires comme étant confuses, et considérer les stimulants exogènes au système comme étant incompatibles avec la dialectique. Après tout cela, nous ne pouvons qu'espérer que les fonctionalistes suivront l'exemple de M. Van den Berghe qui déclare qu'il est « prêt à abandonner le terme de " dialectique " » (page 701). Si les fonctionalistes abandonnent à la fois la dialectique et le terme qui la désigne, à partir de quoi sera-t-il possible d'effectuer une synthèse ? Il ne peut plus guère s'agir que du cinquième et dernier point annoncé au début de la présente étude, à savoir la « théorie sociologique moderne » elle-même.

Conclusion.

La tentative fonctionaliste de synthèse très artificielle que nous considérons ici constitue un exemple significatif de l'hypothèse de la « sociologie moderne », selon laquelle tous les hommes de science — qu'ils soient fonctionalistes, dialecticiens marxistes, ou tout autre chose — sont libres de choisir et d'effectuer la synthèse de leurs méthodes de classification et d'analyse scientifique de la manière qui correspond le mieux à leurs goûts personnels ou à leurs intérêts sociaux. Le produit de synthèse qui en résulte est un exemple magnifique des fruits scientifiques d'une telle méthodologie scientifique. Mais la liberté scientifique, comme toute liberté, est limitée par la réalité ; elle n'est pas sans borne, et ne peut être invoquée pour servir les goûts et les intérêts personnels de tout un chacun. Ainsi qu'il a été si douloureusement établi aussi bien par les philosophes occidentaux marxistes et « matérialistes » que par les philosophes orientaux non marxistes et « idéalistes », la véritable liberté réside dans la reconnaissance et la maîtrise de la réalité. Bien que nous soyons plusieurs — fonctionalistes, marxistes, et d'autres encore — à être d'accord pour dire que la théorie fonctionaliste existante est inadéquate pour l'analyse, et *a fortiori* pour la transformation de la réalité sociale telle que nous en faisons l'expérience et telle que nous la connaissons, cela ne donne pas aux fonctionalistes le droit d'agir à leur guise avec la théorie scientifique. Où iraient les marxistes s'ils devaient ne plus tenir compte des bornes que la réalité dialectique impose au choix d'une méthode analytique ? Où iraient les fonctionalistes s'ils devaient échapper aux limites que la théorie et la réalité fonctionalistes imposent à leur analyse de cette dernière ? Où iraient les physiciens s'ils refusaient l'existence de l'atome et de l'univers ? Peut-être, tels certains orgueilleux métaphysiciens, anciens ou modernes, abandonneraient-ils tous notre pauvre monde de misère à ses propres moyens et réaliseraient-ils « la grande synthèse finale en compagnie des anges ».

3

Economie politique
ou politique économique [1]

Nous, économistes latino-américains, préoccupés par l'incapacité
de notre science en son état actuel — et en conséquence par notre
propre incapacité — de proposer aux peuples latino-américains l'aide
qui leur est due dans le but d'atteindre le développement économique
et social, nous considérons qu'il est indispensable de voir l'enseignement et la recherche de la science économique en Amérique
latine adopter des approches et des voies nouvelles. Nous profitons
des débats et des travaux de la Troisième Réunion des facultés
et écoles d'économie d'Amérique latine pour porter à la connaissance et soumettre au jugement de nos collègues économistes latino-
américains nos points de vue sur l'enseignement et la recherche
de l'économie en Amérique latine.

La Troisième Réunion des facultés et écoles d'économie d'Amérique latine a commencé ses travaux en déclarant :

« C'est à nous, économistes des pays sous-développés, que revient
le devoir de dégager un ensemble de connaissances à partir de
l'observation et de l'expérience des faits, en soumettant notre inves-
tigation à une démarche logique qui permette d'obtenir des conclusions de portée générale [...] La constante sujétion par rapport aux
maîtres de la science économique des pays anglo-saxons explique
l'incapacité apparente des économistes latino-américains à formuler

---

1. Avec la collaboration d'Arturo Bonilla.

un ensemble de connaissances rigoureux et logique qui soit applicable au mécanisme de la croissance, et à cesser de se limiter à la tâche ingrate de prétendre que la réalité se détermine selon des moules théoriques archaïques [...] Nous devons trouver une explication rationnelle au fait que certains pays se développent et d'autres pas, et que le développement ne se produit que dans telle conjoncture historique donnée et non dans telle autre [...] Il est indispensable de connaître les mécanismes qui empêchent la diffusion internationale du développement économique par le commerce et de savoir pourquoi ce dernier est devenu le facteur principal de l'aggravation de l'écart entre pays riches et pays pauvres. »

Nous sommes d'accord avec le rapport général de la Troisième Réunion des facultés et écoles d'économie en ce qui concerne l'énoncé des principaux problèmes latino-américains en ce sens que :

« Les principaux obstacles qui freinent et déforment le développement économique en Amérique latine sont de caractère structural et se rattachent par conséquent à des aspects fondamentaux de l'économie interne et à la dépendance par rapport à l'extérieur, aspects et dépendance qui sont d'ailleurs souvent liés par une corrélation réciproque. »

« Le rythme lent et instable du développement économique en Amérique latine est moins imputable à l'absence ou à la rareté des ressources productives qu'à l'utilisation défectueuse du potentiel d'investissement, dont une fraction substantielle est gaspillée sous la forme de consommation somptuaire, de dépenses et d'investissements improductifs, et se réfugie à l'étranger en raison du taux de change défavorable et de l'effet négatif du mouvement international des capitaux. »

« L'inflation et le déséquilibre de la balance des paiements doivent être affrontés indépendamment des formules monétaires orthodoxes, sans pour autant sous-estimer l'importance des problèmes financiers ni la nécessité de disposer d'une bonne politique du crédit et de la monnaie. »

« Les investissements directs de l'étranger produisent des effets défavorables sur la balance des paiements, l'intégration de l'économie et la formation de capital ; ils exercent une influence défavorable sur le commerce extérieur, encouragent la concurrence monopolistique et déplacent et assujettissent de multiples entreprises nationales. »

« La planification ne peut être un substitut des réformes structurales qui, en vérité, doivent à la fois la précéder et en découler. »

Toutes ces inquiétudes reflètent les problèmes sans cesse plus graves qu'affrontent les peuples latino-américains pour tenter d'accéder au développement économique et social.

En conséquence, et comme il a été affirmé à l'inauguration de la Troisième Réunion des facultés et écoles d'économie : « C'est pour cela que la tâche fondamentale de cette conférence doit être d'élaborer les bases qui permettent de construire une théorie propre du sous-développement économique latino-américain, une théorie qui soit l'étendard de lutte des jeunes générations. »

NOUS ESTIMONS qu'il est donc indispensable :

D'élaborer par tous les moyens possibles une théorie économique pour l'Amérique latine et pour les autres pays en retard, une théorie qui soit capable d'expliquer les causes et les phénomènes qui ont provoqué, qui maintiennent et qui engendrent la stagnation de l'Amérique latine et son développement déformé ; elle devra se fonder non pas sur les vues, les théories et la méthodologie établies à partir d'une réalité étrangère, mais bien plutôt sur l'expérience historique et la réalité actuelle de l'Amérique latine. Depuis la Conquête, cette zone s'est trouvée incorporée à l'expansion mondiale du système capitaliste qui, mercantiliste dans sa première phase, a engendré par la suite l'industrialisation des pays aujourd'hui développés, et ce en bloquant l'industrialisation de l'Amérique latine, de l'Asie, et de l'Afrique et en condamnant leurs économies à un état de sous-développement. Logiquement, il nous incombe, à nous économistes et chercheurs d'Amérique latine et des autres pays sous-développés, de réaliser la majeure partie d'une telle tâche, qui se pose à nous comme une nécessité scientifique inévitable et comme une responsabilité morale vis-à-vis de nos peuples.

La Troisième Réunion des facultés et des écoles d'économie d'Amérique latine a établi que :

« L'analyse des problèmes du développement latino-américain exige d'une théorie spécifique qu'elle découle essentiellement de l'observation et de l'analyse systématiques des problèmes latino-américains, sans pour autant refuser les apports constructifs venus d'autres pays. La théorie du développement formulée dans les pays hautement industrialisés n'offre pas de solution valable à de tels problèmes et elle ne peut par conséquent servir de fondement à une stratégie et à une politique capables de les affronter avec succès. »

NOUS ESTIMONS que dans l'enseignement et la recherche économiques en Amérique latine, il subsiste des obstacles sur la voie proposée, tels que :

— L'enseignement sans discrimination et sans critique des théories élaborées à partir d'une réalité étrangère à celle de l'Amérique latine.

— L'existence de programmes d'étude dans certaines facultés et écoles d'économie qui ne comportent pas encore de chaires consacrées au développement économique ou qui, s'ils en comprennent, ne leur accordent pas une place proportionnelle à l'importance d'une telle matière. Le fait que la nature du sous-développement ne fasse pas l'objet d'une analyse rigoureuse dans ce type d'enseignement constitue une circonstance aggravante.

— Les chaires, les programmes d'étude et de recherche opèrent en général entre les matières une distinction de nature à empêcher tout examen scientifique et dialectique des relations structurales et dynamiques entre les divers éléments économiques, politiques, sociaux et culturels latino-américains, et toute analyse globale de la structure et du caractère du système capitaliste en Amérique latine.

— Les problèmes économiques de chaque pays latino-américain sont insuffisamment traités ; circonstance aggravante, on omet d'examiner la situation des autres pays de l'aire latino-américaine par méconnaissance du devenir de l'ensemble de ces pays, ce qui empêche de voir les similitudes comme les différences qui existent entre eux. Quand on étudie le sous-développement de l'Amérique latine et les obstacles qui freinent son développement économique et social, on se fonde sur des théories économiques étrangères à la réalité latino-américaine pour élaborer des analyses qui contredisent cette réalité elle-même ; ou bien on se livre à un examen descriptif et superficiel qui confond les manifestations institutionnelles de la réalité avec son caractère structural. En particulier, l'enseignement et la recherche elle-même se servent de modèles statiques de libre concurrence qui, bien que tenant compte des institutions rigides signalées par la théorie du monopole et la théorie keynésienne, supposent une tendance à l'équilibre et à la rationalisation, alors même que l'économie latino-américaine est comprise dans un système essentiellement monopoliste dont elle souffre de plus en plus et qui engendre, de manière déséquilibrée et chaotique, le développement pour une minorité et le sous-développement pour la majorité.

— Ainsi, on n'accorde pas encore au monopole l'importance qui est la sienne en tant que composante du problème du sous-développement, alors même qu'il a joué au cours de l'étape coloniale (commerce extérieur et interdiction d'installer des industries) un rôle très important et qu'aujourd'hui, dans ses nouvelles formes, il apparaît de manière toujours plus claire comme un facteur de sous-développement.

— On accorde trop d'importance à l'étude des problèmes du chômage propres aux pays aujourd'hui développés, alors que le phénomène le plus typique de l'économie latino-américaine, à savoir le sous-emploi, est insuffisamment analysé en dépit du fait qu'il constitue à l'heure actuelle le gaspillage le plus important, celui des ressources humaines.

— On tombe souvent dans l'illusion de la conception monétariste et on étudie l'inflation comme une cause du développement en Amérique latine au lieu de la considérer comme une conséquence du sous-développement. On utilise des modèles néo-classiques et keynésiens qui, bien qu'étant adaptés dans la mesure du possible à nos réalités et à nos nécessités, ne peuvent s'appliquer véritablement et de manière précise à la structure économique et politique au sein de laquelle se nouent les relations commerciales et financières entre l'Amérique latine et l'extérieur. Pourquoi néglige-t-on la pénétration des investissements directs et des capitaux étrangers dans l'économie ainsi que son impact sur la politique monétaire et fiscale ? Pourquoi ne tient-on pas compte non plus des déformations que provoque la politique monétaire et fiscale au niveau de la concentration de pouvoir et du revenu et, par là même, des obstacles croissants au développement ?

— On a souvent recours, en élaborant les enseignements portant sur le commerce international, les cycles économiques, les principes monétaires et fiscaux, l'économie rurale, etc., à autant de théories qu'il y a d'auteurs ; les professeurs commencent les cours en énonçant des théories propres aux pays développés et les terminent en essayant tout au plus d'adapter la réalité latino-américaine à ces mêmes théories, au lieu de partir de la réalité et de la problématique latino-américaines pour rechercher et élaborer les instruments théoriques nécessaires à l'analyse. En conséquence, nous ne considérons ni le commerce international ni les cycles économiques sous l'angle qui est depuis toujours celui des études actuelles dans les pays sous-développés.

— Les initiatives et le courage font défaut quand il s'agit de réviser les programmes d'étude surchargés d'analyses micro-économiques et keynésiennes. Or celles-là sont déjà dépassées et ne s'appliquent qu'à des situations très particulières qui ne correspondent pas à la réalité de nos pays.

— En ce qui concerne les études démographiques, le néo-malthusianisme, s'appuyant sur la prétendue théorie de l'explosion démographique, joue un rôle sans cesse croissant dans sa tentative d'expliquer de manière erronée les causes du sous-développement. Cette théorie cherche par tous les moyens à masquer le fait que la pénurie des moyens d'existence n'est pas imputable à l'accroissement démographique rapide, mais plutôt au type d'organisation de la société qui est de plus en plus incapable d'assurer à la population des structures et des moyens pour garantir et améliorer le niveau de vie.

— On confond planification économique et programmation sectorielle ou régionale ; de plus, on prétend faire de celle-ci la panacée de tous les problèmes économiques de notre époque, comme cela fut le cas pour le libre-échange au siècle passé.

— Les programmes d'étude donnent aux étudiants une formation insuffisante et sans rigueur et cela plus particulièrement en ce qui concerne la recherche économique, la statistique, les mathématiques, la comptabilité, l'administration et les techniques fiscales, monétaires et bancaires. On cherche souvent à remédier à ces défauts en ayant recours à des moyens tels que le positivisme et le méthodologisme qui mettent en relief les déformations de l'économie. Le positivisme prétend réduire la vérité au domaine restreint des enregistrements statistiques et des manipulations mathématiques. Le méthodologisme confond méthodologie et théorie quand il prétend transformer les méthodes en fins de la connaissance au lieu de les exploiter dans le cadre d'une étude du fondement historique et social des problèmes du sous-développement ainsi que du développement qui se posent à l'économie latino-américaine.

— Ainsi, l'organisation inadéquate des cours qui portent sur les matières mentionnées ci-dessus a pour effet d'encourager les tendances au positivisme et au méthodologisme, ce qui amène justement à considérer comme paramètres et variables fixes ces facteurs économiques, politiques et sociaux qui sont changeants ou bien qui doivent subir des transformations si l'on veut parvenir à un développement économique latino-américain valable. Simultanément, elle nous éloigne de la vision d'ensemble à la fois structurale et historique qui est fondamentale si l'on veut élaborer une théorie du développement à partir de la réalité latino-américaine. Les déformations du positivisme et du méthodologisme se sont aggravées ; elles relèvent de l'intention consciente ou inconsciente d'éluder la responsabilité que nous avons en tant qu'intellectuels vis-à-vis de nos peuples en ce qui concerne les véritables découvertes passées, présentes et à venir. L'amélioration de l'enseignement de ces matières n'aura vraiment de portée et de sens que si elle se fait dans l'optique que nous proposons pour comprendre le sous-développement latino-américain ; l'utilité pratique qui en découlera sera fonction de la théorie économique qu'il faudra élaborer pour parvenir au développement de l'Amérique latine.

— Il convient de dénoncer la tendance à suivre le modèle néoclassique, modèle qui consiste à isoler les phénomènes économiques en minimisant le caractère social de l'économie politique classique et, partant, à séparer l'étude et l'exercice de la profession économique de l'existence de nos peuples et de notre responsabilité sociale à leur égard.

— L'influence étrangère croissante au niveau des institutions, des enseignants, des professeurs, des plans d'étude, des programmes de recherche, des bourses à l'étranger, du financement en provenance de quelques pays développés, et de certaines autres formes d'aide technique, contribue à engendrer les déformations que nous avons signalées et plus particulièrement le positivisme et le méthodologisme dans l'enseignement et la recherche économique ; et cela n'est pas tout : souvent, ces phénomènes ont une influence idéologique et, ainsi, ils interviennent dans la politique universitaire latino-américaine.

Il ressort de tout ce qui précède — ainsi qu'il a été établi par la seconde commission de la Troisième Réunion des facultés et écoles d'économie d'Amérique latine — que les seules « études pouvant convenablement expliquer le processus de notre développement seront celles qui accorderont une place suffisante aux facteurs véritablement fondamentaux que constituent l'influence multiple de la dépendance vis-à-vis de l'extérieur, les effets de la concentration de la richesse et du revenu sur la production, la consommation, la formation du marché, et le processus d'accumulation du capital, ainsi que la rigidité et l'inefficacité issues de la structure institutionnelle et qui se manifestent au niveau de la politique économique ».

C'est pour cela, qu'en tant qu'économistes latino-américains conscients de ces nécessités et de ces déficiences de l'enseignement et de la recherche dans les facultés et les écoles d'économie d'Amérique latine, nous RECOMMANDONS que :

— Les économistes et les autres intellectuels latino-américains se consacrent à l'élaboration d'une interprétation économique de l'histoire latino-américaine, étant donné que, pour comprendre, analyser et combattre le sous-développement actuel, il est nécessaire d'aborder nos problèmes d'une manière totalement nouvelle, sans nous fonder sur la théorie classique du commerce international, mais sur la réalité historique, passée et présente, en étudiant objectivement et en analysant globalement les rapports économiques et politiques qui existent entre l'Amérique latine et les pays aujourd'hui développés. Il convient d'examiner les objectifs de l'économie politique classique et de nous consacrer, en tant qu'économistes latino-américains, à une étude analytique et objective — plutôt que descriptive et émotionnelle — des aspects les plus importants de la réalité du développement et du sous-développement latino-américains, aspects qui constituent son héritage historique et sa réalité actuelle. Parmi ces aspects il convient de citer :

— la structure hautement monopolistique du commerce intérieur et extérieur ;

— le rôle, très important, mais rarement étudié, du secteur bancaire et financier dans le sous-développement et le développement latino-américains ;

— l'investissement étranger et ses implications, économiques et non économiques, en Amérique latine ;

— les tentatives — quelquefois couronnées de succès, souvent bloquées — visant à l'industrialisation latino-américaine, l'intégration monopoliste externe de cette industrialisation, sa dénationalisation, et l'impact qu'elle produit sur la petite et moyenne industrie ;

— la concentration de la propriété foncière et sa dépendance par rapport à l'oligopole et l'oligopsone du commerce des produits agricoles et des autres secteurs de l'activité économique ;

— la déformation continue et croissante de la structure économique latino-américaine et plus particulièrement en ce qui concerne le gonflement alarmant du secteur tertiaire, généralement improductif, par rapport à la population sous-occupée de ce secteur ;

— les causes et les conséquences, pour le développement comme pour le sous-développement, des déséquilibres provoqués par la centralisation géographique et l'appauvrissement régional, conçus comme symptômes évidents du colonialisme interne ;

— les blocages au dévelopement de l'Amérique latine imputables à la stratification sociale et à la structure de classes existante.

En bref — et c'est là l'aspect décisif de la question —, il convient d'étudier la nature et le rôle des monopoles dans la structure du pouvoir, en relation avec le développement économique latino-américain.

Les objectifs que nous venons d'énumérer sont difficiles à réaliser ; afin de proposer des voies susceptibles de permettre une telle réalisation, NOUS RECOMMANDONS QUE LES FACULTES ET LES ECOLES D'ECONOMIE D'AMERIQUE LATINE :

— attribuent, dans les plans d'étude et de recherche, une priorité absolue à l'interprétation historique de l'économie latino-américaine et du sous-développement économique et à l'étude des formes que prennent à l'heure actuelle ces phénomènes dans chacun des pays aussi bien que dans l'ensemble de l'aire latino-américaine. Il s'agit ainsi de permettre aux étudiants de parvenir à une meilleure appréciation des véritables problèmes qui se posent à nous ;

— qu'elles assignent à la macro-économie keynésienne et, plus encore, à la micro-économie néo-classique une place secondaire — qui est bien celle qu'elles méritent réellement dans la hiérarchie des programmes d'étude — en donnant la priorité à l'initiation aux études d'économie politique ;

— qu'elles tirent profit de la macro-économie et de la micro-économie orthodoxes et de tous éléments que celles-ci peuvent apporter à l'élaboration et à l'enseignement d'une théorie fondée sur l'expérience et la réalité et visant à expliquer le développement et le sous-développement. Il ne s'agit pas — ainsi que l'on a souvent coutume de le faire — d'émettre quelques considérations sur le sous-développement et, chose plus rare encore, sur les causes de celui-ci, considérations que l'on réduit aux théories essentiellement statiques de la macro et de la micro-économie classiques ;

— qu'elles prennent conscience de ces nécessités théoriques ; et que, tenant compte des risques d'erreur dus à une sous-estimation des théories macro et micro-économiques et des méthodes connues, les mathématiques, l'économétrie et la statistique, elles aient quand même l'audace d'affronter la réalité du sous-développement latino-américain armées de leurs propres ressources intellectuelles et financières ;

— qu'elles profitent au maximum des enseignements actuels et qu'au moment opportun soient créées des chaires de commerce international, d'économie industrielle et agricole, d'histoire et de géographie économiques, de politique monétaire et fiscale, etc., pour permettre des études objectives et des analyses scientifiques, au lieu de traiter d'une manière pseudo-théorique, descriptive et superficielle les différents aspects de la réalité latino-américaine. Il convient alors d'abandonner cette méthodologie erronée en commençant par analyser dans leur contexte historique, passé et présent, les relations commerciales extérieures de l'Amérique latine et des pays actuellement développés, aussi bien que l'impact que ceux-ci ont exercé et exercent toujours sur les économies du continent et sur leur développement. Il est également nécessaire d'examiner les rapports financiers, technologiques et politiques qui existent entre l'Amérique latine et les pays développés. Ensuite, il convient d'examiner les dangers de l'investissement extérieur et de la dépendance technologique par rapport à l'étranger, dépendance qui s'accompagne d'une dénationalisation croissante et d'une aggravation de la monopolisation agraire sur les terres, les eaux, les techniques et sur la commercialisation des produits agricoles ; il faut alors étudier l'interdépendance de tous ces facteurs et de leurs rapports avec le colonialisme interne qui engendre la polarisation régionale ou sectorielle et, partant, le développement partiel de l'économie au prix du sous-développement sans cesse accru de nombreuses régions rurales et de certaines zones urbaines ; on étudiera également l'inégalité croissante dans la distribution de la richesse et du revenu ; enfin, on abordera l'étude des conséquences de tous ces phénomènes sur la structure de classes, la distribution du pouvoir et la stratification sociale ;

— qu'elles incluent dans leurs programmes un plus grand nombre de matières portant sur l'histoire et les autres sciences sociales ; qu'elles entretiennent des relations plus étroites avec les facultés et les écoles qui enseignent des matières telles que l'histoire ou les sciences politiques, géographiques, sociales, anthropologiques, psychologiques, etc. ; qu'animées par l'esprit des considérations et des recommandations de ce document, elles encouragent ces facultés et ces écoles à réviser leurs propres programmes d'études et de recherches ;

— qu'elles encouragent la tenue de conférences, de colloques, de réunions, de sessions d'étude, etc., de contacts avec d'autres institutions universitaires d'Asie, d'Afrique, d'Amérique latine ou même des pays développés, afin d'analyser certaines thèses fort discutables mais qui sont toutefois couramment admises dans les pays développés, à savoir :

a) La prétendue théorie de l'explosion démographique et ses implications au niveau du retard économique.

b) La thèse selon laquelle le développement économique n'est possible qu'avec l'apport de capitaux extérieurs.

c) La prétendue aide technique, économique et financière accordée par les pays développés aux pays sous-développés, son caractère et ses formes.

d) Le libre-échange, conçu comme la seule formule garantissant le développement des pays en retard.

e) La stricte liberté d'entreprise comme condition nécessaire et suffisante pour parvenir à l'industrialisation.

Enfin, celles-ci, aussi bien que de nombreuses autres thèses également discutables, en provenance des pays développés, exigent de notre part un examen minutieux en accord avec l'objectif que nous avons défini.

— Qu'elles rattachent bien plus l'enseignement à la recherche afin que la formation et le travail universitaires des étudiants et des professeurs soient plus proches des problèmes de leurs pays et de leurs peuples. Il faut pour cela effectuer des recherches en collaboration ou à la demande des ministères gouvernementaux et des autres institutions publiques de leurs pays, recherches qui soient partie intégrante de leurs programmes généraux. Il convient toutefois de ne pas porter atteinte à l'autonomie universitaire et à ses principes, comme celui de la liberté d'enseignement et de l'indépendance de la recherche.

— Les facultés et écoles d'Economie d'Amérique latine dans le cadre de leur tâche indispensable consistant à former des cadres pour élever leur propre niveau scientifique et didactique, doivent envoyer à l'étranger les universitaires dotés de maturité et d'expérience qui peuvent choisir en toute connaissance de cause les enseignements qui leur seront utiles et rejeter les éléments pouvant nuire au développement, dans leurs propres pays, d'une science économique plus adaptée à la réalité des problèmes latino-américains. Il convient d'envoyer à l'étranger un nombre plus restreint de jeunes, qui manquent d'expérience et de maturité pour évaluer et choisir les enseignements qui leur sont proposés.

— Que les facultés et les écoles d'Economie d'Amérique latine incluent dans leurs programmes de formation de cadres et d'élévation de leur propre niveau l'envoi, à des fins d'études, d'un plus grand nombre d'universitaires dans les pays d'Asie, d'Afrique et — bien sûr — d'Amérique latine ; qu'elles tirent profit des expériences et des enseignements issus d'une réalité semblable à la nôtre en prenant connaissance des problèmes et des efforts de développement économique et social de ces pays ; il convient par conséquent d'envoyer un nombre plus restreint d'universitaires dans les pays métropolitains déjà développés, dont les problèmes et les enseignements actuels sont différents.

NOUS SOUTENONS l'initiative des Deuxième et Troisième Réunions des facultés et écoles d'économie d'Amérique latine visant à établir comme organe permanent l'Association des facultés et écoles d'économie d'Amérique latine.

NOUS RECOMMANDONS que cette Association établisse à son tour des comités spécialisés et permanents chargés :

— d'organiser des réunions périodiques entre ces facultés et ces écoles ;

— de faciliter, entre les facultés et écoles d'économie d'Amérique latine, l'échange de professeurs, d'étudiants, de conférenciers, au cours d'enseignements aussi bien réguliers qu'extraordinaires, en été comme en hiver ;

— d'établir des relations permanentes entre ces facultés et écoles, sous la forme d'échanges de programmes d'étude, de travaux de recherche, de revues et de publications officielles, de thèses, et d'autres ouvrages inédits ;

— d'établir des contacts avec des associations semblables et avec des facultés et des écoles d'économie asiatiques et africaines afin de stimuler un échange permanent de professeurs, d'étudiants, de programmes d'études et surtout de revues et d'autres travaux de recherche ;

— de lutter pour le respect de l'autonomie universitaire et de la liberté d'enseignement et de dénoncer auprès de chacune des facultés associées toute violation de cette autonomie et de cette liberté exercée à l'encontre de l'une d'elles ;

— de financer l'Association et ses activités en ayant recours principalement aux ressources accordées par les facultés et écoles d'économie d'Amérique latine ainsi qu'à d'autres sources latino-américaines de financement.

4

La triple illusion [1]

Le numéro de novembre 1964 de la *Monthly Review* comprenait une critique d'un document intitulé « La triple révolution », publié au printemps dernier par un groupe distingué s'intitulant le « Comité *ad hoc* pour la triple révolution ». Ce document a eu un certain retentissement et a provoqué de nombreuses discussions dans les milieux les plus divers... D'après le Comité *ad hoc*, les trois composantes de la triple révolution sont constituées par la « révolution cybernétique », la « révolution de l'armement », et la « révolution des droits de l'homme ». La première est en train d'accroître la capacité productive d'une manière quasiment illimitée et d'en finir avec le besoin en travail humain. La seconde a déjà éliminé la guerre en tant que moyen de régler les conflits internationaux. Et la troisième constitue un mouvement mondial en faveur de l'égalité sociale et raciale. Considérées dans leur ensemble, elles exigent des transformations radicales sur le plan des attitudes, des politiques, et des institutions...

Alexis de Tocqueville prétendait que l'on ne pouvait mieux apprécier les véritables vices et la nature réelle d'un pays qu'en observant ses colonies. En considérant le système capitaliste mondial centré autour des Etats-Unis à partir de ses colonies, il est aisé de constater que la « Triple Révolution » n'est qu'un leurre et une illusion. Envisagées à partir du Vietnam, du Congo, de Cuba ou de toute autre colonie ou ex-colonie du capitalisme, les prétendues révolutions

---

1. *Monthly Review*, vol. 16, n° 9, janvier 1965.

de la cybernétique, de l'armement et des droits de l'homme révèlent leur véritable nature de mirages entretenus par la métropole capitaliste. Du reste, l'attribution par la métropole d'un fondement technologique à la « révolution » et à la solution des problèmes humains est facilement démasquée : il s'agit d'une tentative contrerévolutionnaire, semblable à toutes celles qui l'ont précédée et qui vise à tromper les peuples opprimés et exploités du monde colonial en les amenant à abandonner leur véritable révolution humaine au profit d'une croyance vaine dans l'efficacité des solutions technologiques métropolitaines face à leur misère grandissante. Plus encore que leurs conclusions fallacieuses — et qui sont déjà à juste titre critiquées par les ouvriers de la métropole capitaliste —, il est important pour les peuples du monde entier de dénoncer le caractère encore plus fallacieux et pernicieux des *prémisses* de la triple « révolution » définie par le Comité *ad hoc*.

Quand le Comité prétend que le développement cybernétique et nucléaire est en train de liquider le besoin en travail humain pour atteindre un niveau de vie convenable, il ne s'agit que d'une cruelle mystification à l'égard des millions d'hommes qui souffrent de la faim à travers le monde. En fait, l'un des effets de cette « révolution » métropolitaine est constitué par la baisse continue de la production alimentaire par tête en Asie, en Afrique et en Amérique latine (à l'exception des pays socialistes) depuis la Seconde Guerre mondiale. La grande majorité des habitants du monde capitaliste doivent travailler de plus en plus pour consommer de moins en moins. Le développement dans les domaines de la cybernétique et de l'atome n'offrent pas non plus de perspectives d'industrialisation aux peuples du monde capitaliste. Au contraire, la structure et le développement du capitalisme laissent augurer que la cybernétique, tout comme la standardisation, la chaîne de montage, l'électricité, la machine à vapeur et les autres étapes de la « révolution » industrielle, sera transformée en un instrument de la métropole capitaliste servant à aggraver l'exploitation et le sous-développement de ses colonies. Tout comme l'industrialisation de l'Angleterre et la désindustrialisation de l'Inde au cours des siècles précédents, le développement cybernétique et nucléaire des Etats-Unis à l'heure actuelle a déjà eu pour effet de freiner l'industrialisation dans les économies coloniales et de contrecarrer les efforts de développement de leurs peuples en plaçant ces économies de façon plus directe encore sous la domination de la métropole impérialiste. (Voir « On Mechanisms of Imperialism », A. Gunder Frank, *Monthly Review*, septembre 1964.)

Le Comité *ad hoc* se livre à un inadmissible sacrilège vis-à-vis des victimes de la « révolution » des armements en affirmant que cette « révolution » a déjà éliminé la guerre en tant que moyen de régler les conflits internationaux et cela à une époque où le gouvernement dont relève ce Comité est en train de mener sans vergogne d'impitoyables guerres coloniales sous des prétextes d'ordre « humanitaire », au Vietnam, au Congo, à Cuba et ailleurs — à une époque où sa propre administration se sert plus spécialement du premier des conflits précités comme d'un terrain d'essai pour les nouvelles armes qui seront utilisées dans le but de mater les révolutions en faveur des droits de l'homme que déclencheront d'autres peuples, plus tard. Il convient de dénoncer de façon plus vigoureuse encore la suggestion du Comité — et qui semble trouver un écho dans certains milieux — selon laquelle le développement technologique des armes nucléaires a éliminé le besoin qu'ont les peuples des colonies internes et externes de se servir des armes pour se défendre et se libérer de l'exploitation capitaliste continue, exploitation rendue désormais plus efficace encore par les progrès de l'armement et de la cybernétique. Les peuples du Vietnam, du Congo, de Cuba vont-ils se laisser tromper et vont-ils renoncer à la révolution armée ? Le chantage nucléaire du capitalisme US exercé à l'encontre des peuples des pays socialistes et des colonies est déjà suffisamment condamnable sur le plan moral sans qu'il faille l'aggraver par de nouvelles mystifications ayant trait à l'atome.

Il existe en vérité une « révolution des droits de l'homme » à travers le monde. Mais le fait que le Comité *ad hoc* lui fasse jouer un rôle secondaire par rapport à une prétendue « révolution » technologique fondée sur la cybernétique et l'armement constitue indiscutablement — et quels qu'en soient les motifs — une tentative de sabotage de la *véritable révolution* des droits de l'homme et de la remplacer par des réformes superficielles destinées à sauver le capitalisme et l'exploitation à laquelle il donne lieu. Ce n'est pas la première fois dans l'histoire du capitalisme que les maîtres préviennent les esclaves que leurs nouvelles armes rendent la révolution peu recommandable et que leur nouvelle technologie rend de toute façon une telle révolution humaine inutile. Du point de vue des colonies, le Comité ne fait qu'ajouter sa voix au refrain pseudo-scientifique déjà bruyant qui vient de la métropole capitaliste et selon lequel la technologie et la science métropolitaines apporteront à tous la paix et l'abondance — à condition bien entendu que la liberté capitaliste d'exploitation dans le « monde libre » soit préservée, s'il le faut au prix de certaines réformes, mais inévitablement au prix de la famine physique et culturelle de la majorité des peuples du monde capitaliste. Non, il est clair que, dans les colonies, la véritable révolution des droits de l'homme revêt le caractère d'une guerre coloniale imposée sans vergogne aux opprimés du monde capitaliste, guerre qu'ils acceptent et qu'ils livrent avec dignité.

5

M. Heilbroner : Rhétorique et réalité

« Dévoiler le lien qui existe entre la NSA [1] et la CIA causerait le plus grand tort à l'aide éclairée, libérale, internationaliste de la CIA. » Tel est, d'après *Ramparts*, l'un des arguments les plus pathétiques mis en avant par les responsables actuels de la NSA pour maintenir dans le secret la relation CIA-NSA... La section d'action secrète de la CIA (*CIA Covert Action Division No Five*) après tout, ne s'occupait pas de faire assassiner des hommes de gauche latino-américains ; elle soutenait des groupements libéraux tels que la NSA, des groupements ayant des programmes internationaux dans la meilleure tradition des échanges culturels entre pays... [2]. *Ramparts* observe : « Le caractère malsain et retors de cet argument *orwellien* [3] devrait se passer de tout commentaire. Et pourtant il est à la fois extraordinaire et inquiétant qu'il puisse être si facilement mis en avant par les jeunes et talentueux libéraux qui sont à la tête de la NSA. On pourrait penser que l'idée d'une " aile éclairée de la CIA " constitue une contradiction manifeste dans les termes [4]. »

Néanmoins, M. Heilbroner vient de nous affirmer que « tout cela met les responsables de la politique américaine et l'opinion publique des Etats-Unis en face d'un dilemme d'un type totalement imprévu. D'une part, nous souhaitons vivement participer au sauvetage de la grande majorité de l'humanité [...] D'autre part il semble que

---

1. *National Students Association,* Union des Etudiants U.S. (N.d.T.)
2. *Ramparts,* mars 1967, page 38.
3. George Orwel, auteur de *1989.* (N.d.T.)
4. *Ramparts, op. cit.*

nous soyons tenus, et cela plus spécialement dans les zones sous-développées, à une politique visant à vaincre le communisme [...] Ainsi, nous avons d'un côté le Point Quatre, les *Peace Corps*, et de façon plus générale, l'aide à l'étranger ; de l'autre, on trouve le Guatemala, Cuba, la République Dominicaine et, à présent, le Vietnam [5] ». D'après M. Heilbroner, nous avons également affaire à deux ailes au niveau du *State Départment* (ministère des Affaires étrangères, N.d.T.) et plus généralement au niveau des responsables de la politique américaine : une « aile éclairée, libérale, internationaliste » ayant d'excellents antécédents d'aide aux pays sous-développés en général, et une aile d'anticommunisme » (p. 13) qui assassine non seulement les hommes de gauche latino-américains, mais aussi les enfants vietnamiens. D'après le raisonnement de M. Heilbroner, le choix est possible entre les deux parties de cette alternative et, pour sa part, il choisit la première. Nous pensons pour notre part que la réalité est tout autre, et qu'elle offre des options différentes de celles qu'il considère. Dans de telles conditions comment se fait-il que M. Heilbroner, un libéral si distingué, dont la valeur est si reconnue, ne voit pas la « contradiction manifeste dans les termes », qui se trouve dans sa rhétorique et entre celle-ci et la réalité ? Nous pensons que la réponse à une telle question se situe à deux niveaux : 1) Une telle rhétorique libérale ne peut décrire la réalité du développement historique, de la structure contemporaine des rapports de·classe et celle du phénomène colonial dans le système capitaliste mondial ou impérialiste. 2) En ce qui concerne les contradictions réelles du système — qu'il convient de distinguer de celles qui se situent sur le plan de la rhétorique — il convient de préciser que l'intervention américaine à « Cuba, en République Dominicaine, et à présent au Vietnam » a été justement lancée et aggravée par cette « aile éclairée, libérale, internationaliste » de la bourgeoisie américaine et de son gouvernement.

Bien que M. Heilbroner fasse mention de nombreuses vérités, il les considère isolément et ne semble envisager ni l'ensemble des choses, ni la contradiction qui s'y trouve. En conséquence, il est systématiquement incapable de comprendre et d'expliquer 1) les véritables causes et la structure réelle du sous-développement, 2) les véritables alternatives qui s'offrent aux pays sous-développés, et qui rendent leur développement possible seulement sous le socialisme et en conséquence, 3) le caractère véritable de l'opposition des Etats-Unis aux efforts de développement des peuples des pays sous-développés. Reprenons ces trois points en comparant chaque fois la rhétorique de M. Heilbroner à la réalité.

---

5. Robert L. HEILBRONER, *Rhetoric and Reality in the Revolution of Rising Expectations.* Page 9 du document qui sera inclus dans le présent volume des travaux de la conférence. Les autres références et citations concernant ce document figurent entre parenthèses dans le texte.

1. — Pour M. Heilbroner la tâche principale et immédiate qui se pose aux peuples des pays sous-développés est la modernisation (pp. 2, 7, 11). La modernisation et le développement dans les pays sous-développés sont stimulés et soutenus par les pays développés au moyen de l'aide étrangère et de certaines autres mesures (pp. 2, 9). Les obstacles majeurs dont M. Heilbroner souligne la quasi-universalité sont la croissance démographique (pp. 4, 7) et « l'inertie et le traditionalisme » (p. 3). A part cela, les obstacles sont censés varier de pays en pays : le manque de « fondements nationaux » en Afrique, les « miasmes de l'apathie, du fatalisme, de la superstition et du manque de confiance » en Asie, et les « institutions sociales obsolescentes » et les « classes sociales réactionnaires là où la propriété foncière (plutôt que l'activité industrielle) demeure le fondement du pouvoir économique et social » en Amérique latine (p. 2). Ainsi, d'après M. Heilbroner, la « discipline politique » et la « contrainte économique » ne sont pas encore réelles dans les pays sous-développés ; elles ne relèvent que des perspectives offertes par les régimes communistes et radicaux (p. 8). Ce n'est qu'en Chine, d'après ses calculs, que les gens mangent moins et connaissent une existence plus dure aujourd'hui qu'il y a cinq siècles ; et la détérioration du niveau de vie n'est pas une réalité pour M. Heilbroner : il est seulement probable qu'elle se produira au cours des années à venir (p. 7). En conséquence, tout en y faisant tacitement allusion, M. Heilbroner ne « recommande pas un tel calcul en termes de cadavres » (p. 7), qui établirait une comparaison entre les coûts du *statu quo* d'hier et d'aujourd'hui et les coûts d'une alternative permettant le développement. En vérité, M. Heilbroner fait peu de cas de toute l'histoire mondiale depuis l'expansion du capitalisme mercantiliste et il prétend que « la physiologie sociale de ces nations demeure lamentablement inchangée » (p. 3), que « les foules du monde sous-développé n'ont été appelées à se réveiller qu'au cours de ces vingt dernières années » (p. 4), que certaines de ces foules avaient connu une « révolution des espérances de vie croissantes » (*revolution of rising expectation*) (p. 4), et que la plupart d'entre elles étaient toujours victimes de « l'inertie et du traditionalisme » (p. 6). Le « problème démographique » et le « besoin d'éviter les troubles politiques » (p. 4) rendent aujourd'hui urgente la réponse à la « révolution des espérances de vie croissantes ». Avant d'examiner l'option que M. Heilbroner fait dériver de cette image du monde sous-développé, examinons brièvement la réalité du sous-développement.

En réalité, les pays actuellement sous-développés ont été depuis longtemps incorporés et intégrés à un univers unique embrassant le système capitaliste mercantiliste et industriel, au développement duquel ils ont contribué (et contribuent encore) par la fourniture de force de travail à bon marché et de matières premières, par la fourniture, en d'autres termes, de surplus en capital investis-

113

sable [6]. Au cours de ce processus, qui est celui du développement capitaliste et du développement économique de la métropole capitaliste en Europe et en Amérique du Nord, la physiologie sociale de l'Asie, de l'Afrique, et de l'Amérique latine a été totalement (et de façon remarquablement uniforme) transformée en ce qu'elle est aujourd'hui, c'est-à-dire en une structure de sous-développement créée, et aujourd'hui encore consolidée, par le développement et la structure du système capitaliste mondial. Les causes fondamentales du sous-développement résident par conséquent dans le capitalisme et non dans la croissance démographique ou l'inertie ou encore le traditionalisme. Cela est également vrai pour l'Afrique, l'Asie et l'Amérique latine qui se distinguent par la remarquable uniformité de leur structure de sous-développement plutôt que par des différences se rapportant à leurs assises nationales, leur fatalisme ou leurs institutions [7]. Dans aucune de ces régions la propriété foncière n'a constitué le fondement principal du pouvoir économique et social depuis leur incorporation au système capitaliste. Au contraire, dans chacune d'entre elles, le pouvoir est venu s'appuyer en premier lieu sur la domination commerciale, domination qui s'est toujours exercée, et qui s'exerce encore en grande partie, au profit et sous le contrôle des intérêts de la bourgeoisie de la métropole capitaliste et de ses associés subalternes des pays voués par voie de conséquence au sous-développement [8].

Ce processus est à l'origine d'un nombre véritablement incalculable de cadavres à la fois physiques, culturels et spirituels en Asie, en Afrique et en Amérique latine. Des civilisations tout entières ont été anéanties, des cultures ont été détruites, et plusieurs millions d'hommes ont connu une mort prématurée qui venait les libérer de souffrances ignorées jusque-là. Le niveau de vie (en termes absolus) de la majorité des peuples s'est détérioré, non seulement en Chine mais également en Inde depuis deux siècles et certainement en Afrique et en Amérique latine depuis cent ans. Les espérances de certains ont beau s'être accrues au cours des vingt ou trente années écoulées, la production alimentaire par tête en Asie non socialiste, en Afrique, en Amérique latine a diminué (de 3 % en Asie, Chine exclue, et de 7 % en Amérique latine pour

---

6. Voir Paul A. BARAN, *Economie politique de la croissance*, New York, *Monthly Review Press*, 1957, et Paris, François Maspero Ed., 1967.

7. Le point de vue selon lequel les obstacles au développement relèvent de facteurs sociaux et psychologiques est contré *in extenso* dans « Sociology of Development and Underdevelopment of Sociology », A. GUNDER FRANK, *Catalyst*, Buffalo, N. 3, juin 1967. Une autre explication est proposée par le même auteur dans *Capitalism and Underdevelopment in Latin America*, New York, *Monthly Review Press*, 1967 (*Capitalisme et sous-développement en Amérique latine*, Paris, 1966, François Maspero éd.).

8. *Ibid.*

la période de 1934-38/1963, d'après la documentation de la F.A.O.),
la répartition du revenu est devenue nettement plus inégale dans
ces régions ; et la consommation alimentaire, en termes absolus,
de la majorité de ces populations est en train de diminuer si
rapidement qu'elle menace désormais de dégénérer en une famine
sans précédent, sur une échelle continentale, en Asie, en Afrique
et en Amérique latine [9]. Ce qui est en cause, ce n'est pas la rhétorique des espérances croissantes mais la réalité de la diminution de
la consommation. Face à cette réalité, les peuples des pays sous-
développés n'ont pas réagi dans le passé par l'apathie et dans le
présent par le fatalisme. Bien que nos historiens n'aient généralement
pas jugé utile d'en parler, ces peuples se sont révoltés dans le passé ;
et bien que nos spécialistes des sciences sociales évitent d'en tenir
compte, ils se révolteront demain — non pas contre le traditionalisme et les institutions non capitalistes, mais plutôt contre le
système capitaliste qui en fait, pour reprendre les paroles de Frantz
Fanon, les damnés de la terre [10]. Le choix qui se pose à eux ne se
situe pas, comme semble le penser M. Heilbroner et certains auteurs,
entre des coûts plus ou moins élevés de développement, mais entre
le sacrifice déjà existant de la majorité aux intérêts de la minorité
et l'utilisation du même sacrifice à des fins de développement économique bénéfique pour la majorité et de nature à les libérer d'un tel
sacrifice dans l'avenir.

2. — Après avoir ainsi tracé une image historique et structuralement fausse du sous-développement et évoqué la possibilité
d'un développement « communiste », c'est-à-dire socialiste, M. Heilbroner énonce les alternatives qui s'offrent d'après lui aux peuples
des pays sous-développés. Parlant d'abord du « besoin d'éviter les
troubles politiques », M. Heilbroner suggère que « l'effervescence
politique croissante pose le problème du développement de la façon
la plus urgente » (p. 4). « Mais comment faire pour aller vite ? »
se demande-t-il (p. 5). Les Etats africains, au moins, « pourront
subir le régime capitaliste, ou communiste, ou militaire, ou tout
autre type de régime au cours de la seconde moitié du siècle
présent, mais quelle que soit l'idéologie nominale au pouvoir »,
le problème (et par conséquent sa solution) est le même (p. 7).
Ce n'est « pas le communisme ou le capitalisme qui déterminent
le ton et la tension dans les relations internationales », et cela est
décisif pour M. Heilbroner (p. 11). Ce qui compte, c'est la lutte
entre le traditionalisme et la modernisation. Et « il n'existe certai-

---

9. Voir André GUNDER FRANK, « Hunger or socialism », *Canadian
Dimension*, Winnipeg, vol. 4, n° 4, 1967, sous presse, dont la documentation provient de la F.A.O., *The State of Food and Agriculture 1964*,
Rome, 1964, pp. 16 et 108.
10. Frantz FANON, *Les Damnés de la Terre*, Paris, François Maspero éd.,
1961.

nement pas de nécessité inhérente au fait que les révolutions de modernisation soient menées par des communistes » (p. 8). « En Asie du Sud-Est et en Amérique centrale et du Sud, il existe une possibilité que la tâche de modernisation soit entreprise par des élites non communistes.» Et en Grèce, en Turquie, au Chili, en Argentine et au Mexique, « l'ossature politique et sociale existante [est] suffisamment adaptable et l'on peut désormais espérer voir un progrès considérable se réaliser sans recours à la violence » (p. 7). Dans toutes ces zones sous-développées, le développement peut être entrepris, d'après M. Heilbroner, par une élite non communiste menée par « un Gandhi, un Marti, un Castro d'avant 1958 », « ou même par l'armée » (p. 7) qui, selon le Castro d'après 1958, est au pouvoir à l'heure actuelle dans chaque pays d'Amérique latine et dans de nombreux autres pays sous-développés. Comment, se demande M. Heilbroner (p. 8), une élite non communiste pourra-t-elle persévérer dans cette tâche ? En ayant « à offrir une interprétation philosophique de son rôle aussi convaincante et édifiante » que la « philosophie », le « vocabulaire », la « conception de l'histoire », les « certitudes psychologiques » et la « foi inébranlable » où « le communisme puise sa vigueur particulière » ; car c'est grâce à ces éléments que le « communisme », d'après M. Heilbroner, a été capable « d'atteindre et de rallier la masse anonyme de la population [et] telle est *la* grande réalisation de cette doctrine » (p. 4). Ayant posé ces prétendues options, M. Heilbroner peut désormais « supposer l'éventualité d'un passage au communisme de la plus grande partie de l'Asie du Sud-Est et d'une fraction appréciable de l'Amérique latine » et prétendre qu'il « semble justifié d'affirmer que le danger *militaire* qu'entraînerait une telle éventualité ne serait pas très grave » (p. 9). En d'autres termes, ayant, dans sa rhétorique, posé toutes ces options au mépris de la réalité la plus élémentaire, M. Heilbroner peut alors envisager le simple choix entre le passage ou le non-passage au communisme, et le simple exercice de ce choix sans transfert de pouvoir par le recours à la violence, et — comme nous le verrons plus loin dans la troisième partie de notre discussion — sans intervention militaire de la part de la bourgeoisie impérialiste des Etats-Unis.

Le véritable choix qui s'offre aux peuples des pays sous-développés aujourd'hui n'oppose pas les coûts entraînés par telle ou telle option idéologique. Un calcul en termes de cadavres serait certainement utile si l'on pouvait estimer les souffrances que la majorité des peuples des pays sous-développés subissent à l'heure actuelle — souffrances qui ne bénéficient qu'à la poignée des gouvernants de ces pays. La question n'est pas de savoir si un tel sacrifice doit être accru ou non, mais bien si ce même sacrifice sera orienté vers la réalisation d'un développement économique, social, culturel et spirituel au bénéfice des masses populaires et de l'homme dans son ensemble. Etant la source historique et la cause contemporaine du sous-développement, la classe capitaliste et l'exploitation colo-

niale doivent être éliminées afin de permettre un tel développement.
Capitalisme ou socialisme, telle est par conséquent la question fondamentale. Et les élites « non communistes », c'est-à-dire capitalistes, sont incapables de mener et même de suivre cette transformation de la physiologie sociale des pays sous-développés. Si le Castro d'avant 1958 a démontré qu'un leadership non communiste peut amorcer un tel processus, le Fidel d'après 1958, ayant appris les leçons de l'expérience vécue, a démontré qu'un mouvement appuyé sur les masses cherchant à (et étant capable de) s'emparer du pouvoir d'Etat et à éliminer la classe capitaliste et la structure coloniale est nécessaire de façon inhérente à la mise en œuvre du processus historique de modernisation et de développement. Marti, mort en 1898, n'a pas vécu assez longtemps pour envisager une telle nécessité. Gandhi est mort après avoir consacré sa vie au soutien de la structure et de la classe capitalistes, à la fois dans son pays et à l'étranger ; cette structure a depuis lors plongé l'Inde de plus en plus profondément dans le sous-développement et l'a menée au bord du désastre [11]. Quant à Ataturk et Nasser (que M. Heilbroner cite également comme exemples possibles), le premier n'est certainement pas parvenu à consolider et à garantir le développement futur de la Turquie, et le second, contrairement à Fidel, n'a pas encore démontré sa capacité à mettre en œuvre le développement de la République arabe unie et de son peuple. La raison d'un tel état de choses — et l'on s'en rend compte en comparant ces pays à la Chine ou à Cuba — est que le facteur essentiel du développement actuel est constitué par le mouvement politique des masses populaires qui vont de l'avant, laissant à d'autres le soin de dire, pour reprendre la chanson, « je suis leur chef ; je dois les suivre ». Et pourtant, malgré toute sa rhétorique idéaliste concernant le leadership philosophique, M. Heilbroner « exclut le prince du Danemark de son Hamlet » quand il se livre à des discours sur l'apathie et le fatalisme au lieu d'envisager les véritables forces populaires.

3. — Enfin, se tournant vers la métropole du système impérialiste, M. Heilbroner prétend que la perte de ses investissements dans les pays sous-développés est assez facilement supportable par l'économie des Etats-Unis et qu'en conséquence « je (M. Heilbroner) ne pense pas que l'élite des grands chefs d'entreprise *(Corporate elite)* soit particulièrement belliciste » (p. 10). Comme « les nations européennes, la plupart d'entre elles étant d'ailleurs beaucoup plus conservatrices que les Etats-Unis par leurs caractères

---

11. Cf. E.M.S. Namboodiripad, *The Mahatma and the Ism*, 2ᵉ édition, New Delhi, 1959 ; Rajani Palme Dutt, *India Today*, 2ᵉ édition revue, Bombay, 1949 ; et le sommaire de plusieurs études, publié par Martin Deming Lewis, *Gandhi, Maker of Modern India ?*, Boston, Heath And Co, 1965.

économiques et sociaux, ont fait la paix avec le communisme... »,
M. Heilbroner suggère que « l'on peut s'attendre à une semblable
désescalade de nos propres positions historiques » (p. 12).

La rhétorique de M. Heilbroner envisage la possibilité pour les
pays sous-développés de choisir entre « devenir » communiste ou
« devenir » nationaliste ; il pense qu'un tel processus, ou plutôt un
tel changement simple, n'entraînerait pas « une menace insurmon-
table sur les plans économique ou militaire » (p. 10) pour les Etats-
Unis, dont la structure économique et les institutions politiques
pourraient demeurer essentiellement invariables — et en fait le
demeureraient ; il pense également que le danger proviendrait
par-dessus tout « d'une hystérie américaine », et que ce danger
peut être évité et l'ajustement effectué par de simples modifications
apportées à « nos attitudes » : à savoir, en premier lieu, une « poursuite du dégel graduel et de la convergence des vues et des intérêts
russes et américains » et, en second lieu, « une remise en question
publique des conséquences de notre anticommunisme aveugle dans
le monde sous-développé » (pp. 12-13).

Les options et les solutions rhétoriques de M. Heilbroner tra-
hissent son incapacité à saisir la réalité de la structure de classe
et de la structure coloniale du système capitaliste. Il se pourrait
que la perte des investissements américains à l'étranger « puisse
être supportable économiquement » pour l'économie américaine ou
son peuple, dans leur ensemble. Tel n'est cependant pas le cas,
dans la mesure où la propriété de ces investissements revient à
un très petit groupe de très grandes entreprises monopolistes et
à leurs propriétaires — présidents-directeurs généraux, qui s'em-
parent de la majeure partie de leurs bénéfices et qui ne peuvent
survivre économiquement et politiquement sans le maintien — et
en vérité sans l'expansion — de ces bénéfices privés et du système
qui les rend possibles. En fait, dès 1957, trois cents grandes entreprises américaines possédaient 88 % des investissements U.S. à
l'étranger et, sur ce chiffre, 45 firmes contrôlaient 57 % de ces
investissements [12]. Depuis cette date, le degré de concentration s'est
certainement accru encore. D'ailleurs, aujourd'hui, le commerce ne
se contente pas de « suivre le pavillon », il suit l'investissement
lui-même. En 1964, les ventes à l'étranger des entreprises américaines se sont élevées à 168 milliards de dollars, dont 88 milliards
ont été le fait de succursales étrangères totalement ou substantiellement contrôlées par les maisons-mères, 25 milliards étant imputables aux exportations, et le reste aux autres investissements. Et
pourtant, au cours de la même année, les ventes intérieures de
tous les biens meubles se sont élevées à 280 milliards de dollars,
ce qui fixe la part des ventes à l'étranger à presque un tiers des

---

12. Cette documentation et celle qui suit sont extraites de Harry MAG-
DOFF, « Economic Aspects of U.S. Imperialism », *Monthly Review*, New
York, vol. 18, n° 6, novembre 1966.

ventes totales de biens meubles. La somme des exportations et des achats d'ordre fédéral, consacrés à la défense du « monde libre », aux Etats-Unis comme à l'étranger, s'élève à un chiffre situé entre 20 et 50 % des ventes totales dans chaque branche industrielle américaine, à l'exception de celle de l'outillage agricole où ce taux est moins élevé, et de celles de l'aviation et de l'artillerie, où il est plus fort. Mais, là aussi, la majeure partie des ventes se trouve concentrée aux mains d'un nombre relativement peu élevé de grandes firmes. D'ailleurs, la part du produit total consacré à des acheteurs militaires et étrangers est en hausse régulière. Au cours des dix dernières années, alors que les ventes intérieures des branches industrielles américaines se sont élevées de 50 %, les ventes à l'étranger des entreprises U.S. se sont élevées de 110 %. Enfin, la concentration des profits est plus forte encore que celle des ventes. Ainsi, pour l'entreprise américaine géante, les opérations extérieures représentent une part encore plus importante de leurs profits totaux que de leurs ventes totales, et cette part-là pourra même atteindre et dépasser 100 % de leurs profits. La révolution socialiste dans les pays sous-développés et l'élimination ou la transformation radicale des activités économiques étrangères des plus grandes firmes monopolistes américaines auraient par conséquent un effet considérable sur « l'élite des grandes entreprises » et exigeraient en fait des rajustements d'une très grande portée au niveau de la structure de classe et de la structure coloniale de l'économie capitaliste-monopoliste des Etats-Unis.

Si certains libéraux américains ne perçoivent pas cette structure du système et ses implications, d'autres ne la comprennent que trop bien. Ainsi, Dean Acheson notait déjà en 1944, alors qu'il était Secrétaire d'Etat adjoint dans l'administration démocrate *libérale* de Franklin Delanoe Roosevelt : « Sous un système différent nous pourrions utiliser la production totale de ce pays. Je suppose que l'Union soviétique pourrait utiliser sa production tout entière à des fins intérieures. Si nous souhaitions diriger la totalité du commerce et du revenu des Etats-Unis, c'est-à-dire la vie des gens, nous pourrions sans doute nous arranger pour que tout ce qui est produit ici soit consommé ici, mais cela modifierait complètement notre constitution, nos rapports avec la propriété et la liberté humaine et la conception même que nous nous faisons de la loi. Et personne n'envisage cela. Ainsi nous découvrons qu'il nous faut nous tourner vers d'autres marchés, et que ces marchés se trouvent à l'étranger [13]. » Devons-nous penser qu'après être devenu Secrétaire d'Etat dans l'administration de l'ancien vice-président de l'administration Roosevelt [14], M. Acheson perdit de vue la structure de ce système et le besoin de le soutenir, et qu'il dirigea avec étour-

---

13. Cité par William APPELMAN WILLIAMS, *The Tragedy of American Foreign Policy*, New York, Dell, 1962, page 236.
14. Truman. (N.d.T.)

derie le Département [15], le programme du Point Quatre, l'aide extérieure en général, et cela au bénéfice des pays sous-développés ? La réponse a été donnée, entre autres, par Eugène Black, qui fut longtemps le président de la Banque mondiale des Nations unies et qui est à présent le conseiller ex (?) - libéral du président démocrate Johnson en ce qui concerne les problèmes de développement en Asie et l'administrateur probable du milliard de dollars dont le président Johnson a doté son programme de développement asiatique. Black déclarait dans son célèbre discours de Baltimore : « Nos programmes d'aide à l'étranger constituent un facteur nettement bénéfique pour les affaires aux Etats-Unis. Les trois principaux avantages sont : 1) le fait que l'aide extérieure procure un marché important et immédiat pour les biens et les services U.S. ; 2) le fait que l'aide extérieure stimule le développement de nouveaux marchés étrangers pour les sociétés américaines ; 3) le fait que l'aide à l'étranger oriente les économies nationales dans le sens d'un système de libre entreprise dans lequel les firmes U.S. peuvent prospérer [16]. » Devons veut-il donc nous faire croire que le projet de développement du Mékong « pour » l'Asie du Sud-Est représente l'aile de colombe de Lyndon Johnson et l'escalade au Vietnam son aile de faucon ? Le vice-président chargé des opérations de la Chase Manhattan Bank pour l'Extrême-Orient — et qui est associé aux Rockefeller, qui sont républicains et *libéraux* — répond : « Dans le passé, les entreprises investissant à l'étranger se sont montrées quelque peu circonspectes en ce qui concerne les perspectives politiques générales pour la région du Sud-Est asiatique. Je dois dire toutefois que l'action américaine au Vietnam cette année a démontré que les Etats-Unis continueront à accorder une protection efficace aux nations libres de la région et a considérablement rassuré les investisseurs, aussi bien asiatiques qu'occidentaux [17]. »

Il est donc évident que non seulement « au Guatemala, à Cuba, en République Dominicaine et à présent au Vietnam », mais également en Iran, au Congo et ailleurs, toute tentative de transformer la structure de sous-développement en structure de développement se heurte nécessairement à la résistance armée de la bourgeoisie dont le centre et le leadership *libéral* se trouvent maintenant aux Etats-Unis. En conséquence, il existe bel et bien une « nécessité inhérente » à ce que ces tentatives de modernisation et de développement soient révolutionnaires et à ce qu'elles soient violemment contrées par des actions contre-révolutionnaires. En un mot, les Etats-Unis sont engagés dans la « vietnamisation » de l'Asie, de l'Afrique, et de l'Amérique latine avec toutes les conséquences et les implications inévitables que cela entraîne. Cette nécessité est

---

15. Ministère. (N.d.T.)
16. Cité par MAGDOFF, *op. cit.*, page 12.
17. *Ibid.*

inhérente à la structure de classe et à la structure coloniale du système capitaliste lui-même ; que « l'élite des grandes entreprises » soit « particulièrement belliciste » ou pas, cela importe peu. La résolution de cette contradiction — qui est réelle, et non d'ordre rhétorique — au niveau de la métropole du système comme à celui de ses colonies économiques, politiques et structurales, implique non seulement un changement d'attitude et d'idéologie, mais également une transformation de la structure de classe. Et cela implique la mobilisation des masses populaires, comme c'est le cas pour le Vietnam et comme M. Johnson craignait que cela le devienne pour Saint-Domingue, pour Watts et pour ailleurs. Contrairement à la suggestion de M. Heilbroner, la question n'est pas de savoir si une telle perspective « modifierait en fait l'actuel équilibre des forces militaires dans le monde », mais plutôt de déterminer comment un tel mouvement populaire chez nous et à l'étranger pourra détruire l'équilibre politique du système capitaliste. C'est là le vrai problème ; et qu'il nous soit permis ici de le poser dans les termes mêmes d'un champion de la modernisation que nous connaissons tous : « Le peuple, le peuple seul, est la force motrice, le créateur de l'histoire universelle [...] Tout point de vue qui surestime la force de l'ennemi et sous-estime la force du peuple est faux. » (*Citations du président Mao Tsé-toung*, pages 118 et 86 — 134 et 96 de l'édition en français.) Nous devons être reconnaissants à M. Heilbroner pour sa magistrale rhétorique qui éclaire si bien ses propres limites, non seulement en ce qui concerne l'explication de la réalité, mais aussi les moyens de la transformer, comme dirait un autre champion de la modernisation.

6

Anthropologie libérale
et anthropologie de la libération[1]

Che Guevara, à qui on demandait ce qu'un écrivain pouvait faire pour la révolution, répondit que lui avait été médecin. Le problème n'est pas de savoir si la médecine ou l'anthropologie sont moins utiles ou moins pertinentes que d'autres domaines de l'activité humaine. Ce dont il s'agit, c'est de la responsabilité de l'anthropologue. Cette responsabilité consiste à ne se servir de l'anthropologie que dans la mesure où elle est suffisante, alors même que l'on fait tout ce qui peut être nécessaire au renversement du système de classe capitaliste qui est presque mondial, qui est violent, opprimant, raciste et aliénant et qui englobe la plupart des anthropologues et des peuples qu'ils étudient. Les appels au nom de la vérité (Berreman) et en faveur d'une approche humaniste (Gjessing) ne sont que d'insuffisantes critiques d'ordre libéral qui s'adressent au soutien tout aussi libéral accordé par la plupart des anthropologues au système qu'ils servent en échange des faveurs qu'ils en reçoivent. Les anthropologues plus que quiconque devraient savoir que les valeurs, la mythologie, la science, et d'autres aspects encore de la culture, sont intimement liés à la structure de la société — même si de nombreux anthropologues se plaisent à n'observer ce fait que parmi d'autres peuples et d'autres sociétés. Merreman et Gjessing qui consacrent la plupart

---

1. Commentaire pour le numéro de *Current Anthropology* consacré au rôle de la responsabilité dans l'anthropologie. Montréal, mai 1968.

de leurs essais à nier la possibilité de faire de l'anthropologie sans système de valeurs, sembleraient donc « enfoncer des portes anthropologiquement ouvertes ».

Les suggestions comme celles de Gjessing ou de Gough qui proposent aux anthropologues d'abandonner le caractère strictement intégral de leur discipline pour surmonter les limites de la spécialisation et du travail individuel sur le terrain, bien qu'elles soient sans doute nécessaires, sont loin d'être suffisantes. Gjessing va même jusqu'à déclarer que les économistes, les spécialistes en sciences politiques et les sociologues ont, dans une grande mesure, remplacé les anthropologues et qu'en Amérique l'anthropologie est à l'heure actuelle plus proche de la réalité qu'en Europe. Toutefois, et dans la mesure où un tel point de vue est exact, cela ne signifie pas que la proposition de Gjessing en faveur d'un travail interdisciplinaire offre une quelconque solution : en effet, ces « scientifiques » libéraux et leurs techniques ne font désormais que servir l'impérialisme américain de façon plus efficace que les enfants — sans doute moins à la page — d'un impérialisme plus ancien (Gough et Gjessing). Ainsi, dans son introduction à *Social Science Research on Latin America*, ouvrage publié sous l'égide du Social Science Research Council, l'anthropologue Charles Wagley note qu'aux Etats-Unis, au cours des trente dernières années, « l'Amérique latine a également été négligée par les chercheurs qui se doivent de nous apporter la documentation de base exigée par les instances académiques et par le public. Tout autant que l'Afrique, l'Amérique latine a été, sur de nombreux points, un " continent noir ". Cette situation est en train de changer. Il y a un renouveau de l'intérêt public pour l'Amérique latine, intérêt qui est stimulé par la prise de conscience de l'importance que revêt cette région pour nos propres intérêts nationaux. La National Defense Education Act encourage l'étude de l'espagnol, du portugais, et aussi de la société latino-américaine. L'Alliance pour le Progrès a [...] mis en lumière l'importance que revêt pour nous la région. Des fondations privées ont financé des recherches consacrées à l'étude de l'Amérique latine... » Un phénomène identique est également constitué par la multiplication d'études africaines aux Etats-Unis ; celui-ci est d'ailleurs moins imputable à l' « indépendance » croissante des Africains par rapport à l'Europe qu'à leur dépendance croissante par rapport aux Etats-Unis et à l'impérialisme américain. La participation de l'anthropologie et, à plus forte raison, de l'anthropologie appliquée à ce transfert du « fardeau de l'homme blanc » (*white man's burden*) d'une rive de l'Alantique à l'autre est évidente, et ses conséquences scientifiques et politiques sont prévisibles.

Le *Projet Camelot* ne constitue pas un événement isolé et le tollé général soulevé par l'emploi direct de spécialistes des sciences sociales par le ministère de la Défense indique bien que l'on est vraiment conscient du fait que la quasi-totalité des sciences sociales du monde « libre » constituent en fait un immense « *projet Came-*

lot », quelles que soient les instances qui les financent. Des savants libéraux et politiquement naïfs — bien que n'étant pas tout à fait innocents — peuvent ne pas être conscients de ce qui motive le financement de leurs recherches et l'utilisation qui est faite de leurs travaux. Cependant, comme l'indique William Domhoff (1967) dans son ouvrage *Who Rules America ?*, les pratiques consistant à user et abuser de la science sociale et de ses savants sont bien connues des représentants de la grande bourgeoisie qui sont responsables des fondations (fort judicieusement nommées) Carnegie, Rockefeller et Ford et des universités (dont les noms sont sans doute moins révélateurs) ; nous assistons d'ailleurs à une circulation fort libérale de crédits financiers et de personnes (tels le président Rusk ou le doyen Bundy) entre ces fondations et universités et entre elles et le département d'Etat. Nous retrouvons le même intérêt pour un « projet Camelot » à l'échelle du monde « libre » tout entier dans le *Panel of the Defense Science Board — National Academy of Sciences of the United States,* où il est affirmé de façon convaincante :

« Au cours de ces dernières années, le département de la Défense (DOD) a fait face à de nombreux problèmes dont la solution exige le concours des sciences sociales et des sciences de comportement [...] Les forces armées ne se consacrent plus seulement à la guerre. Leurs missions comprennent à présent la participation, l'assistance, la "lutte des idées", etc. Toutes ces missions exigent une compréhension des populations urbaines et rurales avec lesquelles notre personnel militaire entre en contact — que ce soit dans le cadre des nouvelles activités pacifiques ou au combat. Nous avons besoin d'en savoir plus sur de nombreux pays à travers le monde ; sur leurs croyances, leurs valeurs, leurs motivations, leurs organisations politiques, religieuses, économiques ; sur l'impact des divers changements et innovations au niveau de leurs structures socio-culturelles [...] [L'innovation dans] la méthodologie conventionnelle des sciences sociales [...] est, fort heureusement, l'un des points où les intérêts à la fois du DOD et des autorités académiques responsables de la recherche se rejoignent nettement [...] [Nous] pensons que le DOD a connu un beau succès dans ses efforts pour engager les services d'un groupe d'éminents spécialistes du comportement, en provenance de la plupart des disciplines qui s'y rattachent [...] En revanche, le DOD pourrait sans doute améliorer sa façon de décrire ses besoins, en employant des termes qui s'adressent plus au chercheur qu'au militaire. Demander aux gens de faire de la recherche dans les domaines de la « contre-insurrection » ou de la « guerre de guérilla », etc., n'a pas seulement pour effet de produire une réaction moins enthousiaste, mais ne permet également aucune compréhension des moyens qu'a chacun de participer [...] La communauté scientifique qui se consacre à l'étude du comportement doit être amenée à accepter la responsabilité du recrutement des chercheurs au service du DOD [...] Les points suivants méritent une attention spéciale en tant que facteurs d'une stratégie à la recherche pour les « agences militaires » *Activités de recherche prioritaires :* 1) [...] méthodes, théories et pratique des sciences sociales et des sciences du comportement dans les pays étrangers [...] 2) [...] programmes pour la formation de spécialistes en sciences sociales de nationalité étrangère [...] 3) [...] recherches en sciences sociales devant être menées par des savants locaux indépendants [...] 4) [...] missions relevant des sciences sociales devant être accomplies en pays étrangers par les principaux centres d'éducation supérieure des Etats-Unis [...] 7) [...] études menées aux Etats-Unis ayant pour but d'exploiter la documentation collectée par ceux de nos chercheurs à l'étranger qui sont au service des agences non militaires. Le développement en matière de documentation, de ressources et de méthodes analytiques devra être accéléré afin que la documentation collectée à des fins spéciales puisse être utilisée dans de nombreux autres domaines [...] 8) [...] collaborer avec d'autres programmes aux Etats-Unis et à l'étranger afin d'assurer un accès continu du personnel de la défense aux ressources académiques et intellectuelles du monde libre... » (Défense 1967 : 33, 38, 40, 43, 52).

Les quelque cinq cents intellectuels venant de soixante-dix pays, qui se sont réunis en janvier 1968 au Congrès culturel sont eux aussi conscients de la situation quand ils proclament dans l'*Appel de La Havane* adressé aux intellectuels du monde entier :

« Nous reconnaissons que cette entreprise de domination assume les formes les plus diverses, de la plus brutale à la plus insidieuse, et qu'elle agit à tous les niveaux politique, militaire, économique, racial, idéologique et culturel ; et nous reconnaissons également qu'une telle entreprise est menée avec d'énormes ressources financières et avec l'aide d'agences de propagande déguisées en institutions culturelles.

« L'impérialisme cherche, par les techniques d'endoctrination les plus variées, à assurer la soumission sociale et la passivité politique. Simultanément, un effort systématique vise à mobiliser les techniciens, les hommes de science et les intellectuels qui sont généralement au service des intérêts et des desseins capitalistes et néo-colonialistes. Ainsi, les talents et les compétences qui pourraient et qui devraient contribuer à la mise en œuvre du progrès et de la libération deviennent en fait des instruments de la commercialisation des valeurs, de la dégradation de la culture et du maintien de l'ordre économique et social capitaliste.

« Les intellectuels ont un intérêt fondamental et un devoir impératif : ils doivent résister à cette agression et relever sans tarder le défi qui leur est ainsi adressé. Ils doivent apporter leur soutien aux luttes de libération nationale, d'émancipation sociale et de décolonisation culturelle, un soutien aux peuples d'Asie, d'Afrique et d'Amérique latine et aux luttes menées contre l'impérialisme à partir de son centre même par un nombre sans cesse croissant de citoyens noirs et blancs des Etats-Unis ; ils doivent rejoindre la lutte politique menée contre les forces conservatrices, rétrogrades et racistes, afin de démystifier leurs idéologies et d'attaquer la structure sur laquelle elles reposent et les intérêts qu'elles servent...

« Cet engagement doit commencer par le rejet sans réserve de la politique de subordination culturelle par rapport aux Etats-Unis, et cela implique le refus de toute invitation, bourse, emploi et participation à des programmes de recherches ou de travaux culturels, chaque fois qu'une réponse positive sera susceptible de mener à une collaboration quelconque avec cette politique. »

Il existe deux raisons pour lesquelles les anthropologues d'Europe occidentale et d'Amérique du Nord peuvent assumer cette responsabilité de façon plus efficace en travaillant dans leurs propres sociétés. La première tient au fait que, bien que leur travail à l'étranger serve les intérêts de l'impérialisme, il ne sert pas ceux des peuples colonisés parmi lesquels les anthropologues métropolitains travaillent. Et une telle situation a peu de chances de changer. D'après Gjessing (qui cite Myrdal), la réorientation du travail politique n'est pas de nature autonome, mais dépend plutôt des grands changements politiques. Or les changements politiques contemporains ne réorientent guère ni le travail des anthropologues métropolitains ni celui des autres scientifiques dans le sens des intérêts des peuples colonisés, à l'exception et dans la mesure où ils amènent ces hommes de science à travailler à la destruction de l'impérialisme dans la métropole et par conséquent à la libération des peuples colonisés. La deuxième raison qui doit amener les anthropologues à travailler chez eux est que, d'un autre côté, la métropole impérialiste connaît actuellement de grands changements politiques qui sont de nature à orienter certains anthropologues vers des travaux sérieux — en tant que participants au mouvement de libération se déroulant dans leurs propres pays.

Pour ceux des anthropologues et des autres scientifiques nord-américains qui seraient décidés à assumer sérieusement une telle responsabilité, Barbara et Alan Haber ont résumé « quelques-unes des implications » de cet engagement.

« 1. Le mouvement doit être considéré comme élément utile — qui nous aide à définir ce que nous faisons et sans lequel notre travail perd toute signification politique [...] Si nos aspirations personnelles ou notre travail professionnel nous poussent à ne faire que ce qui est respectable et sans danger, alors nous nous faisons de grandes illusions sur notre engagement politique. 2. Les postes, les rémunérations et les honneurs élevés dans l'*establishment* professionnel sont exclus. Nous devons nous attendre à une instabilité de l'emploi ; nous serons renvoyés périodiquement, et nous trouverons du travail de plus en plus difficilement. 3. Un progressiste ne peut se considérer comme étant loyal envers sa profession ou envers l'institution où il travaille. Notre loyauté va à nos camarades politiques et aux visées politiques pour lesquelles nous nous organisons [...] Il est évident que cela comporte une difficulté d'ordre moral dans la mesure où d'autres supposeront que nous éprouvons les loyautés traditionnelles [...] Nous ne sommes pas des intellectuels par-dessus tout ; à ceux qui veulent écouter ou que cela intéresse nous disons : nous sommes des *partisans* [...] 4. [...] Les progressistes ne peuvent accepter sans réserves les normes éthiques et les responsabilités de leurs professions. Les valeurs morales ne sont pas des idéaux abstraits. Elles constituent la sanctification de certains types de rapports d'intentions et de loyautés d'ordre social (ce qui est d'ailleurs admis par les anthropologues tant que l'on se réfère à l'éthique d'autres peuples que le leur). L'éthique conventionnelle nous trompe et nous amène à soutenir des choses que nous condamnons politiquement et nous rallie à des loyautés qui contredisent nos propres valeurs et notre engagement politique... »

Les anthropologues d'Amérique du Nord et d'Europe occidentale qui reconnaissent ces faits concernant leur propre société et qui sont prêts à assumer les responsabilités qui en découlent, peuvent et doivent utiliser leurs compétences spéciales afin de servir le mouvement, et cela de trois façons. En analysant la mauvaise qualité des « vêtements de l'empereur » en ce qui concerne les sciences sociales, ces anthropologues devraient, en suivant l'exemple de Gough, exposer l'impérialisme dans sa nudité idéologique et dénoncer ceux de leurs collègues qui continuent de profiter des avantages physiques que leur état pseudo-scientifique leur procure. Entre autres choses, cela implique la démonstration (contrairement à Gjessing) que les limites théoriques et politiques de Firth et de ses disciples ne tiennent pas à ce que leur théorie de l'organisation sociale ne traite que des transformations engendrées à l'intérieur plutôt qu'à l'extérieur de la structure sociale. En premier lieu, cela signifie qu'il est nécessaire de montrer (comme Gough, et contrairement à Gjessing) que la vraie limite de la théorie anthropologique issue de l'impérialisme et de ses tenants vient du fait qu'ils définissent arbitrairement des villages ou des tribus comme étant des systèmes sociaux et qu'ils inventent des catégories théoriques telles que les « peuplades » (*folk*) afin de voiler la vérité de l'exploitation économique et de l'aliénation culturelle de « leurs » peuples par le véritable système social déterminant, qui est l'impérialisme. La seconde limite qui doit être mise en lumière tient au fait que cette théorie se borne naïvement ou intentionnellement, à analyser les transformations sociales à *l'intérieur du système* impérialiste et capitaliste, et non celles de *ce système* lui-même. Et si la structure sociale — au sens large, comprenant le politique et l'économique — ainsi que le prétendent certains anthropologues, détermine vraiment la culture et l'idéologie, alors l'anthropologue socialement responsable peut faire un pas de plus et demander pourquoi la plupart de ses collègues préfèrent étudier les changements internes de leur société plutôt que de contribuer à la transformation de cette société elle-même ; s'agit-il de fausse conscience ou de conscience de classe ou d'autre chose encore ?

Une tâche complémentaire qui se pose à l'anthropologue métropolitain responsable consiste à poursuivre ses recherches et à développer la théorie dont a besoin et qu'exige le mouvement politique en métropole. Si les techniques de travail sur le terrain dont dispose l'anthropologue métropolitain responsable ont quelque valeur, qu'il les utilise dans le cadre d'études sociales visant à analyser la structure sociale de sa propre société, afin de servir un mouvement politique qui cherche à promouvoir l'indispensable transformation sociale de cette société. Cette tâche comporte une multitude de problèmes à résoudre, non seulement au niveau de « l'autre Amérique » mais également à celui de l'Amérique et de l'Europe de l'anthropologue bourgeois lui-même. En troisième lieu, les anthropologues politiquement engagés et militants, comme le médecin guérillero qui soigne ses camarades blessés, peuvent utiliser leurs compétences pour aider le mouvement de libération de leurs pays en effectuant des travaux spécifiques de recherche sociale pour leurs camarades plutôt qu'à des fins de publication. Enfin, l'anthropologue peut devenir un véritable partisan — un révolutionnaire intellectuel plutôt qu'un intellectuel révolutionnaire. De nombreux anthropologues métropolitains en dépit des grands changements politiques ne réorienteront évidemment pas leur travail et continueront à travailler sur le terrain en pays étranger. Ceux-là devraient au moins s'inspirer de Tocqueville qui, il y a cent trente ans, affirmait que c'est à partir des colonies que l'on dispose de la meilleure perspective sur la nature de la métropole.

Les anthropologues des pays économiquement, politiquement et culturellement colonisés — en d'autres termes, des pays sous-développés — doivent eux aussi travailler chez eux, et cela pour les mêmes raisons. Ils peuvent être sûrs que, tant que l'impérialisme persiste, la science sociale métropolitaine ne leur fournira jamais d'analyse de leurs sociétés ni du système impérialiste et développera encore moins l'anthropologie orientée vers la solution des problèmes (des pays sous-développés) que réclame Gjessing. Si la conception que l'on se fait du monde découle vraiment de la structure sociale, alors seuls les peuples anciennement ou toujours colonisés du monde sous-développé et les Afro-Américains intérieurement colonisés sont susceptibles de découvrir les perspectives nécessaires. Pour ceux qui recherchent véritablement une telle perspective, la voie a été tracée par l'apôtre et anthropologue pratiquant des damnés de la terre, Frantz Fanon :

« Or, précisément, il semble que la vocation historique d'une bourgeoisie nationale authentique dans un pays sous-développé soit de se nier en tant que bourgeoisie, de se nier en tant qu'instrument du capital et de se faire totalement esclave du capital révolutionnaire que constitue le peuple.

128

Dans un pays sous-développé une bourgeoisie nationale authentique doit se faire un devoir impérieux de trahir la vocation à laquelle elle était destinée, de se mettre à l'école du peuple, c'est-à-dire de mettre à la disposition du peuple le capital intellectuel et technique qu'elle a arraché lors de son passage dans les universités coloniales. Nous verrons malheureusement que, assez souvent, la bourgeoisie nationale se détourne de cette voie héroïque et positive, féconde et juste, pour s'enfoncer, l'âme en paix, dans la voie horrible, parce qu'antinationale d'une bourgeoisie classique, d'une bourgeoisie bourgeoise, platement, bêtement, cyniquement bourgeoise. »

En Asie, en Afrique, en Amérique latine, les anthropologues responsables doivent se sentir concernés par les puissantes transformations politiques qui se déroulent dans ces continents ; ils doivent se sentir conscients de la responsabilité de l'intellectuel telle que la définit l'Appel de La Havane ; et ils doivent se renforcer par l'engagement moral réclamé par Haber et Fanon. Ainsi, plutôt que les anthropologues métropolitains, si responsables et si engagés soient-ils, ce sont les anthropologues, entre autres, des pays sous-développés qui sont les plus susceptibles de bâtir le cadre théorique dans lequel le changement et la stabilité sont des facteurs complémentaires (que réclame Gjessing). Parmi d'autres problèmes de recherche, cela implique une analyse du processus par lequel la structure et, en vérité, la culture et la personnalité de classe sont formées et déformées par la structure coloniale, néo-coloniale et interne-coloniale du capitalisme mondial. Ces mêmes anthropologues des pays sous-développés, plutôt que ceux des pays développés, doivent également devenir des partisans et des militants dans les mouvements de libération de leurs propres pays et commencer à travailler sur les nombreux aspects d'un « projet de recherche consacré au problème de savoir comment des guérillas faiblement armées pourront résister de la manière la plus efficace à une technologie militaire brutale et dévastatrice » (Berreman citant Chomsky). Cela implique, entre autres choses, l'étude du phénomène par lequel la structure coloniale et la structure de classe et leur propre transformation actuelle engendrent non seulement la contre-insurrection mais également l'insurrection ; cela implique aussi la détermination des injustices propres à provoquer, dans certains secteurs de la population, à certains moments et en certains lieux, une mobilisation politique et militaire dans la longue guerre qui vise à détruire le système de violence, d'exploitation, de racisme, d'aliénation qu'est le capitalisme, et à construire, dans les zones libérées, une société véritablement libre et humaine.

Cet effort exige bien plus qu'une simple étude de médecine anthropologique. Elle nécessite la pratique de cette médecine, selon l'exemple de Che Guevara et de milliers d'autres comme lui (y compris certains anthropologues) au Vietnam et ailleurs. Alors, la formule de contre-insurrection « dix anthropologues pour chaque guérilla » (citée par Berreman) devra sûrement céder devant la victorieuse formule populaire de dix mille guérillas pour chaque anthropologue digne de ce nom.

7

Aide ou exploitation[1] ?

L'aide et l'investissement des Etats-Unis contribuent-ils sensiblement ou faiblement au développement économique latino-américain
ou le freinent-ils ? Le récent débat qui s'est déroulé entre les ambas-
sades brésilienne et américaine autour de cette question mérite
d'être analysé et commenté. Le point de vue du Brésil, exprimé
par l'ambassade de ce pays à Washington (confiée à Roberto Campos
de Oliveira) est que l'aide américaine n'est ni importante ni désin-
téressée. La réponse américaine, donnée par l'ambassadeur U.S.
Lincoln Gordon dans une conférence prononcée devant le Conseil
économique national du Brésil est la suivante : en exportant du
capital, les Etats-Unis consentent un grand sacrifice et contribuent
de façon significative au développement économique du Brésil.

Malheureusement si nous nous livrons à une analyse non diplomatique, la réalité des relations économiques qui unissent les Etats-
Unis au Brésil (ou à tout autre pays latino-américain que l'on
pourrait, dans cette étude, aisément substituer au Brésil) révèle
un aspect bien plus sinistre que ceux décrits par chacun des deux
ambassadeurs. Dans les lignes qui suivent, nous résumons les arguments des deux ambassadeurs sur chacun des sujets soumis au
débat et nous y ajoutons nos propres commentaires.

---

1. Paru dans *The Nation,* n° 193, 16 novembre 1963.

1. — Volume du capital transféré.

Brésil. Le véritable montant des ressources offertes est plus réduit que l'on ne le pense généralement. En effet, il devrait être mesuré en termes de fonds transférés plutôt qu'en termes de fonds engagés ; de plus, le reflux des amortissements et des intérêts versés devrait être déduit du montant brut des transferts.

Etats-Unis. L'ambassadeur américain ne comprend pas pourquoi l'ambassade du Brésil prête de l'importance à la distinction entre les autorisations et les déboursements, étant donné que les Etats-Unis tiennent leurs promesses et qu'ainsi la seule différence concerne le temps qui sépare les unes des autres. Déduire les amortissements et les intérêts versés des transferts bruts est une erreur économique génératrice de confusion ; en effet, une telle opération déprécie la contribution du capital américain à la construction de hauts fourneaux, d'usines hydro-électriques, etc., pendant qu'il séjourne au Brésil. De plus, le capital U.S. améliore la situation de la balance des paiements du Brésil. Sous cet angle, il semblerait que le flux de capital se dirige non pas des Etats-Unis vers le Brésil, mais bien du Brésil vers les Etats-Unis.

Commentaires. En réalité, la contribution nette du capital U.S. à l'économie brésilienne n'est ni grande ni petite, elle est négative. La distinction faite par l'ambassade du Brésil, entre engagement et déboursement, est facile à comprendre si l'on considère que certains transferts de fonds, promis à Punta del Este, ont été annulés par le Congrès et l'Exécutif U.S., que certains autres fonds proviennent de firmes privées qui ne sont pas liées par les accords gouvernementaux et, enfin, que la totalité de ces mouvements de capitaux dépendent de la complaisance du Brésil face aux exigences américaines en matière d'expropriation, de politique financière au niveau du fonds monétaire international, etc. En ce qui concerne la balance des paiements et le taux du change, ce sont les transferts qui comptent, et non les promesses.

L' « impression » selon laquelle, si l'on tient compte des amortissements et des intérêts, le flux des capitaux se dirige en fait du Brésil vers les Etats-Unis et non l'inverse reflète malheureusement la réalité de manière fort précise. Les chiffres officiels d'origine brésilienne pour les années 1947-1960 indiquent une rentrée de 1 814 millions de dollars en investissements et en prêts nouveaux et une sortie de 2 459 millions en paiements de profits et d'intérêts. Si l'on ajoute les « services » que l'on estime à 1 022 millions de dollars, et qui représentent en majeure partie des versements clandestins, le flux global de sortie atteint le chiffre de 3 481 millions, soit deux fois le montant des rentrées, les sorties nettes s'élevant donc à 1 667 millions de dollars.

Ce flux de sortie en provenance du Brésil ne constitue en aucune façon un accident historique ; il n'est pas non plus le résultat des seuls calculs brésiliens. Une étude de l'ECLA révèle qu'à aucun moment du siècle précédent (envisagé par tranches de dix ans) le montant total des sorties en biens et services à partir du Brésil n'a été plus faible que celui des entrées. En ce qui concerne l'Amérique latine en général (Argentine, Brésil, Chili, Pérou, Venezuela, Colombie, Mexique), les chiffres donnés par l'U.S. Department (ministère) of Commerce pour la période 1950-1961 nous donnent un montant net d'investissements U.S. nouveaux, d'origine privée, de 2 962 millions de dollars qui ont donné lieu à un volume de profits et d'intérêts de 6 875 millions (soit plus du double du montant des investissements) pour un montant net de retraits égal à 3 910 millions de dollars. Si nous tenons compte de l'aide et des prêts consentis par les Etats-Unis (3 384 millions de dollars) et des intérêts impliqués (1 554 millions à l'heure présente, les intérêts à venir n'étant pas comptés), nous obtenons quand même un mouvement net de capitaux dirigé vers les Etats-Unis et qui s'élève à 2 081 millions de dollars.

Toutefois, dans ces calculs, les flux qui se dirigent *vers* le Brésil, de même que ceux qui concernent les produits alimentaires en surplus, sont mesurés en termes de prétendus prix du marché, sont souvent gonflés et fixés par le vendeur américain lui-même, alors que les flux *partant* du Brésil sont mesurés en dollars effectivement achetés par le Brésil. De plus, cette documentation ne tient pas compte des capitaux privés du Brésil et des autres pays latino-américains qui sont expédiés à l'étranger (et en particulier vers les célèbres banques suisses ou new-yorkaises) et que l'on estime généralement à 10 milliards de dollars pour l'Amérique latine. Le véritable drainage de capital qui se déroule effectivement à partir du Brésil et des autres pays pauvres en capital *(capital-poor)* est ainsi encore plus important qu'il n'apparaît dans les chiffres officiels cités ci-dessus. Il est difficile de suivre l'ambassadeur U.S. quand celui-ci estime que ce prélèvement constant de fonds brésiliens par les Etats-Unis est de nature à améliorer la situation de la balance des paiements du Brésil. Au contraire, il s'agit bien de l'une des principales sources du déficit de ladite balance des paiements.

Parler du capital américain, public ou privé, qui contribue au développement de l'industrie lourde du Brésil est plus que fallacieux. Dans le cadre de l'Alliance pour le progrès, l'accent est surtout mis, en ce qui concerne les investissements en capitaux publics U.S. en Amérique latine, sur l'éducation et la santé — c'est-à-dire sur la construction de latrines, pour reprendre une image caricaturale fort bien venue. Les capitaux privés U.S., comme on peut le constater aisément, préfèrent se diriger vers l'exportation, les services et les industries de transformation — en un mot, vers la « colonisation du coca-cola » (*coca-cola colonisation*). Loin de contribuer à l'industrialisation du Brésil, de tels investissements (tout comme les investissements plus traditionnels qui s'orientent vers l'extraction des matières premières) servent à maintenir l'économie dans le sous-développement. En vérité, ils déforment l'économie et la rendent de moins en moins capable de développement en absorbant et en détournant, de façon croissante, les capitaux brésiliens. Souvent un certain volume initial de capital importé des Etats-Unis par une firme U.S. est augmenté, ou même multiplié par le moyen d'emprunts en capitaux brésiliens déposés dans des banques locales de nationalité américaine ou brésilienne ou même fournis par le gouvernement brésilien. Le capital ainsi réuni est alors investi en fonction non pas des intérêts du développement brésilien, mais de ceux des firmes américaines. Les recettes qui ne sont pas expédiées aux Etats-Unis sont alors réinvesties au Brésil ; souvent elles ne servent pas à installer de nouvelles unités productives mais à acheter, en totalité ou en partie, les entreprises brésiliennes déjà existantes et ainsi à les faire passer sous contrôle américain.

Il faut noter que les mesures brésiliennes « d'expropriation » offrent en fait aux investisseurs U.S. une aide gouvernementale pour leur permettre de retirer leurs capitaux des services publics les moins rentables et d'en transférer « un minimum de 80 % » dans d'autres branches plus lucratives. Ainsi, le capital U.S., disposant d'avantages financiers et techniques découlant de ses relations internationales et de certains privilèges spéciaux accordés par le gouvernement brésilien en vue « d'attirer les capitaux étrangers », dénationalise progressivement l'industrie brésilienne, détourne l'investissement brésilien, intègre l'économie brésilienne (et la fait dépendre de) à l'économie bien plus puissante des Etats-Unis et contribue ainsi à l'aggravation du déficit de la balance des paiements brésilienne.

2. — Degré de sacrifice consenti par les Etats-Unis.

Brésil. L'aide américaine accordée au Brésil entre 1940 et 1962 n'a pas constitué un sacrifice pour les Etats-Unis, ou alors celui-ci a été très faible. La moitié du montant global provient de l'Export Import Bank qui n'a jamais cessé d'en tirer profit. Une autre fraction, égale à 35 %, est constituée par des fournitures de surplus agricoles relevant de la loi publique (*Public Law*) 480. L'aide américaine était liée à l'achat de biens américains et faisait partie d'un programme visant à développer les marchés étrangers pour certains biens dont l'offre était trop forte aux Etats-Unis, et elle pouvait ainsi contribuer à l'utilisation de la capacité excédentaire par le secteur des exportations.

Etats-Unis. La manière dont se fait le financement est sans importance. Si les fonds américains n'avaient pas été utilisés ainsi, ils auraient été affectés à quelque autre emploi. Le fait de lier l'aide U.S. à l'achat de biens américains est normal et ne diminue en rien la valeur de l'aide, étant donné qu'une aide utile doit, en dernière analyse, donner lieu à un transfert de biens réels. De façon générale, puisque le taux de productivité marginale du capital aux Etats-Unis est supérieur à celui que l'on observe au Brésil, le fait pour les capitaux américains de s'investir au Brésil plutôt qu'aux Etats-Unis représente en réalité une perte considérable pour l'économie américaine. L'argument de la capacité excédentaire pourrait avoir quelque poids si l'économie américaine avait connu une dépression chronique depuis la guerre ; or tel n'a pas été le cas.

Commentaire. L'aide et l'investissement américains ne constituent pas un sacrifice, mais un instrument servant à obtenir d'énormes richesses à partir du Brésil et à préserver l'actuelle structure monopoliste de l'économie américaine. Le taux de productivité du capital n'a rien à voir dans le problème. Les firmes américaines n'investissent pas au Brésil dans un secteur dont la productivité marginale du capital serait égale à la productivité marginale de l'économie brésilienne considérée dans son ensemble, et elles ne tirent pas leurs fonds d'investissement d'un tel secteur de l'économie américaine. Ce qui est bien plus probant pour ces entreprises, c'est les profits qu'elles peuvent réaliser au Brésil et leur capacité excédentaire aux Etats-Unis. Une commission économique américaine au Brésil a pu noter que « les profits au Brésil sont en général bien plus élevés qu'aux Etats-Unis. Il n'est pas inhabituel de voir une usine s'amortir en un ou deux ans » — c'est-à-dire réaliser des profits annuels de 50 à 100 %. Néanmoins, ces taux ne concernent que les profits par rapport au capital investi total. Etant donné qu'une partie de ce capital a été empruntée à bas prix à des agents brésiliens, et que, de plus, une autre partie représente le réinvestissement de profits réalisés dans les années suivant l'introduction première de capital, il n'est pas non plus inhabituel d'observer un taux de profit réel du capital américain au Brésil s'élevant à plus de mille pour cent par an.

Si nous nous tournons vers l'économie américaine, nous constatons que le taux de chômage se maintient au-dessus de 5 % depuis plusieurs années, et que le taux minimal ne cesse de s'élever. La capacité excédentaire du capital fixe de ces mêmes firmes exportatrices est plusieurs fois plus élevée que le pourcentage précité, quel que soit le taux de productivité marginale du capital au niveau de l'économie saisie dans son ensemble. Pour ces entreprises, les recettes des exportations et des opérations avec l'étranger constituent une nécessité et non un sacrifice. Et, comme l'indique de façon particulièrement claire l'Alliance pour le progrès — considérons par exemple la déclaration publique faite par trois de ses porte-parole officiels, dont David Rockefeller, selon laquelle l'Alliance devrait améliorer les conditions qui sont faites à l'investissement U.S. en Amérique latine —, le but de l'aide gouvernementale des Etats-Unis est de préparer le terrain pour ce même capital privé américain.

Tout comme l'achat par le gouvernement américain des produits agricoles en surplus et leur expédition subséquente à l'étranger sous le nom d' « aliments pour la paix » (food for peace) soutiennent la monopolisation croissante et, partant, la capacité excédentaire de l'agriculture U.S., l' « aide » monétaire gouvernementale procure les crédits qui permettront l'achat par l'étranger des produits de l'industrie de plus en plus monopolisée des Etats-Unis. Cela explique également le rattachement des prêts à l'achat de biens américains. En effet, des biens réels pourraient être transférés par le moyen du commerce multilatéral, si le gouvernement U.S. ne souhaitait pas éviter d'aider le Brésil à commercer de façon plus intense avec l'Europe occidentale — sans même parler du commerce avec les pays socialistes. Et le développement des difficultés de la balance des paiements des Etats-Unis ne fait qu'aggraver ces mêmes besoins de l'économie américaine.

3. — Pertes et profits d'origine commerciale.

Brésil. Les termes de l'échange se sont détériorés pour le Brésil. Entre 1955 et 1961, les prix payés pour obtenir des produits brésiliens ont considérablement baissé et les prix des exportations américaines ont augmenté. Il en est résulté pour le Brésil une perte supérieure à l'ensemble de l'aide reçue depuis la Seconde Guerre mondiale.

Etats-Unis. L'argument de l'ambassade brésilienne concernant les termes de l'échange n'est pas valable. Dans des cercles moins professionnels, ces changements de prix sont considérés comme faisant partie d'un « processus d'exploitation » de la part des pays industrialisés, et plus particulièrement des Etats-Unis. Si l'ambassade brésilienne avait choisi la période 1947-1949 au lieu de 1950-53 (dont les prix étaient relativement élevés), elle aurait abouti aux conclusions inverses. Pour chaque période de dix ans depuis 1920, les termes de l'échange du Brésil ont été plus défavorables que ceux d'aujourd'hui, à l'exception des années cinquante dont les termes étaient supérieurs à ceux de l'heure présente. Il est également fort possible de parler de « cadeaux » faits au Brésil au cours des douze années écoulées depuis 1950. Dans leur majorité, les auteurs sérieux sont très sceptiques en ce qui concerne les généralisations dans le long terme des tendances inhérentes aux termes de l'échange. A la question : « Les prix du café sont-ils aujourd'hui trop bas ? », nous devrions, en tant qu'économistes, répondre : « Non ». L'idée selon laquelle les pays industrialisés « doivent », en un certain sens, aux pays exportateurs de biens primaires un certain niveau des termes de l'échange ne nous paraît ni raisonnable ni souhaitable. Il n'existe pas de conspiration visant à détériorer les termes de l'échange. Au contraire, la concurrence à la vente est plus forte que jamais.

Commentaire. Le Brésil et les autres pays pauvres sont de plus en plus en retard par rapport aux pays déjà industrialisés. Les relations économiques entre ces deux catégories, saisies dans leur ensemble, sont évidemment un facteur important, sinon crucial, de cette perte subie par les exportateurs sous-développés de matières premières. Les pays qui sont parvenus à éviter ou à briser ces relations sont également parvenus à éviter cette perte. Si, dans les années trente et quarante, les termes de l'échange ont été moins favorables pour le Brésil, cela est en partie imputable à la dépression et à la guerre et au fait que l'Amérique latine avait, de manière générale, à la demande des Etats-Unis, accepté de maintenir les prix des matières premières à des niveaux relativement bas, et cela en guise de participation à l'effort de guerre. Les prix plus élevés des années 1950-1953 sont évidemment imputables à la guerre de Corée, au cours de laquelle ce même « argument » idéologique des Etats-Unis avait moins de poids à l'étranger ; et depuis cette période, ces prix ont effectivement baissé de nouveau. Ainsi, il semble difficile d'accepter la thèse selon laquelle les prix des années 1950 constituent un cadeau offert au Brésil.

En revanche, *les économistes sérieux peuvent bel et bien démontrer* que les termes de l'échange, considérés comme faisant partie d'une relation économique saisie dans son ensemble, sont bien trop défavorables — et cela même à leur niveau le plus élevé — pour empêcher l'exploitation et permettre le développement du Brésil et des autres pays pauvres. Ainsi l'idée selon laquelle les pays développés doivent quelque chose aux pays sous-développés semble fort raisonnable et fort souhaitable, sauf si l'on tient à avancer l'argument de la « main occulte » (*hidden hand*) qui contrôle les relations économiques. Il s'agit là d'un argument longtemps utilisé afin de voiler le fait que le niveau de vie général, au Brésil ainsi que dans presque tous les autres pays pauvres, *était supérieur* à celui d'aujourd'hui *avant* que ces pays ne se trouvent entraînés dans les relations d' « échange », d' « aide », et surtout d' « investissement étranger ».

De plus, ce n'est pas la concurrence, mais les monopoles et les cartels (protégés par des super-Etats tels que le Marché commun, l'OTAN, l'industrie pétrolière, etc.) et, bien évidemment, la hausse des prix qui s'inscrivent dans le *trend* du monde industrialisé actuel.

Et de tels dispositifs relèvent incontestablement d'une conspiration dirigée contre le monde sous-développé.

4. — Effet des capitaux U.S. au Brésil.

Brésil. L'aide monétaire U.S. a été bien utilisée par le Brésil. Le taux de croissance du revenu par tête a été l'un des plus forts en Amérique latine pour la période 1950-1961. Il n'existe pas de meilleur indice pour mesurer l'utilisation adéquate de l'aide étrangère que la réalisation d'un niveau de croissance élevé. Plus de 90 % des importations ont été consacrées à l'achat de matières premières essentielles, de produits alimentaires de base, d'outillages et de pièces séparées.

Etats-Unis. L'importante contribution des capitaux U.S., privés et publics, à la croissance économique brésilienne en général et plus particulièrement à la transformation structurale souhaitable dans le sens de l'industrialisation, la substitution d'importations et l'accroissement de la capacité d'exportation, réfute les clichés qui parlent de « processus d'exploitation ».

Commentaire. Les ambassadeurs se livrent tous deux à une analyse erronée et exagèrent les effets de l'aide américaine qui, en réalité, a eu pour effet de retarder la croissance économique brésilienne. Il est inacceptable d'apprécier l'utilisation de l'aide américaine comme le fait l'ambassade brésilienne, en se référant au taux de croissance brésilien. Comme l'indique la note brésilienne, la croissance par tête dans la plupart des pays latino-américains a été souvent nulle ou même négative, alors qu'au Brésil elle a été de 3 % pour la période suivant la Seconde Guerre mondiale et de 3,9 % depuis 1957. Néanmoins, ainsi que le fait remarquer le ministre de la Planification, Celso Furtado, le développement économique brésilien le plus important s'est déroulé au cours des années 1930 à un moment où, par suite de la dépression, l'exportation par les Etats-Unis de biens et de capitaux avait atteint son point le plus bas et où le Brésil, au lieu d'importer la totalité de ses équipements productifs, s'était mis à les produire lui-même. Et durant ce démarrage crucial vers le développement économique, le taux de croissance par tête était de 0,3 %. Ainsi, le critère significatif d'une bonne utilisation des ressources étrangères et internes n'est pas tant constitué, comme le prétend l'ambassadeur brésilien, par le taux de croissance que par la création d'une capacité productive nationale, et cela plus spécialement dans le domaine de l'industrie lourde ayant pour but, dans un premier temps, d'alimenter le marché intérieur. Il est évident que l'aide et l'investissement U.S. ne contribuent pas à la mise en œuvre d'un tel processus.

C'est peut-être son utilisation d'un mauvais critère qui permet à l'ambassadeur brésilien d'aboutir à l'étrange conclusion selon laquelle l' « aide » a eu pour résultat une importation de biens essentiels au développement économique du Brésil. Dans le cas d'un pays de dimensions continentales, disposant de toutes les matières premières concevables et, sans doute, d'un potentiel agricole sans pareil sur la planète, il semble vraiment surprenant d'affirmer que le Brésil fait bon emploi de ses ressources en important des matières premières « essentielles » et des produits alimentaires « de base », au lieu d'importer les équipements et la technologie qui lui permettraient de développer un tel potentiel. Il est incontestable qu'une grande partie des « outillages » et des « pièces séparées » — sans même parler des 10 % d'importations restants — aurait également dû être produite au Brésil.

Même si nous faisons abstraction des conséquences négatives de l'aide et de l'investissement étrangers, leur contribution à l'investissement total au Brésil demeure, contrairement à l'affirmation de l'ambassadeur américain, minime et aisément négligeable. D'après une estimation brésilienne pour les années 1950-1954, la totalité des investissements étrangers (investissements américains inclus) se sont élevés à 1,32 % du produit national brut du Brésil, ou à 8,2 % du total des investissements effectués au Brésil. Pour la période 1955-1959, une estimation brésilienne fixe la part des investissements étrangers à 2 % du produit national brut et à 2,8 % de l'investissement net. Toutefois, ainsi que nous l'avons noté ci-dessus, de larges fractions de cette large « contribution » du capital étranger ne peuvent être considérées comme constituant un quelconque apport, étant donné qu'une grande partie de ces capitaux sont d'origine brésilienne et ne sont étrangers que par la nationalité de ceux qui les possèdent, les gèrent et en touchent les revenus. Il est donc évident que le Brésil pourrait aisément trouver des capitaux nationaux en quantité suffisante pour se substituer à une si faible contribution étrangère à son investissement total et éviter par là même les torts provoqués par l'investissement étranger au niveau de son développement économique.

L'affirmation de l'ambassadeur américain selon laquelle les capitaux U.S. ont contribué à engendrer des transformations structurales désirables pour l'économie brésilienne est encore moins réaliste. Il est plus exact de dire que les capitaux américains ont contribué à la concentration — déjà trop forte — du capital à Sâo-Paulo, et cela au détriment des autres régions, et plus spécialement du Nord-Est. De même, les capitaux ont massivement envahi les secteurs d'exportation, de transformation et des services au détriment des industries de base et du Brésil lui-même. La protection douanière de certains produits relativement peu essentiels a attiré des capitaux nationaux — et aussi, de façon proportionnellement plus importante encore, des capitaux étrangers — vers la production de ces mêmes biens peu essentiels, mais protégés. La « substitution d'importations », dont parle l'ambassadeur américain, n'est donc — au mieux — qu'une épée à double tranchant. Toutefois, même cette substitution de certaines importations ne contribue pas nécessairement à la réduction des importations dans leur ensemble. Au contraire, si un tel investissement est consacré à certains types de fabrication, il devient « essentiel » — comme le note l'ambassadeur brésilien dans un autre contexte — d'importer plus de matières premières. D'autre part s'il contribue à modifier la répartition du revenu national en favorisant certains groupes dont la propension à importer est élevée, il a pour effet d'accroître les importations dans leur ensemble. En ce qui concerne l'augmentation de la capacité d'exportation, à laquelle l'ambassadeur américain fait également allusion, la capacité du Brésil d'exporter autre chose que des produits primaires demeure notoirement faible. Et consacrer des ressources peu abondantes à l'augmentation de la capacité d'exportation du Brésil en *produits alimentaires* constitue certainement une politique hautement contestable.

5. — Une politique économique pour le Brésil.

Etats-Unis. Le problème essentiel pour le Brésil est celui de l'accroissement des revenus d'exportation. Etant donné que le Brésil ne peut espérer retrouver une situation dominante sur les marchés du café, du cacao et du sucre, où se sont imposés de nouveaux producteurs, il devrait suivre l'exemple du Japon qui, lorsque les revenus qu'il tirait de l'exportation des textiles se sont mis à baisser, s'est consacré à la construction navale et à l'électronique. Le Brésil devrait suivre une politique similaire et accroître ses exportations de minerai de fer, de viande, et de produits manufacturés. Et, afin de ne pas se couper du progrès technique et, partant, du progrès économique, le Brésil devrait faire appel aux investissements étrangers.

Commentaire. A l'heure actuelle, le Brésil a un besoin urgent de développement tourné non pas vers l'extérieur, mais vers l'intérieur. Cela exige non pas — comme le prétend l'ambassadeur américain — de mettre l'accent sur les exportations, mais de réaliser l'intégration économique régionale et sectorielle et de promouvoir les industries de base pour couvrir les besoins nationaux. Dans une telle optique, il ne saurait être question d'utiliser les ressources vitales exigées par cette tâche nationale pour développer les deux catégories d'exportations primaires — le minerai de fer et la viande — dont les pays déjà industrialisés ont besoin.

On comprend mal comment l'ambassadeur américain détermine une ligne de conduite pour le Brésil à partir de l'exemple japonais. Le Japon s'est consacré à la construction navale et à l'électronique, mais le Brésil doit, lui, se lancer dans l'exportation du minerai de fer et de la viande. D'un autre côté, le Japon se trouve à un stade de développement économique fort différent de celui du Brésil. Le marché d'exportation que le Japon était en train de perdre était celui des textiles, et non du café. Comment ce pays est-il parvenu à ce degré d'industrialisation et de développement ? Ce n'est pas en poursuivant la politique prescrite pour le Brésil par l'ambassadeur américain, mais en suivant une ligne diamétralement opposée. En fait, le Japon constitue l'exemple crucial parmi les économies capitalistes (de même que l'Union soviétique parmi les économies socialistes) d'un pays qui, afin de réaliser son démarrage dans un monde de pays déjà industrialisés et impérialistes a commencé par s'isoler *substantiellement* du commerce international, et *totalement* de la domination et de l'investissement étrangers. Notons au passage qu'aucun de ces deux pays n'a estimé nécessaire de permettre un tel investissement étranger dans le but de profiter de la technologie des pays industriellement plus avancés. Ce n'est qu'*après* avoir forgé une structure économique qu'ils contrôlaient et qui leur permettait de tirer profit de liens économiques plus étroits avec les pays déjà avancés, que le Japon et l'Union soviétique se sont livrés à de telles relations. Ainsi, le Japon semble bien constituer un exemple pertinent en ce qui concerne l'organisation économique présente du Brésil ; toutefois, la voie qu'il indique est celle de l'indépendance et non celle de la dépendance. Il convient, néanmoins, de noter qu'en suivant cette voie le Japon lui-même est également devenu une puissance impérialiste, avec tout ce que cela implique.

Conclusion.

Les deux ambassadeurs, bien qu'étant tous deux des économistes de grand renom et de formation semblable, défendent évidemment des points de vue officiels fort différents en ce qui concerne les relations économiques américano-brésiliennes. Ainsi qu'ils le sous-entendent eux-mêmes en mentionnant la schizophrénie diplomatique qui consiste à défendre à l'étranger ce que l'on dénonce chez soi et vice versa, leurs différences peuvent sans doute être imputées aux situations et aux intérêts des deux pays, des deux mondes, celui des riches et celui des pauvres, dont ils sont les représentants diplomatiques. L'Américain décrit une relation dans laquelle le grand frère (*Big Brother*) procure généralement une grande partie des capitaux, de la technologie et des bons conseils (tels ceux que prodigue l'ambassadeur lui-même) dont le petit frère brésilien a besoin pour grandir et devenir adulte, indépendant et industrialisé. Bien que les Américains n'aient pas vraiment de dettes envers les Brésiliens, ils se livrent à d'énormes sacrifices pour aider le Brésil ;

et tout bénéfice qu'ils peuvent en tirer ne saurait être qu'accidentel et étranger à la relation en question. Le Brésilien, trouvant ce tableau idyllique difficile à accepter, suggère au contraire que l'aide américaine vise surtout à aider l'économie des Etats-Unis, que les dons sont bien maigres et que même le peu qu'ils offrent est repris par le moyen des échanges commerciaux. Toutefois, étant le représentant diplomatique officiel de certains groupes brésiliens — et, de plus, de certains autres groupes influents — qui tirent bénéfice des relations actuelles entre le Brésil et les Etats-Unis, l'ambassade brésilienne trace un tableau qui n'est pas entièrement noir.

Libres de toute contrainte diplomatique, mais limitant néanmoins la discussion aux sujets choisis par les ambassadeurs, nos commentaires suggèrent que, dans sa forme présente, cette relation n'est ni « trop » ni « faiblement » bénéfique pour le Brésil, mais au contraire qu'elle lui est carrément néfaste. Loin d'apporter des capitaux à l'économie brésilienne ou d'en améliorer les structures, les Etats-Unis puisent du capital hors du Brésil et, avec ce qu'il en reste, dominent le capital brésilien et le canalisent dans des voies qui aggravent sa dépendance par rapport aux Etats-Unis et qui entravent son développement. Les termes de l'échange ne constituent pas un phénomène étranger ou accidentel, mais font intégralement partie de ce processus. Loin d'ouvrir la voie au développement et à l'industrialisation du Brésil, les politiques que recommande l'ambassadeur des Etats-Unis — l'accent mis sur l'entreprise privée, l'investissement étranger, l'accroissement des exportations de produits bruts, etc. — auraient pour conséquence de maintenir l'économie brésilienne dans un état de sous-développement et de dépendance. Il apparaît ainsi que les Etats-Unis se servent bien de leurs deux mains pour piller le Brésil ; le tableau n'est ni blanc, ni gris, il est carrément noir.

Nous en aurions d'ailleurs une vision plus sombre encore si l'analyse s'étendait au-delà des sujets choisis, pour inclure l'ensemble des relations économiques entre le Brésil et les Etats-Unis. Considérons par exemple le fait d'imposer la politique du Fonds monétaire international sous la menace d'un arrêt des crédits à court terme. Prétendument destinée à réduire les déficits de la balance des paiements, cette politique demande une réduction des limitations aux opérations de change et, partant, un transfert accéléré de capital hors du Brésil ; elle exige une dévaluation au Brésil afin de rendre le cruzeiro meilleur marché et le dollar plus cher ; elle réclame des mesures prétendument anti-inflationnistes qui modifient la répartition du revenu en faveur des riches et au détriment des pauvres, affaiblissant ainsi la production intérieure et gonflant la demande de biens d'importation — tout cela ayant pour conséquence d'engendrer de nouveaux déficits de la balance des paiements, de nouveaux prêts et de nouveaux dosages des mêmes remèdes portant l'étiquette du FMI.

Il est permis de se poser la question suivante : si toute cette

« aide » est vraiment si néfaste pour le Brésil, pourquoi est-elle autorisée et même recherchée par ce pays ? Là encore il faut chercher la réponse au cœur même des rapports entre le Brésil et les Etats-Unis. En premier lieu, il est évident que ces rapports couvrent *certains* Brésiliens de profits et de puissance. Ces groupes consacrent alors cette même puissance au maintien des rapports existants. En deuxième lieu, le Brésil devient peu à peu tellement dépendant que toute rupture implique des coûts tellement élevés à court terme — quels que soient les avantages à long terme — que de nombreux autres groupes (et plus spécialement tout gouvernement, quel qu'il soit) répugnent à y recourir. Ainsi, à court terme, un arrêt des crédits destinés à réalimenter la dette déjà existante entraînerait obligatoirement un arrêt des importations nécessaires dans le même court terme, dans la mesure où, entre-temps, ces mêmes rapports économiques ont détruit ou empêché la création de la capacité productive qui permettrait d'éviter ces importations. Si un tel processus de rupture se poursuit et que, par exemple, les investissements américains viennent à être menacés, les coûts à court terme comprendraient, ainsi qu'il est démontré par l'exemple de Cuba, la cessation de tout échange commercial. En un mot, le Brésil et d'autres pays encore sont impliqués dans une relation de type endettement-esclavage qui ressemble fort à celle qui existe à travers le monde entre le paysan et l'usurier, une relation dans laquelle, semble-t-il, c'est l'exploitation elle-même qui rend nécessaire sa propre continuation.

Enfin, et nous laissons le lecteur apprécier la valeur de cet argument, comme il a été démontré par l'analyse effectuée par l'ambassadeur des Etats-Unis et, en partie, par celle de l'ambassadeur du Brésil (qui est de culture américaine), les Etats-Unis fournissent également la science — aussi bien que l'idéologie — économique qui prétend démontrer que cette relation d'exploitation est véritablement nécessaire et souhaitable.

8

Sur les mécanismes de l'impérialisme[1]

> C'est pure folie pour une nation que de s'attendre à
> une aide désintéressée de la part d'une autre nation.
>
> George WASHINGTON.

> Les Etats-Unis n'ont pas d'amis ; ils ont des inté-
> rêts.
>
> John Foster DULLES.

Dans un article paru dans *The Nation* du 27 avril 1964 et intitulé
« Brazil in Perspective », j'examinais les points de vue officiels du
Brésil et des Etats-Unis concernant les relations économiques entre
les deux pays, tels qu'ils étaient présentés par Roberto de Oliveira
Campos (qui était alors ambassadeur du Brésil à Washington et qui
est à présent le ministre chargé de la politique économique sous la
dictature militaire qui s'est emparée du pouvoir en avril) et par
Lincoln Gordon (qui était et qui est toujours ambassadeur des
Etats-Unis au Brésil). Je parvenais à la conclusion que ces deux
points de vue officiels étaient tous deux erronés : les Etats-Unis
n'aident le Brésil ni massivement (Gordon), ni faiblement (Campos) ;
au contraire, ils l'exploitent impitoyablement et ils freinent et
déforment son développement. Dans cet article, je me propose
d'examiner ces questions de manière plus approfondie et cela plus
spécialement dans l'espoir d'éclairer quelques-uns des mécanismes
nombreux, mais souvent cachés, dont se servent les pays impérialistes

---

1. *Monthly Review*, n° 5, vol. 16. septembre 1964.

dans leurs rapports avec les pays coloniaux et semi-coloniaux du monde sous-développé.

Le flux de capital allant du Brésil aux Etats-Unis.

Il est très courant de penser que les Etats-Unis et les autres pays capitalistes développés apportent plus de capital aux pays sous-développés qu'ils n'en reçoivent. Cependant, toutes les statistiques disponibles, y compris celles qui proviennent des organismes officiels des pays développés eux-mêmes, contredisent une telle impression. Entre 1947 et 1960, le volume des investissements relevant du capital privé qui se sont déplacés des Etats-Unis au Brésil s'est élevé à 1 814 millions de dollars ; au même moment, le flux de capital provenant des amortissements, des profits, des royalties, des intérêts et d'autres transferts qui est passé du Brésil aux Etats-Unis a atteint un montant de 3 481 millions de dollars. En ce qui concerne les sept plus grands pays d'Amérique latine (Argentine, Brésil, Chili, Pérou, Venezuela, Colombie, Mexique), les statistiques (pourtant calculées de manière conservatrice) au Department of Commerce des Etats-Unis indiquent pour les années 1960-1961 un flux d'investissements privés en provenance des Etats-Unis s'élevant à 2 962 millions de dollars et des versements de profits et d'intérêts d'une valeur totale de 6 875 millions ; si nous tenons compte, pour la même période, des prêts américains d'ordre étatique et du service correspondant de la dette par l'Amérique latine, nous obtenons encore un flux de capital, évalué de manière conservatrice, à 2 081 millions de dollars, qui se dirige *vers* les Etats-Unis.

Pour l'instant, notre intention n'est cependant pas d'examiner de manière plus approfondie le montant de ce transfert de capital à partir du Brésil et d'autres pays vers les Etats-Unis. Nous nous proposons en revanche d'étudier les causes et les origines d'un tel flux de capital, si néfaste pour le Brésil et le reste de l'Amérique latine. Quand la réalité des faits les contraint enfin d'admettre l'existence de ce flux de capital des pays pauvres et sous-développés vers les pays riches et développés, les porte-parole économiques, politiques et, malheureusement, académiques du capital américain essayent souvent de la justifier ainsi : ou bien ils prétendent que le sens suivi par le flux résulte du choix accidentel ou délibéré d'une année ou d'une série d'années pour lesquelles le flux de retour provenant d'investissements passés se trouve être supérieur au flux des investissements nouveaux ; ou bien (et quelquefois en outre) ils prétendent qu'en fait ce drainage de capital à partir des pays pauvres et sous-développés les aide à se développer et qu'il est normal et logique que le flux de capital vers le pays qui investit et qui prête — en l'occurrence les Etats-Unis — soit supérieur au flux qui en émane puisque après tout les profits et les intérêts gagnés

145

de façon légitime à l'étranger doivent s'ajouter à l'amortissement et au remboursement de l'investissement originel.

Les faits réels de la vie économique contredisent formellement cette logique américaine. Si la disparité entre les flux provenant du Brésil et ceux qui s'y dirigent est aussi normale et légitime que le prétendent ses défenseurs, alors pourquoi — d'après feu le président John F. Kennedy — le flux de capital en provenance des pays sous-développés et se dirigeant vers les Etats-Unis en 1960 s'est-il élevé à 1 300 millions de dollars et le flux de capital partant des Etats-Unis vers ces mêmes pays à 200 millions, alors qu'en ce qui concerne les pays avancés d'Europe occidentale le flux provenant des Etats-Unis (1 500 millions de dollars) a dépassé largement le flux de retour vers ces mêmes Etats-Unis (1 000 millions) ? (Cité dans *O Estado de São Paulo* du 12 avril 1963.) Pourquoi l'*U.S. News and World Report* du 25 décembre 1961, en tenant le même raisonnement à partir d'une documentation fournie par le Department of Commerce, obtient-il pour la période 1956-1961 et pour le rapport du flux *vers* sur le flux *à partir* des Etats-Unis des taux de 147 % pour l'Amérique latine, de 164 % pour le monde sous-développé dans son ensemble et de 43 % pour l'Europe occidentale ? Afin d'éliminer plus encore la possibilité que cette disparité soit due à un choix accidentel d'années pour lesquelles le flux à partir des Etats-Unis est particulièrement bas et le flux de retour, issu d'investissements antérieurs, particulièrement élevé, il est possible d'additionner (ce que le Department of Commerce ne fait jamais) les sorties et les rentrées de capital pour les Etats-Unis et pour chaque année de 1950 à 1961, telles qu'elles sont données par le *Survey of Current Business*. Nous découvrons alors que le total des sorties de capital s'élève à 13 708 millions de dollars et que les rentrées « correspondantes » atteignent le montant de 23 204 millions de dollars, soit un taux de rentrées/sorties de 177 %[2]. Devons-nous croire qu'il est normal et légitime que les profits et les intérêts gagnés par les Etats-Unis dans les pays faibles et sous-développés soient très nettement supérieurs à ceux que l'on observe dans les pays puissants et développés, Etats-Unis inclus ?

Plutôt que de faire appel à des théories simplistes, il est plus réaliste d'expliquer la disparité entre les entrées et les sorties de capital en examinant, ainsi que nous nous proposons de le faire dans les paragraphes suivants, l'origine et la composition de ces flux. En premier lieu, l'argument suivant lequel il est logique de voir les entrées de capital dépasser les sorties, parce qu'après tout les Etats-Unis doivent gagner un certain profit, se fonde sur l'hypothèse tacite mais erronée selon laquelle les capitaux qui entrent aux Etats-

---

2. Ces chiffres globaux peuvent être obtenus à partir des numéros suivants du *Survey of Current Business* : novembre 1954, p. 9, 13 ; août 1955, p. 16, 20 ; août 1957, p. 25 ; août 1959, p. 31 ; août 1961, p. 22, 23 ; août 1962, p. 22, 23.

Unis représentent des gains réalisés à partir de capitaux expédiés par les Etats-Unis à l'étranger, au cours de périodes antérieures. D'ailleurs, une grande partie du capital grâce auquel les Américains « méritent » les profits qu'ils touchent au Brésil est d'origine brésilienne, les Américains en détenant la propriété, la gestion et les revenus. Les origines brésiliennes des capitaux « américains » sont multiples. Nous ne considérons ici que celles qui relèvent des prêts, des concessions, et des privilèges de l'échange extérieur.

Les prêts directs accordés par la Banque du Brésil (gouvernementale) à des entreprises américaines et à des consortiums mixtes brésiliens-américains sont chose commune dans l'industrie, le commerce et l'agriculture. Les deux firmes géantes U.S. qui dominent le commerce mondial du coton, la Sanbra et la Anderson and Clayton ont reçu en 1961 54 milliards de cruzeiros sous forme de prêts consentis par la Banque du Brésil, soit 47 % de la valeur totale des prêts agricoles et industriels accordés par cette banque (fait rapporté par le congressiste Jacob Frantz au cours d'un débat au Congrès, et cité dans *Semanario*, 30 mai - 6 juin 1963). En reprêtant cet argent (à des taux d'intérêts évidemment supérieurs) à des grossistes et des producteurs de coton qu'elles contrôlent désormais ; en achetant des stocks récoltés, en les emmagasinant dans des entrepôts fournis par le gouvernement et en s'en servant plus tard pour spéculer ; en monopolisant d'importants secteurs de l'organisation et de la distribution, ces firmes américaines se servent de capitaux *brésiliens* pour dominer une grande partie du marché cotonnier intérieur au Brésil et d'exportation (de même qu'elles dominent les marchés de nombreux autres pays) et pour expédier les profits qu'elles en tirent aux Etats-Unis. La Swift, Armour and Wilson (qui a été récemment impliquée dans un scandale pour avoir en partie exporté et en partie entreposé pour la revendre plus cher de la viande que lui avait livrée le gouvernement à des fins de conservation et de vente au public), l'American Coffee Company (qui est une succursale de l'A. and P.), et d'autres monopoles U.S. réalisent de même de gros profits en utilisant des capitaux brésiliens pour monopoliser les secteurs clés des marchés intérieurs et d'exportation. Il est évident que des banques américaines telles que l'omniprésente National City Bank of New York, des compagnies d'assurances et d'autres institutions financières encore fonctionnent presque entièrement avec du capital brésilien, en prêtent une grande partie à des entreprises non financières américaines qui opèrent au Brésil, et ensuite servent d'intermédiaires pour la « ré » - expédition aux Etats-Unis de leurs propres profits et de ceux de leurs clients.

C'est plus spécialement dans le secteur des services publics que la propriété et les revenus des capitaux prétendus américains se fondent, non pas sur l'investissement originel en capital, mais sur des concessions, des taux d'utilisation exorbitants, et d'autres privilèges encore. C'est le Brésil qui fournit le capital. La Sâo Paulo

147

Light Co (qui a fusionné depuis avec la Rio Light, la Rio Gas, la Brazilian Telephone et d'autres compagnies encore pour former la Brazilian Traction Co) s'est emparée en 1967 d'une concession déjà accordée à deux Brésiliens pour une durée de temps allant jusqu'en 1950, date à laquelle elle a obtenu l'extension de la concession jusqu'en 1990. En 1923, en engageant un ancien président pour lui servir d'avocat et livrer une bataille juridique devant les tribunaux et jusqu'à la Cour suprême — qui était encore constituée d'hommes nommés par l'ex-président en question —, la société, contrairement aux stipulations de son contrat, parvenait à obtenir une extension de sa concession pour sa succursale du téléphone. Plus tard, la concession a été étendue à la succursale du gaz. Pour constituer son capital de départ, la Sâo Paulo Light a émis des obligations d'une valeur de 6 millions de dollars. Elle s'est emparée alors des tramways existants et des installations qui s'y rattachaient. Suivant la procédure habituelle, les différentes compagnies d'électricité finançaient l'extension de leurs réseaux à de nouvelles zones en prélevant des taxes sur les collectivités desservies ou — plus récemment — en leur empruntant des sommes d'argent ; l'outillage était acheté avec les revenus issus des tarifs exorbitants des services publics. En dépit de cela — et les utilisateurs peuvent en témoigner —, les services rendus sont toujours fortement en retard par rapport à la demande (le rationnement de l'électricité est maintenant devenu chose normale à Rio et les coupures de courant durent quelquefois cinq heures par jour). Par son influence politique et par la corruption, la compagnie est parvenue à retarder la construction d'installations concurrentielles en un certain endroit pour une durée de quinze ans. En 1948, elle a reçu 90 millions de dollars sous la forme d'un prêt de la Banque Internationale pour lequel elle avait obtenu la garantie du gouvernement brésilien. Une partie de ces devises étrangères ont été évidemment utilisées non pas pour importer de nouveaux outillages, mais pour convertir des gains réalisés en cruzeiros en dollars destinés à être envoyés aux Etats-Unis. Pour ne pas faire étalage de profits exorbitants, la compagnie a augmenté son capital nominal en distribuant des dividendes sous forme d'actions destinées à ses propriétaires. Entre 1918 et 1947, la Brazilian Traction a réalisé des profits s'élevant à 550 millions de dollars, sur lesquels 165 millions ont été expédiés aux Etats-Unis. A l'heure actuelle, les services publics étant devenus relativement moins rentables que d'autres secteurs, et le gouvernement brésilien étant désireux d'en obtenir le contrôle afin d'assurer l'extension nécessaire des services, les propriétaires américains se servent de toutes les pressions possibles, diplomatiques et autres, pour essayer — souvent avec succès — d'obtenir des primes « d'expropriation » dont la valeur est plusieurs fois supérieure à celle des outillages existants. (Sources : Paulo F. Alves Pinto, *Antologia Nacionalista*, vol. 2, cité par Barbosa Lima Sobrinho, *Maquinas para transformar cruzeiros em dolares* et Sylvio Monteiro, *Como Actua o imperialisma ianque ?*)

S'adressant au sénat brésilien en 1953, le ministre des Finances du président Vargas déclarait : « Je dois dire que le capital étranger [...] demande des garanties pour entrer dans le pays, des garanties plus fortes pour y demeurer et des garanties encore plus fortes pour s'en retirer. En conséquence, ce capital ne semble désirable pour aucun pays, et surtout pas pour le Brésil. » (Cité par Osny Duarte Perira, *Quem faz as leis no Brasil ?*, p. 97.) Après avoir créé une société pétrolière étatique et avoir menacé de procéder de la même façon pour la production d'électricité, le gouvernement de Vargas, soumis à une forte pression intérieure et étrangère, était remplacé par une équipe qui proposait de « créer un climat favorable à l'investissement des capitaux étrangers dans ce pays ». A cette fin, la Surintendance de la monnaie et du crédit (SUMOC) publia l'instruction 113 d'après laquelle et selon les termes du président de la Fédération des industries de l'Etat de Sâo Paulo, « les entreprises étrangères peuvent importer la totalité de leur équipement au libre prix du marché [...] les firmes nationales doivent cependant obtenir des licences d'importation établies par catégories de biens importés. Ainsi s'est établie une véritable discrimination contre l'industrie nationale. Nous ne réclamons pas de traitement préférentiel, mais une égalité de traitement ». (Cité par Jocelyn Brasil, *O Pao, O Feijao, e as Forcas Ocultas*, p. 125.) De plus, les firmes étrangères furent autorisées à importer de l'outillage usagé (qui était souvent déjà amorti aux Etats-Unis pour des raisons d'ordre fiscal), alors que les Brésiliens ne pouvaient importer que des équipements neufs. En conséquence, les Brésiliens qui ne pouvaient dans de telles circonstances entrer en concurrence avec les entreprises étrangères et/ou qui étaient incapables d'obtenir des licences d'importation en devises étrangères de la part de la Banque centrale étaient obligés de s'associer à des non-Brésiliens qui, bien que n'apportant pas grand-chose au capital de l'entreprise commune, pouvaient se prévaloir d'une contribution en privilèges qu'ils obtenaient à titre étranger. Dix ans après Vargas, le président Goulart était encore obligé de constater (*O Semanario*, 26 septembre 1963) qu'« en fait il est incompréhensible et injustifiable qu'en ces temps où de nouvelles et lourdes charges pèsent sur les épaules du peuple, d'innombrables produits superflus ou dont on peut aisément se passer, qui sont consommés principalement par les classes les plus riches continuent de bénéficier d'un taux de change de 475 cruzeiros (le taux du marché était alors de 800 cruzeiros). Le whisky ou le coca-cola profitent du même taux de change que les produits pétroliers et les autres produits de base [...] La disparition de nos faibles ressources en devises n'est pas seulement provoquée par les importations. La concession de privilèges de change permettant le paiement en devises de services non essentiels provoque des effets nocifs du même ordre sur notre balance des paiements. »

Il convient de noter que les présidents Vargas et Goulart — qualifiés respectivement par la presse étrangère de « fasciste » et de « communisant » — n'ont pas détenu un pouvoir effectif suffisamment fort pour combattre les forces, intérieures et extérieures à leurs propres gouvernements, qui profitent et défendent ces privilèges se rattachant à certains intérêts intérieurs et étrangers, peu nombreux mais puissants, et qui s'exercent au détriment du développement national. Il existe, bien sûr, de puissants intérêts brésiliens qui coopèrent volontiers à cet approvisionnement des firmes U.S. en capital brésilien à condition de pouvoir obtenir, par cette association avec le puissant allié du Nord, une part du butin.

Effets sur la structure économique et industrielle du Brésil.

Ceux qui parlent des prétendus avantages des investissements américains pour le Brésil soutiennent souvent que la répartition des investissements et des prêts U.S. parmi les secteurs productifs du pays receveur contribue au développement économique de ce pays et que la substitution d'importations qui en résulte est en train de rendre l'économie brésilienne capable d'atteindre une croissance généralisée et auto-entretenue. En fait, la réalité inflige un démenti formel à ces deux affirmations.

Nous avons déjà partiellement étudié le type de contribution que les capitaux de propriété, *mais non d'origine,* américaine apportent au développement du Brésil dans les secteurs du commerce et des services publics qui, d'après le Department of Commerce, absorbent 43 % du montant global. Sur les 791 entreprises U.S. existant au Brésil en 1960, nous devons sans aucun doute contester la contribution prétendument essentielle au développement de l'économie brésilienne qui est le fait des 125 sociétés d'import-export et autres firmes commerciales ; des entreprises bancaires d'assurances immobilières et autres institutions financières qui sont au nombre de 64 ; du réseau de distribution du pétrole (qui est le fait du cartel mondial du pétrole, de réputation notoire) ; des entreprises de vente au détail (telles que Sears and Roebuck qui, hors des Etats-Unis, est une chaîne de produits de luxe) ; de la publicité, de l'édition, de l'hôtellerie, du cinéma et des autres services du même type (comprenant entre autres la fourniture de serviettes de toilette) qui occupent 77 autres entreprises dont la contribution à l'édification d'un fondement solide au développement économique brésilien est fort douteuse. (Barbosa Lima Sobrinho citant Editora Banas in *Semanario*, 26 septembre 1963.) La Coca-Cola a au moins le mérite d'avoir construit ou équipé une usine productrice.

En ce qui concerne les 54 % des capitaux américains que le Department of Commerce attribue à la production industrielle, il est à noter qu'aucune décontraction n'est fournie. En 1959, le secteur des biens de consommation représentait 48 % de la production industrielle étrangère (américaine incluse) au Brésil ; sur ce chiffre, le secteur des produits alimentaires et des boissons représentait environ 20 % et comprenait entre autres 17 entreprises de mise en bouteilles et de crèmes glacées (Editora Banas, *Capital extranjero no Brasil*). Le chiffre de 40 % lui-même, que le Department of Commerce attribue à la part de l'industrie de base dans l'investissement américain, n'est pas significatif. Pour servir de base à une industrialisation et à une croissance auto-entretenues, l'investissement doit, et chacun sera d'accord sur ce point, produire les matériaux et les outillages — l'acier, les machines, les camions, les tracteurs — qu'exige une production en expansion. Nous constatons cependant que la masse de cet investissement se situe dans la branche de l'automobile où il ne sert pas à produire en priorité des camions et des tracteurs nécessaires pour le développement, mais qui ne sont pas immédiatement rentables ; en fait, il cherche plutôt à réaliser le maximum de profits en s'orientant vers la production de voitures de tourisme destinées aux détenteurs de revenus élevés.

En général, les entreprises américaines au Brésil tendent donc à produire des biens non essentiels et avec des capitaux principalement brésiliens.

Ce n'est pas tout. La composition de l'investissement étranger et ses effets sur la structure de l'économie brésilienne constituent des facteurs essentiels du sous-développement dans ce pays. On affirme souvent que les investissements américains au Brésil donnent lieu à une substitution d'importations qui engendre une capacité de développement dirigé et entretenu de manière autonome. En examinant les seuls investissements américains dans les secteurs les plus fondamentaux, nous découvrons malheureusement que les faits contredisent totalement cette vision des choses. Il est caractéristique de constater qu'en ce qui concerne l'investissement américain au Brésil et ailleurs, les entreprises géantes qui investissent n'établissent qu'une partie seulement de chaque processus productif donné à l'étranger et en conservent une fraction qui pourra être plus réduite, mais qui sera toujours primordiale aux Etats-Unis, sous leur contrôle immédiat. L'archétype de cette disposition est constitué par l'usine brésilienne de montage d'une firme américaine qui est conçue pour dépendre de ses importations en provenance de la maison-mère, importations en équipements de base, plus tard en pièces détachées ou de remplacement, souvent en composantes vitales du processus productif, et cela plus spécialement pour les pièces les plus élaborées, en matières premières indispensables, en brevets, en techniciens, en services de transport et d'assurance et par-dessus tout en matière de schéma technique et organisationnel de processus productif [4]. Il est significatif qu'une telle disposition serve aussi à éliminer les marchés brésiliens, existants ou potentiels, qui pourraient s'ouvrir à une recherche technologique fructueuse et à rattacher le développement technique du Brésil à la structure économique américaine ; cela est évidemment dû au fait que les solutions aux problèmes techniques sont déjà élaborées dans le processus productif aux Etats-Unis et qu'elles sont exportées au Brésil sous la forme de l'organisation technologique qui y est établie.

L'économie brésilienne est liée davantage encore à l'économie plus puissante des Etats-Unis quand les intérêts américains « coopèrent » avec le capital brésilien au sein d'entreprises mixtes ou quand les entreprises américaines louent une partie du processus productif aux fournisseurs locaux de ses composantes. Alors que, d'après leur propre propagande, les Etats-Unis stimuleraient la libre entreprise et le développement économique, nous constatons en fait que les grandes sociétés américaines utilisent le capital brésilien à leurs propres fins ; ainsi, elles transfèrent sur le fournisseur local une partie des risques et des coûts qu'entraînent les fluctuations de la demande, elles canalisent les capitaux brésiliens vers la production de biens et de services qui maximisent les profits des grandes entreprises américaines et elles lient de plus en plus solidement l'économie brésilienne à leurs propres destinées et, de façon plus générale, à celle de l'économie américaine. D'ailleurs, l'influence des Etats-Unis augmente ainsi non seulement dans le cadre de l'économie brésilienne, mais également au niveau de la vie politique du pays ; et il est intéressant de noter, à propos des affirmations concernant la substitution d'importations, que ce processus donne lieu à une détermination accrue par l'économie américaine de la composition elle-même des importations brésiliennes. Les exportations du Brésil sont, bien entendu, depuis longtemps aux mains des Américains. De la sorte, le phénomène qui, aux yeux des Américains, peut apparaître comme « le processus naturel de la substitution d'importations » révèle sa véritable nature à ceux des Brésiliens qui n'y coopèrent pas directement : il s'agit de la domination progressive de l'économie brésilienne et de l'étouffement de sa capacité à parvenir à un développement national.

Le problème des importations est lié à celui des exportations qui ne parviennent pas à suivre le même rythme. La commission économique des Nations unies pour l'Amérique latine (ECLA) note qu'en faisant abstraction du pétrole, les exportations latino-américaines n'ont augmenté que de 40 % depuis 1938, alors que le volume des échanges mondiaux a doublé et que celui des pays

---

4. L'auteur américain John Gerassi (*The Great Fear*, 1963) s'est livré à une étude et à des observations critiques semblables pour l'Amérique latine en ce qui concerne les branches du pétrole, des mines, de l'acier, de l'automobile, de la construction mécanique, etc.

développés a triplé. L'ECLA note également « que la détérioration de la situation de l'Amérique latine dans le commerce international constitue l'un des goulots d'étranglement les plus importants qui bloquent son développement économique et social ». (*Jornal do Brasil*, 22 janvier 1964). Ajoutons à cela la ponction des capitaux à partir du Brésil et le mauvais emploi de ses propres ressources, engendré par l'investissement étranger, et nous obtenons le déficit chronique de la balance des paiements.

Abordons à présent le problème des prêts à l'étranger. Il est affirmé que de tels prêts sont eux aussi des facteurs de développement. En fait, et dans une mesure croissante, ils sont déposés dans les banques new-yorkaises afin de couvrir les besoins en dollars des Américains au Brésil. Ainsi que Simon Hanson l'a indiqué à plusieurs reprises dans *Latin American Letter* (destinée aux hommes d'affaires américains) et dans *Inter-American Economic Affairs* (été 1962), les dollars de l'Alliance pour le progrès sont destinés à servir de devises étrangères dont le Brésil se sert pour racheter les capitaux détenus (mais non pas fournis ainsi que nous avons déjà pu le voir) par des Américains dans les services publics brésiliens, pour payer les importations d'équipements, de matières premières, de techniciens, et pour couvrir les « besoins » que les grandes sociétés américaines ont introduits (ainsi qu'il a été également noté ci-dessus) dans la structure sous-développée de l'économie brésilienne. Ces prêts étant accompagnés de contreparties économiques et politiques, le Brésil perd ainsi tout contrôle sur des secteurs vitaux de son économie tels que l'investissement extérieur, la production intérieure, l'import-export, l'emprunt, qui passent sous la domination des intérêts étrangers. Ces leviers de contrôle intègrent de plus en plus l'économie brésilienne à l'économie plus puissante des Etats-Unis, rendent l'oligarchie brésilienne alliée aux intérêts américains de plus en plus dépendante des Etats-Unis et intègrent de plus en plus profondément le *sous*-développement dans les fondements mêmes de la société brésilienne.

Ces remarques étant faites, il peut être révélateur d'examiner certaines caractéristiques de l'aide américaine au Brésil. Il faut noter que, bien qu'étant inclus dans le montant global de l'aide en dollars, les prêts qui relèvent de la Public Law 480 et que l'on qualifie avec euphémisme d' « aliments pour la paix » (Food for Peace) ne procurent pas au Brésil le moindre dollar, mais consistent plutôt en cruzeiros obtenus par la vente au Brésil de blé américain en surplus qui, comme tous les produits de « dumping » entre en concurrence déloyale avec la production brésilienne de blé et en empêche le développement.

L'aciérie de Volta Redonda, qui constitue le plus important des projets financés au Brésil par du capital américain, a été en fait construite aux Etats-Unis au cours de la Seconde Guerre mondiale afin de produire de l'acier au Brésil pour couvrir les besoins de guerre des Etats-Unis eux-mêmes : depuis cette époque, les Brésiliens n'ont jamais cessé de payer pour rembourser cette aciérie. En ce qui concerne l'aide au « Nord-Est déprimé », si bruyamment annoncée, le gouverneur de l'un des Etats de cette région a souligné publiquement qu'avec une population de 25 millions d'âmes et l'un des niveaux de vie les plus bas de la planète, la zone en question a reçu 13 millions de dollars de la part de l'Alliance pour le progrès, alors que l'Etat de Guanabara (Rio de Janeiro inclus) avec ses quatre millions d'habitants et le revenu par tête le plus élevé par rapport aux 22 Etats du Brésil, a reçu 71 millions de dollars. Comme par hasard, il se trouve que le gouverneur de cet Etat est le candidat présidentiel représentant les intérêts économiques d'extrême-droite, le Barry Goldwater brésilien, qui dépense les dollars que lui fournissent les Etats-Unis pour construire des parkings où des panneaux indiquent qu'il s'agit d' « œuvres du gouvernement de Carlos Lacerda », et pour financer d'autres projets tels que l'expulsion d'habitants de taudis, recasés dans le « John Kennedy village » situé à 30 kilomètres de cette ville, alors même qu'il fait brûler leurs maisons situées au centre de la ville pour pouvoir les remplacer par un nouvel hôtel touristique. C'est ça le développement !...

Sous-développement, industrialisation et investissement étranger.

En dernier lieu, nous pouvons aborder brièvement ce qui constitue le point le plus délicat et le plus important, à savoir l'histoire économique du sous-développement et du développement et le rôle qu'y tiennent les investissements étrangers et le commerce international. Les événements de cette histoire, qui sont primordiaux pour comprendre les problèmes que nous analysons ici, sont universellement connus quoique certains milieux estiment trop souvent qu'il est plus commode de les passer sous silence.

L'extension du mercantilisme et du capitalisme métropolitains à l'Amérique latine, l'Afrique et l'Asie a provoqué la destruction d'économies agricoles mais aussi industrielles, productives et viables, sur ces continents, les cas les plus notoires étant ceux du Mexique, du Pérou, de l'Afrique occidentale et orientale et des Indes. S'imposant principalement par la force des armes et contractant dans ces sociétés (et dans les sociétés nouvellement établies, comme celle du Brésil) des alliances avec les oligarchies exploitantes anciennes ou récentes, les économies métropolitaines ont réduit la grande masse des peuples du monde à un degré de pauvreté abjecte qu'ils n'avaient jamais connue sous le joug de leurs anciens maîtres, locaux ou étrangers. De nos jours, la mode veut que l'on qualifie ces sociétés de « sous-développées », comme si elles l'avaient toujours été. Les puissances métropolitaines en plein développement

154

ont pillé les peuples de ces colonies politiques et économiques d'un capital dont elles se sont servies pour industrialiser leurs propres économies. En les incorporant à ce que l'on appelle aujourd'hui avec euphémisme le marché mondial, elles ont converti ces économies désormais *en voie de sous-développement* en de vulgaires appendices de leurs propres économies. Ainsi que nous avons pu le voir plus haut, ce processus continue à ce jour de se dérouler sans interruption.

De peur que l'on ne pense que les Etats-Unis ne sont que des nouveaux venus dans ce processus d'exploitation qui engendre le développement de certains au prix du sous-développement d'autres, il faut se souvenir que le capital industriel initial du nord-est des Etats-Unis provenait en grande partie de la traite des Noirs et des produits de l'esclavagisme sudiste. Bien que les formes prises par l'expansion du capitalisme aient été modernisées, son contenu et ses effets à l'heure actuelle demeurent essentiellement semblables à eux-mêmes ; le niveau de vie de la majorité des populations du monde continue de *baisser*. L'Organisation des Nations unies pour l'alimentation et l'agriculture (FAO) nous en fournit partiellement les preuves. Si nous considérons la production alimentaire par tête, nous obtenons (avec un indice 100 en 1934-1938) pour les trois récoltes 1959/60, 1960/61, et 1961/62 les chiffres de 99, 100, et 98 respectivement en Amérique latine, en Afrique et en Asie (pays socialistes exclus) ; alors que cet indice était de 113 pour le monde dans son ensemble et de 145 pour l'Union Soviétique et l'Europe orientale, zones connues mondialement pour l'échec de leur agriculture (FAO, *The World State of Agriculture and Nutrition,* 1962, p. 15 de l'édition en espagnol). Ces chiffres ne décrivent toutefois qu'une partie de la réalité. Il nous faut également considérer la combinaison des taux de croissance économique faibles ou négatifs avec *l'inégalité croissante* de la répartition du revenu dans les pays pour lesquels il est possible de procéder à des estimations, tels que le Brésil, l'Argentine, le Mexique et l'Inde. En conséquence, alors que les exploiteurs étrangers et locaux s'enrichissent, les masses populaires des pays en voie de sous-développement subissent une détérioration absolue de leur revenu par tête.

Cet article tente de décrire certains mécanismes de l'exploitation impérialiste des pays sous-développés. Il ne doit pas se substituer à la recherche visant à éclairer la structure et la transformation du système impérialiste. Mais ces mécanismes eux-mêmes qui découlent de la structure de l'impérialisme en action, bien qu'étant sans aucun doute connus des hommes d'affaires et des diplomates impérialistes et de leurs alliés, ne sont que trop obscurs pour ceux qui souhaiteraient combattre l'impérialisme. Et pourtant il est essentiel de comprendre et de connaître l'impérialisme contemporain dans son fonctionnement afin d'élaborer la base théorique nécessaire à toute lutte victorieuse contre le système. Et il existe de nombreux autres mécanismes dont se sert l'impérialisme en action. (Hamza Alavi

155

en a décrit certains dans son récent article « U.S. Aid to Pakistan », *Economic Weekly*, Bombay, numéro spécial de juillet 1963, réédité en français sous le titre « Pakistan : le fardeau de l'aide américaine », dans *Révolution*, Paris.) Cependant, les descriptions des mécanismes économiques de l'impérialisme, quand elles existent, sont généralement des études de firmes, de secteurs, d'incidents, etc., donnés et individuels. En conséquence, la lecture en est pénible, sinon inutile, comme ceux qui ont lu cet article jusqu'ici s'en sont sans doute rendu compte ; de plus, en l'absence d'une information plus globale et plus quantitative, sur des éléments tels que les taux et les volumes de profit, les concessions, le contrôle financier, les entreprises mixtes impérialistes-nationalistes, etc., nous ne pouvons atteindre qu'un très insuffisant degré de compréhension de ces mécanismes de l'impérialisme. Il est donc souhaitable que les étudiants et chercheurs des pays sous-développés, aussi bien que ceux des régions et des secteurs sous-développés des pays industrialisés, rendent compte de plus en plus des dures réalités de l'impérialisme.

9

L'intégration économique
en Amérique latine

Au cours de ces dernières années, nous avons assisté à la création et au développement de deux zones de libre-échange en Amérique latine, l'une se situant en Amérique du Sud et l'autre en Amérique centrale. Les ressemblances superficielles qu'elles peuvent présenter avec le Marché commun européen pourraient — à tort — nous faire croire que les mesures actuelles tendant à réaliser l'intégration économique en Amérique latine sont de nature à reproduire les résultats obtenus en Europe. Sans même tenir compte du fait qu'une zone de libre-échange constitue une forme bien plus faible d'intégration qu'un marché commun, il convient de souligner que les circonstances en Amérique latine sont nettement différentes, et plus spécialement en ce qui concerne le faible niveau de développement économique de la zone en question, et le haut degré de sa dépendance économique par rapport à l'impérialisme.

Pour l'instant, il n'existe pratiquement pas d'échanges intra-régionaux en Amérique du Sud et moins encore en Amérique centrale. Par conséquent, la signification la plus importante, sinon la seule, d'une zone de libre-échange, d'une union douanière ou de toute autre combinaison semblable consiste en la création d'un marché potentiel suffisamment vaste pour attirer et justifier les investissements dans l'industrialisation latino-américaine. Ainsi, de nombreux partisans de la zone de libre-échange la défendent en rappelant le postulat d'Adam Smith selon lequel la division du travail dépend de l'étendue du marché. Toutefois, l'histoire nous

157

montre qu'à son tour l'étendue du marché dépend moins de son extension territoriale que du revenu de ses consommateurs. Partant, développer le marché en étendue plutôt qu'en profondeur ne constitue, au mieux, qu'un faible pas dans la bonne direction et, dans le pire des cas — ainsi que nous allons le voir plus loin — représente une mesure prématurée qui risque d'empêcher une action plus importante et plus nécessaire. Ce dont on a vraiment besoin, c'est de résoudre le problème de la pauvreté et de la faible productivité, et cela plus spécialement dans l'agriculture. Même si nous laissons de côté pour l'instant les besoins de l'homme et le bien-être du peuple pour ne considérer que la demande et l'offre effectives dans le secteur industriel, l'histoire est là qui nous apporte la preuve de l'importance primordiale que revêt la solution du problème agricole. L'industrialisation réussie en Europe occidentale dépendait de manière évidente de la révolution dans l'agriculture européenne aussi bien que de la colonisation des continents désormais sous-développés du monde. Mais la priorité de la profondeur sur l'étendue du marché et de la solution du problème de la productivité agricole est également établie par l'échec à ce jour des tentatives d'industrialiser des pays tels que le Brésil et le Mexique. Le Brésil dispose déjà d'un marché de dimensions continentales. Il a construit à São Paulo le plus vaste ensemble industriel d'Amérique latine. Mais n'ayant pas même pas réussi à s'attaquer à son problème agricole, notoirement connu pour sa gravité, le Brésil demeure un pays non industrialisé et sous-développé. Le Mexique, dont la révolution avait donné il y a de cela un demi-siècle ce qui, avant Cuba, constituait la réforme agraire la plus poussée, a interrompu cette réforme et n'a pu libérer une fraction importante de la productivité et de l'énergie potentielles de ses populations rurales. En conséquence, la poussée de développement économique et d'industrialisation s'est également interrompue au Mexique. En vérité, pour promouvoir l'industrie et le développement économique, l'Amérique latine doit transformer son agriculture ; et, pour ce faire, elle doit modifier de manière radicale sa structure politique, économique et sociale tout entière, sur le plan intérieur comme sur le plan extérieur. L'intégration économique, et surtout l'intégration des structures économiques actuelles de ses divers pays, ne saurait apporter une solution au problème.

Dans ces conditions, qu'apportera *vraiment* l'intégration — et qu'empêchera-t-elle ? Elle aura pour effet, en dépit de certaines « stipulations » contraires, d'attirer les capitaux vers les centres qui sont déjà les plus industrialisés et non l'inverse. En effet, dans la mesure où les capitaux proviendraient d'Amérique latine, l'intégration provoquera un transfert de capital des régions pauvres vers les régions riches, exactement semblable à celui que l'on a observé au Brésil. Elle aggravera également l'écart entre les villes et les campagnes et un tel effet ne sera certainement pas bénéfique pour la grande masse des paysans. En bref, si une quelconque leçon peut être tirée de l'évolution de l'Amérique latine au cours des dix dernières années, on peut dire que l'intégration va rendre les riches plus riches et les pauvres plus pauvres, en termes relatifs aussi bien qu'en termes absolus. La thèse selon laquelle le marché libre égalise les revenus ou même les prix entre ses différents secteurs est un mythe inventé par les riches alors qu'ils exploitaient les pauvres.

Et ce n'est pas tout. Etant donné la présente structure économique de l'Amérique latine, les capitaux nationaux sont rares ; étant donné la structure politique actuelle, les capitaux étrangers sont « les bienvenus ». Le capital industriel que l'intégration économique est censée attirer devrait donc en grande partie — et en Amérique centrale en totalité — provenir de l'étranger et plus spécialement des Etats-Unis. Toutefois, la fonction principale d'un capital investi est évidemment de procurer des bénéfices aux agents qui investissent. Et cette fonction est bel et bien remplie. D'après les calculs du Department of Commerce des Etats-Unis, au cours des années 1950, le volume monétaire total expédié d'Amérique latine aux Etats-Unis en tant que « revenu » des investissements américains dans cette région s'est élevé au double de la valeur des investissements effectués. Les calculs latino-américains indiquent un taux de profit encore plus élevé. Citons par exemple la Commission économique mixte Brésil - Etats-Unis qui a estimé que les transferts vers les Etats-Unis entre 1939 et 1952 ont représenté une valeur 61 (oui, *61*) fois supérieure à celle des investissements à long terme. Ainsi, l'intégration économique de l'Amérique latine dans les conditions présentes n'aura pas seulement pour effet de déplacer le capital des pauvres vers les riches en Amérique latine même. Elle rendra également plus pauvres les Latino-Américains pauvres et plus riches les Nord-Américains riches.

La situation est d'ailleurs plus désastreuse encore. L'intégration économique s'accompagne de privilèges spéciaux consentis aux firmes qui opèrent à l'intérieur de la région intégrée. Celles-ci bénéficient d'une protection douanière, de privilèges en matière de fiscalité ou de crédit et en Amérique centrale elles détiennent en fait des positions de monopole intégral. Le plus souvent — sinon toujours — la qualité de leurs produits sera inférieure et leurs prix plus élevés que ceux des biens importés correspondants. Le consommateur latino-américain sera donc perdant sur ce plan-là. De tels inconvénients à court terme, quand ils sont provoqués par la protection d'industries naissantes, sont justifiés et même souhaitables à condition que les sacrifices consentis apportent des bénéfices à long terme — ou au moins qu'ils y contribuent. Toutefois, ainsi que nous l'avons déjà observé, les effets à long terme de l'intégration en Amérique latine risquent d'être défavorables. Ainsi, les mesures actuelles visant à l'intégration impliquent des sacrifices à court terme qui ne font que précéder des sacrifices à long terme plus importants encore.

En vérité, les pays qui, par le passé, se sont industrialisés avec succès n'ont pas eu recours pour ce faire à l'investissement et à l' « aide » de l'étranger.

Les exemples les plus frappants sont constitués par le Japon et l'Union soviétique, sans même parler des pays d'Europe occidentale. Les pays qui ont reçu d'importants investissements étrangers sont demeurés non industrialisés et sous-développés. Les seules exceptions apparentes sont constituées par les Etats-Unis, les Dominions britanniques et Israël. Mais dans tous ces cas, le capital étranger s'est accompagné d'une immigration étrangère et ce sont les immigrants et non les indigènes qui se sont emparés des bénéfices. Les exceptions semblent ainsi confirmer la règle. Il serait intéressant de voir si l'aide étrangère à un pays *socialiste,* tel que la Yougoslavie, Cuba ou les pays d'Europe orientale est de nature à engendrer le développement économique. Il a été dit que, dans la mesure où un pays socialiste peut contrôler son économie et peut donc canaliser l'aide vers des projets industriels qui engendrent le développement, l'aide étrangère en capital peut aider un pays socialiste à se développer alors même qu'elle se révèle inefficace dans le cas d'un pays capitaliste. Si un tel argument est bien compris, il en résulte que l'intégration économique ne sera bénéfique à l'Amérique latine que si elle intervient *après* le passage de ses différents pays au socialisme et non à l'inverse.

Si l'intégration économique en Amérique latine n'apportera pas de contribution positive, aura-t-elle pour effet *d'empêcher* le développement économique ? Les implications politiques du mouvement nous amènent à répondre de manière affirmative, dans la mesure où l'intégration intervient avant tout changement fondamental. Avant, les Etats-Unis s'opposaient au projet d'une zone de libre-échange en Amérique latine. Aujourd'hui l'administration Kennedy le soutient. Pourquoi ? Autrefois l'engagement des Etats-Unis en Amérique latine se fondait principalement sur une relation de clientèle avec la bourgeoisie commerciale de chaque pays qui, à son tour, entretenait une relation semblable avec la classe des propriétaires fonciers du pays. Cette triple alliance a longtemps servi les intérêts de tous les associés et a permis aux Etats-Unis de suivre une politique du type « diviser pour régner » qui comprenait des relations bilatérales avec chaque pays envisagé séparément. L'intégration constituait une menace pour la stabilité d'une telle combinaison. A l'heure actuelle, et de toute façon, de profonds développements d'ordre économique, social et politique menacent de plus en plus l'équilibre d'une alliance de ce type. La croissance de l'industrie nationale (et surtout de l'industrie légère) et le développement parallèle d'une bourgeoisie industrielle nationale dans certains pays, aussi bien que le déplacement relatif des capitaux américains qui se détournent du secteur extractif pour s'intéresser aux industries secondaires et tertiaires d'Amérique latine, ont provoqué une modification des relations économiques. Ce phénomène, joint à la mobi-

160

lité sociale et à la croissance des classes moyennes qui sont devenues les plaques tournantes du processus électoral, joint aussi au déclin de la puissance relative du propriétaire foncier, a entraîné une transformation des alignements politiques nationaux. Pour ces raisons, la politique américaine — et le cas de l'Alliance pour le progrès est très révélateur — a consisté à ne plus compter sur le propriétaire foncier « féodal » et à renforcer les liens des Etats-Unis avec les groupes moins anciens ayant intérêt au maintien du *statu quo*. L'intégration économique renforce le pouvoir de ces nouveaux groupes par rapport à celui des propriétaires fonciers tout en liant (par le biais de « l'aide » et des investissements américains) de façon croissante ces groupes aux Etats-Unis. Au même moment, bien sûr, l'intégration ouvre les portes à ces mêmes investissements américains dans l'industrie secondaire et tertiaire. Pardessus tout, dans le contexte d'un continent en pleine évolution, la zone de libre-échange latino-américaine contribue à la stabilité politique. Elle renforce les groupes existants, à l'exception des « féodaux », et en crée d'autres ayant intérêt au maintien du *statu quo*. Ainsi la zone de libre-échange est devenue souhaitable aux yeux des Américains : plus un tel projet connaîtra le succès et moins les alliances avec des dictateurs militaires tels que Trujillo, Duvalier et Stroessner seront souhaitables et nécessaires. Elles seront moins souhaitables dans la mesure où ce pouvoir dictatorial lui-même confère, sur le plan intérieur, un certain degré d'indépendance par rapport au contrôle des Etats-Unis ; elles seront moins nécessaires parce que le poids politique des nouvelles forces locales créées par l'intégration permettra la stabilité politique et donnera aux Etats-Unis la possibilité de soutenir à tour de rôle tel ou tel groupe contre les autres. « Diviser pour régner » est une devise qui ne s'applique plus en opposant des pays entre eux, mais en dressant les uns contre les autres des groupes d'intérêts ou des classes, la domination des Etats-Unis demeurant inchangée.

Si l'intégration économique accentue l'opposition entre les classes sociales, ne pourra-t-elle à long terme contribuer au progrès en aggravant la lutte des classes ? Dans la mesure où l'intégration engendre l'industrie sinon l'industrialisation, elle aide au développement de la classe ouvrière industrielle. On peut alors penser que cette classe détruira en fin de compte l'alliance qui maintient l'Amérique latine dans le sous-développement. Il semble toutefois évident que jusqu'ici les travailleurs industriels d'Amérique latine, et plus spécialement les ouvriers industriels organisés, loin d'être une force progressiste, ont constitué un élément conservateur. Eux aussi ont été un groupe relativement privilégié, une aristocratie du prolétariat, qui dérive ses privilèges de la structure économique présente et a donc intérêt à la voir se maintenir. A l'exception de certains cas particuliers, seuls les paysans d'Amérique latine ont un potentiel révolutionnaire puissant et indépendant. Et l'intégration économique intensifiera sans nulle doute leur exploitation. Ainsi, en première comme en dernière analyse, c'est la destruction de la structure agricole existante et non l'intégration de la structure industrielle présente qui constitue la clef de l'avenir pour l'Amérique latine. C'est cette étape, et cette étape seule, qui ouvrira la voie à une industrialisation authentique.

10

Services extérieurs invisibles ou développement économique national[1]?

Alors que la conférence des Nations unies sur le commerce et le développement (CNUCED) envisage le problème des pertes et de la pénurie en capital des pays sous-développés sous l'angle des termes de l'échange et de l'absence d'une aide véritable de la part des pays développés capitalistes, ces derniers pays sont en train de drainer de manière « invisible » un volume de capital bien plus important hors des pays sous-développés par le moyen des « comptes de services » tels que les versements des profits réalisés, le service de la dette, les transports et voyages à l'étranger, les transferts de capitaux et les autres « services ».

Le cas de l'Amérique latine constitue un excellent exemple. En 1961-63, cette région (à l'exception de Cuba) a dépensé 61,5 % (et à partir de 1966, environ 65 %) de ses recettes en devises étrangères pour payer des services extérieurs invisibles rendus par la métropole impérialiste capitaliste (voir tableau page 166). En dollars de capital potentiellement investissable, cela représente 6 000 millions de dollars U.S. soit plus de 7 % du produit national brut d'Amérique latine. Si nous voulons établir un parallèle, nous constatons que la détérioration des termes de l'échange latino-américain depuis la guerre de Corée — détérioration qui a été

---

1. Ce texte constitue une version légèrement remaniée d'un article pré-cédemment publié en espagnol dans *Comercio Exterior*, Mexico, Banco Nacional de Comercio Exterior, vol. xvi, n° 2, février 1966.

amplement soulignée — n'a représenté en 1962 que 3 % du PNB de la région [2] ; en outre, on constate que l'investissement en capital humain que représente le montant total des dépenses effectuées, publiques ou privées, par l'Amérique latine pour l'éducation de la maternelle à l'université, ne s'est élevé qu'à 2,6 % du PNB [3]. Si l'on voulait pousser le parallèle plus loin, il serait intéressant de se demander quel est le pourcentage de l'investissement net total sur le capital global...

Ainsi, le déficit chronique de la balance des paiements, l'insuffisance de la capacité d'importation et le sous-développement de l'Amérique latine (et des autres régions semblables) apparaissent dans une perspective beaucoup plus claire quand nous observons que l'Amérique latine doit dépenser 61 % de ses recettes totales en devises étrangères pour les seuls services non matériels (ligne 4 du tableau) et que ces services joints aux importations de produits bruts, de biens de consommation et de combustibles coûtent à l'Amérique latine 106 % de ses recettes en devises. En conséquence, pour financer l'importation de biens de production, l'Amérique latine a recours à présent à l'investissement étranger et à l'endettement extérieur, qui ont pour effet de freiner encore plus son développement économique.

La commission économique des Nations unies (ECLA) affirme que « l'importante aggravation du déficit de la balance des paiements à long terme que l'on observe depuis 1950 peut être imputée à trois facteurs principaux : 1) l'accroissement de la valeur des importations qui est bien plus important que celui des exportations ; 2) les revenus perçus par les étrangers à partir de leurs investissements latino-américains [...] ; 3) les frais de déplacement [...] les coûts de transport [...] les dépenses au titre d'autres services ». Et comme la Commission considère l'augmentation des dépenses en services (facteurs 2 et 3 ci-dessus) comme étant peu élevée, elle conclut que « la détérioration des termes de l'échange peut être considérée comme le facteur qui a le plus contribué, directement et indirectement, à l'aggravation du déficit de la balance des paiements des pays latino-américains » [4]. Il est bon de noter que l'ECLA, comme beaucoup d'autres, se réfère plus à l'accroissement de ces dépenses et à l'aggravation du déficit qu'au montant des dépenses et à la cause du déficit. Et pourtant, le montant de ces dépenses sur services

---

2. Chiffres calculés à partir de El Financiamiento Externo de America latina, Commission économique des Nations unies pour l'Amérique latine (New York, Nations Unies, 1964, E/CN. 12/649/Rev. 1, p. 33).

3. Institut international pour la planification de l'éducation. Problèmes et stratégies de la planification de l'éducation : enseignements tirés d'Amérique latine, Paris, 1964, p. 63.

4. United Nations Economic Commission for Latin America. El Financiamiento Externo de America Latina, New York, 1964, E/CN. 12/649/ Rev. 1, p. 70.

« invisibles » et leur incidence sur le déficit de la balance des paiements sont des éléments assez importants pour mériter plus d'attention que par le passé. L'intention du présent article est de donner l'exemple sur ce point.

A notre connaissance, le montant total des dépenses latino-américaines en devises étrangères imputables aux services n'a jamais été évalué en dépit du fait qu'elles constituent depuis fort long-temps un sujet de préoccupation pour les Latino-Américains [5]. L'ECLA fournit à présent une documentation qui permet de cal-culer le montant global des dépenses latino-américaines relevant principalement des comptes de services, ce qui permet de mettre à jour plusieurs obstacles « invisibles » au développement de l'Amé-rique latine. L'ECLA a commencé à effectuer une telle analyse, non seulement en fournissant toutes les statistiques concernant la dépense des devises étrangères, mais également en comparant — quoique séparément — les dépenses en voyages et les paiements d'amortissement et d'intérêts sur la dette extérieure avec les recettes courantes en devises étrangères. Et pourtant l'ECLA n'a pas addi-tionné ces composantes des dépenses en devises étrangères ; elle ne les a pas non plus comparées, ainsi additionnées, avec les recettes courantes en devises étrangères. Et pourtant l'ECLA n'a pas addi-d'abandonner quelque peu les procédures traditionnelles de compta-bilisation utilisées pour élaborer les balances des paiements, et d'inclure à la fois les dépenses relevant des opérations courantes et celles relevant des opérations sur capital au débit, c'est-à-dire au flux de sortie des devises. Cette méthode révèle la véritable ampleur de la dépense en devises étrangères pour l'acquisition de services, par rapport au montant de devises étrangères dispo-nibles à partir des recettes courantes d'exportation. La même procé-dure révèle également une cause importante du déficit de la balance des paiements latino-américaine, de l'insuffisante capacité d'impor-tation, du sous-développement, et de la dépendance croissante par rapport au financement extérieur.

D'après la documentation de l'ECLA pour 1962, l'Amérique latine (à l'exclusion de Cuba) est obligée de consacrer 61 % de ses recettes courantes totales, provenant de toutes les exportations, à des dépenses

---

5. Le comte de Revillagigido, vice-roi de la Nouvelle Espagne, avait noté l'importance « des frais de transport, des droits, des taxes et des autres charges que les marchands européens ont entraînés dans leur sil-lage ». Luis CHAVEZ OREZCO (éd.), *El Comercio Exterior y su Influjo en la Economia de la Nueva España*, 1793, t. IV de la Collección de Docu-mentos para la Historia del Comercio Exterior de Mexico, Mexico, Banco Nacional de Comercio Exterior, 1930, page 43. Par ailleurs, *El Ferro-carril* de Valparaiso (Chili) s'est plaint en 1868 « du monopole qui a consi-dérablement diminué nos profits en les grevant de plus de frais de trans-port, de commissions et d'autres taxes inventées par les commerçants anglais ». Cité par Herman RAMIREZ N., *Historia del Imperialismo en Chile*, Santiago, 1960, p. 83.

RECETTES ET DEPENSES EN DEVISES ETRANGERES EN AMERIQUE LATINE (A L'EXCLUSION DE CUBA)

	Millions de dollars	Pourcentages
RECETTES :		
1. Exportations de marchandises (a)	8 596	85
2. Exportations de services (b)	1 481	15
3. Recettes courantes en devises étrangères (c)	10 077	100
DEPENSES :		
4. Services.............................	6 195	61,5
5. Profits (d)	1 438	14,3
6. Service de la Dette (e)	1 506	14,9
7. Fret et assurances	998	9,9
8. Voyages à l'étranger	598	5,9
9. Autres services (f)	564	5,5
10. Dons	163	1,6
11. Fonds transférés à l'étranger	637	6,3
12. Erreurs et omissions (g)	309	3,1
13. Exportations de marchandises FOB (h) ..	7 381	73,2
14. Produits bruts et biens intermédiaires	2 583	25,6
15. Carburants	583	5,8
16. Biens de consommation	1 314	13
17. Total partiel	10 675	105,9
18. Biens de production	2 768	27,5
19. Autres importations	133	1,3
20. Dépenses totales	13 479	134,7

Sources : Commission économique des Nations unies pour l'Amérique latine, *Estudio Economico de America Latina 1963*, New York, 1964, E/CN. 12/696/Rev. 1. Lignes 1 et 2, p. 30 ; ligne 5, p. 242 ; ligne 6, p. 45 ; ligne 7, p. 238 ; ligne 8, p. 239 ; lignes 9 et 10, p. 244 ; ligne 11, p. 247 ; ligne 12, p. 231 ; lignes 14, 15, 16, 18 et 19, p. 58 ; lignes 3, 4, 13, 17 et 20 : valeurs estimées.

Notes relatives au tableau.

(*a*) Documentation préliminaire, comprenant le montant net d'or monétaire.

(*b*) Documentation préliminaire, qui concerne les recettes brutes pour services non financiers.

(*c*) Il s'agit des recettes courantes issues de l'exportation des biens et services, telles qu'elles apparaissent dans *Estudio Economico de America Latina*, page 38 sous le titre « capacité d'achat total ». Les pages 43 et 45 donnent, pour la valeur totale des recettes courantes, le chiffre légèrement plus élevé de 10 203 milions de dollars au lieu de 10 077 millions de la page 38, chiffre à partir duquel sont calculés les chiffres de ce tableau.

(*d*) Ces profits sont constitués par les « recettes d'investissements directs » tels qu'ils apparaissent page 242. Les pourcentages sont calculés par rapport au total des recettes courantes d'exportation. La page 243 donne un pourcentage de 13,8 % pour cette sortie nette de recettes, chiffre légèrement inférieur aux 14,3 % que nous donnons ici. La page 45 donne 10,7 % pour les « profits sur investissements directs ». Il importe de noter que tous ces pourcentages sous-estiment le véritable montant des profits que les sociétés étrangères retirent d'Amérique latine. Généralement, une part considérable des profits est déguisée et elle apparaît dans les livres comptables des sociétés et, par voie de conséquence, dans les relevés de la balance des paiements sous des rubriques telles que coûts et paiements pour marchandises, personnel technique, brevets, marques déposées, etc. D'autres profits encore sont dissimulés par la pratique fort répandue qui consiste à surfacturer les importations et à sous-facturer les exportations latino-américaines.

(e) Ce poste se réfère aux dépenses totales et comprend : les intérêts sur les emprunts (348,1 millions de dollars) et l'amortissement de la dette à long terme (1157,9 millions). Il s'agit là d'une documentation préliminaire.

(f) Les « autres services » comprennent les transactions qui sont enregistrées d'après les définitions du Fonds monétaire international des deux façons suivantes : 1) les transactions gouvernementales non comprises dans les autres sections de la balance des paiements. Celles-ci comprennent les dépenses civiles et militaires des gouvernements étrangers en Amérique latine (en crédit) et les dépenses analogues des gouvernements latino-américains à l'étranger (débit) qui ne sont pas enregistrées en tant que dons officiels ; et 2) les autres services, qui comprennent toutes les transactions de service non comprises dans les autres sections de la balance des paiements, telles que les assurances (à l'exclusion des assurances sur les marchandises et les transports maritimes qui sont comprises dans la rubrique « fret et assurance »), les revenus personnels, les honoraires des cadres, les commissions des courtiers en bourse, les honoraires des agents, les abonnements aux services télégraphiques, la location de films, les loyers immobiliers, etc.

(g) Les « erreurs et omissions » sont une catégorie usuelle dans les balances des paiements. Elles représentent le solde qui existe entre la somme des flux financiers calculés individuellement et le total de ces flux. Chaque année, le flux de capital que représente la rubrique « erreurs et omissions » est défavorable à l'Amérique latine. La source déjà citée (ECLA) commente à la page 247 : « Mais généralement les erreurs et omissions négatives ne sont, selon toute probabilité, pas dues à une surestimation des entrées de capital mais plutôt à une sous-estimation des sorties de capital. »

(h) Le montant des marchandises importées est calculé FOB (c'est-à-dire qu'il exclut le fret) par la Commission économique pour l'Amérique latine. Les coûts de fret se retrouvent dans les services. Toutefois, les pourcentages des divers types de marchandises ne sont pas énumérés. On ne voit donc pas clairement si le transport est compris ou pas. Si les coûts de fret sont déjà compris, il serait nécessaire de les soustraire en réduisant les pourcentages par rapport au total d'environ 10 %. Les pourcentages des marchandises importées sont enregistrés par la Commission en tant que pourcentages du total des produits importés. Celui-ci étant de 7 381 millions de dollars et le revenu courant total étant de 10 077 millions, il a été nécessaire de calculer 73 % du pourcentage donné pour obtenir le pourcentage qu'ils représentent par rapport aux recettes en devises étrangères.

relevant des comptes de services (ligne 4 du tableau ci-dessus). En outre, 15 % seulement de ces mêmes recettes en devises étrangères représentent une vente de services latino-américains (ligne 2), constitués principalement par des services, touristiques et autres, rendus par le Mexique et le Panama, en raison des circonstances particulières dont ils bénéficient. Cela signifie que l'écrasante majorité des pays latino-américains ne touchent pratiquement pas de recettes de la vente de services à des étrangers. Néanmoins, l'Amérique latine dans son ensemble dépense plus des trois cinquièmes de ses recettes courantes en devises pour payer les services qu'elle achète. En conséquence, il reste moins des deux cinquièmes des recettes en question disponibles pour l'achat de produits étrangers. D'ailleurs, la proportion du revenu courant en devises étrangères consacrée aux achats de services a augmenté de 53 % en 1956-1960 à 61 % en 1961-1963 et ce mouvement se poursuit encore à l'heure actuelle [6]. L'ECLA considère peut-être que cette augmentation des dépenses en devises étrangères pour l'achat de services invisibles est faible par rapport à la détérioration plus notoire des termes de l'échange à laquelle l'ECLA attribue en majeure partie l'aggravation du déficit de la balance des paiements en Amérique latine. Néanmoins *l'existence* du déficit de la balance des paiements et l'insuffisante capacité d'importation d'Amérique latine doivent être principalement attribuées à la proportion — énorme, bien qu'à peine connue — de ses recettes que la région est obligée de dépenser en services « invisibles ».

En Amérique latine, l'importance des dépenses sur comptes de services dans la balance de paiements revêt une signification encore plus grande quand on considère que la région en question connaît un *excédent de la balance commerciale* concernant les comptes de marchandises. En 1962, la valeur des importations en marchandises (comprenant celles achetées à crédit) s'est élevée à 7 381 millions de dollars (ligne 13). Les exportations de marchandises ont représenté 8 596 millions (ligne 1) et le total des exportations en biens et services s'est élevé à 10 077 millions (ligne 2). Toutefois, en raison des 6 195 millions de dollars dépensés en services (ligne 4), les dépenses totales se sont élevées à 13 479 millions et ont donné lieu à un déficit de la balance des paiements égal à 35 % des recettes courantes latino-américaines en devises étrangères (ligne 20). Les termes de l'échange plus équitables que les pays d'Amérique latine, avec les autres membres du groupe des « 75 pays », ont demandé à Genève réduiraient sans aucun doute le déficit de la balance des paiements latino-américaine ; et certains obstacles au dévelop-

---

6. Les pourcentages sont calculés par l'auteur à partir de la documentation de l'ECLA concernant ces années. Les chiffres concernant chaque composante de ces dépenses en services proviennent des pages citées en référence pour cette composante dans les *Sources* du tableau ci-dessus.

pement économique de la région seraient sans doute levés. Toute-fois, une amélioration des termes de l'échange ne pourrait en aucune circonstance éliminer le déficit de la balance des paiements des pays latino-américains, la faiblesse de leur capacité d'importation et les obstacles à leur développement économique qui découlent du fait que 61 % des recettes courantes servent à acheter non pas des marchandises, mais des services.

La moitié des dépenses latino-américaines en services et près du tiers des pertes subies au détriment des recettes courantes en devises étrangères sont constitués par des distributions de profits à des investisseurs étrangers et par le service de la dette publique extérieure. Les profits rapatriés par les investisseurs étrangers ont absorbé 14,3 % (ligne 5) des recettes en devises étrangères en 1962, alors qu'en 1961 et 1963, d'après la même source officielle, ils représentaient 1 % de plus. Il importe de noter, comme l'indique la note *d)* du tableau, que ces chiffres sous-estiment l'importance véritable du flux de sortie des profits. On compte également 14,9 % des recettes en devises qui ont été consacrées au service de la dette publique extérieure (ligne 6). Le fret par transporteurs étrangers a absorbé 10 % des devises étrangères gagnées par l'Amérique latine et les voyages à l'étranger en ont consommé 6 % (lignes 7 et 8). Les autres services et les autres transferts de capital à l'étranger ont absorbé 17,6 % (lignes 9 et 12). Additionnées, toutes ces dépenses nous donnent l'impressionnante somme de 61 % du volume total des recettes en devises étrangères. En d'autres termes, les 29 % des recettes latino-américaines en devises absorbés par les distributions de profits et le service de la dette (lignes 5 et 6) plus les 11 % que représentent les dons, les fonds transférés à l'étranger et les erreurs et omissions (lignes 9, 10, 11, et note *g)* absorbent 40 % des recettes latino-américaines en devises. Cela signifie que les sorties de capital *sur les seuls comptes de services financiers* sont considérablement plus importantes que le déficit de la balance des paiements latino-américaine qui ne s'élève qu'à 35 % de son revenu courant en devises étrangères.

La relation qui existe entre les dépenses latino-américaines en services, d'une part, et le déficit de la balance des paiements et l'insuffisance de la capacité d'importation, d'autre part, apparaît de manière plus nette encore quand on analyse la composition des marchandises importées et les conditions de l'importation elle-même. 6 % du montant total des recettes en devises étrangères sont consacrés à l'achat de carburants (ligne 15). Il ne fait guère de doute que la majeure partie de ces dépenses concernent le pétrole véné-zuélien qui est vendu aux Latino-Américains par des étrangers aux prix notoirement élevés fixés par le cartel international du pétrole. On compte également 26 % des recettes latino-américaines en devises étrangères qui sont utilisés pour acheter des produits bruts et des biens intermédiaires (ligne 14). Une partie de ces produits, tels que le cuivre, l'aluminium et certains autres métaux sont sans doute produits en Amérique latine et sont vendus à des Latino-Américains par des étrangers qui transfèrent dans leurs pays les profits réalisés sur ces ventes. Un autre sérieux problème est constitué par le fait que l'Amérique latine dépense 13 % de ses recettes en devises étrangères pour acheter des biens de consommation dont 8,3 % pour des biens non durables, principalement des produits alimentaires (ligne 16 et source correspondante). Bien que certains de ces produits alimentaires soient vendus à des prix subventionnés (qui concurrencent sérieusement la production nationale), ils sont expédiés en Amérique latine par le moyen de la navigation étrangère, ce qui constitue une pratique fort onéreuse qui a pour effet, dans le cas de produits volumineux tels que le blé, d'absorber une part importante du prix.

Les 61 % consacrés aux services, joints à la dépense que représentent les importations décrites ci-dessus, ont coûté à l'Amérique latine 106 % (ligne 17) de ses recettes courantes totales en devises étrangères. Ces obligations et ces dépenses signifient en d'autres termes qu'avant même d'importer une seule unité de ces biens de production qui sont si importants pour son développement économique, l'Amérique latine doit affronter un déficit de la balance des paiements égal à 6 % de ses recettes courantes en devises étrangères. Dans ces conditions, comment l'Amérique latine peut-elle importer des outillages qui représentent 38 % de ses achats de marchandises, 27 % (28, si l'on tient compte du 1 % que représentent les « autres importations » hors classification) des recettes courantes en devises et 20 % des importations totales, et qui aggravent le déficit de la balance des paiements de 6 à 35 % des recettes courantes en devises étrangères ?

A première vue, il semblerait que la solution de ces problèmes de paiements, d'importations et de développement — et telle est la savante opinion de nombreux économistes officiels ou académiques — se trouve dans le recours au financement extérieur. En fait, l'Amérique latine a déjà eu recours à l'emprunt étranger et au financement extérieur des investissements dans sa tentative d'affronter et de résoudre ces problèmes. Quels sont à ce jour les résultats obtenus ?

En raison du financement par l'emprunt extérieur, le service de la dette a absorbé 5 % des recettes latino-américaines en devises en 1955-56, 11 % en 1956-60 et 16 % en 1961-63 [7]. Et pourtant, le coût élevé du service de la dette contractée par l'intermédiaire de l'Alliance pour le progrès commence à peine d'être réglé et aura incontestablement pour effet de relever les chiffres ci-dessus. Déjà, d'après une nouvelle diffusée le 5 avril 1966 par l'Associated Press, « L'Export-Import Bank extrait tous les ans (d'Amérique

---

7. Commission économique des Nations unies pour l'Amérique latine, *El Financiamiento Externo de America Latina, op. cit.,* p. 45.

latine) 100 millions de dollars de plus qu'elle n'accorde de prêts ». L'Amérique latine se trouve ainsi placée dans un cercle vicieux qui la plonge chaque année plus profondément dans une contradiction qui ne pourra se résoudre que par la crise.

Le recours à l'investissement extérieur direct pour financer les importations de biens de production pour l'industrialisation entraîne inévitablement de graves conséquences pour l'Amérique latine, conséquences qui dépassent — et de loin — les 14 % absorbés par les versements de profits étrangers officiellement reconnus comme tels (ligne 5), une part importante des 16 % absorbés par les autres services et les transferts de capital (lignes 9 - 12) et la grande partie des coûts de fret et d'assurances qui sont intimement liés à ces investissements étrangers privés. Je n'insisterai ici que sur deux autres conséquences qui sont particulièrement intéressantes dans le cadre de la présente discussion. Je ne traiterai pas de certaines autres, telles que la « dé-latinaméricanisation » graduelle de l'industrie latino-américaine, l'orientation des investissements dans des voies intéressant les étrangers, mais qui ne mènent pas forcément au développement économique latino-américain, et le renforcement de l'influence étrangère sur l'économie et même sur la vie politique latino-américaine.

Une conséquence particulièrement grave qu'entraîne le recours à l'investissement étranger est le fait que cet investissement n'est pas orienté de manière à réduire le besoin qu'éprouve l'Amérique latine d'importer des biens de production et la technologie qu'exige son propre développement économique. Ce point a été souligné par l'ECLA qui a noté, dans le cas du Brésil, que « l'aspect principal des rentrées de capitaux étrangers pour l'expansion et la diversification de l'industrie n'était pas tant constitué par leur volume que par leur orientation ; par le fait, en d'autres termes, que ces capitaux étrangers se dirigeaient, dans le cas des capitaux publics vers les secteurs stratégiques de l'économie, et dans le cas des capitaux privés vers les secteurs où la substitution des importations semble être le plus réalisable ». Toutefois, « en dernière analyse, après avoir étudié les principaux échantillons choisis, il semble que l'on puisse conclure qu'il ne s'est produit aucune véritable substitution d'importations par rapport aux biens de production dans leur ensemble ». D'ailleurs, « en ce qui concerne les effets d'une substitution continue des importations, il peut être affirmé de manière générale qu'elle aurait tendance à ralentir la croissance économique » [8].

Ainsi, le financement extérieur de l'investissement a moins pour

---

8. Commission économique des Nations unies pour l'Amérique latine, « The Growth and Decline of Import Substitution in Brazil », *Economic Bulletin for Latin America*, New York, Ud IX n° 1, mars 1964, p. 38, 51, 57.

effet d'améliorer la capacité de l'Amérique latine de produire les biens capitaux qui sont si nécessaires à sa croissance économique que de créer un besoin croissant d'importations nouvelles qui intensifient sa dépendance par rapport à l'étranger. L'investissement extérieur, tout comme la dette publique extérieure, aggrave la mainmise de l'étranger sur les ressources et le revenu déjà rares de l'Amérique latine.

L'autre conséquence onéreuse du recours à l'investissement et à l'emprunt extérieurs est une augmentation de la rigidité de la structure des importations. Les investissements extérieurs dans le commerce et l'industrie et le pouvoir qu'ils confèrent à des milieux étrangers donnent lieu à la détermination par ces milieux de l'organisation de l'industrie latino-américaine, des produits bruts utilisés, des composantes et des procédés techniques adoptés, de telle sorte que même les importations exigées par le processus industriel de production en Amérique latine sont de plus en plus déterminées par des étrangers. Ainsi, il apparaît qu'avoir recours au financement par les investissements extérieurs revient à confier à des milieux étrangers le contrôle qui s'exerce sur la sélection des biens et des services que l'Amérique latine achète à l'extérieur. En conséquence, les financements par les investissements extérieurs menacent de donner lieu à un cercle vicieux semblable à celui du financement par l'emprunt à l'étranger.

Les 60 % du revenu total en devises étrangères de l'Amérique latine qui sont consacrés à l'achat de services, plus une grande partie des fonds utilisés pour importer des marchandises telles que les carburants étrangers et les produits bruts, sont retirés du revenu latino-américain à la suite de décisions prises par des *étrangers* au service d'intérêts *étrangers* à l'Amérique latine. Le système économique dont la structure engendre et dont le développement aggrave ce préjudice porté aux intérêts latino-américains par des intérêts étrangers est responsable des obstacles les plus graves qui s'opposent au développement économique de l'Amérique latine. Toute tentative de liquider ou d'affronter ces obstacles par ces mêmes opérations financières extérieures qui sont à l'origine de cette situation ne peut que condamner l'Amérique latine à s'y enfoncer de plus en plus profondément. Il semble donc nécessaire de rechercher dans une autre direction la solution à ce problème des importations croissantes de marchandises et surtout de services dont l'Amérique latine ne peut se payer le luxe.

Si l'Amérique latine et les autres régions sous-développées se rendaient une grande partie des services dont elles ont besoin au lieu de les acheter à l'étranger ; si elles finançaient une part plus importante de leur développement avec leurs propres ressources ; si elles avaient recours à d'autres sources, moins onéreuses, de prêts extérieurs ; si elles pouvaient se doter de leurs propres services de navigation, d'assurance, de publicité et ainsi de suite, alors ces régions sous-développées pourraient disposer d'une fraction plus importante de leurs recettes en devises étrangères pour la consacrer à l'importation des biens nécessaires à leur propre développement ; elles pourraient disposer aussi d'une part plus grande de leur capital national pour financer ce développement et le bien-être national, qui seraient incontestablement mieux servis ainsi qu'en ayant recours, comme c'est le cas aujourd'hui, à l'importation de services invisibles.

11

La politique économique
d'un gouvernement militaire

Le président-gorille du Brésil, Castelo Branco, a célébré avec à-propos le premier anniversaire du coup d'Etat victorieux par un défilé militaire à Brasilia. A Washington, le secrétaire d'Etat Dean Rusk, faisant preuve d'un enthousiasme égal, a fêté cet anniversaire le 25 mars en s'adressant à la Chambre des représentants à qui il a déclaré, d'après UPI, qu'avant avril 1964 le Brésil « était gravement menacé par une détérioration économique et politique constante [...] Depuis cette date, la situation s'est dramatiquement transformée pour le mieux. La stabilité politique a été restaurée. Le climat qui avait permis aux communistes et autres extrémistes de s'infiltrer et d'exercer une influence exagérée a donné lieu à une situation qui interdit la violence ou l'action extrémiste ».

Le même jour, à Rio de Janeiro, Niceu Cruz Cesar, le directeur général du département national de l'emploi et des salaires du ministère du Travail brésilien déclarait au quotidien ultra-conservateur *O Globo* :

« A São Paulo, l'industrie tout entière est en crise ; plus spécialement, les branches de la métallurgie et des textiles produisent mille nouveaux chômeurs par jour [...] Les affaires en général déclinent tous les jours [...] La crise économique et le chômage croissant sévissent non seulement à São Paulo mais aussi dans tout le Nord-Est. »

C'est le lendemain même que des soulèvements de guérilleros se sont produits en trois endroits différents de l'Etat méridional du Rio Grande do Sul.

174

Il est nécessaire de dévoiler la dure réalité brésilienne qui se trouve derrière l'enthousiasme officiel des Etats-Unis.

Le gouvernement militaire, pour défendre la démocratie et la stabilité politique a commencé par jeter 46 000 personnes en prison, le plus souvent sans inculpation et sans mandat. Les grands propriétaires fonciers, protégés par l'armée et la police ont pu enfin profiter de l'occasion longtemps attendue et éliminer les leaders paysans locaux qui sont plusieurs centaines à ne plus avoir donné signe de vie. Une fois passés le feu de l'action et la confusion du combat, la police et les autorités militaires se sont mises à torturer les prisonniers politiques systématiquement et de sang-froid. Plusieurs des amis de l'auteur de cet ouvrage ont connu un tel sort et l'un d'eux s'est échappé pour en parler. Un sergent de l'armée, à qui la « défense de la démocratie » pratiquée par ses officiers n'inspirait aucun enthousiasme a été castré et abandonné à la mort par la gangrène. On a laissé mourir en prison un prêtre catholique en lui refusant les soins médicaux qu'exigeait son état.

L'une des premières actions du nouveau gouvernement a été d'abroger la Constitution et d'imposer au Parlement, à la pointe des baïonnettes, un « Acte institutionnel » privant 67 députés de leurs sièges et de leurs droits politiques. Cet « Acte » a également ouvert la voie à l'intervention militaire dans les gouvernements d'Etats et à la destitution éventuelle des gouverneurs. Depuis, plusieurs Etats ont connu de telles interventions. De plus, l' « Acte » privait de leurs droits civiques et politiques, pour une période de dix ans, des centaines de citoyens éminents dont trois anciens présidents, des savants et des hommes d'Etat aussi mondialement respectés que le professeur Josué de Castro (l'ex-directeur de la FAO et l'auteur de la *Géographie de la faim*) et Celso Furtado, ex-ministre de la Planification qui enseigne à présent à l'université de Yale.

Le congrès étant maté et l'opposition réduite au silence, l'étape suivante consistait à révoquer la loi instituant la bien timide réforme agraire.

Ayant vaqué à cette tâche urgente dans les zones rurales, le gouvernement s'est tourné vers les villes et a supprimé les subventions publiques concernant le blé, le pétrole, le papier-journal et les importations effectuées par la société étatique Pétrobras Oil Company ; en conséquence, les prix du pain et de l'essence se sont élevés de 100 % d'un seul coup, alors que les coûts des transports subissaient des hausses correspondantes.

Tel est le degré de « stabilité politique » et de « progrès économique » réalisé durant les deux premiers mois, avril et mai 1964. Et ce n'était là qu'un début.

Sous le prétexte de promouvoir le progrès économique et de contenir l'inflation, le gouvernement militaire brésilien a suivi avec assiduité la politique que lui dictaient le Fonds monétaire international et le gouvernement des Etats-Unis. C'était là le prix à payer en échange des prêts internationaux. Le gouvernement militaire devait également satisfaire tous les intérêts commerciaux et financiers se rattachant au commerce américain qui pouvaient lui assurer un quelconque soutien interne, si faible soit-il. Dans ces conditions il n'est pas étonnant de voir dès le mois d'août la Banco Nacional de Comerco Exterior (Banque nationale de commerce extérieur) du gouvernement du Mexique publier dans sa revue mensuelle *Comercio exterior* un article où l'on pouvait lire :

« Les événements politiques qui se sont déroulés récemment au Brésil se réfléchissent très nettement dans la situation économique [...] L'activité économique du pays s'est ralentie [...] Les crédits bancaires au secteur privé ont subi des restrictions [...] Les dépenses gouvernementales et, plus spécialement, les investissements ont été sévèrement diminués [...] L'industrie a été la première à en ressentir les effets, quand ses commandes se sont mises à décroître [...] Pour la première fois, le spectre du chômage prend des dimensions inquiétantes — le nombre des sans-emploi s'élevant à plusieurs centaines de mille. »

Au cours de la première moitié de l'année, les prix avaient officiellement augmenté de 42 %, alors que l'augmentation enregistrée pour les mois correspondants de l'administration de Goulart avait été de 30 % ; et Carlos Lacerda, l'ultra-réactionnaire gouverneur du Guanabara et le partisan civil numéro un du coup d'Etat révélait que ce taux officiel sous-estimait nettement la véritable inflation dans sa ville de Rio de Janeiro. Le taux de change a été diminué plusieurs fois de suite, rendant les importations étrangères plus chères pour les Brésiliens et les exportations brésiliennes meilleur marché pour les étrangers. Dès le mois d'octobre, le dollar d'importation s'était élevé de son niveau d'avril (de 2 400 cruzeiros) à un niveau de 4 600 cruzeiros. Toutefois, les exportateurs de café (dont un grand nombre de firmes américaines) sont protégés par un taux exceptionnellement élevé consenti aux dollars gagnés à l'étranger et qu'elles vendent à la Banque du Brésil.

Tout en forgeant des termes aussi trompeurs que « désinflation » et « inflation régénératrice », le gouvernement émettait de la monnaie dont la masse, dès le mois de novembre, dépassait de 25 % le montant « prévu » par le ministère du Trésor. Dès le mois de décembre, le stock monétaire avait augmenté de 154 % par rapport à son niveau du 31 mars, premier jour du coup d'Etat. Ce chiffre dépassait de 70 % celui que le ministère du Plan avait « programmé ». *Comercio exterior*, source officielle du gouvernement mexicain déjà citée, notait dans son numéro de décembre que « le taux de l'intérêt varie de 48 à 72 % par an [...] Inévitablement la charge de ces coûts élevés est transférée sur le consommateur, provoquant ainsi une hausse du coût de la vie [...] Les prix augmentent sans cesse et de plus en plus vite ».

A partir du mois de septembre, le taux officiel de l'inflation pour un an s'était élevé à 60 % ; dès le mois de décembre, il était de

86 %. *Comercio exterior* notait que l'inflation au Brésil était, et de loin, la plus forte d'Amérique latine.

Evidemment, le gouvernement n'est pas resté inactif face à cette inflation qui, comme toujours, rend les pauvres plus pauvres et les riches plus riches. Pour faire face à ses propres besoins croissants en termes de pouvoir d'achat et pour réduire la demande effective en aliments et autres produits essentiels, le gouvernement a fortement accru l'imposition indirecte frappant les biens de consommation. Le raisonnement tenu estime peut-être qu'une telle mesure ne peut guère causer beaucoup de tort aux pauvres puisqu'ils sont de toute façon trop pauvres pour consommer beaucoup et qu'ainsi ils n'auront pas à supporter une part importante de la nouvelle charge fiscale.

Au même moment, pour lutter contre l'inflation d'une façon tout aussi méritoire (ainsi que le note *Comercio exterior* dans son numéro d'octobre) « le gouvernement a envoyé aux chefs d'entreprises une circulaire par laquelle il leur recommande de s'abstenir d'accorder des augmentations de salaires qui sont censées déformer la structure des salaires [...] La circulaire prétend [...] que les hausses périodiques des salaires jointes à l'augmentation du coût de la vie encouragent l'inflation [...] D'ailleurs, les banques ont reçu des instructions les enjoignant de ne pas accorder [...] de prêts aux firmes dont les conventions en matière de salaires ne sont pas en accord avec les normes établies par le gouvernement ».

Il est légitime de se demander pourquoi ces firmes accorderaient des hausses de salaires inconsidérées. La réponse est évidente : à cause de la pression des ouvriers organisés en syndicats. Mais le gouvernement a préféré ne pas prendre de risques et, là aussi, il a contré le danger inflationniste ; il s'est assuré le contrôle de 409 syndicats ouvriers, de 43 fédérations syndicales et de 4 confédérations en y installant des surveillants militaires.

Le « progrès » économique sur le plan des prix a eu sa contrepartie sur le plan de la production et de l'emploi. En août, *Comercio exterior* signalait que la production brésilienne d'acier avait diminué de 50 %. Avec une capacité productrice en baisse et plusieurs aciéries en train de fermer leurs portes, le pays sous-développé, qui était auparavant obligé d'importer de l'acier, la production intérieure ne pouvant faire face à la demande, est aujourd'hui un exportateur d'acier qui recherche même à l'heure actuelle de nouveaux clients étrangers. Le principal quotidien de Rio, le *Correio da Manha*, a signalé le 31 janvier 1965 que, sur les 350 000 ouvriers brésiliens du textile, on comptait 50 000 chômeurs. A travers tout le pays, de grandes firmes industrielles (sans même mentionner les petites entreprises) signalent une production nulle au cours du dernier, ou des deux, ou même des trois derniers mois. D'après *Comercio exterior,* « la presse brésilienne a annoncé le 12 février que de nombreuses entreprises industrielles et commerciales du pays, et surtout de São Paulo. sont en faillite ou sont sur le point de l'être

[...] Au cours de ces derniers jours, trois grandes firmes d'affaires au moins, opérant avec des capitaux d'un à 400 millions de cruzeiros, sont sans ressource aucune [...] Les producteurs brésiliens du textile ont fait savoir que bientôt toutes les usines de leur branche devront fermer faute de débouchés ».

Ces reculs et d'autres encore ont entraîné une baisse de 3 % de la production totale, et une baisse de 6 % du revenu par tête (alors que le but de l'Alliance pour le progrès était d'obtenir un accroissement de 2,5 % pour ce dernier chiffre).

Correio da Manha a publié le 31 janvier sous le titre « La déflation par la diminution de la production » le résumé suivant de la situation :

« La production est en train de baisser ; et dans la mesure où cette baisse se poursuit, les prix augmentent verticalement. La consommation a subi des restrictions. Le pouvoir d'achat populaire suffit à peine à la survie alimentaire. Découragé par le spectre de l'échec imminent, abattu par la tempête financière qui balaye le pays, le chef d'entreprise a commencé à vivre sans perspectives [...] En fait, la production est en baisse. Mais malheureusement, avec elle, c'est l'une des grandes nations du monde qui est en baisse [...] Comme on peut le vérifier, tout a été fait délibérément, froidement, avec l'intention de réduire la production qui est affectée d'une part par la terrible pénurie de capital courant (absorbé par le gouvernement) et par la brusque réduction des crédits bancaires et, d'autre part, par la diminution de la consommation imposée par l'impitoyable hausse de tous les prix. Les ministres d'Etat et les hauts fonctionnaires se précipitent alors à la télévision et essayent d'expliquer ce que personne ne comprend... »

Afin de mieux comprendre la situation, il est nécessaire d'examiner de plus près cette monnaie brésilienne en pleine corrosion, que le secrétaire d'Etat Rusk et la presse américaine trouvent si reluisante. L'enthousiasme américain à la suite de la prise de pouvoir par les militaires a été tel que le président Johnson a tout de suite offert une aide sans précédent. De plus, *Comercio exterior* signalait dès le mois de juillet 1964 qu'une « nouvelle échéance avait été fixée pour la dette extérieure » et que « deux nouveaux prêts de l'étranger » avaient été obtenus pour le Brésil.

La Surintendance brésilienne pour le développement du Nord-Est (SUDENE), qui avait été mise en place par l'ancien ministre du Plan Celso Furtado, a été intégralement reprise en main par l'administration de l'aide américaine. Un Américain, fonctionnaire d'une agence relevant des Nations unies, m'a déclaré (après son séjour au Brésil en mai 1964) que le programme d'aide du State Department pour le malheureux Nord-Est rencontrait enfin une véritable coopération de la part des autorités locales.

Il était donc légitime de s'attendre à des résultats concrets à la suite d'une coopération américano-brésilienne si idyllique ; et en vérité, ces résultats ne se sont pas fait attendre. L'un de ceux-ci concernait Roberto Campos de Oliveira, l'ambassadeur du président Goulart aux Etats-Unis. En 1963, il avait signé, sans l'autorisation de son gouvernement, un accord permettant au Brésil d'acheter les biens brésiliens de l'American and Foreign Power Company, pour une somme d'environ 70 millions de dollars. Le prix, aussi bien que les autres termes de la transaction, avaient été considérés comme étant exagérément favorables pour la société américaine. Les outillages concernés étaient anciens. Ils avaient été financés en majeure partie avec des capitaux brésiliens. Ils avaient été amortis depuis longtemps déjà et, compte tenu des tarifs particulièrement élevés des services publics, les utilisateurs brésiliens en avaient payé le prix plusieurs fois. Il n'a donc pas été étonnant de voir plusieurs milieux d'orientations politiques diverses protester vivement contre l'accord. La revue *Hanson's Latin American Letter* qui est publiée à Washington et qui exprime les intérêts des milieux d'affaires américains (sinon ceux, plus spécifiquement, du secteur des services publics) a déclaré en 1963 que s'il cédait à la pression diplomatique et économique des Etats-Unis sur la question de cette transaction, le Brésil deviendrait la risée de l'Amérique latine. Le président Goulart, et on le comprend assez bien, a retardé l'achat final et a essayé d'en remettre en question les termes.

Après la « révolution » de 1964, Roberto Campos de Oliveira était promu au poste de ministre de la Planification ; et ainsi que le signalaient les rapports de la Banque gouvernementale mexicaine, l'acte d'achat était consommé pour la somme de 135 millions de dollars auxquels s'ajoutaient 17,7 millions de dollars en guise de « compensation » pour le délai mis à remplir l'accord de 1963. Si l'on tient compte des intérêts, le prix total est estimé à plusieurs centaines de millions de dollars. *Hanson's Latin American Letter* et *Comercio exterior* ont tous deux considéré que les Etats-Unis avaient dû présenter un ultimatum au gouvernement brésilien, l'enjoignant d' « exproprier » les onze concessions électriques de la compagnie américaine... Il semble bien qu'*Hanson* ait eu tort. Les événements n'ont fait rire personne ; certains ont souri, d'autres ont pleuré.

Prenons un exemple encore de coopération économique américano-brésilienne. La société américaine Hanna Mining Company avait racheté une entreprise minière anglaise d'exploitation de l'or et avait acquis des concessions dans l'Etat du Minas Gerais comprenant ce que l'on estime être les gisements les plus importants du monde en minerai de fer de haute qualité. Afin d'extraire ce minerai de la manière la plus rentable, la Hanna Company avait demandé au gouvernement brésilien l'autorisation de construire son propre port privé au Sud de Rio de Janeiro. Cette demande avait été rejetée comme étant manifestement et scandaleusement contraire à l'intérêt national.

La « révolution » accomplie, la demande était formulée de nouveau et cette fois acceptée. Le nouveau chef d'état-major des Forces armées brésiliennes, Peri Belaquiva, un leader vétéran des forces anti-Goulart, démissionnait en guise de protestation, mais cela n'était pas suffisant pour annuler la trahison nationale subie par le pays. *Comercio exterior* donnait le commentaire suivant pour le mois de décembre :

« Le gouvernement (brésilien) a autorisé la construction d'un port maritime privé par la firme minière américaine Hanna [...] Il s'agit là d'un privilège qui fera de la Hanna C° le maître absolu du marché intérieur des minerais et qui, de plus, finira par éliminer la Vale do Rio Doce, une entreprise publique de production minière qui occupe la septième place mondiale en termes de volume des exportations... »

Les entreprises américaines ayant arraché de tels privilèges arbitraires, le problème s'est posé de les protéger contre d'éventuelles mesures susceptibles d'être prises par un gouvernement brésilien futur qui serait plus sensible aux intérêts de son peuple qu'à ceux des entreprises étrangères. Ainsi, l'actuel gouvernement se propose de renforcer son propre type de démocratie en obligeant tous les partis politiques et tous les candidats aux postes publics à jurer qu'ils respecteront tout accord international conclu par le passé.

Le favoritisme destiné à créer ce que les Etats-Unis appellent « un meilleur climat pour les investissements », ne se limite pas à ces quelques exemples de trahison. Des mesures fiscales d'ordre général ont été adoptées, qui transforment le Brésil en une terre bénie pour les spéculateurs étrangers. Ainsi, le nouveau gouvernement a supprimé plusieurs restrictions (qui n'avaient d'ailleurs jamais été appliquées dans les faits) concernant le transfert à l'étranger des profits réalisés dans les pays ; il a institué de nouvelles dispositions concernant le change et les importations qui renforcent encore l'avance « concurrentielle » (c'est-à-dire monopolistique) des entreprises étrangères sur les sociétés brésiliennes en matière d'introduction d'outillages industriels ; et il a promis qu'à l'avenir il allait considérer les profits réalisés au Brésil comme faisant partie du capital étranger d'origine sur la base duquel les transferts à l'étranger sont déterminés. Telles sont donc les mesures que le gouvernement américain salue comme devant créer le climat d'investissements qui est nécessaire pour que les Etats-Unis aident le Brésil à se développer, climat que le nouveau gouvernement brésilien juge souhaitable. La Banque du commerce extérieur du gouvernement mexicain qui, elle-même, fait bon accueil au capital américain a noté : « La loi sur le transfert des profits à l'étranger n'a pas donné lieu à l'entrée de dollars qui était escomptée, mais a provoqué plutôt une sortie importante de devises [...] Au cours de la première moitié de l'année, les entrées de capitaux ont été inférieures aux sorties. »

Récemment, au moment où le président Johnson demandait aux hommes d'affaires américains de rapatrier plus de capitaux afin d'aider à rétablir l'équilibre de la balance des paiements des Etats-Unis, on pouvait lire dans les pages du *Correio da Manha* que n'importe quel patron brésilien serait prêt à abandonner son entreprise contre une poignée de dollars. Depuis lors, la faillite ou la banqueroute ont frappé l'une après l'autre de nombreuses firmes brésiliennes. Ne s'intéressant qu'au développement et au progrès, les monopoles américains puisent dans leurs abondantes ressources et offrent aux Brésiliens la poignée de dollars dont nous parlions ; les compagnies américaines rachètent à un rythme accéléré les entreprises de leurs ex-concurrents brésiliens à des prix ridiculement bas.

Sous le titre « Firmes brésiliennes vendues à des étrangers », *Comercio exterior* de février 1965 notait que « la presse de São Paulo signale le 4 février qu'un sérieux mécontentement a été provoqué par la nouvelle selon laquelle la firme nationale Mineração Geral do Brasil sera liquidée, comme les autres entreprises industrielles brésiliennes vendues à des étrangers [...] Le propriétaire [...] [a justifié cette mesure] en invoquant la crise dans laquelle se débattait l'entreprise depuis la réduction du marché intérieur. La firme sera vendue à la Continental Company (une filiale de la Bethleem Steel domiciliée à Cleveland) pour une somme de 70 millions de dollars, la transaction étant garantie par des organismes financiers internationaux. Afin de se justifier, le propriétaire de la Mineração Geral a déclaré que dans un marché faible comme le marché brésilien, la baisse de l'offre qui résulterait d'un effacement de la firme amènerait des conséquences imprévisibles pour l'économie du pays. Pour éviter d'avoir à fermer son entreprise, il a choisi de convertir en dollars la plus importante aciérie du pays, dont la production annuelle atteint 300 000 tonnes d'acier, soit plus de 12 % de la production totale du Brésil. »

Quelques jours plus tard, l'ambassadeur des Etats-Unis, Lincoln Gordon, déclarait au palais présidentiel du Brésil que les Etats-Unis « réaffirmaient leurs promesses d'aide » et que « les autorités brésiliennes consacraient un effort sérieux et continu à l'application des principes de la charte de Punta del Este ». Il n'est guère étonnant dans ces conditions de voir se réjouir le grand capital américain, son gouvernement et sa presse, en ce qui concerne les brillantes perspectives économiques brésiliennes. Il n'est guère étonnant non plus de voir les Brésiliens prendre le maquis et créer des guérillas pour reconquérir leur pays occupé par les Américains et leurs gorilles.

Postface.

UPI signalait le 31 octobre 1965 qu'un homme d'affaires américain au Brésil avait déclaré que : « Nous croyons savoir que le ministre de la Planification, Roberto Campos, et le ministre des Finances, Octavio Bulhoes, conserveront leurs portefeuilles. C'est une bonne chose. Ils sont très bien vus ici et à l'étranger. » Un autre homme d'affaires avait affirmé : « Soyons francs, ils n'aiment pas l'avouer à Washington, mais la majorité des chefs d'entreprise comprennent que les affaires se portent mieux en dictature qu'en démocratie vacillante. »

12

La faiblesse stratégique
de la doctrine Johnson

Cet article a été écrit avant le déroulement de trois séries d'événements qui viennent confirmer les thèses que nous y soutenons : 1) l'occupation de Saint-Domingue par les forces de l'OEA (Organisation des Etats Américains) ; 2) Watts et 3) la nouvelle vague de refus de la part de nombreux Américains d'aller se battre au Vietnam.

La doctrine Johnson a été clairement et bruyamment proclamée au début de l'occupation militaire américaine à Saint-Domingue. Cette doctrine déclare fort simplement que la puissance militaire U.S. tentera d'empêcher l'établissement de tout nouveau gouvernement qui aurait l'heur de lui déplaire et qu'elle fera tout ce qui est possible et nécessaire pour « détruire dans l'œuf » le développement d'un nouveau Cuba.

Cependant, la doctrine Johnson n'est pas nouvelle. Elle n'est rien d'autre que la formulation explicite, dans les circonstances actuelles, de la politique et des pratiques de Johnson et de ses prédécesseurs. Elle n'est qu'une redite dans les termes et une répétition dans les faits de la doctrine Truman, de la doctrine Eisenhower, de la doctrine Kennedy — en un mot de la *Policy of Containment* (politique consistant à « contenir » le « monde communiste » dans ses limites actuelles, N.d.T.).

Après l'échec de la doctrine Churchill (qui cherchait à freiner l'influence soviétique en retardant l'ouverture du « second front » à l'Ouest) pendant la Seconde Guerre mondiale, Churchill avait légué en 1948 la *Doctrine of Containment* au président Truman à Fulton, dans le Missouri. (Notons que c'est George Kennan, écrivant dans *Foreign Affairs* sous la signature de M. X., qui a donné à cette doctrine sa forme littéraire.) Son application immédiate a donné lieu à la répression de plusieurs mouvements populaires de libération : par la force en Grèce et en Turquie, par d'autres moyens en France et en Italie. Ce n'est pas la prétendue « invasion militaire déclenchée par la Corée du Nord », mais son développement économique croissant et sa valeur d'exemple, aussi bien que l'échec antérieur devant la révolution chinoise qui transformèrent la politique du *Containment* en une politique offensive visant à détruire physiquement la Corée du Nord et à porter l'escalade de la guerre jusqu'en Chine. Eisenhower avait fondé sa campagne électorale sur la promesse d'annuler cette initiative et de retourner au « *containment* » pur et simple. En 1954, il avait même résisté à la pression visant à déclencher une nouvelle attaque contre la Chine, mais il n'a pas hésité à *contenir* au Guatemala, en Iran et au Liban.

Au moment où Kennedy prenait la relève de la présidence et de la *Policy of containment,* le redressement économique impérialiste de l'après-guerre avait à ce point aggravé la détérioration économique de nombreux pays (et plus spécialement ceux d'Amérique latine) que de nouvelles forces populaires se dressaient pour réclamer un changement. Fidèle à la *Policy of Containment,* Kennedy adopta la politique consistant à « rejoindre ceux que l'on ne peut vaincre » et à « réorienter *leur* mouvement en fonction de *notre* avantage ». Il donna à l'ancienne politique et à l'ancienne tactique un nom nouveau — *Alliance pour le progrès.*

Et le relais fut assuré...

Au Congo, Kennedy a été obligé à la fois de rejoindre et de combattre Lumumba et Tshombé. Et, bien évidemment, quand il n'a pu *rejoindre* des mouvements populaires de transformation tels que ceux de Cuba ou du Vietnam, il a essayé de les vaincre. Ainsi, quand Johnson a succédé à Kennedy, il a également repris à son compte les doctrines et les politiques de *Containement* de son prédécesseur, d'Eisenhower et de Truman.

Dans la .plupart des pays économiquement colonisés la situation économique va de mal en pis : leurs secteurs des services et leur industrie sont de plus en plus monopolisés par les pays impérialistes ; la production alimentaire par tête d'Asie, d'Afrique et d'Amérique latine est en baisse ; la répartition du revenu intérieur devient de plus en plus inégalitaire ; et dans un grand nombre de ces pays, c'est en termes absolus que le revenu de la grande masse de la population est en train de baisser. Simultanément, la conscience politique populaire se développe et les mouvements de libération nationale se renforcent sans cesse.

L'expérience cubaine a démontré qu'une révolution démocratique peut se transformer rapidement en révolution socialiste. L'exemple de l'héroïque peuple vietnamien est en train d'établir que des mouvements populaires de libération nationale, décidés à vaincre et comptant sur leurs propres forces, peuvent faire échec aux tentatives impérialistes visant à les rejoindre et/ou à les écraser.

Confrontés avec une telle évolution des choses, Kennedy et Johnson ne se sont pas simplement contentés, pour le premier de se balancer sur son fauteuil à bascule de la Maison Blanche et pour le second de se livrer à ses habituelles « politicailleries » parlementaires. Tout en renforçant leur politique de *Containment* par le recours au chantage nucléaire, les Etats-Unis ont depuis longtemps installé un réseau mondial de pactes et de « programmes » militaires tels que l'OTAN, le CENTO, l'OTASE, le NEATO (ce dernier au niveau de la tentative), le Pacte de Rio de Janeiro (que l'on pourrait qualifier de prétendu « LATO » [1]), réseau que viennent compléter les nombreux accords bilatéraux dans le cadre ou en dehors des pactes eux-mêmes, comme les accords qui unissent les Etats-Unis au Japon, à l'Inde et aux pays d'Amérique latine.

Les contradictions internes de l'impérialisme sont constamment en train d'affaiblir l'OTAN en dépit de l'absence d'une véritable menace militaire sur sa zone d'influence ; le CENTO n'a jamais bien fonctionné, mais n'a jamais eu à faire face à une épreuve critique ; l'OTASE n'existe plus que sur le papier et a été remplacé par l'occupation directe des Etats-Unis au Vietnam ; le NEATO est mort-né bien que la Corée ait été occupée avant même que le pacte ne soit conçu ; le LATO est demeuré en léthargie jusqu'à la crise dominicaine, à partir de laquelle les Etats-Unis ont tenté de lui donner une vigueur nouvelle par la création d'une force militaire multilatérale, d'abord temporaire puis permanente sous les auspices de l'organisation des Etats américains. Nous assistons aujourd'hui à la naissance de son petit frère, une sorte de « CATO », première étape vers la création en Amérique centrale d'un commandement militaire unifié sous la tutelle des Etats-Unis.

Tout au long de cette période, le Pentagone a fait de son mieux pour mettre sur pied des armées « professionnelles » et cela plus particulièrement en Amérique latine : en faisant venir leurs officiers aux Etats-Unis pour de longues périodes d'entraînement militaire et de formation idéologique ; en établissant des bases militaires à l'étranger ; et en envoyant à l'étranger ses propres missions militaires de conseil et son propre équipement.

La complaisance soviétique.

A ce jour, c'est le pacte latino-américain et son rejeton, le pacte militaire d'Amérique centrale (CATO), qui, tout en étant formel-

---

1. Ou NATO (OTAN en anglais) d'Amérique latine. (N.d.T.)

lement les plus faibles, constituent les dispositifs multilatéraux militaires U.S. les plus puissants sur le plan interne (leur force repose évidemment sur le fait que le système interaméricain ne comprend qu'une seule grande puissance et de nombreux gouvernements entièrement subordonnés et dépendants). Toutefois, devant la faiblesse et l'instabilité relatives des accords multilatéraux, la coopération militaire bilatérale s'est révélée jusqu'ici plus fructueuse, même si certains des partenaires militaires des Etats-Unis (et plus spécialement certains officiers ou groupes d'officiers entraînés aux Etats-Unis) manifestent de temps à autre quelque indiscipline.

Au cours de son développement, ce système militaire international des Etats-Unis a également connu d'importants changements dans ses buts et dans ses orientations. Il est de moins en moins dirigé contre l'Union soviétique et de plus en plus contre la Chine. (La complaisance de l'Union soviétique face à la politique américaine du containment *est aujourd'hui contrée par le soutien apporté par la Chine et par d'autres encore au mouvement de libération nationale.) Les changements se reflètent dans le fait que les Etats-Unis mettent de plus en plus l'accent sur le secteur Pacifique (par rapport au secteur Atlantique) et qu'ils renforcent constamment leur implantation militaire dans l'océan et sur le sous-continent indien et en Asie du Sud-Est.*

Ce qui est plus important encore, c'est que la pensée militaire américaine a connu un développement parallèle à celui des mouvements de libération nationale et qu'elle se prépare de plus en plus à « affronter et à combattre l'ennemi » qui menace par la « subversion » intérieure la stabilité et la survie des gouvernements alliés. Ce déplacement des priorités militaires américaines représente une adaptation de la *Policy of Containment* face à des circonstances changeantes, plutôt qu'un abandon de la politique en question. Cela est apparu clairement quand Kennedy tira le général Maxwell Taylor, expert en « guerre spéciale », de sa retraite pour le faire entrer à l'état-major des Forces armées et qu'il décida d'intervenir à Cuba, au Congo et au Vietnam. En fait, Kennedy rendit ce déplacement des priorités évident et explicite quand il déclara que l'aide militaire américaine à l'Amérique latine (aide dont il doubla le volume au cours de sa première année à la présidence) n'était plus accordée pour combattre un ennemi extérieur inexistant, mais plutôt — et exclusivement — pour affronter les défis internes portés à l'ordre existant, que ceux-ci aient la forme de soulèvements populaires urbains de courte durée ou celle de mouvements de guérillas rurales à long terme.

Le Pentagone, et quelquefois le Département d'Etat ont patronné des coups d'Etat militaires en Equateur, au Honduras, au Brésil et en Bolivie, ou des tentatives de coups d'Etats en Uruguay et ailleurs. De plus, la doctrine Kennedy s'est manifestée par une intervention militaire croissante des Etats-Unis au Venezuela et en Colombie.

185

Celui qui tient le grand bâton.

La doctrine Kennedy était le prolongement des doctrines Truman et Eisenhower. La doctrine Johnson ne constitue elle aussi que l'extension de ces doctrines impérialistes. Pour l'Amérique latine, il s'agit de l'extension et de l'adaptation des doctrines impérialistes pan ou interaméricaines de Monroe, de Blaine, de Teddy Roosevelt et même de Wilson et de Franklin Delanoe Roosevelt. Les présidents « libéraux » parlaient en termes mielleux de « bon voisinage » et d' « alliance » ; Teddy Roosevelt « marchait sans bruit en tenant un grand bâton » ; Lyndon Johnson *marche lourdement et tient un grand bâton.* Il n'a pas le choix ; ces différences doctrinales entre les présidents impérialistes des Etats-Unis sont moins imputables à des différences subjectives de tempérament qu'à des circonstances objectivement variables.

Comme ses prédécesseurs, Johnson est peut-être en train de donner son propre nom et son propre style à la doctrine, mais il le fait dans des conditions engendrées par l'époque dont il est le produit.

On dit quelquefois que « les hommes font l'histoire » ; que Napoléon ou Lénine ou Mao l'ont faite avec leur génie et que Johnson la fait avec sa vanité et sa stupidité. C'est peut-être vrai. Mais il est également vrai qu'à l'inverse l'histoire fait les hommes et crée les circonstances à l'intérieur desquelles ils peuvent accélérer ou retarder le processus de son développement.

La doctrine Johnson prit forme après l'installation à la présidence de son inspirateur quand, méprisant les appels de l'humanité ou l'opinion mondiale, il réprima les revendications et le mouvement apparemment modéré et de bonne foi des étudiants panamiens en 1964. La doctrine fut énoncée de manière plus claire encore quand le responsable « préposé à la surveillance de l'Amérique latine », Thomas Mann, déclara que tous les putsches militaires n'étaient finalement pas identiques. *Les Etats-Unis, précisa-t-il, se féliciteraient de certains coups d'Etat militaires et en condamneraient certains autres.*

En avril 1964, le président Johnson lui-même s'empresse de saluer le coup d'Etat brésilien avant même que les militaires ne parviennent à obtenir la démission du président constitutionnel. Ensuite les Etats-Unis se livrèrent à de longues préparations, en collaboration étroite avec les armées d'Argentine et du Pérou, afin de contrer une éventuelle victoire de la coalition socialiste-communiste aux élections présidentielles chiliennes de septembre. La coalition n'ayant pas triomphé, les plans élaborés ne furent pas appliqués.

Entre-temps, il s'était toutefois révélé nécessaire d'éteindre l'incendie populaire du Congo en offrant aux troupes belges et aux mercenaires un pont aérien d'avions américains.

Saint-Domingue : la doctrine.

Au Vietnam, la première application de la doctrine Johnson a consisté sans doute à expédier « l'expert de la guerre spéciale », le général Maxwell Taylor à Saigon, en guise d'ambassadeur. Ensuite, avec l'escalade de la guerre, on a pu assister au bombardement du Nord et, plus tard, au renforcement massif des troupes américaines. Les applications les plus récentes de la doctrine sont constituées par la mobilisation accrue et — plus discrètement — par les préparatifs logistiques et d'intendance en vue d'une nouvelle escalade.

Au Venezuela et en Colombie, des « conseillers » militaires américains ont constamment marché sur les traces de leurs collègues du Vietnam et, se comptant désormais par milliers, ont porté la guerre aux populations des régions rurales de ces pays.

Ainsi, à Saint-Domingue, la doctrine Johnson a plutôt fait l'objet d'une explication que d'une élaboration.

Au cours de ces derniers mois, les circonstances ont contraint le président Johnson à revenir à la pratique de l'impérialisme américain consistant à parler de manière explicite et à marcher lourdement et de façon spectaculaire. Le soulèvement populaire de Saint-Domingue a obligé Johnson à envoyer 40 000 soldats américains et à ranimer et mobiliser le système diplomatique et militaire interaméricain tout entier afin de combattre ce qu'il qualifiait de mouvement dirigé par 58 communistes. Les paroles de Johnson ont sonné bien haut, et le sens de son action était sans ambiguïté. Il n'avait pas le choix, déclara-t-il ; il n'était pas question d'assister sans intervenir au déroulement d'un mouvement populaire interne qui risquait ne serait-ce que d'amorcer un processus pouvant mener à un autre Cuba. Toute action populaire d'un tel type, dans quelque pays que ce soit, constituait à ses yeux une agression relevant du pacte militaire de Rio de Janeiro contre l'agression interne et devait être contrée par une force militaire multilatérale et interaméricaine *si cela était possible* et par la répression unilatérale, militaire, et nord-américaine et l'occupation du pays en question *si cela était nécessaire.*

En réalité, Johnson n'a fait que répéter, à partir de son bureau, ce que Kennedy affirmait quand il se balançait sur son fauteuil à bascule : toute activité politique intérieure, dans un pays étranger, qui semble désagréable au goût de l'impérialisme constitue une agression extérieure et sera contrée par toute la force militaire américaine nécessaire. Envoyé en Amérique latine pour expliquer la doctrine, l'ambassadeur itinérant Averall Harriman clarifia un peu plus les choses au cours d'une conférence de presse à Montévideo : la doctrine de non-intervention dans les affaires intérieures des autres pays, affirme-t-il, a été dépassée par les événements. Elle a été remplacée par la doctrine Kennedy et Johnson de l'intervention militaire franche et massive. Au Vietnam, les événements ont contraint Johnson à multiplier les forces au sol américaines, à utiliser non seulement des « forces spéciales » mais également des troupes ordinaires et à faire appel aux réservistes tout en accélérant l'appel sous les drapeaux.

Johnson a expliqué ces actes pour le Vietnam et a dévoilé, au cours d'une récente conférence de presse, le raisonnement principal qui se trouve à la base de ses paroles sur Saint-Domingue. Nous devons, et nous n'hésiterons pas à faire appel à tous les moyens qui se trouvent à notre disposition pour empêcher « notre » expulsion hors du Vietnam, déclara-t-il ; en effet, si un mouvement populaire peut nous en expulser en dépit de notre effort massif pour tenir notre promesse de rester, ce sera un signal donné aux peuples de tous les autres pays, d'abord en Asie du Sud-Est et puis ailleurs, un signal qui voudra dire que notre défaite est possible ; et, a-t-il ajouté, ils n'hésiteront pas, ils nous expulseront de partout. Les événements ont obligé Johnson, le chef de la contre-révolution, à expliquer ce que chaque véritable révolutionnaire connaît depuis toujours.

Il serait bon néanmoins d'expliciter clairement les leçons que l'on peut tirer de ces événements.

Le système impérialiste est global et intégral. La politique de Washington consiste obligatoirement à en assurer le maintien (aussi loin et aussi longtemps que possible) en essayant de contenir tous les mouvements de libération. Toute la doctrine impérialiste d'après-guerre n'a été que le reflet de cette menace et de la politique visant à la contenir. Les différences doctrinales ont été réduites et ne représentent essentiellement que des différences de réaction face à des circonstances fluctuantes. La doctrine Johnson n'échappe pas à la règle. Une preuve parmi d'autres se trouve dans le fait que le peuple américain a voté contre Goldwater mais a quand même subi la majeure partie de sa doctrine. Johnson a fait sienne la doctrine Goldwater parce que les circonstances l'y ont contraint.

Faiblesse stratégique de l'impérialisme.

Il découle de l'unité du système impérialiste que les événements du Vietnam ont des répercussions (ainsi que Johnson lui-même l'a remarqué à juste titre) à Saint-Domingue, à Harlem, à Watts, partout, et cela en liaison avec les intérêts de l'impérialisme à travers le monde. Ainsi, l'extension globale de l'impérialisme qui en constitue la puissance, engendre les intérêts et les besoins globaux qui sont les points faibles du système. Plus le système impérialiste se développe, et plus il s'affaiblit.

Aujourd'hui, l'impérialisme est stratégiquement faible. Washington a déclaré que les Etats-Unis ne seraient pas jetés hors du Vietnam par la force des armes. C'est peut-être exact. Mais le Vietnam démontre que Washington est impuissant face à la force humaine. L'impérialisme ne peut contenir les mouvements populaires en tous lieux, ainsi que l'exigent ses intérêts et ses besoins. C'est précisément là que se trouve la faiblesse fondamentale de l'impérialisme.

Dans un pays aussi petit que le Vietnam, un mouvement populaire de libération nationale, indépendant et résolu, animé par un programme à long terme clairement exprimé, s'est révélé invincible sur son propre terrain. Washington le sait et le reconnaît. Johnson déclare même que la défaite de l'impérialisme au Vietnam serait le signal de son effondrement final.

L'impérialisme ne pourait vaincre, ni même affronter plusieurs « Vietnams » à la fois. Par conséquent — et Johnson a été très explicite sur ce point en ce qui concerne le Vietnam —, l'impérialisme doit avoir recours à tous les moyens possibles pour contenir l'avance de ce mouvement de libération, même si cela se limite à une tentative de maintenir le *statu quo* tant bien que mal ou même à une occupation indéfinie de quelques forteresses côtières.

100 Cuba et 100 Vietnam.

En conséquence, ainsi que Johnson l'a — une fois de plus — clairement indiqué dans le cas de Saint-Domingue, l'impérialisme doit essayer de tuer dans l'œuf tout autre mouvement populaire avant qu'il ne puisse donner lieu, non seulement à un autre Cuba, mais également à un autre Vietnam.

Voyons à présent comment l'impérialisme et le mouvement de libération peuvent réussir ou échouer.

La grande peur des Etats-Unis - La libération nationale.

La faiblesse stratégique de l'impérialisme face aux mouvements de libération populaire est en train de s'aggraver. Aujourd'hui la quasi-totalité des mouvements populaires en Asie, en Afrique et en Amérique latine est nécessairement nationaliste, anti-impérialiste et surtout, antiaméricaine. Cela rend la politique Kennedy (visant à contrôler et à contenir ces mouvements en y participant) de plus en plus dangereuse pour l'impérialisme et difficile à mettre en œuvre, dans la mesure même où ces mouvements sont susceptibles d'échapper à tout contrôle. Cette situation trouve son reflet dans les déclarations anti-impérialistes de leaders soi-disant neutralistes d'Asie et d'Afrique ; J. Gerassi, ancien rédacteur de *Time* et *Newsweek* pour les affaires latino-américaines en a donné une bonne description dans son ouvrage *The Great Fear : The reconquest of Latin America by Latin Americans* (MacMillan, 1963). Les raisons sont profondément inhérentes à la structure contradictoire et au développement inégal du système impérialiste lui-même et elles se situent en dehors du cadre de la présente discussion ; certaines d'entre elles sont analysées dans mon livre [1].

Si l'impérialisme ne parvient pas à contrôler et à contenir ces mouvements populaires en se joignant à eux, il doit tenter soit de les dominer indirectement en amenant les bourgeoisies nationales à les rejoindre ; soit, si cela est impossible ou trop dangereux, l'impérialisme doit tenter de les abattre directement, comme c'est le cas pour Saint-Domingue.

Toutefois, ainsi que je l'ai expliqué dans mon livre, les bourgeoisies nationales — en Amérique latine tout au moins — se heurtent à des difficultés et des dangers accrus dans leurs tentatives de contrôler et de contenir les mouvements populaires en s'y joignant.

D'une part, ce même développement de l'impérialisme (joint au sous-développement de ses colonies économiques) qui donne obligatoirement à la plupart des mouvements populaires un caractère nationaliste et anti-impérialiste, rend de même les bourgeoisies dépendantes et sous-développées de ces pays de moins en moins capables de diriger ou même de rejoindre un mouvement de libération nationale. D'autre part, l'exemple cubain leur a fait comprendre que la participation à un mouvement de libération populaire peut représenter un raccourci sur la voie de leur propre perte ; et si elles nourrissent encore des illusions sur ce point, ce n'est certainement pas le cas de l'impérialisme.

Pour les bourgeoisies latino-américaines, contenir les mouvements populaires en les rejoignant est devenu à ce point difficile sur le plan économique et dangereux sur le plan politique que, comme Johnson à Saint-Domingue, la plupart d'entre elles n'ont eu d'autre choix que de combattre ces mouvements en procédant à des putsches militaires. Même les soi-disant gouvernements démocratiques de Betancourt au Venezuela et de Belaunde au Pérou ont d'abord essayé de calmer les mouvements populaires pour éviter toute publicité de type « vietnamien » ; ensuite, ils ont essayé de les détruire en se servant de leurs propres ressources ; et enfin, comme au Venezuela aujourd'hui et au Pérou demain, ils font appel aux « conseillers » militaires américains. Si les « conseils » et l'équi-

---

1. *Capitalisme et sous-développement en Amérique latine*, Paris, 1968, Fr. Maspero éd.

pement fournis se révèlent insuffisants pour contenir le mouvement populaire, comme au Venezuela et en Colombie, les troupes U.S. doivent commencer à se battre. Cela aggrave la faiblesse américaine et la rend bien plus manifeste encore. Comme l'a noté Fidel Castro dans son *Discours du premier mai,* l'intervention américaine à Saint-Domingue est un signe, non pas de puissance impérialiste, mais bel et bien de faiblesse.

Le caractère stratégiquement vulnérable de l'impérialisme américain face aux mouvements de libération populaire devient de plus en plus marqué avec chaque mesure qui est prise pour combattre ces mouvements. Le soutien ou même la mise en place par les Etats-Unis de gouvernements impopulaires (qui ne peuvent contenir la pauvreté), les pactes multilatéraux et bilatéraux, les bases et les missions militaires américaines, l'escalade qui va des conseils militaires à l'intervention voilée et de là à la participation directe aux combats (comme au Venezuela et en Colombie) ou à l'occupation militaire (comme à Saint-Domingue), en bref, la « vietnamisation » de l'Amérique latine — tout cela est susceptible de contenir pour un temps les mouvements de libération nationale, mais ce n'est qu'au prix d'un processus d'aggravation de la faiblesse stratégique de l'impérialisme américain qui ne fait que rapprocher ce même impérialisme de son effondrement final.

La puissance tactique de l'impérialisme.

En dépit de leur énorme puissance militaire, les Etats-Unis manquent déjà de navires, d'avions, et de divisions de combat pour faire la police sur tous les océans et les continents de la planète et pour assurer l'incessante navette d'équipements de guerre et de troupes qui vont et viennent constamment entre l'Amérique, le Vietnam, le Congo, et le reste du monde. Peut-être l'industrie américaine est-elle capable de produire une quantité supérieure de matériel militaire conventionnel et peut-être est-il possible de convaincre le peuple américain de payer pour un nombre plus grand de navires, de chars, d'avions, d'hélicoptères, pour de nouveaux types de canons, de bombes, de gaz et d'autres instruments encore, servant à combattre les forces populaires à travers le monde. *Toutefois, il sera bien plus difficile de persuader les Américains de la nécessité de se battre et de mourir ; leurs familles seront de plus en plus hostiles à ces départs pour une guerre impopulaire que la machine de propagande américaine elle-même avec son génie publicitaire a été incapable de vendre au peuple.*

Un nombre sans cesse croissant d'Américains comprennent que leur participation à ces guerres est non seulement coûteuse et immorale sur le plan personnel, mais également qu'elle contribue à l'exploitation de certains peuples à l'étranger par les monopoles

américains qui exploitent l' « autre Amérique » (*Other America*)
aux Etats-Unis. Le système impérialiste étant un et indivisible, ses
contradictions et sa faiblesse stratégique se feront sentir aussi bien
à l'intérieur qu'à l'extérieur des Etats-Unis.

Cherchant à limiter — ou au moins à retarder — les répercussions de sa faiblesse stratégique croissante, l'impérialisme américain
se lance désespérément dans plusieurs voies différentes, consistant à :

a) amener d'autres pays à envoyer des troupes se battre au
Vietnam — le congressiste Ford vient de proposer de faire appel
à Taïwan ;

b) construire une force militaire internationale latino-américaine
viable, placée sous commandement U.S. pour combattre les mouvements populaires intérieurs dans chacun des pays du continent ;

c) se servir de sa puissance technique tactique pour lancer des
bombes conventionnelles et pour se livrer au chantage nucléaire ;

d) adapter la *Policy of Containment* aux mouvements populaires
des pays capitalistes en se livrant à des attaques impérialistes contre
les pays socialistes.

Quelles sont les conséquences de ces options et quelles sont les
réponses des forces populaires ?

Le socialisme démasque la faiblesse stratégique

des Etats-Unis.

Bien que la stratégie consistant à régner en dressant Africains
et Asiatiques les uns contre les autres ait rendu autrefois de précieux services à l'impérialisme, elle ne pourra se révéler que désastreuse au Vietnam et dans le reste de l'Asie du Sud-Est. Si les
Vietnamiens ne veulent plus se battre pour la cause américaine
au Vietnam, est-il possible de convaincre les Coréens ou les Chinois
de Taïwan de le faire à leur place ? Leur intervention ne peut
qu'accroître la faiblesse stratégique de l'impérialisme et la rendre
plus manifeste encore.

En Amérique latine, des mouvements de guérilla existent aujour-
d'hui au Venezuela, en Colombie, au Pérou, au Guatemala, en
Equateur, au Honduras ; d'autres ne tarderont pas à s'installer au
Brésil, en Bolivie, à Saint-Domingue, à Haïti et ailleurs. Gagnant
en étendue et en profondeur, les guérillas coordonnent de plus
en plus leurs actions et établissent des rapports entre elles — comme
c'est le cas sur la frontière entre le Venezuela et la Colombie —
et avec de multiples mouvements populaires, dans leur propre pays
et à l'étranger. En préférant le socialisme à des objectifs plus
limités et en se consacrant à l'éducation politique des masses parmi

lesquelles elle agissent, en stimulant le peuple et en lui apprenant à assurer son propre commandement (au lieu de n'accepter que celui des guérilleros ou des intellectuels), les guérillas et les autres formes de mouvements populaires latino-américains feront de plus en plus échec à la stratégie U.S. fondée sur les forces militaires internationales latino-américaines de *containment* ; elles démasqueront de plus en plus la faiblesse fondamentale de cette stratégie américaine ; et de plus en plus, elles obligeront l'impérialisme américain à envoyer ses propres troupes pour « vietnamiser » l'Amérique latine. Cela implique une longue guerre pour les Latino-Américains ; cela implique surtout une faiblesse stratégique accrue pour l'impérialisme.

Des flics insuffisamment armés.

Toutefois, si l'impérialisme connaît une faiblesse stratégique, il connaît également une puissance tactique. De la même façon que le Vietnam démasque la faiblesse stratégique de l'impérialisme sur le plan global, Saint-Domingue illustre bien sa puissance tactique dans un contexte particulier. Si les forces populaires du monde ne tirent pas leçon de Saint-Domingue et des autres expériences actuelles et à venir et si elles n'agissent pas pour opposer leur avantage stratégique à l'avantage tactique de l'impérialisme, la victoire finale des peuples sur l'impérialisme sera plus longue à venir et plus sanglante. L'expérience dominicaine nous permet de tirer les conclusions suivantes :

Les objectifs populaires limités et à court terme ne peuvent profiter de la force stratégique du peuple et, par conséquent, comportent le risque sérieux de placer les forces populaires dans une position tactiquement désavantageuse par rapport à l'impérialisme. Plus les objectifs d'un mouvement populaire sont restreints et à court terme, et plus il est facile pour l'impérialisme et ses alliés locaux d'accorder des concessions limitées, de rejoindre le mouvement et de le neutraliser ou même de le mettre au service des intérêts impérialistes.

Les objectifs constitutionnels restreints des forces de Caamano n'excluaient pas ce *Cheval de Troie* qu'était l'Organisation des Etats américains qui, une fois admise dans l'île comme agence de négociations commença à miner et à corrompre les positions et la puissance des forces populaires.

A partir du moment où Caamano a reconnu l'OEA comme agence de négociations, il a été obligé de faire des concessions plus importantes que celles qu'il aurait été contraint d'accorder aux envahisseurs américains et à leurs acolytes militaires dominicains. Les objectifs populaires restreints et à court terme ont également pour effet d'accroître la capacité de mobilisation impérialiste pour écraser

193

13

un mouvement populaire que l'on ne peut contenir en le rejoignant. La myopie politique constitutionnaliste a permis aux soldats américains de débarquer sans obstacles, de sauver les troupes d'Imbert d'une défaite certaine et par la suite de renforcer le contrôle américain sur la capitale et de consolider la domination policière et militaire d'Imbert sur le reste du pays.

Paris, Changhaï, Puerto Caballo.

La spontanéité et l'absence de plan qui caractérisent le soulèvement armé de Saint-Domingue ont également contribué à empêcher les forces populaires de prendre avantage de leur puissance stratégique et ont fait le jeu de l'impérialisme. La faiblesse tactique fondamentale de tels soulèvements spontanés, et l'avantage tactique correspondant de la réaction, ont été démontrés par les exemples classiques de Paris, de Changhaï, et d'autres encore ; la même leçon peut être tirée une fois de plus de Puerto Caballo au Venezuela et de Saint-Domingue. L'isolement et la spontanéité de ces soulèvements les rendent éminemment vulnérables aux coups de la répression. Johnson déclare qu'il les réprimera et ses actions démontrent qn'il est bien capable de le faire.

Pour constituer une étape sur la voie de la réalisation des objectifs populaires fondamentaux, la conscience populaire accrue et la mobilisation qu'entraîne un soulèvement doivent être intégrées à un mouvement à long terme, qui soit conscient de ses buts et de sa force. S'il en est autrement, le désenchantement populaire qui risque de se produire à la suite de l'échec d'une insurrection peut retarder le processus révolutionnaire.

Saint-Domingue et le Vietnam : le contraste.

Il ne pouvait exister contraste plus frappant entre Saint-Domingue et le Vietnam. La leçon à en tirer ne pouvait non plus être plus claire. L'impérialisme est tactiquement puissant, mais stratégiquement faible. Pour contrer la puissance technique tactique de l'impérialisme, les peuples doivent se fonder sur leurs forces stratégiques combinées. Des soulèvements isolés, aux objectifs limités ne peuvent même pas vaincre l'impérialisme sur le plan local. Ils risquent d'être très sanglants et cela sans même atteindre leurs objectifs restreints. La contribution qu'ils sont susceptibles d'apporter dépend des liens qui les unissent aux mouvements populaires qui se sont fixé des objectifs à longue portée, mouvements qui peuvent défier — et qui défient — la faiblesse stratégique de l'impérialisme.

Au Vietnam, la tentative désespérée des Etats-Unis cherchant à remplacer les hommes par les bombes n'a pas réussi à mater les forces de libération, résolues et confiantes, et qui connaissent bien leur propre force et la faiblesse de l'impérialisme. Cette même tentative U.S. sera encore effectuée ailleurs et, une fois de plus, elle échouera.

Pour éviter les conséquences d'une mobilisation visant à entraîner leur propre population dans des guerres réactionnaires à l'étranger, les impérialistes américains sont de plus en plus contraints de se servir de leur arme la plus faible — le chantage à l'égard des pays socialistes par le moyen d'attaques conventionnelles contre le Nord-Vietnam et de menaces nucléaires contre la Chine. Evidemment, la force ou la faiblesse d'une telle stratégie impérialiste ne dépend pas seulement du bon vouloir de l'impérialisme lui-même — elle dépend aussi des pays socialistes.

Les pays socialistes doivent faire comprendre à l'impérialisme américain, de façon claire et sans équivoque, que toute nouvelle tentative pour fuir sa propre faiblesse — ou pour renforcer sa puissance amoindrie dans son arrière-cour sous-développée — en escaladant d'un « containment » infructueux à une agression réactionnaire contre un pays socialiste déjà libéré, entraînera la destruction de son propre foyer. Le conflit vietnamien démontre qu'il importe de tracer une ligne claire sur les frontières des pays socialistes et de la faire respecter par les Etats-Unis, sous peine de voir les pays socialistes déjà libérés être affaiblis ou même détruits. L'indécision sur un tel point ne peut aider le mouvement de libération ni préserver les libertés déjà acquises ; elle ne peut que rendre la libération plus coûteuse ou même détruire la liberté là où elle existe. Le caractère inviolable des pays socialistes est le complément essentiel des mouvements de libération populaire qui constituent l'avant-dernier clou du cercueil de l'impérialisme.

La Commune de Paris.

La destruction finale de l'impérialisme américain revient au peuple des Etats-Unis lui-même. La réalisation de cette mission n'est sans doute pas imminente ; toutefois, la tâche actuelle de toutes les forces progressistes aux Etats-Unis se trouve clairement délimitée par les événements qui se déroulent dans les autres parties du système impérialiste. Ces événements, au Vietnam, à Saint-Domingue, au Congo, à Cuba, à Berlin et ailleurs sont les fanaux les plus puissants parmi ceux qui guident le peuple américain sur la voie de la prise de conscience politique et de l'action progressiste. Ils révèlent de plus en plus à un nombre croissant d'Américains que l' « américanisme » n'est rien d'autre que l'impérialisme.

La guerre impopulaire de Corée a constitué un signe avant-coureur de la révolution à venir parmi les peuples américains et de leur refus de voir leurs communautés et leurs vies bouleversées, de quitter leurs foyers pour combattre des mouvements populaires dans des pays lointains. Le besoin qu'éprouve l'impérialisme U.S. d'envoyer ses propres hommes faire la guerre aux mouvements populaires à l'étranger aggrave et démasque une faiblesse stratégique interne découlant du sentiment populaire. Alors, si l'impérialisme américain ne peut remplacer les hommes par les armes, et si ses propres hommes refusent de se battre pour servir sa cause, que peut-il faire ?

En conséquence, il semble que la tâche principale de toutes les forces américaines véritablement progressistes soit de profiter de cette faiblesse stratégique impérialiste en œuvrant dans deux sens étroitement liés : l'éducation politique du peuple en général, et la mobilisation populaire de « l'autre Amérique » — en rattachant chacune de ces actions aux événements qui, à travers le monde, affectent le système impérialiste dans son ensemble.

Le peuple américain, qui est pratiquement le seul à ignorer l'existence de l'impérialisme, doit apprendre à le connaître. L'éducation politique progressiste ou de gauche doit accompagner le recrutement des soldats américains et leur envoi au Vietnam, à Saint-Domingue, au Congo et doit expliquer au peuple ce qui s'y passe et pourquoi ils ne doivent pas partir. Elle doit convaincre les gens qu'une attaque américaine contre les pays socialistes aurait des conséquences très graves. Elle doit dépasser le libéralisme avec ses appels à la moralité, ses condamnations de la violence meurtrière au Vietnam et ses « appels à la raison » pour faire cesser les menaces nucléaires à l'égard des pays socialistes. Elle doit promouvoir une compréhension socialiste de la nature du système qui oblige les Américains à tuer le Vietnam et qui menace de destruction nucléaire les autres et eux-mêmes. Elle doit rattacher ces deux phénomènes entre eux et avec l'effervescence de l' « autre Amérique » aux Etats-Unis mêmes.

Il est particulièrement important d'expliquer comment l'exploitation, le sous-développement et la pauvreté à l'étranger sont des phénomènes systématiquement reliés à l'exploitation, la discrimination et la pauvreté aux Etats-Unis — comment, par conséquent, la lutte de libération des Vietnamiens se rattache au combat afro-américain pour une *liberté immédiate* (*Freedom Now*). Il ne s'agit donc pas pour les Américains de suivre les enseignements d'un Max Gordon, ex-rédacteur en chef du *Daily Worker* qui, dans une réponse aux rédacteurs de la *Monthly Review* (décembre 1963), essayait d'un coup de plume d'effacer l'existence de l'impérialisme, ou ceux de James Farmer, leader du CORE [2] qui essaye de dissocier le mouvement de libération au Vietnam et le mouvement des droits

---

2. Congress of Racial Equality, organisation noire de tendance modérée. (N.d.T.)

civiques aux Etats-Unis. Au contraire, l'éducation politique se doit de mettre en lumière le lien qui existe entre ces deux phénomènes.

Aujourd'hui, sur le plan de l'éducation politique comme en ce qui concerne les mouvements populaires, se fixer des buts restreints et à court terme afin de rallier de larges couches de la population à une cause dont les fondements mêmes sont faibles, ne peut que mener à la défaite. Le chemin de la victoire se trouve dans le fait de comprendre et de s'attaquer aux causes fondamentales des véritables problèmes qui se posent aux gens.

L'autre tâche principale qui échoit aujourd'hui de manière immédiate aux forces progressistes américaines consiste à pousser le mouvement des droits civiques le plus loin — et le plus rapidement — possible sur la voie tracée par le mouvement de libération afro-américain *Freedom Now*. Sur le plan intérieur comme à l'étranger (et peut-être plus encore) la grande faiblesse stratégique de l'impérialisme se trouve dans son incapacité à contenir des mouvements populaires indépendants et résolus, qui le combattent en se donnant des objectifs de grande portée. L'exemple latino-américain et celui du sud des Etats-Unis nous montre que l'impérialisme peut aisément rejoindre des mouvements populaires visant des objectifs restreints et à court terme, contenir leur force, et faire dévier leur développement de sa direction originelle. Le seul véritable service progressiste que peuvent offrir ces mouvements est de mener à d'autres mouvements dont les buts sont plus importants, la vision des choses plus vaste et les fondements plus solides.

De Montgomery à Selma, le mouvement populaire dans le Sud a démontré que la faiblesse de l'impérialisme aux Etats-Unis ne réside ni dans les centres des villes ni dans les petites agglomérations et les milieux ruraux du Sud. Aux Etats-Unis, la faiblesse politique stratégique de l'impérialisme américain se trouve dans le ghetto urbain que cet impérialisme engendre au Sud comme au Nord ; et les habitants de ce ghetto le savent mieux que personne. C'est là que le mouvement populaire américain doit s'organiser pour réaliser ses exigences fondamentales. La faiblesse stratégique de l'impérialisme américain découle de son incapacité à satisfaire ces exigences populaires sur le plan économique ou de contenir politiquement ces mouvements, à la fois aux Etats-Unis et à l'étranger.

La faiblesse stratégique majeure de l'impérialisme réside dans sa propre existence !

Postface : la patte de velours du sénateur Fulbright.

En Amérique latine, les récentes déclarations du sénateur Fulbright ont donné l'impression qu'il « forgeait une lame à double tranchant dissimulée dans une patte de velours », et c'est là précisément ce qui rend ces déclarations dangereuses. A première vue, la condamnation de l'intervention militaire américaine à Saint-Domingue par le sénateur Fulbright semble contredire les récentes louanges sirupeuses qu'il a adressées au gouvernement militaire du Brésil et à son intervention à Saint-Domingue. Si, ainsi que le suggère l'éditorial du *National Guardian* du 2 octobre, la motion interventionniste présentée à la Chambre des représentants par le député Selden a été provoquée par les paroles apparemment anti-interventionnistes prononcées par Fulbright au Sénat, il est sans doute possible d'affirmer que le représentant Selden, et d'autres Américains avec lui, ne comprennent pas vraiment la signification profonde de l'éloquence fleurie du sénateur. Toutefois, les paroles que Fulbright lui-même a prononcées au Brésil nous donnent une idée de cette signification, idée qui est confirmée par les événements récents dans ce pays comme dans le reste de l'Amérique latine : nous assistons à la fabrication d'une « patte de velours dissimulant le fer de l'épée de Damoclès. »

Au cours d'une récente mission officielle au Brésil, Fulbright laissait déjà prévoir sa déclaration au Sénat en affirmant qu'il était regrettable pour les Etats-Unis d'avoir à intervenir de manière unilatérale dans d'autres pays du continent américain, qu'il serait intéressant d'envisager la formation d'une zone d'échanges interaméricaine s'étendant de l'Alaska à la Patagonie, et que le Brésil avait joué un rôle très important et très louable au cours de l'intervention inter-américaine à Saint-Domingue.

Le sénateur U.S. Fulbright n'avait pas plutôt quitté le Brésil, que le chef d'état-major de l'Argentine, le général Ougania arrivait dans ce pays pour discuter avec le ministre de la Guerre brésilien, Costa e Silva. Ils se mirent d'accord sur le fait que les frontières entre l'Alaska et la Patagonie ne devaient plus être de nature économique ou même politique ; les véritables frontières étaient d'ordre idéologique. Devant le tollé général soulevé au Chili et en Uruguay par les déclarations des généraux, et bien qu'ils aient nié l'existence d'un traité, les deux parties ont reconnu être parvenues à un « accord » visant à coordonner leurs forces militaires afin d'intervenir sur n'importe quel point du continent américain, si ces frontières idéologiques y étaient menacées de subversion. Il était sous-entendu que les événements économiques et politiques en Uruguay étaient en train de créer de telles circonstances. L'Argentine annonça alors qu'elle était « menacée » d'invasion de la part d'une troupe de 500 guérilleros venant du Paraguay.

Le ministre des Affaires étrangères du Brésil, parlant à Rio de Janeiro, puis le ministre brésilien de la Planification, parlant à une réception diplomatique à Moscou, déclarèrent publiquement que le président du Chili, Frei, devait prendre garde s'il ne voulait pas subir le sort de Goulart — qui avait été renversé par le gouvernement qu'il représentait. Entre-temps, les Etats-Unis construisent des bases militaires de « missiles » tout le long de la côte du Brésil et ont même commencé à produire des armes et des rations de combat dans le pays ; de plus, le Pentagone a annoncé une importante augmentation des livraisons d'armes à destination de l'Argentine.

L'écran de fumée.

La patte de velours se prépare à frapper ; les discours du sénateur Fulbright et, sans doute inconsciemment — mais ce n'est pas évident — la résolution du représentant Selden (qui s'attire à présent les foudres des anti-interventionnistes latino-américains), sont en train de créer un écran de fumée. Le Brésil a évidemment remplacé l'Argentine dans le rôle d' « allié favori » des Etats-Unis en Amérique latine, mais désormais cette alliance fait partie d'une manœuvre économique, politique et militaire infiniment plus vaste et plus lourde de conséquences que par le passé. Le Brésil était autrefois à l'avant-garde de la politique étrangère indépendante en Amérique latine ; à l'heure actuelle, c'est le président du Chili qui tient ce rôle et on l'invite à se méfier d'avoir à subir le même sort que Goulart.

Dirigé par son nouveau gouvernement américanophile (dont j'ai analysé la politique économique intérieure dans le numéro de juillet de *Minority of One*) le géant d'Amérique latine s'est déjà prononcé contre la proposition d'un marché commun renforcé en Amérique latine, proposition émanant du président chilien Frei. Aujourd'hui, le Brésil soutient la proposition antérieure des Etats-Unis — déjà formulée à titre expérimental au cours de la Conférence commerciale de Genève en 1964 — visant à établir une zone d'échanges interaméricains allant de l'Alaska à la Patagonie. La bourgeoisie brésilienne, qui avait essayé sans succès d'établir un impérialisme indépendant sous le drapeau de la politique extérieure indépendante, au cours des gouvernements de Quadros et de Goulart, s'est résignée à jouer le rôle de sous-impérialisme (pour reprendre l'expression utilisée par Rui Mauro Marini dans son article percutant qui paraîtra bientôt dans *Monthly Review*) en tant que principal subalterne des Etats-Unis en Amérique latine. Si le Brésil est appelé à recevoir les restes du banquet impérialiste, alors l'autre allié fidèle des Etats-Unis, l'Argentine, doit au moins se voir jeter les miettes. Comme l'impérialisme lui-même, le sous-impérialisme dépasse les frontières économiques et nationales et touche aux « frontières idéologiques » que le bras armé de la bourgeoisie est prêt — ou est sur le point de l'être — à défendre par la force.

La nouvelle réponse des Etats-Unis au « non-américanisme ».

Compte tenu de la tension subie par la capacité de propagande américaine sur les plans intérieur et extérieur à la suite des interventions U.S. au Vietnam et à Saint-Domingue, qu'y a-t-il de plus « logique » que de condamner avec « libéralisme » toute nouvelle intervention unilatérale des Etats-Unis avec leurs propres troupes, de préparer l'intervention interaméricaine multilatérale et automatique avec des troupes latino-américaines là où cela est possible, et de couvrir de louanges « libérales » l'intervention brésilienne, avec des forces brésiliennes, dans les affaires latino-américaines ? Si des pays « non américains » tels que le Chili, le Mexique et l'Uruguay menacent d'être réticents au cours de la prochaine conférence de l'Organisation des Etats américains (OEA) et de ne pas soutenir la formation (proposée par les Etats-Unis et le Brésil) d'une force militaire permanente d'intervention de l'OEA dans les Etats souverains d'Amérique latine, il n'est rien de plus prudent que de préparer la patte du chat brésilien et celle du chaton argentin pour de telles actions militaires par le moyen d'accords directs avec ces Etats indépendants ; et d'inviter d'autres chatons à rejoindre le cercle félin si le cœur leur en dit.

Il n'y a pas de fumée sans feu. Cachés par leur écran de fumée libéral, le sénateur Fulbright et d'autres semblent bien être en train de forger une épée de Damoclès, tenue par les Latino-Américains et suspendue au-dessus de la tête des peuples du continent. Une épée dans une patte de velours — par qui sera-t-elle brandie ? Que pouvons-nous attendre de plus de Kennedy, Humphrey, Fulbright et de tout autre *bon* libéral ?

13

Dialectique ou dualisme

Sous le titre *Tiers monde, quel tiers monde ?* (*Révolution*, vol. 1, nº 7 de l'édition anglaise) Pierre Jalée s'est livré à une analyse pertinente de l'impérialisme en démontrant l'inexistence d'un tiers monde ou d'une troisième voie ; il a également signalé le fait que ce terme, qui connaît un énorme succès parmi les impérialistes et même chez les soi-disant marxistes, n'est qu'un voile insidieux cherchant à cacher l'introduction du néo-colonialisme par ces mêmes impérialistes et du révisionnisme par ces mêmes pseudo-marxistes, qui, comme le prédisait Togliatti lui-même en 1920 — sinon aujourd'hui — (*Révolution*, vol. 1, nº 11) relèvent, à peu de chose près, d'une seule et même engeance. Mon intention est ici de montrer que l'on peut tenir un raisonnement identique en ce qui concerne la thèse de la « société dualiste » dont le crédit explicite ou implicite est peut-être encore plus général et plus insidieux que celui de son *alter ego* concernant le « tiers monde ». *Il n'existe aujourd'hui aucune société dualiste et toutes les tentatives visant à en établir l'existence ne constituent que des efforts visant à justifier et/ou à masquer l'impérialisme et le révisionnisme.*

Jalée, citant le Vietnamien Le-Duân précise qu'aujourd'hui, « le problème se réduit à choisir entre deux voies : la voie de développement non capitaliste et la voie capitaliste ». Toutes les sociétés non socialistes, qu'elles soient ou non « dualistes », sont des parties intégrales et intégrées du système impérialiste ; leur libération de ses effets d'exploitation et de sous-développement n'est possible qu'à partir d'une stratégie marxiste-léniniste de lutte contre le capitalisme impérialiste dans toutes les sociétés non socialistes. Il ne peut s'agir de réviser cette stratégie afin de s'opposer vainement au capitalisme dans l'une des zones ou « secteurs » d'une société prétendument « dualiste », alors qu'on l'encourage et qu'on le soutient dans l'autre.

Pierre Jalée note que (p. 6) « le fait que l'impérialisme comprend une contradiction interne essentielle entre pays exploitants et pays exploités ne lui enlève rien de son unité. En vérité, cette unité est le produit de cette contradiction sans laquelle l'impérialisme ne peut exister », et le capitalisme non plus, pourrions-nous ajouter. Jalée conclut : « Si nous dirigeons nos attaques contre l'expression " tiers monde ", il est bon de préciser qu'il ne s'agit pas de lancer une querelle de linguistes. Accepter ce terme trop facilement, l'introduire dans le langage courant revient à introduire insidieusement l'idée que le groupe de pays dont nous parlons constitue une entité particulière, un monde en soi, par rapport auquel il faudrait plus ou moins réviser, adapter et dénaturer les théories et les raisonnements qui s'appliquent à l'ensemble des pays capitalistes et à celui des pays socialistes. Inconsciemment, cela revient à nier l'universalité de la doctrine marxiste et l'unité de la lutte révolutionnaire à l'échelle mondiale. »

Si nous citons *in extenso* ces phrases sur le « tiers monde », c'est parce qu'elles s'appliquent, mot pour mot, à la « société dualiste ». La version moderne de la thèse « dualiste » tient son origine dans l'interprétation de la société indonésienne par J.H. Boeke en 1942. Ce sociologue néerlandais et ses disciples économistes ont prétendu qu'en fait seule une partie de l'Indonésie avait été soumise à la colonisation par les Pays-Bas et que la majeure partie du pays avait été plus ou moins livrée à elle-même. D'après Boeke, l'Indonésie est devenue une société dualiste en ce sens que son secteur d'exportation, moderne et capitaliste, a été créé et intégré par l'économie métropolitaine (c'est-à-dire impérialiste) en tant qu'enclave métropolitaine sur le sol indonésien, alors que la majorité des populations du pays continuaient à vivre dans leur économie de subsistance, traditionnelle et millénaire, qui se situait bien en dehors du système centré sur la métropole impérialiste ou capitaliste.

Une interprétation typique et récente du dualisme dans les pays sous-développés est celle du célèbre géographe français, Jacques Lambert, qui a donné à son livre un titre bien significatif : *Les Deux Brésils*. Lambert prétend — à tort, comme nous le verrons par la suite — que « l'économie dualiste et la structure sociale dualiste qui l'accompagne ne sont pas nouvelles, ni même spécifiquement brésiliennes — on les retrouve dans tous les pays inégalement développés [...] Les Brésiliens sont divisés en deux systèmes d'organisation économique et sociale qui diffèrent autant par les niveaux que par les styles de vie. Ces deux sociétés n'ont pas évolué au même rythme et n'ont pas atteint la même phase ; elles ne sont pas séparées par des différences de nature, mais de périodes [...] Au cours de la longue période d'isolement colonial, une culture brésilienne archaïque s'est formée [...] culture qui [...] conserve dans son isolement la même stabilité que connaissent encore les cultures indigènes d'Asie et du Proche Orient [...] Le vieux et le nouveau Brésil sont séparés par plusieurs siècles ». Dans sa revue du livre de Lambert, le plus célèbre sociologue progressiste du Brésil, Florestan Fernandes, qui se considère comme marxiste, a déclaré qu'il s'agissait de « l'une des meilleures synthèses sociologiques écrites à ce jour sur la formation et le développement de la société brésilienne ».

Cette idée d'une « société dualiste » a trouvé créance de manière universelle parmi tous les bourgeois qui se penchent sur l'étude des pays sous-développés d'Asie, d'Afrique et d'Amérique latine et qui aiment imputer les disparités sociales internes manifestes (en matière de revenus par exemple) de ces pays « inégalement développés » à la survie de méthodes « traditionnelles » dans les secteurs « archaïques » et par l'introduction et le succès du « modernisme » dans les secteurs « avancés » de ces pays. Cependant, la même interprétation d'une « société dualiste » s'est également glissée dans l'analyse marxiste du monde sous-développé. Elle y prend souvent la forme de l'hypothèse du maintien du féodalisme dans une partie du pays et de l'introduction du capitalisme dans l'autre — chaque partie ou secteur ayant une organisation déterminée de manière indépendante et interne et disposant d'une dynamique propre. Dans l'interprétation bourgeoise comme dans la version prétendument marxiste de la thèse dualiste nous retrouvons l'idée d'un secteur de l'économie nationale qui est censé avoir connu la féodalité, l'archaïsme et le sous-développement, qui aurait « démarré » et qui désormais serait devenu un secteur capitaliste relativement développé et avancé, alors que la majorité de la population demeurait enfermée dans un autre secteur qui, lui, est censé être demeuré dans un état traditionnellement féodal, archaïque et sous-développé. La stratégie politique que l'on associe généralement à ces interprétations effectivement et théoriquement erronées du développement et du sous-développement consiste pour les bourgeois à promouvoir l'extension du modernisme au secteur archaïque en intégrant celui-ci aux marchés national et mondial, et pour les marxistes à souhaiter le développement de la pénétration capitaliste dans les campagnes féodales et le parachèvement de la révolution démocratique bourgeoise.

Si — ainsi que le soutient Pierre Jalée — l'idée d'un « tiers monde » est exclue par l'existence d'un monde capitaliste unique et unitaire dans lequel « l'impérialisme (c'est-à-dire le capitalisme) connaît une contradiction fondamentale entre exploitants et exploités », contradiction sans laquelle il ne serait pas lui-même, alors cette même unité dialectique exclut également l'existence éventuelle des sociétés « dualistes » mentionnées plus haut. Loin d'attribuer le développement, le sous-développement et les différences de « niveaux et de styles de vie » — pour citer Lambert — à l'existence hypothétique d'une société dualiste comprenant « deux sys-

tèmes d'organisation économique et sociale », soit au niveau du
monde capitaliste impérialiste saisi dans son ensemble, soit dans
chacun des Etats nationaux qui le composent, nous devons imputer
ces différences — comme l'ensemble du sous-développement — à
l'unité dialectique d'un système capitaliste unique dont la nature
contradictoire et opprimante engendre ces différences. Le sous-
développement, loin d'être dû à un prétendu « isolement » de la
majorité des peuples du monde, qui se trouveraient coupés de
l'expansion capitaliste moderne ou même qui seraient soumis de
manière continue à des rapports et à des usages féodaux, est le
résultat de l'incorporation intégrale de ces populations au système
capitaliste pleinement intégré mais contradictoire, système qui les
a toutes englobées depuis longtemps.

C'est la contradiction interne fondamentale du capitalisme impérialiste entre pays exploitants et pays exploités (pour reprendre
une fois de plus les paroles de Pierre Jalée) qui a été et qui
demeure l'origine et la cause du développement — simultané et
dialectique — de la croissance et du sous-développement économiques. Comme le signalait il y a vingt ans Eric Williams, l'actuel
Premier ministre de Trinidad, dans son important ouvrage *Capitalism
and Slavery* (Capitalisme et Esclavage) — dont le titre est fort
bien venu — et comme Cortez lui-même le reconnaissait déjà en
se livrant à la conquête du Mexique en 1520, l'expansion métropolitaine dans les Amériques, quelles que soient les appellations
qu'elle ait revêtues, reposait principalement sur le travail
d'esclaves africains, indigènes américains et, à l'origine, européens.
Les régions nouvellement colonisées (telles que le Brésil, les Antilles
et le sud des Etats-Unis) dont les immigrants étaient surtout des
esclaves africains importés par la métropole elle-même, étaient
vouées à la production de sucre, de coton, de cacao et d'autres
produits destinés à la métropole. Ces régions étaient d'emblée et
presque par définition pleinement pénétrées par — et intégrées
au — système capitaliste-mercantiliste mondial. Cependant, les
régions fortement peuplées d'Asie, d'Afrique et d'Amérique latine,
qui avaient souvent connu des sociétés hautement civilisées, ont été
pénétrées et intégrées tout aussi rapidement et pleinement dans le
système capitaliste (qui s'étendait désormais sur toute la planète),
à partir du moment où ce dernier les a envahies et conquises par
la force afin de fournir à la métropole du travail, du capital et des
marchés.

Pour s'emparer des fruits du labeur humain par le moyen du
pillage, de l'esclavage, du travail forcé, du travail libre, pour
s'assurer les matières premières ou le monopole des échanges,
aujourd'hui tout autant qu'à l'époque de Cortez et de Pizarro au
Mexique et au Pérou, de Clève aux Indes, de Rhodes en Afrique,
ou celle de la « porte ouverte » en Chine, la métropole a détruit
et/ou totalement transformé les systèmes économiques et sociaux
préexistants qui étaient viables, les a incorporés au système capi-

taliste mondial dominé par elle et les a convertis en sources destinées à alimenter sa propre accumulation de capital et son propre développement métropolitain. Pour ces sociétés conquises, transformées ou nouvellement établies, il en est résulté, et il en résulte encore, une dé-capitalisation, une faiblesse productive structurale, une pauvreté sans cesse croissante pour les masses — en un mot, le sous-développement.

Les populations des pays sous-développés qui, à telle ou telle période, ne sont pas ou n'ont pas été incorporées au marché capitaliste de manière manifestement directe, en tant qu'acheteurs de produits ou vendeurs de travail n'en sont pas pour autant non intégrées, isolées ou marginales par rapport au système capitaliste. Elles connaissent un sort particulier qui n'en résulte pas moins de la contradiction interne essentielle du système capitaliste. Bien que la thèse insidieuse et erronée de la « société dualiste » les considère comme n'étant pas affectées par le système capitaliste, ou au moins comme vivant en marge de celui-ci, ces populations ont été et sont encore privées de leurs terres et des moyens d'existence qu'elles en tiraient par l'expansion mondiale de ce même système capitaliste ; elles ont vu, comme aux Indes, l'impérialisme détruire l'organisation de l'irrigation, de l'artisanat, de l'industrie et du commerce aussi bien que les moyens d'existence qu'ils en tiraient ; elles ont vu le système capitaliste engendrer de manière plus ou moins soudaine, mais toujours inévitable, des bouleversements mondiaux, nationaux et régionaux affectant l'offre et la demande de leurs productions d'épices, de sucre, de cacao, de café, de thé, de caoutchouc, d'or, d'argent, de cuivre, d'étain et d'autres matières premières aussi bien que de certains biens industriels, bouleversements qui, pendant des mois, des années, des décennies, ou même des siècles, transforment des peuples tout entiers de producteurs indépendants ou de travailleurs dépendants pour en faire des populations « flottantes » ou « marginales » qui parviennent tout juste à subsister — dans le meilleur des cas — dans les ghettos et les taudis urbains ou ruraux que l'on rencontre partout dans le monde capitaliste.

Ainsi, pour prendre un exemple, le sous-développement du Nord-Est brésilien qui est aujourd'hui l'une des régions les plus pauvres du globe avec ses vingt-cinq millions d'habitants dont la détresse et la lutte ont été rendues célèbres à travers le monde par Francisco Juliao et ses ligues paysannes (voir *Révolution,* vol. 1, n° 7), n'est pas dû à l' « isolement », la « culture archaïque » et le « régime féodal » que Lambert et beaucoup d'autres, comprenant malheureusement trop de soi-disant marxistes, mettent en cause. Au contraire, le sous-développement du Nord-Est brésilien doit être rattaché à la contradiction dialectique interne fondamentale du système mercantiliste (puis capitaliste) unitaire et unique, contradiction qui a provoqué la dépression de l'économie sucrière et esclavagiste au Brésil au xvie siècle, la dépression de l'économie sucrière brésilienne au XVIIᵉ siècle, le sacrifice au XIXᵉ siècle de l'esclavage aux intérêts textiles britanniques, le déplacement de la métropole brésilienne vers la région du Sud productrice de café, qui aujourd'hui déploie de nouvelles méthodes pour extraire le capital du Nord-Est au profit des métropoles mondiale et brésilienne et qui aggrave encore la structure du sous-développement de cette région du Brésil pour laquelle la seule issue est celle qui mène hors du système impérialiste et capitaliste lui-même.

En ce qui concerne son analyse de la nature globale du système capitaliste, sinon dans l'ensemble de la stratégie qu'elle préconisait pour le combattre, Rosa Luxemburg avait incontestablement raison quand elle soutenait dans son *Accumulation du capital* que le capitalisme a depuis longtemps pénétré, intégré et transformé les points les plus « isolés » ou les plus « marginaux » de la planète. Et même des économistes bourgeois tels que le Suédois Gunnar Myrdal et Raul Prebisch des Nations unies ont insisté sur le fait que le monde capitaliste — ou, pourrait-on dire, la société capitaliste tout entière — est inexorablement scindé entre une métropole développée et exploitante et une périphérie sous-développée et exploitée. Cette division métropole-périphérie repose sur la contradiction interne essentielle du capitalisme, contradiction qui oppose exploitants et exploités et qui, à l'heure actuelle comme par le passé, engendre de manière simultanée le développement d'une minorité et le sous-développement de la majorité. Loin d'avoir épargné le secteur de subsistance « isolé », « marginal », « non capitaliste » des sociétés prétendues « dualistes » cette contradiction du capitalisme a engendré et engendre encore le sous-développement de ce secteur d'une société capitaliste dialectiquement scindée, et cela en dépit de toutes les apparences archaïques, féodales et marginales de ce secteur. Parler aujourd'hui d'un « tiers monde » ou d'une « société dualiste » ne peut donner lieu qu'aux pires confusions.

La contradiction interne essentielle du capitalisme, celle qui oppose exploitants et exploités apparaît aussi bien *au sein* des nations qu'*entre* les nations. Et la structure impérialiste fondamentale qui en découle et qui détermine les rapports d'exploitation entre la métropole en cours de développement et la périphérie en voie de sous-développement se retrouve en partie au sein de chaque société, de chaque Etat national et même dans le cadre des régions et des secteurs. Dans chaque pays sous-développé, c'est la métropole qui, à l'heure actuelle comme par le passé, connaît le contact le plus étroit avec la métropole mondiale. En conséquence — et de manière simultanée — ces métropoles nationales avec, bien sûr, la métropole capitaliste mondiale entretiennent des rapports d'exploitation avec leurs périphéries provinciales respectives, rapports qui ne sont qu'une extension de la relation qui les unit à la métropole capitaliste mondiale. De même, aux niveaux de la région ou du secteur, les centres commerciaux des provinces qui sont dans la position écono-

miquement désavantageuse d'une périphérie par rapport aux métropoles nationales et internationales, constituent à leur tour un centre
métropolitain d'exploitation par rapport à leurs *hinterlands* ruraux
respectifs. La métropole à chacun de ces niveaux est évidemment
intimement liée et dépendante des métropoles qui se situent à
des niveaux différents. Elles diffèrent quant à leurs rôles d'exploitation au sein du système capitaliste qui les rattache entre elles
à leurs périphéries en ce sens que la métropole centrale, avec
son *hinterland* mondial qui comprend les métropoles nationales et
régionales, connaît une dépendance dominante par rapport aux
autres, alors que les métropoles nationales et régionales sont liées
par une dépendance relativement moins dominante et plus dominée.
Dans la relation métropole-périphérie à chacun de ces niveaux
comme au niveau international qui les englobe tous, la métropole
puise du capital hors de la périphérie et utilise son pouvoir pour
maintenir la structure économique politique, sociale et culturelle
de la périphérie et des métropoles périphériques et, partant, pour
maintenir aussi longtemps que possible le système capitaliste impérialiste qui permet une telle exploitation. Ainsi, la contradiction
interne fondamentale du système capitaliste dans son ensemble, alors
qu'elle permet le développement relatif d'une minorité, engendre
le sous-développement de la majorité, aux niveaux international,
national, régional, sectoriel et local. Par conséquent, et quel que
soit le niveau que l'on considère, la seule manière d'échapper à
ce sous-développement est constituée par la voie socialiste qui mène
hors de la structure capitaliste qui, obligatoirement, engendre et
maintient ce sous-développement. Il n'existe ni société dualiste ni
troisième voie.

L'analyse de Pierre Jalée excluant l'existence d'un « tiers monde »
étant également valable en ce qui concerne la « société dualiste »,
ses conclusions qui limitent les alternatives politiques à celles du
capitalisme et du socialisme demeurent applicables à la nécessité
politique d'échapper du capitalisme et du sous-développement vers
le socialisme et le développement. Au même titre que la notion
de « tiers monde », la thèse de la « société dualiste » qui affirme
implicitement ou explicitement l'existence de plusieurs secteurs qui
se déterminent de manière indépendante au sein d'une société
unique (qui est en fait de nature unitaire/contradictoire), a pour
effet, consciemment ou inconsciemment, d'attaquer, de réviser,
d'adapter, de réformer l' « universalité de la doctrine marxiste et
l'unité de la lutte révolutionnaire sur le plan mondial ». Bien que
— ainsi que Jalée le suggère — Frantz Fanon ait pu commettre
une erreur d'ordre terminologique en utilisant le terme de « tiers
monde », il n'est certainement pas tombé dans le piège insidieux
de la « société dualiste » et il n'a certainement pas eu d'illusions
en ce qui concerne la possibilité d'une « troisième voie ». Au
contraire, de manière sans doute plus poussée qu'aucun de ses
contemporains, Fanon a reconnu, étudié minutieusement et souligné

le caractère approfondi et total de la pénétration coloniale du capitalisme dans le cœur et dans l'esprit des pays sous-développés qu'il a corrompus. Et Fanon n'a pas manqué de dénoncer avec la plus grande vigueur toute tentative visant à faire confiance à une bourgeoisie nationale dans la poursuite d'une troisième voie hors du sous-développement colonial impérialiste, tentative qui ne pourrait que corrompre encore plus la société et aboutir à un échec désastreux. En vérité, la bourgeoisie nationale (là où elle existe vraiment), la métropole nationale tout entière et le système capitaliste dont elle profite sont intégrés nécessairement de manière tellement inextricable dans le système impérialiste et la relation d'exploitation métropole-périphérie qui s'impose à elle que cette bourgeoisie ne peut espérer s'en évader et que son action ne peut qu'étendre et aggraver le sous-développement résultant.

Frantz Fanon a affirmé de manière très explicite dans *Les Damnés de la terre* que la phase dominée par la bourgeoisie nationale est inutile dans l'histoire des pays sous-développés et qu'à partir du moment où cette bourgeoisie a été dévorée par ses propres contradictions il sera nécessaire de repartir à zéro. Il est possible de penser qu'en fait Fanon lui-même a commis sur ce point une erreur importante : comme il n'est jamais possible de remonter le cours de l'histoire, il ne sera pas possible de repartir au zéro qui marque le départ de la petite bourgeoisie. Au contraire, bien que la bourgeoisie nationale, jointe aux forces populaires, peut encore en certains lieux participer à certaines formes de libération, la masse de l'expérience historique, les propres travaux de Fanon et la véritable analyse marxiste nous montrent que l'action actuelle de cette bourgeoisie « nationale » renforce obligatoirement les liens de ces pays avec l'impérialisme au lieu de les affaiblir, favorise un sous-développement structural plus profond et a ainsi pour effet d'accroître le coût final de la libération — ou pour reprendre l'image de Fanon, de placer le pays sous-développé à un point *inférieur* au zéro, en attendant que soit possible une véritable libération nationale. Par conséquent, dans les pays sous-développés, cette phase bourgeoise-nationale doit être éliminée quand cela est possible et, pour le moins, elle doit être abrégée plutôt que prolongée au nom de la survivance d'une « société dualiste » ou de l'existence d'une « troisième voie ».

L'expérience la plus négative en matière de sous-développement engendré par ces bourgeoisies et ces économies « nationales » dominées par l'impérialisme est celle de l'Amérique latine qui a été exploitée et maintenue en état de sous-développement depuis des dizaines d'années, sinon depuis un siècle et demi. Tout aussi négative est l'expérience de la quasi-totalité des partis communistes d'Amérique latine qui, armés entre autres de la thèse de la société dualiste sinon de la notion de tiers monde, se sont livrés presque constamment au soutien total et inconditionnel de ces bourgeoisies nationales au nom d'une poursuite mythique — Fanon dirait caricaturale — de la révolution bourgeoise dans la société dualiste de chacun de leurs pays sinon dans le cadre de l'indépendance du tiers monde à l'égard de l'impérialisme. Est-il besoin de préciser que cette politique s'est toujours soldée par un échec total et souvent désastreux. (Voir par exemple « L'échec de la voie pacifique au Chili », *Révolution,* vol. 1, n° 8.) Le parti communiste brésilien qui soutint le président Goulart de manière bien plus fervente et loyale — et qui est moins désireux d'organiser les masses en vue de leur libération — que certains groupes politiques ou économiques de la bourgeoisie, subit à présent avec le reste des Brésiliens la répression politique issue du récent coup d'Etat militaire dont la facile victoire a été l'inévitable produit de la politique erronée et désastreuse suivie — entre autres — par le parti communiste brésilien. Et ce parti, comme les autres partis communistes d'Amérique latine, s'est récemment mis à la tête de ceux qui vocifèrent contre les « scissionistes » dont les partis cherchent, en se fondant sur le marxisme-léninisme, à faire avancer cette lutte révolutionnaire contre le capitalisme dans les pays sous-développés, lutte qui, si elle ne peut amener à la libération du jour au lendemain, ouvrira la voie à la seule victoire possible sur le sous-développement.

14

Le développement des latifundia
en Amérique latine

I. — A propos du féodalisme.

Nous invitons le lecteur à considérer le problème ci-dessous et à réfléchir aux implications de la solution que nous proposons par rapport à la problématique latino-américaine. Il s'agit d'unir les neuf points de ce schéma par une ligne continue formée de quatre — ou plutôt de cinq — segments :

Le lecteur se rend vite compte qu'il n'arrive pas à résoudre le problème en restant à l'intérieur du carré que les neuf points semblent lui imposer. La solution est pourtant simple : il faut sortir de ce cadre limité de la manière suivante :

De même, une approche susceptible de résoudre le problème latino-américain se doit de prendre comme point de départ le système mondial qui en est à l'origine, et de vaincre l'illusion d'optique qui semble nous imposer le cadre latino-américain ou national.

C'est ainsi que nous comptons procéder pour répondre au défi et à l'avertissement lancés par Rodolfo Puiggros qui déclare qu'il ne faut pas « se tromper sur les origines du rachitisme capitaliste actuel et les possibilités de passer à un stade supérieur », en terminant son exposé sur le féodalisme, dans le cadre d'un examen des différents modes de production latino-américains. Nous souhaitons répondre également à Roger Bartra qui, dans son étude sur les sociétés précapitalistes, nous fait l'honneur de nous situer à « gauche » avant de nous exclure en nous associant à d'autres auteurs chez lesquels « nous ne trouvons pas de compréhension — dialectiquement dualiste — de la réalité,» et dans les œuvres desquels « se dissimulent les vieilles thèses » bourgeoises.

Puiggros repose la question « du mode de production » mis en place par la colonisation espagnole en Amérique. Etait-il capitaliste ? Etait-il féodal ? Ou autre chose encore ? « Le sens commun — et ce indépendamment de toute science — refuse d'admettre que les Espagnols débarquaient sur notre continent comme des bourgeois pour organiser des sociétés capitalistes. » Il nous semble juste de dire que le sens commun refuse d'admettre qu'il s'agissait de féodaux venus organiser des sociétés féodales et disposant en Espagne de moyens et d'intérêts économiques suffisants pour financer une entreprise extrêmement coûteuse d'exploitations féodales — c'est-à-dire d'économies fermées — sur le Nouveau Monde.

D'ailleurs, le sens commun aussi bien que M. Puiggros refusent d'admettre une telle vue de l'esprit puisque celui-ci nous dit lui-même : « C'est la bourgeoisie commerciale des villes manufacturières d'Espagne et d'Italie qui découvrit l'Amérique [...] et non point les seigneurs de Castille ou le féodalisme. Leur opposition à l'entreprise de Colomb est bien connue. »

Dans son argumentation, Puiggros maintient que « ce qui importe, c'est de voir si les modes de production de l'époque coloniale réunissent — de manière générale et non pas occasionnelle — les caractéristiques suivantes [suit une énumération sur laquelle nous reviendrons]... Etant donné qu'il est possible de découvrir de telles caractéristiques, nous nous demandons quels sont les arguments de ceux qui déclarent que nos pays sont capitalistes depuis leur origine ». Pour répondre à Puiggros, nous qui considérons que l'Amérique latine est capitaliste non seulement depuis son origine mais aussi depuis sa conception elle-même, nous déclarons nous appuyer non pas tant sur des arguments que sur des faits, ce qui n'est certainement pas le cas de Puiggros. Quand nous acceptons de livrer bataille sur le terrain des sept « caractéristiques » choisies par Puiggros lui-même — et qui ne sont certainement pas celles que nous aurions nous-même sélectionnées —, nous constatons que notre honorable et féroce adversaire déclare forfait puisqu'il avoue quasiment n'avoir pas trouvé ses caractéristiques favorites, sans même nous dire pourquoi, ni où il les a recherchées, et moins encore ce qu'il a découvert à la place. Ainsi, nous nous voyons contraints d'examiner sans lui ces « caractéristiques ».

La première est constituée par « l'accumulation et le réinvestissement du capital », caractéristique qu'il considère comme fort importante, mais qu'il affirme ne pas déceler. En portant notre regard un peu au-delà du cadre étroit de l'Amérique latine, nous constatons en fait que cette caractéristique a bel et bien existé et à une grande échelle, sous la forme de l'accumulation de capital latino-américain et de son investissement en Europe.

« Deuxièmement, la production marchande élargie et non pas la production d'excédents par une économie de subsistance. » Il s'agit là précisément de la caractéristique qui a le plus marqué l'expansion mondiale du système mercantiliste de l'époque coloniale.

« Troisièmement, l'existence de capitalistes et d'ouvriers » ; existence qui a été constatée des deux côtés de l'Atlantique, et surtout avec des capitalistes européens utilisant le capital latino-américain. Nous pourrions continuer en examinant les quatre caractéristiques restantes, et chaque lecteur pourrait en faire autant. Pour notre part, nous préférons quitter ce terrain de lutte choisi — mais non honoré — par notre adversaire et, nous appuyant toujours sur les faits, partir à sa recherche.

Anecdotes et faits.

Pour Puiggros, donner quelque « importance à l'exportation des métaux précieux et des produits tropicaux » constitue une « aberration académique [qui] n'a aucune valeur autre qu'anecdotique ». Les Espagnols et les autres Européens n'ont sûrement pas partagé cette opinion. Tout en parlant par anecdotes, ils n'ont jamais cessé de dire la vérité : c'est le cas pour l'explorateur Christophe Colomb qui déclara que « l'or est ce qu'il y a de meilleur au monde [...] il sert même à envoyer des âmes au paradis » ; c'est aussi le cas pour le conquérant Cortes qui, en arrivant sur nos terres, informa un indigène que « nous, les Espagnols, souffrons d'une maladie du cœur pour laquelle il n'existe qu'un seul remède : l'or » ; c'est encore le cas pour les frères franciscains et l'évêque Mota y Escobar qui remarquaient que « là où il n'y a pas d'argent, l'Evangile ne pénètre pas » et « là où il n'y a pas d'Indiens, il n'y a pas d'argent ». Bien que nous soyons d'accord avec les chroniqueurs coloniaux qui qualifièrent les mines de « nerf et substance vitale » de l'économie ibéro-américaine, nous n'insisterons pas plus ici, et nous préférons aborder un autre point, évoqué par Puiggros.

Puiggros maintient que « le commerce, et même un type déterminé d'investissements dans les mines, les manufactures et les entreprises coloniales ne [...] purent transformer le régime agraire ou provoquer un important degré d'accumulation interne de capital ». Nous voyons bien que tout le poids de l'argument repose sur les mots clefs « transformer » et « interne ». En fait, il est indéniable que d'importantes accumulations de capital ibéro-américain se produisirent, accumulations internes aussi bien par rapport aux entreprises que par rapport au système global européen. Comme l'ont reconnu les commerçants et hommes d'Etat mercantilistes de l'époque aussi bien que tous les économistes de Smith jusqu'à Marx, et comme le reconnaissent aujourd'hui ceux qui n'ont pas perdu tout contact avec la réalité historique passée et présente, ce sont justement ces « accumulations » aussi bien que les autres formes d'accumulation primitive liées au capital extrait des mines, des plantations, des *haciendas* et du commerce ibéro-américain et européen qui ont permis le développement capitaliste métropolitain qui a condamné les Latino-Américains et bien d'autres encore au rachitisme capitaliste du sous-développement.

Puiggros se demande également si cette réalité mercantiliste et capitaliste a « transformé le régime agraire » en Amérique latine. La réponse à cette question est simple : NON, elle ne l'a pas transformé, elle l'a *formé*. Puiggros lui-même, qui connaît bien son pays, nous parle « du capitalisme d'agriculture et d'élevage du littoral argentin... [qui] est le produit de la vente sur le marché et en premier lieu sur le marché extérieur ». Puiggros nous met également en garde : il convient de ne pas « commettre la sottise d'apprécier les modes de production de tout notre continent à partir d'un cas particulier ». Nous ne commettrons pas cette « sottise » et nous signalons seulement que le cas argentin, loin d'être particulier ou exceptionnel, a été — et continue d'être — la règle. L'agriculture sucrière du Brésil tout comme, à une époque antérieure, l'agriculture des îles de la Méditerranée et de l'Atlantique, ou celle des Caraïbes, de la Barbade, de Sainte-Dominique (Haïti et Saint-Domingue), de Cuba et d'autres lieux « a été créée en fonction de la vente sur le marché et, en, premier lieu, sur le marché extérieur ». Sergio Sepulveda remarque dans *El trigo chileno en el mercado mundial* (« Le Blé chilien sur le marché mondial ») que « le caractère de l'économie coloniale chilienne [était] essentiellement celui d'une économie d'exportation et non pas seulement de subsistance, comme on l'a affirmé quelquefois. Il s'agit là d'un caractère que l'on retrouve de manière générale dans l'économie coloniale de divers pays ».

Mario Gongora le confirme dans *El origen de los « inquilinos » de Chile central* (L'Origine des tenanciers du Chili central) : « Au xviii⁰ siècle, il se produisit un tournant capital, provoqué par le commerce du blé avec le Pérou, qui amena une organisation plus poussée de *l'hacienda* et une valorisation de la terre depuis l'Aconcagua jusqu'à Colchagua, qui constituent des régions exportatrices. Il apparaît une tendance à la location des terres, le paiement de l'impôt prenant une certaine importance [...] cette tendance provoquant une dépendance accrue des tenanciers et une aggravation de leurs obligations [...] La grande *hacienda* rejette son besoin de main-d'œuvre sur les tenanciers (*arrendatarios*) [...] le terme *arrendatio*, qui sert également à désigner des hommes de condition moyenne ou élevée, tombe en désuétude et le terme *inquilino,* lui, prend un sens spécial. En bref, il semble donc que les tenures rurales de types *inquilinaje* ou *péonaje* n'ont rien à voir avec l'*encomienda* ou les institutions de la conquête. Ces exploitations sont issues de la seconde période de l'histoire coloniale, dans laquelle les propriétaires fonciers se situent dans la classe supérieure et où les Espagnols pauvres et les divers types de métis se situent parmi les classes inférieures [...] La stratification s'accentue au cours des xviiie et xixe siècles, et avec elle s'aggravent les obligations des tenanciers [...] le tenancier deviendra progressivement [au cours du xviiie siècle] un travailleur de plus en plus dépendant [...] selon une tendance à la prolétarisation qui ira en s'accentuant au cours du xixe siècle. »

II. — Le marché engendre l'hacienda mexicaine.

Il apparaît ainsi, à la suite d'un examen de la réalité, que le caractère particulier de l'argumentation de Puiggros se transforme en caractère général. Le Mexique (ou le Pérou) feront-ils exception à cette règle générale ? Puiggros nous laisse penser que la réponse à cette question sera affirmative. Une autre réponse nous est donnée par l'observateur le plus objectif de la période coloniale, le géographe allemand Humboldt dans un célèbre essai politique sur la Nouvelle-Espagne : « Les voyages effectués sur les hauteurs des Andes ou dans la partie montagneuse du Mexique offrent les exemples les plus évidents de l'influence bénéfique des mines sur l'agriculture. Sans les établissements constitués pour servir les mines, combien de sites ne seraient-ils pas restés déserts ! Que de terres ne se seraient pas ouvertes à l'agriculture dans les quatre intendances de Guanajuato, Zacatecas, San Luis Potosi et Durango ! La découverte d'un gisement riche entraîne immédiatement la fondation d'une ville [...] Des *haciendas* s'installent aux alentours des mines ; le manque de vivres et les prix considérablement élevés auxquels la concurrence des *compradores* maintient tous les produits, indemnisent le cultivateur des privations qu'il endure du fait de la vie pénible dans les montagnes. Ainsi, ce n'est que par l'attrait du profit [...] qu'une mine [...] s'unit en peu de temps à des terres déjà cultivées depuis fort longtemps » et forme ainsi le latifundium. Il en est ainsi au Mexique, de même que dans l'Argentine de Puiggros ou le Chili de Gongora ; comme le dit ce dernier, « les tendances rurales [de l'*hacienda*] n'ont rien à voir avec l'*encomienda* ni avec les institutions de la conquête. Elles proviennent de la seconde période de l'histoire coloniale ». En fait, les historiens mexicains bien connus, Silvio Zavala et José Miranda, ont rejeté depuis longtemps l'ancienne thèse erronée selon laquelle l'origine de l'*hacienda* se trouve dans l'*encomienda* ou même dans la personne du « commissionnaire » de l'*encomienda*.

L'*hacienda* s'est constituée et s'est développée, comme le dit Humboldt, stimulée par « l'attrait du profit ». « *Hacienda* », dans le castillan de Cervantes, signifie « capital » et aujourd'hui le terme conserve essentiellement la même signification dans les *Ministerios de Hacienda* [1]. Toutefois, quand on commence à investir du capital dans des domaines ruraux et des affaires agricoles, le mot « *hacienda* » acquiert le sens de « latifundium ». En Nouvelle-Espagne, ce placement de capital a commencé, comme le signale Humboldt et comme le confirme François Chevalier dans son ouvrage déjà classique *La formacion de los grandes latifundios en Mexico* (« La formation des grands latifundia au Mexique »), quand, au XVIᵉ siècle, se sont ouvertes les mines et se sont construites les villes, phénomènes qui provoquaient une forte demande de blé, de bétail, de sucre, de bois à brûler et d'autres produits. Comme l'indique Chevalier, « l'exploitation des mines d'argent se trouvait étroitement liée à la naissance et au développement des grandes *haciendas* rurales du Nord ». La production minière atteignit son apogée durant la période de 1591-1600 et connut un lent déclin jusqu'en 1630. A partir de cette date et jusqu'en 1660, le mouvement de recul s'accentua avant de s'arrêter et de s'inverser à nouveau, de sorte que dans les dernières années du XVIIᵉ siècle la production minière avait retrouvé le niveau qui était le sien un siècle auparavant. « Cette époque de décadence minière — dit Chevalier — fut sans doute celle au cours de laquelle l'*hacienda* se replia sur elle-même. » Ce fut l'époque que le Nord-Américain Woodrow Borah qualifie de « siècle de dépression ». D'un autre côté, les faits mis à jour par les deux historiens précités indiquent que ce fut également l'époque où l'hacienda latifundiste mexicaine se développa et se « consolida », dans la mesure où elle était l'objet d'un investissement de capitaux toujours accru provenant des milieux commerçants et miniers : « De nombreux commerçants sont parvenus à devenir propriétaires de terres, car l'achat foncier représentait pour eux un investissement sûr », déclare Chevalier qui se demande également « dans quelle mesure des capitaux ne furent-ils pas retirés des mines comme celles de Pachuca et de Taxco pour servir à l'exploitation rurale dans la zone du Centre ». Au Mexique, l'investissement foncier d'origine commerciale et la formation de grands latifundios « féodaux » ne furent pas seulement une opération sûre,

---

1. Ministères des Finances en Amérique latine. (N.d.T.)

mais aussi extrêmement rentable ; et le transfert de capitaux des mines « capitalistes » vers les *haciendas* « féodales » (mais baptisées d'un synonyme de « capital ») constitua un phénomène qui, indépendamment de son ampleur, était parfaitement logique. Chevalier en donne une raison quand il note que « le but essentiel était de monopoliser toutes les sources de revenus, la mine comme la terre, afin d'empêcher les autres de les utiliser pour rester indépendants ou devenir des rivaux ». Nous pensons toutefois que, derrière ce même processus de monopolisation et d'investissement dans les *haciendas* « féodales », il se trouvait une motivation plus fondamentale encore : celle de réaliser des profits importants. Tandis que la rentabilité des mines baissait, en termes relatifs comme en termes absolus, à la suite d'une hausse des coûts de production et des impôts, et d'une dévaluation du produit même de ces mines (l'argent), la rentabilité de l'agriculture s'élevait, par rapport à l'industrie extractive aussi bien que dans l'absolu. Ce phénomène était causé par un accroissement de la population et par une demande urbaine plus importante — malgré le déclin accéléré de la production indigène et de la population — qui donnaient lieu à une inquiétante pénurie de vivres et à une forte inflation. Toutes les tentatives gouvernementales — limitation des prix, surveillance des marchés et des commerçants, entreposages et autres mesures antispéculatives de type CONASUPO — furent incapables de freiner ces phénomènes. Il apparaît ainsi que l'*hacienda* « féodale » du Mexique, avec les modes de production et les rapports de travail qui s'y sont développés, au même titre que le latifundium à blé chilien, le latifundium à sucre, à cacao, etc., du Brésil, des Antilles, du Venezuela, etc., ou que le latifundium d'élevage argentin, se sont développés et se sont consolidés à partir du moment où les profits agricoles élevés furent possibles, à la suite d'une augmentation des prix et de la demande, d'une amélioration des voies de communication et des techniques, du déclin d'un secteur concurrentiel, ou de l'ensemble réuni de ces facteurs. L'ensemble du phénomène était rendu possible grâce à l'existence d'une main-d'œuvre disponible et assez bon marché pour permettre aux entreprises de maintenir leurs profits et pour faciliter l'accumulation de capital, quel que soit le caractère « accapareur » des commerçants. Nous pensons que la recherche historique établira que les prétendus latifundia féodaux — qui, à certaines époques et en certains lieux, se sont trouvés relativement isolés et plongés dans une prétendue économie d'autosubsistance — n'ont pu se former en tant que tels, mais constituent au contraire le produit d'un développement commercial antérieur qui, en pleine décadence, n'a pu qu'abandonner à elles-mêmes des régions comme le Nord-Est brésilien, les hautes régions du Pérou et le Centre mexicain.

S'il en fut ainsi depuis la Conquête qui a établi le « féodalisme » agraire ibéro-américain jusqu'à la seconde moitié du XIXe siècle, cet état de choses aurait-il donc disparu au cours du siècle dernier, et en dépit des premières tentatives libérales ? En ce qui concerne son époque, Laura Viadas, le directeur général de *Agricultura,* un porfirien « scientifique » bien connu nous apporte un élément de réponse : « L'agriculture est avant tout et par-dessus tout une entreprise *(negocio)* et, comme dans toute affaire, c'est la quantité et la sécurité des profits qu'elle apporte qui déterminent le caractère des entrepreneurs.

« La subsistance des grandes propriétés rurales constitue la conséquence logique de l'état d'évolution que connaît l'agriculture dans notre pays. En dépit des projets les plus fermes et les mieux intentionnés, les grandes propriétés se maintiendront, comme elles l'ont fait jusqu'ici, tant que l'on ne sera pas parvenu à abattre les obstacles qui retardent notre progrès agraire. La grande agriculture s'impose et exclut la petite agriculture familiale en s'emparant de ses terres, fortement attirée en cela par les avantages économiques qui résultent des facteurs suivants :

1) Par le prix élevé qu'atteignent les articles de première nécessité [...] La chèreté des produits donne lieu, *primo,* à un gros bénéfice pour les cultivateurs et, *secundo,* à une hausse importante de la valeur des terrains cultivables, ce qui les met à la portée des seuls entrepreneurs capitalistes.

2) Par le prix élevé de la main-d'œuvre qui réduit relativement, si ce n'est dans l'absolu, le coût de production et qui détermine l'effet indiqué précédemment, à savoir une augmentation du bénéfice agricole... »

Ce rapport sur l'agriculture et l'économie « féodales » porfiriennes, dans lesquelles les Nord-Américains se sont emparés du septième du territoire national, sans parler des mines, des industries et du commerce, fut présenté en 1911 au gouvernement de Madero pour que celui-ci et les générations futures de Mexicains sachent « abattre les obstacles qui retardent notre progrès agraire » et qui « se maintiendraient, comme ils l'ont fait jusqu'ici, en dépit des projets les plus fermes et les mieux intentionnés... » Nous laissons le lecteur juger de lui-même à quel point la « révolution antiféodale » et « anti-impérialiste » du Mexique, ainsi que la « réforme agraire bourgeoise » à laquelle elle a donné lieu, ne sont guère allées au-delà de « fermes projets » et de « bonnes intentions » pour abattre les véritables et déjà très anciens obstacles. Est-il dans ces conditions possible de qualifier le « néo-latifundisme » du Nord du terme de « néo-féodalisme » ?

217

III. — Capitalisme sous-développé et sous-développement capitaliste.

Comment nous expliquer, dans ces conditions, le rachitisme capitaliste et le sous-développement actuels de l'Amérique latine ? Il ne s'agit pas de le faire en termes de survivance féodale cherchant à s'améliorer par le développement capitaliste, mais plutôt en termes de produit historique continu issu du développement capitaliste lui-même, c'est-à-dire d'un système mondial unique qui, comme l'indique Roger Bartra, « constitue une société dialectiquement dualiste comprenant des parties différentes, mais non séparées, l'une étant exploitée par l'autre », de sorte que le développement capitaliste engendre également le développement du sous-développement — pour reprendre l'expression du « scientifique » porfirien. Nous voyons un système d'abord mercantiliste, puis capitaliste, qui a englobé le monde entier et dont la structure « colonialiste » et le développement inégal ont formé — et non réformé comme le voudrait Puiggros — les modes de production et les modes de vie en Amérique latine et dans les autres parties du monde désormais sous-développé.

La structure colonialiste de ce système a été, est, et sera toujours extrêmement et fondamentalement monopoliste. Le monopole conduit à son tour au développement du monopoleur et au sous-développement du monopolisé, alors même qu'il gaspille inutilement une grande partie de ses ressources productives ou de son surplus économique qui pourrait « théoriquement » servir à un développement plus important du monopoleur et du monopolisé.

L'essence de cette structure monopolistique métropole-satellite n'a pas changé avec l'indépendance et elle continue à ce jour d'exister, étant donné que dans les nouveaux Etats latino-américains, les Créoles n'ont pour ainsi dire pas remplacé, structuralement parlant, les Espagnols et les Portugais, ayant été à leur tour rapidement satellisés par l'Angleterre d'abord, par les Etats-Unis ensuite. Les « scientifiques » se sont convertis en représentants et associés mineurs de l'impérialisme nord-américain durant la période porfirienne du Mexique, le même phénomène se produisant également dans les autres pays ibéro-américains. Nous ne voulons pas dire par là que le système est resté statique durant quatre siècles. Au contraire, le développement historique de ce système mondial a engendré le développement de la métropole « métropolisante » et le sous-développement des satellites monopolisés. Evidemment, le développement des métropoles nationales ibéro-américaines n'a, à aucun moment, constitué un développement capitaliste « classique » semblable à celui de la métropole mondiale, étant donné que celle-ci n'est le satellite d'aucune structure, alors que les métropoles nationales des pays actuellement sous-développés sont elles-mêmes des satellites. Le fait d'être un satellite à l'intérieur du système capitaliste mondial impose certainement des limites au développement des économies et des bourgeoisies nationales d'Amérique latine, et condamne leurs métropoles à un développement sous-développé et leurs satellites internes à un sous-développement total.

Un grand nombre de ceux qui veulent se fonder sur la pensée de Marx pour expliquer le rachitisme capitaliste et nous indiquer la voie à suivre pour parvenir à un ordre supérieur, voudraient nous convaincre que ce rachitisme est imputable au féodalisme et que la voie à suivre passe par le capitalisme. Ceux qui n'arrivent même plus à se convaincre eux-mêmes par le moyen de cette thèse du féodalisme viennent à présent exhumer la vieille typologie marxiste du « mode de production asiatique ». Toutefois, comme nous le verrons par la suite, l' « idée asiatique » rénovée, tout comme la vieille histoire « féodale », ne sert qu'à voiler le fait capitaliste et ses inévitables implications politiques.

IV. — Colonialisme, classes et stade supérieur.

Abordons à présent le second problème que pose Puiggros et qui semble constituer la véritable préoccupation de Roger Bartra et d'Ettore di Robbio (dans leur essai sur les modes de production précapitalistes), à savoir, « les possibilités qui existent de passer à un stade social supérieur » pour l'Amérique latine. Roger Bartra nous attribue à juste titre l'approche « colonialiste » utilisée précédemment et nous cite à ce propos. Toutefois, et à la différence de certains, notre utilisation de cette approche ne vise pas tant à souligner le colonialisme interne ou externe qu'à étudier, à travers sa structure coloniale monopoliste, la nature et le développement du système capitaliste mondial saisi dans son ensemble. Ainsi pourrons-nous mieux comprendre (et transformer) la nature et le développement du sous-développement en Amérique latine. C'est justement pour cela que nous essayons de procéder de manière dialectique. Notre approche métropole-satellite ou « colonialiste » n'est pas simplement « dualiste », à moins que ne le soient également celles de Marx et de Bartra, par le simple fait d'évoquer l'existence de deux classes. L'approche fondée sur la structure coloniale n'est pas moins dialectique qu'une approche fondée sur la structure de classes, dans la mesure où elle se réfère à la relation qui définit et détermine ces classes.

Notre approche, contrairement à ce qu'affirme Bartra, ne cherche pas à remplacer la structure des classes et son étude par la structure coloniale et l'examen de cette structure. Nous sommes conscients du fait que suivre l'exemple de Pablo Gonzalez Casanova (qui maintient que « le colonialisme interne a une fonction explicative bien plus vaste que celle des classes sociales ») ne peut conduire qu'à l'affirmation de thèses bourgeoises déguisées dont le rôle est de défendre et de préserver la structure actuelle. C'est ainsi que procède Casanova dans ses conclusions sur la « démocratie au Mexique », comme d'ailleurs Rodolfo Stavenhagen dans la septième de ses « thèses erronées sur l'Amérique latine » où il nie la possibilité d'une alliance entre la classe ouvrière et la paysannerie. Ces conclusions sont complètement inacceptables pour nous dans la mesure où elles n'ont pas la vigueur scientifique que l'approche « colonialiste » prétend leur donner. Ainsi nous ne pouvons pas accepter non plus que Bartra use de notre nom, de notre travail et de nos citations en nous associant à de tels procédés et à de telles conclusions. D'ailleurs, à l'occasion d'une table ronde sur le livre de Gonzalez Casanova, nous avons signalé dans notre intervention (qui sera publiée très prochainement dans la revue *Historia y Sociedad*) que « la structure du colonialisme interne — et du colonialisme externe ou système impérialiste — ne se substitue pas à la structure de classes mais la complète. Donc, la thèse du colonialisme interne et externe du système capitaliste ne peut — comme Pablo Gonzalez Casanova essaye de nous le faire croire — constituer une alternative à la théorie des classes. Au contraire, l'examen d'une seule et unique structure métropole-satellite, autant internationale que nationale, met en relief la structure de classes dans laquelle la bourgeoisie se forme et se développe complètement ou incomplètement (selon qu'elle est dominante ou satellisée), se maintient économiquement à partir de l'exploitation des populations urbaines aussi bien que rurales et, partant, s'efforce sur le plan politique de préserver cette structure d'exploitation génératrice du sous-développement. »

La confusion entre la terminologie et la réalité.

Nous acceptons provisoirement la thèse — douteuse en soi — du « mode de production asiatique » précolombien et son maintien, durant les premiers temps de la Conquête par les Espagnols qui remplacèrent le pouvoir des Incas et des Aztèques par leur propre autorité despotique. La question surgit alors de savoir combien de temps le mode de production asiatique a duré au Pérou et au Mexique. Nous trouverons la réponse en examinant le schéma des contradictions existantes. Il apparaît ainsi une deuxième question qui nous semble encore plus importante et qui nous est posée par la typologie utilisée. Quelle a été la durée d'un tel ensemble despotico-communal au Mexique et au Pérou ? Les *communeros* (copropriétaires) ont été immédiatement intégrés dans un système dont le despote et le centre d'appropriation ne se trouvaient ni à Tenochtitlán ni à Mexico ni à Cuzco, ni à Lima, mais en Espagne.

La Nouvelle-Espagne n'a pas été le cadre despotico-communal d'un éventuel mode de production asiatique, l'Espagne non plus, l'empire espagnol lui-même ne jouant pas ce rôle ; c'est encore moins le cas pour l'ensemble du système mercantiliste qui comprenait l'Extrême-Orient (où était emmagasinée une partie de l'argent américain) et ce qui était plus important encore, l'Italie, la Hollande et l'Angleterre où le surplus produit par les *communeros* et transporté par les Espagnols fut employé sans bénéfice aucun pour les producteurs dont les ressources naturelles et humaines et les réalisations telles que les travaux d'irrigation furent rapidement et efficacement détruites. Certes, les Aztèques et les Incas avaient également été envahis et assujettis à d'autres peuples, ainsi d'ailleurs que les habitants du sous-continent hindou ; mais les envahisseurs s'étaient toujours gardés de tuer la poule aux œufs d'or. Il y a là une différence fondamentale en ce qui concerne la conversion du mode de production asiatique en mode de production capitaliste.

La substitution rapide de l'ancien mode de production par le nouveau système apparaît avec encore plus de clarté si nous suivons une autre approche consistant à nous poser la question de savoir qui s'est emparé de l'excédent économique. S'il est bien certain, comme on l'a suggéré quelquefois, que la propriété d'Etat aztèque tendait à se muer en propriété privée à l'intérieur même des institutions étatiques, c'est quand même l'arrivée des Espagnols qui a soudainement accéléré le processus. Même si le roi et son « Etat » espagnol se sont appropriés d'une partie du surplus au moyen du « cinquième royal » (*quinto real*), il ne fait aucun doute qu'à partir de la Conquête la forme dominante de l'appropriation s'est faite au moyen de l'expropriation des particuliers. Ce sont eux qui ont financé toute l'entreprise et ce sont eux qui ont touché les bénéfices, une bonne fraction de la part royale incluse ; ce sont eux qui ont passé des accords avec les banquiers génois, hollandais et allemands qui finançaient le roi d'Espagne et l'empereur allemand. Ainsi, il ne nous reste plus qu'à répondre à la question de savoir si la nouvelle appropriation privée fut féodale ou pas. Nous pensons que la réponse à cette question ne peut être que négative.

Nous espérons que le lecteur ne nous en voudra pas de conclure sur les observations d'un Mexicain qui a sans aucun doute connu son pays infiniment mieux que nous ne pourrions aspirer à le faire : « Nous voyons maintenant comment la répartition de la propriété a divisé la population en diverses classes qui composent l'Etat ; nous voyons également les rapports qu'elle a établis entre ces classes et les conséquences de ces rapports. Et cette étude, toujours indispensable quand on veut connaître la constitution d'un pays, est d'autant plus indispensable dans notre cas que nous avons commis l'erreur très grave de ne pas reconnaître que notre société a une physionomie qui lui est propre, qu'elle ne ressemble en rien aux sociétés européennes avec lesquelles nous établissons constamment des comparaisons, pour le seul fait d'emprunter les termes de leur organisation sociale alors que nous n'en possédons pas les parties constitutives [...] Quand on nous disait très sérieusement que notre pays comprenait une aristocratie, quand on nous exhortait à la " moderniser " et qu'on nous parlait de la noblesse et du clergé féodal d'Europe, on parlait pour ne rien dire ; on a lamentablement confondu les termes avec la réalité et une erreur d'ordre sémantique a trahi l'erreur politique ; mais la simple comparaison de ces classes avec les nôtres fait disparaître l'artifice... » Pour Mariano Otero, l'artifice avait déjà disparu au premier juin 1842 au moment où il écrivait ces lignes dans son *Ensayo sobre el verdadero estado de la cuestion social y politica que se agita en la Republica Mexicana* (« Essai sur la véritable nature de la question sociale et politique qui est débattue dans la République Mexicaine ») ; et il ajoutait, en refusant de commettre l'erreur politique qu'il avait lui-même signalée : « Nous avons donc besoin d'un changement général, qui doit se manifester en tout premier lieu au niveau des relations matérielles de la société. »

Supplément.

Au cours d'un débat sur le socialisme entre le marxiste nord-américain Paul Sweezy et Milton Friedman, qui fut le principal conseiller économique du sénateur Goldwater au cours de sa campagne présidentielle, Sweezy a déclaré : « Considérant l'expérience et la brillante renommée de mon adversaire en matière de débats, je prie le public de rechercher la vérité non pas dans la *forme* de l'argumentation où il me surpasse, mais dans le *contenu* de cette argumentation. » L'expérience me conduit évidemment à supplier le lecteur d'en faire autant à mon égard.

Ma faible expérience en matière de journalisme et de débats m'oblige déjà à éliminer parmi d'autres les phrases suivantes des épreuves de ma dernière intervention : « Nous prendrons garde de ne pas tomber dans l'erreur très répandue qui est selon Puiggros de confondre économie mercantiliste et capitalisme. Pourtant nous ne négligerons pas non plus, comme le fait M. Puiggros, les effets qu'a eus et que continue d'exercer le commerce aussi bien national qu'international, en engendrant et en déterminant les modes de production dans l'Amérique latine rachitique et sous-développée d'aujourd'hui, et dans la métropole actuelle, capitaliste et développée. »

Et c'est ainsi que j'ai procédé, bien que, selon les dires de M. Puiggros, j'ai à peine évoqué les modes de production ; et bien qu'il affirme dans son « dialogue de sourds » que je n'y consacre même pas une ligne, je m'efforce dans cet écrit d'étudier ces mêmes modes de production et de montrer comment ils se sont formés et de quelle manière ils ont été déterminés. Bien que M. Puiggros ne l'ait pas noté, nous avons vu comment et pourquoi les modes de production se sont formés et transformés « à l'intérieur » des *haciendas*, au gré des nécessités et des vicissitudes du marché et de ceux qui y avaient accès (principalement les propriétaires fonciers et les commerçants). L'historien Mario Gongora a montré le « comment » du phénomène en signalant que la demande des produits de la terre chilienne a transformé ses producteurs libres en *péones* « féodaux ». Le porfirien Lauro Viadas a expliqué le « pourquoi » de la chose avec une grande netteté et une remarquable clairvoyance en attribuant avec justesse l'état de l'agriculture de son époque et des époques précédentes au prix élevé de la terre et de ses produits et au prix très faible de la main-d'œuvre. Manquant de place, je n'ai pas signalé le « pourquoi » et le « comment » concernant les paysans dans le Morelos de Zapata qui ont loué et vendu leurs propres terres pour y travailler ensuite en tant que *péones* féodaux d'un fermier, au cours de chacune des périodes de prospérité sucrière, au xviiie et au xixe siècle et de nos jours encore.

Le fait que le marché se soit étendu à un cadre géographiquement plus vaste que l'*hacienda* et le mode de production de celle-ci n'implique pas que l'une est « interne » et l'autre « externe » à moins de ne retenir que le sens le plus mécanique ou même le plus métaphysique de chaque terme. La réalité dialectique de l'histoire passée et présente veut que les modes et, plus encore, les formes de production à l'intérieur de l'*hacienda* ainsi que le développement et les fluctuations au sein du marché soient des phénomènes intimement liés entre eux. Par conséquent, toute tentative visant à les isoler les uns des autres se trouve condamnée à l'échec. M. Puiggros ne subira certainement pas un tel sort car son intention est de partir de la question fondamentale. Comme le suggèrent aussi bien l'étude des modes de production que la solution du problème des neuf points exposés au début de cet article, la question est justement de connaître la dynamique interne déterminante de l'entité sociale en question afin de pouvoir la transformer.

Puisque M. Puiggros ne s'intéresse visiblement pas aux faits que je viens de signaler, et étant donné que je ne suis pas doué dans le maniement de la sophistication et du sophisme grec, j'aurai recours à l'aide de l'un de mes compatriotes dont M. Puiggros semble reconnaître l'autorité quand il enseigne la théorie économique et sociale du marxisme à l'UNAM (Université nationale autonome du Mexique). M. Puiggros demande « quel était le système mondial du xvie siècle qui a engendré nos sociétés ». Dans le livre i du *Capital,* le chercheur allemand auquel je faisais allusion répond : « L'histoire moderne du capital (isme) commence avec la création au xvie siècle d'un commerce mondial et d'un marché mondial. » M. Puiggros s'intéresse à ce qui « s'est produit à l'intérieur (des colonies comme le Brésil ou les Caraïbes), c'est-à-dire, (là où a prévalu) le mode de production esclavagiste ». Dans le livre II de l'*Histoire critique de la plus-value* du même théoricien dont M. Puiggros enseigne la pensée, nous lisons : « Dans la seconde classe des colonies — les plantations, qui constituent depuis le jour même de leur création des spéculations commerciales, des centres de production pour le marché mondial —, il existe un régime de production capitaliste, bien qu'encore seulement à l'état formel, puisque l'esclavage des Nègres exclut le libre travail salarié qui est le fondement même sur lequel repose la production capitaliste. Pourtant ce sont les capitalistes qui se livrent à la traite des Noirs. Le système de production qu'ils ont introduit n'a pas l'esclavage pour origine, mais ils s'y inscrit. Dans ce cas, le capitaliste et le propriétaire foncier sont une seule et même personne. »

En ce qui concerne la servitude qui semble préoccuper M. Puiggros mais qu'il n'explique pas, le collaborateur de son maître, Engels, a noté dans *Die Mark*, qu'à partir du XVᵉ siècle les seigneurs ont converti les paysans libres d'Europe occidentale en serfs et que « l'ère capitaliste à la campagne débute par une période d'agriculture à grande échelle fondée sur le travail des serfs », et qu'en Europe orientale où étaient également apparus des paysans relativement libres, le second asservissement des paysans a été provoqué par le — et s'est renforcé parallèlement au — développement d'un marché d'exportation de produits agricoles.

En revanche, en confondant formes de production avec mode et système de production et en associant rémunération en nature et féodalisme, et salaire monétaire et capitalisme, comme semble le faire M. Puiggros, on en viendrait à dire que les mines et les commerces qui les entourent étaient et sont encore féodaux mais que le capitalisme est apparu en Amérique latine (pour disparaître de nouveau) quand, en 1532, on transforma le tribut ou impôt indigène ; en effet, « il semble à présent que dans certains villages de la Nouvelle-Espagne, les indigènes préfèrent détenir du maïs et des couvertures pour se livrer au commerce ; ainsi ils donnent l'or de meilleur gré dans la mesure où leurs échanges leur procurent de quoi payer le tribut et pourvoir à leur subsistance ». Le capitalisme serait également apparu en 1784 au moment où le *Visitador* Galvez se plaignait de « l'abus qui consiste à introduire une rémunération coutumière en argent pour payer les journaliers des *haciendas* [...] il n'est pas juste de [...] frustrer un pauvre travailleur d'une grande part de la rémunération de son travail en le payant avec des *reales* (argent) qui valent peut-être la moitié ou à peine plus d'une rémunération en nature ; il s'agit ainsi de réaliser des bénéfices sur les produits de la terre vendus au prix que leur confère leur rareté ». Enfin, le capitalisme serait peut-être apparu de nos jours quand, l'inflation se développant en Amérique latine, les propriétaires fonciers rémunèrent de plus en plus leurs *péones* en argent dévalorisé mais « capitaliste », au lieu de les payer en produits « féodaux » qui ont de la valeur.

Dans son introduction à l'édition anglaise de *Formas de Marx* dont la publication partielle dans *El Gallo Illustrado* a déclenché l'ensemble de ce débat, Eric Hobsawm rappelle que : « La distinction entre les modes de production qui sont caractérisés par certains rapports et les " formes " de ces rapports qui peuvent exister à des époques et dans des situations socio-économiques différentes, est déjà implicite dans la pensée marxiste antérieure. » Aussi il n'y a pas lieu de s'étonner de ce que certains marxistes ou certains modestes chercheurs qui se consacrent au sous-développement, comme celui qui écrit ces lignes, n'aient pas de mal à reconnaître cet aspect de la réalité quand elle se présente en Amérique latine, même si d'autres théoriciens du marxisme refusent de percevoir cette réalité et d'agir pour la transformer.

15

Structure économique rurale
et pouvoir politique paysan [1]

José Carlos Mariategui nous a donné, il y a de cela quarante ans, une appréciation fort pertinente sur l'approche du « développement communautaire » en parlant du Pérou :

« Toutes les thèses sur le problème indigène qui ignorent ou éludent son caractère essentiel de problème socio-économique sont autant de stériles exercices théoriques [...] condamnés au discrédit le plus absolu. La bonne foi de quelques-unes ne les condamne pas moins [...] La question indigène découle de notre économie. Elle a ses racines dans le régime de propriété de la terre. Toute tentative de la résoudre par des mesures administratives ou policières, par des méthodes pédagogiques ou des travaux de voirie, doit être considérée comme superficielle ou secondaire tant que subsiste la féodalité des *gamonales* [2] ».

Ces limitations inhérentes caractérisent encore à l'heure actuelle la plupart des programmes de développement communautaire en

---

1. Cet essai constitue une version légèrement revue d'un rapport présenté par l'auteur devant le Séminaire de développement communautaire en Amérique du Sud, tenu par la Commission économique des Nations unies pour l'Amérique latine à Santiago du Chili en juin 1964. Cette institution en a autorisé la publication par l'auteur, étant entendu qu'il n'est pas nécessairement représentatif des vues qui sont celles des Nations unies.

2. José Carlos Mariategui, *Sept essais d'interprétation de la réalité péruvienne*, François Maspero, Paris, 1968, p. 50.

milieu rural et appellent une nouvelle approche du développement communautaire et de la *participación popular* (participation populaire) dont le but en Amérique latine n'est pas tant de transformer les caractères physiques ou culturels des communautés que de modifier les rapports des hommes entre eux.

Les Nations unies viennent de confirmer les prévisions de Mariategui dans une étude faisant le point des récentes expériences de développement communautaire en Asie et en Extrême-Orient : la contribution de celui-ci à l'expansion de la production agricole « n'est pas particulièrement importante » [3] ; à l'artisanat villageois, elle est « loin d'être remarquable » [4] ; à la formation de capital, elle est « partout assez réduite dans son étendue globale » [5] ; et, concernant l'utilisation du travail excédentaire, cette contribution « n'est guère impressionnante » [6].

Les programmes de développement communautaire comprennent trois options principales, fondées sur autant de postulats, qui les condamnent à l'échec. Leur champ se limite presque toujours à une communauté ou à un quartier d'habitation. Leur objectif déclaré est en général l'assimilation ou l'intégration des habitants de la communauté à l'économie et à la société nationales. Enfin, ils suivent une politique « attributionnelle ». Ils cherchent à assimiler les valeurs et les normes de comportement des membres de la communauté au schéma « national ». Les besoins en programmes de développement communautaire et les critères de succès de ces programmes sont évalués par rapport à des attributs culturels tels que l'utilisation de la langue officielle, les types d'aliments consommés, les vêtements, l'utilisation de chaussures, le degré d'instruction, la religion, l'importance accordée aux liens de parenté, etc. L'objectif économique et social de ces programmes est d'encourager la création et la diffusion de routes, de travaux d'irrigation, d'outillages, de semences, de crédit, de techniques, d'éducation, de services d'hygiène, etc. Les hypothèses qui sous-entendent ces options affirment que la petite communauté rurale constitue une unité sociale viable, qu'elle n'est pas encore pleinement intégrée dans l'économie et la société nationales et surtout qu'il existe une communauté d'intérêts entre les habitants de la communauté rurale. Ces hypothèses sont toutefois en totale contradiction avec la réalité et tout programme de développement communautaire qui en dérive se trouve condamné à l'échec.

En ce qui concerne la première de ces hypothèses, le rapport

---

3. « Community Development and Economic Development », 1re partie, *A study of the contribution of rural Community Development Programmes to National Economic Development in Asia and the Far East*, Bangkok, 1960, E/CN, 11/540, p. 33.
4. *Ibid.*, p. 37.
5. *Ibid.*, p. 51.
6. *Ibid.*, p. 166.

des Nations unies précédemment cité précise que « les problèmes de l'immigration, de l'électrification rurale, des transports et des communications se doivent généralement d'être envisagés au niveau de la région ou du district plutôt qu'à celui d'une seule communauté »[7].

Dans son ouvrage *Quiet crisis in India,* John Lewis consacre un chapitre entier à démontrer que la communauté ne dispose ni des ressources économiques et institutionnelles ni de la viabilité nécessaires pour servir de manière effective de noyau à un effort de développement participationniste. Il pense que la ville-marché provinciale — surtout si elle est plus industrialisée — combinée à son *hinterland* rural, constitue une unité sociale bien plus viable et plus susceptible d'offrir un cadre à de tels efforts de développement et de participation[8].

Le second postulat est erroné en ce qui concerne l'Amérique latine ; en effet, dans les régions de hautes terres occidentales qui comprennent encore une importante portion de population indigène, la Conquête a en fait déjà intégré l'ensemble des habitants dans une économie nationale et internationale. Si ceux-ci n'ont pas été directement utilisés et exploités en tant qu'ouvriers des entreprises minières ou agricoles, ils se sont quand même trouvés indirectement intégrés à cette même structure en étant de plus en plus — et de nos jours encore — dépossédés de leurs terres fertiles et contraints de se retirer dans des économies de « subsistance » et des communautés « ethniques » corporatives où ils ont cherché à préserver un minimum de pouvoir économique et de dignité humaine[9]. Les populations des basses terres, les premières à subir l'impact de l'expansion coloniale européenne ont été évidemment d'emblée pleinement intégrées à la société. Le fait que certains secteurs de la population se trouvent réduits à une position « marginale » par rapport au centre courant de l'activité économique parce que les fluctuations économiques mondiales, nationales, ou régionales ont affecté l'offre ou la demande de leurs productions de sucre, de cacao, d'or, d'argent, d'étain ou même de biens industriels, n'efface en aucune façon le fait qu'elles occupent des rôles économiques et sociaux pleinement intégrés à la structure de la société qui les place de manière inévitable dans une telle situation. Cela signifie seulement que la population « marginale » n'est intégrée que d'une manière qui porte préjudice à ses intérêts les plus fondamentaux. Le problème du développement n'est pas d' « assimiler » certaines couches de la population et de les « intégrer » à la société, mais de nouer des liens entre les personnes et de les intégrer à la

---

7. *Ibid.,* p. 59.

8. John Lewis, *Quiet crisis in India,* Washington Brookings Institution, 1962, ch. 7.

9. Pour une description et une analyse de ce processus voir par exemple Eric Wolf, *Sons of the Sahking Earth,* Chicago, 1960.

société d'une tout autre façon que celle qui est pratiquée à l'heure actuelle.

Enfin ce sont les Nations unies elles-mêmes qui dénoncent le caractère erroné de la troisième hypothèse selon laquelle la communauté rurale jouirait d'une communauté d'intérêts. Se référant à l'Asie, les Nations unies estiment que « les différences d'intérêts des diverses fractions de la population villageoise — fractions qui se définissent elles-mêmes comme telles — affectent fondamentalement leur désir de participer à tel ou tel projet de construction » [10]. Elles ajoutent que, « dans plusieurs pays où la terre est soumise au régime de la propriété privée, seule une fraction réduite d'éléments essentiels comme l'amélioration des sols et du travail ou comme la formation du capital agricole semble relever généralement d'un cadre communautaire. Par exemple, l'irrigation à faible échelle, le drainage, la maîtrise des inondations et le reboisement ne représentent essentiellement un intérêt direct que pour les propriétaires individuels ou les groupements de propriétaires » [11] ; d'un autre côté, « les paysans ne réalisent de plein gré que ce qu'ils considèrent comme représentant un avantage pour eux » [12]. Une mission des Nations unies chargée d'apprécier le développement communautaire en Inde constate les mêmes phénomènes [13] et ajoute « qu'évidemment il n'est pas facile d'établir une réelle communauté d'intérêts entre le débiteur et le créancier, ou entre le propriétaire foncier et le métayer qui ne touche que la moitié de la récolte bien qu'il assure la totalité du coût de production » [14].

En d'autres termes, la communauté est profondément déchirée par des conflits dans la mesure où elle est partie intégrante de la structure de classes du système capitaliste d'exploitation. Les causes véritables de la pauvreté et de la faible productivité ne se trouvent pas tant dans l'environnement ou dans les caractères physiques de la communauté que dans les rapports sociaux d'exploitation au sein de la communauté, d'une part, et entre la plupart de ses membres et les centres nationaux et internationaux du pouvoir politique et économique, d'autre part. S'il veut se donner quelque espoir de succès, un programme de développement communautaire doit donc commencer par mobiliser et aider les paysans afin que ceux-ci puissent affronter de manière plus efficace les propriétaires fonciers, les marchands et les autorités politico-militaires qui les exploitent et les oppressent. Cela implique la *participación popular*, non pas tant dans le procès de production que dans les mécanismes

---

10. Nations unies, *op. cit.*, p. 48.
11. *Ibid.*, p. 46.
12. *Ibid.*, p. 44.
13. *Naciones Unidas, Informe de una misión para evaluar el desarollo de la comunidad en India*, Santiago, junio de 1964, TAO/IND/31, Document de Référence n° 6, p. 26-7.
14. *Ibid.*, p. 45.

économiques et politiques. Il est toutefois évident qu'en fin de compte le développement communautaire ne peut se faire qu'à travers une transformation de la structure de classes de la communauté et de la société dans son ensemble. Mais cette transformation elle-même ne peut être effectuée qu'à travers une intensification initiale de la *participación popular* et du pouvoir paysan qui peuvent et doivent être mobilisés par l'intervention dans les rapports locaux immédiats qui affectent le plus les conditions de vie de la paysannerie.

En conséquence, cet essai cherche à identifier quelques-uns des rapports sociaux essentiels qui déterminent les conditions de vie de la paysannerie et à proposer certaines manières de renforcer le pouvoir de négociation des paysans dans le cadre de ces rapports. Ces propositions mettent l'accent sur les relations économiques et les moyens de renforcer le pouvoir de négociation à travers la *participación popular* et l'intervention publique, tout en reconnaissant évidemment que, dans une société de classes, ces moyens sont inséparables des rapports et de la lutte politiques — lutte armée comprise [15].

Lé pouvoir de négociation du paysan se trouve immédiatement limité par sa pénurie et son manque de terre, d'eau, d'installations de conservation, de moyens de transport, de capital et de crédit, de monopole commercial et d'autres types de privilèges institutionnels et de sources de pouvoir politique. Le pouvoir de négociation élevé de ses adversaires dans l'économie locale est fondé sur l'accès monopolistique à ces mêmes privilèges. Ainsi, au cours du processus de négociation, la signification économique et politique de la concentration monopoliste de la propriété foncière ne repose pas tant sur l'accès à la terre (que cette concentration procure à un nombre restreint d'individus) que sur le fait qu'elle en exclut un grand nombre d'individus qui, pour accéder, au moins partiellement, à la terre et à ses produits doivent fournir leur force de travail au petit groupe de propriétaires, et à des conditions désavantageuses pour les premiers et favorables pour les seconds. Les formes institutionnelles de ces conditions sont évidemment très variables et il existe de multiples types et variantes d'accords de tenure. Mais la structure économique essentielle et le pouvoir de négociation qui en sont les fondements demeurent identiques d'une

---

15. Cet accent mis sur l'économique constitue une limitation, aussi bien que le vocabulaire utilisé, nous ont été imposés par les Nations unies dans le cadre desquelles ces propositions ont été formulées. Bien que j'aurais plutôt tendance à insister sur la mobilisation politique et le fait de compter sur ses propres forces, j'ai conservé la formulation d'origine de ces propositions dans la mesure où elles ont au moins le mérite de signaler l'existence de quelques-uns des problèmes qui se posent à une société de classes et d'indiquer les limites des solutions possibles dans le cadre de cette société. Le « pouvoir de négociation » (*bargaining power*) est en quelque sorte un euphémisme pour dire pouvoir politique.

forme de rapports à l'autre. D'ailleurs, le pouvoir de négociation du paysan se trouve généralement encore réduit par la coalition institutionnalisée de ses adversaires, coalition qui s'exprime à travers la domination oligopolistique qu'ils exercent sur la vie économique et politique de la localité, et par la fréquente détention aux mains d'une seule personne (ou d'une seule famille) de la terre, du capital, du monopole commercial et du pouvoir politique. Cependant, cette structure économique, politique et sociale peut permettre l'existence de la *participación popular* dans le but de relever le revenu et la productivité du paysan dans le court terme et de promouvoir les transformations sociales à long terme, en renforçant notablement le pouvoir de négociation des paysans sur le marché du travail et sur le marché des produits et en agissant sur le cadre institutionnel.

L'action au niveau du marché rural du travail.

L'intervention qui semble la plus manifeste pour accroître le pouvoir de négociation des paysans sur le marché du travail est constituée par la redistribution de la terre au profit des petits propriétaires. Une telle redistribution renforcerait l'indépendance de certains paysans par rapport au marché du travail et augmenterait le pouvoir de négociation des autres, tout en affaiblissant la position de la minorité possédante. La redistribution pourrait orienter l'utilisation de la terre et de l'eau vers d'autres usages productifs et aurait pour effet de réduire à court terme l'actuel transfert de revenu des pauvres vers les riches. Toutefois, l'expérience du Mexique et celles de certains autres pays attestent qu'une telle redistribution foncière — même si elle s'accompagne de mesures techniques et financières — ne peut, en soi, corriger que partiellement et à court terme le déséquilibre contractuel. La structure du processus de négociation lui-même engendre inévitablement à long terme un renouveau de la concentration et de l'inégalité.

Dans la mesure où une telle redistribution des terres privées est à l'heure actuelle politiquement irréalisable, la *participación popular* et d'autres mesures peuvent faciliter la réalisation future de cette réforme agraire. Cretaines dispositions légales, jointes à la *participación popular,* peuvent constituer un pas en avant dans cette voie. Parmi ces dispositions, citons les taux progressifs d'imposition foncière, une réglementation publique améliorée du droit à l'eau et à l'irrigation, des dispositions renforcées concernant l'expropriation foncière au nom de l'intérêt public au-delà de certaines superficies de terres affectées à une utilisation productive précise, terres qui peuvent également être réclamées, comme cela s'est fait au Venezuela, par des organisations de paysans voisins, sans terre ou ne disposant que de petits lopins. Pour contraindre à la fois les latifundistes et les autorités locales ou les représentants locaux des autorités nationales à exécuter ces dispositions, il sera possible de se fonder dans une certaine mesure sur la *participación popular* des paysans concernés.

Quelquefois, il est possible de redresser dans une certaine mesure le déséquilibre de la balance du pouvoir de négociation en attribuant des terres appartenant à l'Etat aux paysans et en les aménageant à des fins productives. Pour être économiquement efficace et socialement souhaitable et pour corriger directement le déséquilibre du pouvoir de négociation, une telle distribution de terres publiques devrait plutôt se faire dans les zones de peuplement dense. Les plans de colonisation portant sur des terres nouvelles et lointaines ne peuvent avantager qu'une poignée de paysans et à des coûts élevés pour la nation et pour eux-mêmes ; de plus, ils ne peuvent affecter qu'indirectement l'inégalité du pouvoir de négociation dans les zones rurales fortement peuplées, en absorbant une faible partie de l'offre de travail. Dans les zones peuplées qui ne disposent pas de terres cultivables sous propriété publique, la distribution par les autorités de pâturages ou de terres boisées peut constituer une mesure importante et immédiate en faveur des paysans qui peuvent non seulement en tirer un revenu, mais également se libérer dans une certaine mesure de leur dépendance par rapport aux latifundistes en ce qui concerne le fourrage de leur bétail et leur propre besoin en bois. Les syndicats ou les coopératives de paysans peuvent contribuer à organiser cette mesure.

Il convient d'accorder une attention toute particulière à la participation publique dans l'élevage au niveau du minifundium ou de la petite exploitation. Cette participation a l'avantage manifeste de permettre à l'Etat de fournir — à des conditions avantageuses — du crédit agricole, des semences, des engrais et d'autres ressources productives à de petits propriétaires ou tenanciers. De plus, elle **peut se faire** (comme nous le verrons plus loin) à travers des organismes coopératifs publics qui seront forcément plus puissants que des coopératives paysannes indépendantes. Le capital et le revenu représentés par un ou deux animaux peuvent procurer aux paysans un important degré d'indépendance et de sécurité dans leurs négociations avec le propriétaire foncier, surtout s'ils ne sont pas totalement indépendants de ce dernier pour ce qui est de l'eau et du fourrage de ces bêtes. La participation publique dans le cadre de coopératives paysannes d'élevage fournissant des débouchés commerciaux, des services de transport et des soins vétérinaires, du crédit, des services d'assurance contre le gel, la sécheresse ou les maladies, peut constituer — tant que la concentration de la terre subsiste — une mesure moins onéreuse et plus réalisable que des dispositions analogues au niveau de la production de cultures ; en outre, elle pourrait contribuer à limiter la carence croissante de protéines dans l'alimentation de la plupart des milieux ruraux et urbains.

Un programme de développement rural assorti de *participación popular* peut utilement comprendre des fermes modèles relevant à la fois du gouvernement et des coopératives. La création d'emplois agricoles nouveaux constitue une aide directe pour les participants et les bénéficiaires immédiats et, à travers eux, pour l'économie dans son ensemble. L'existence de nouvelles alternatives d'emplois est susceptible d'améliorer de manière indirecte le déséquilibre des pouvoirs de négociation dans la zone immédiatement concernée et donc de soutenir les exigences paysannes pour une part accrue du revenu agricole formé dans leurs régions.

Pour être efficaces dans le cadre d'un programme de développement de *participación popular*, ces exploitations devraient être des modèles non pas tant de productivité — visant à impressionner et à susciter l'émulation des propriétaires ou des administrateurs des grandes *haciendas* — que des modèles de *participación popular* pour les paysans de ces latifundia privés. En tant que telles, ces exploitations devraient accorder des salaires *nettement plus élevés* que les salaires courants, procurer de meilleures conditions de vie, et faire preuve d'une *participación popular* syndicale plus puissante et plus active des travailleurs agricoles dans les affaires de l'exploitation aussi bien que dans celles — plus vastes — de la communauté ou de la région dont elles font partie. De telles exploitations doivent cependant faire partie d'organismes et de programmes nationaux et régionaux disposant de soutiens économiques et politiques externes plutôt que d'être constituées en coopératives locales indépendantes dont la faiblesse économique et organique en ferait des proies faciles pour les voisins puissants et hostiles du secteur privé. Ce n'est qu'ainsi que de telles fermes modèles, par la puissance de leurs paysans et par l'exemple donné, peuvent contribuer au développement rural et à la *participación popular* et espérer combattre le déséquilibre des pouvoirs de négociation dans les zones rurales.

Les travaux publics ou municipaux peuvent remplir certaines fonctions des fermes modèles. Toutefois, nous insistons sur le fait que ces travaux publics ou municipaux doivent eux aussi accorder des salaires nettement supérieurs à ceux habituellement versés à la main-d'œuvre agricole de la région. Il ne s'agit donc en aucune façon d'utiliser de la main-d'œuvre paysanne composée de volontaires non payés — ainsi que les programmes de développement communautaire ont souvent essayé de faire sans grand succès. Il est évident que, plus les paysans toucheront des salaires élevés, plus leurs revenus seront améliorés et plus importante sera l'injection de ressources dans leur économie. De même, plus les revenus distribués par les travaux publics seront élevés et plus la dépendance de la communauté paysanne aux propriétaires fonciers se trouvera réduite et le pouvoir de négociation des paysans renforcé à l'intérieur de l'ensemble complexe des rapports propriétaires-travailleurs.

De plus, une augmentation des salaires publics entraîne un renforcement de la pression « démonstrative » exercée à travers la *parti-*

cipación popular pour obtenir le relèvement des salaires dans l'économie rurale privée. D'autre part, l'expérience vécue et les témoignages de multiples observateurs indiquent que, dans une économie rurale connaissant une forte concentration de la propriété foncière, il n'existe qu'une minorité — aussi précieuse que réduite — de travaux « communaux » ou « publics » destinés à accroître la productivité et qui ne profitent pas aux grands propriétaires de terre et de capital et à quelques habitants du centre urbain, à l'exclusion quasi totale de la masse des paysans et plus spécialement des paysans sans terre ou des paysans les plus mal lotis. Cela est particulièrement vrai bien entendu pour les travaux d'irrigation ; mais on retrouve le même phénomène à peu de chose près en ce qui concerne les routes, les hôpitaux, et même les écoles auxquelles de nombreux paysans n'ont pratiquement pas accès. Il est donc probable que la main-d'œuvre paysanne impayée ne se précipitera pas en masse pour exécuter de tels projets, à moins d'être soumise à des pressions plus ou moins violentes — ce qui ne contribuera pas énormément à la cause de la *participación popular* pour le développement. Ainsi, les ouvriers travaillant à des œuvres municipales qui procurent un bénéfice inégal aux différents membres de la communauté devraient être payés selon des taux différentiels.

La création d'emplois productifs nouveaux et alternatifs par la promotion d'industries villageoises, bien qu'elle soit théoriquement utile dans le sens qui vient d'être défini, ne semble pas avoir donné de bons résultats au niveau de la pratique. A l'heure actuelle, la structure de l'économie régionale et nationale ne permet pas au village ou à l'*hacienda* d'exister en tant qu'unité économique — et *a fortiori* industrielle — viable.

L'intervention légale des autorités publiques et la *participación popular* à l'application de la loi peuvent soutenir l'intervention publique directe décrite ci-dessus afin de redresser le déséquilibre du pouvoir de négociation sur le marché rural du travail. Mais la loi ne peut intervenir réellement dans l'économie rurale qu'en s'associant à une *participación popular* organisée ou même institutionnalisée dont le rôle sera justement de veiller à l'application de cette loi. Ce point sera repris plus loin.

Le travail forcé devrait être interdit. Il faut mettre en place des procédures institutionnelles par lesquelles la *participación popular* organisée pourra dénoncer sous des prétextes semi-légaux les contrats écrits ou verbaux qui organisent le travail forcé, et obtenir leur annulation effective. La loi devrait comprendre des dispositions interdisant le travail impayé et les obligations de travail entre membres d'une même famille ou d'une génération à l'autre.

La législation relative au salaire minimal que l'on applique déjà à l'emploi urbain devrait être étendue au travail agricole et aux autres formes d'emploi en milieu rural. Dans la mesure du possible, des dispositions devraient prévoir des salaires plus élevés pour les heures supplémentaires de travail afin de combattre les tentatives du propriétaire foncier pour échapper à une charge salariale accrue en licenciant une partie des ouvriers et en exigeant un travail plus lourd des travailleurs restants. De même, la loi devrait prévoir d'autres formes de revenus minimaux en établissant, par exemple, des plafonds maximaux à la part de la récolte exigible par le propriétaire. Tant que l'économie n'absorbe pas dans d'autres secteurs le surplus de travail agricole, ces dispositions devront sans doute s'accompagner d'autres mesures destinées à empêcher les propriétaires de substituer une main-d'œuvre agricole devenue trop chère par du capital sous la forme d'outillages et surtout de bétail. Ainsi, de telles tentatives patronales pour procéder à une nouvelle allocation des ressources dans l'économie privée (allocation qui n'a pas tant pour effet de réduire les coûts pour l'économie dans son ensemble que de déplacer ces coûts vers d'autres secteurs, tels que les taudis urbains vers lesquels les paysans ont tendance à émigrer) devraient être freinées par une imposition « de dissuasion ». Une telle imposition peut d'ailleurs être utilisée dans d'autres sections d'un programme de développement national et de *participación popular*. Une fois de plus, l'application de ces dispositions devrait partiellement reposer sur une *participación popular* organisée et consciente.

L'intervention publique légale jointe à la *participación popular* peut procurer une plus grande sécurité paysanne sur le marché du travail. Des dispositions légales devraient garantir une sécurité de l'emploi accrue pour les ouvriers agricoles en fixant des temps d'emploi minimaux (par journée par exemple) et en prévoyant des primes de licenciement proportionnelles à la durée de l'emploi. De même, la loi devrait définir des périodes saisonnières minimales concernant la location des terres afin surtout de garantir et de protéger la possibilité du métayer de planter et de cueillir sa récolte selon l'usage agraire local. Des dispositions légales associées devraient rendre la tâche difficile aux propriétaires fonciers cherchant à priver leurs métayers du bénéfice des améliorations qu'ils pourraient effectuer sur la terre, les bâtiments ou le bétail. Toute clause émanant des propriétaires et interdisant aux métayers d'effectuer de telles améliorations ou de planter des récoltes permanentes ou toute autre récolte qui ne serait pas du goût des propriétaires devrait être considérée comme légalement nulle.

Il faudrait également garantir aux ouvriers agricoles et aux tenanciers un niveau minimal de bien-être en matière de logement, d'eau, d'installations sanitaires et d'accès aux différents services médicaux et scolaires, une telle garantie existant d'ailleurs déjà dans certains pays.

Ces mesures — et bien d'autres encore — qui sont relatives à l'intervention directe de la loi dans le marché rural du travail devraient, dans la mesure du possible, être prises simultanément afin de prévenir les tentatives des propriétaires fonciers pour échapper à ces dispositions en faisant passer leur entreprise d'une forme organisationnelle prévue par la loi à une forme qui n'en est pas touchée.

Il convient par-dessus tout que ces mesures soient couplées à l'organisation d'une *participación popular* paysanne consciente. Cette *participación popular* s'en trouvera stimulée et soutenue et, à son tour, elle pourra contribuer à leur application. L'organisation de la *participación popular* implique essentiellement la mise sur pied de syndicats d'ouvriers agricoles et l'existence d'un cadre institutionnel à travers lequel ceux-ci puissent effectivement agir et coordonner leurs propres tentatives — et celles du gouvernement pour promouvoir et protéger les intérêts de la productivité paysanne accrue et de la justice distributive. Ce point sera repris plus loin sous le titre des dispositions institutionnelles.

L'action au niveau du marché rural des produits.

Il apparaît déjà après la discussion précédente relative au marché rural du travail que le paysan se trouve également dans une position de négociation très désavantageuse en ce qui concerne le marché des biens et des services (ou marché de la production). Sans capital ou presque, ne disposant pratiquement pas de la possibilité de se familiariser avec les conditions du marché au-delà de leurs propres transactions immédiates, les paysans et les autres membres de la communauté rurale se retrouvent face à une structure commerciale hautement monopolistique dans laquelle un nombre relativement restreint d'agents possèdent le capital et le crédit — ou, au moins, y ont un accès facile. Ces agents écrasent le paysan de leur pouvoir de négociation sur le marché des produits tout comme le grand propriétaire foncier l'écrase sur le marché du travail. Bien que ces détenteurs de monopoles commerciaux soient qualifiés, pour plus de simplicité, de « marchands », ils comprennent souvent des propriétaires fonciers. En vérité, le propriétaire foncier et le marchand font le plus souvent partie d'une même famille — quand ils ne forment pas une seule et même personne.

On prétend souvent que la structure du marché des produits et la position de négociation qu'il y occupe concernent fort peu le paysan pauvre (surtout s'il s'agit d'un indigène), paysan que l'on ne voit vendre ou acheter que de petites quantités de biens sur le marché. Tel n'est cependant pas le cas. Le volume de chaque transaction du paysan saisi individuellement peut sembler réduit en termes absolus ; cette transaction n'en joue pas moins un rôle relativement important ou même considérable dans l'économie de chaque région ou de chaque pays. De plus, le fait que le paysan achète et vende de petites quantités, loin d'être une preuve — comme on le pense généralement — de son absence ou de son manque d'intérêt par rapport au marché, indique bien que ce marché l'affecte très directement et très profondément, mais de manière inverse : s'il n'était pas si désavantagé dans sa participation à ce marché, d'abord en tant que vendeur, puis en tant qu'acheteur, le paysan pourrait se porter offreur ou demandeur d'un volume de produits bien plus important. A l'heure actuelle, la plupart des paysans achèteraient ou vendraient bien plus sur le marché s'ils pouvaient le faire en en tirant quelque avantage pour eux-mêmes ; et nombreux sont ceux qui essayent de le faire, même s'ils n'y parviennent généralement pas.

On constate souvent qu'entre le producteur paysan et le consommateur final, ou même entre le paysan et le grossiste et entre celui-ci et le consommateur, il existe toute une série ou tout un réseau d'intermédiaires. Et l'on observe également que chacun de ces intermédiaires contribue à (et profite de) l'existence de la différence entre le prix à la production et le prix à la consommation, de nombreux paysans (ou leurs épouses) participant eux-mêmes à ce réseau en tant qu'intermédiaires marchands. Une telle constatation ne justifie pas l'élimination aveugle de tous les intermédiaires ; en effet, les plus facilement éliminés parmi eux sont les petits paysans alors même qu'une poignée de marchands se taille la part du lion dans le partage du profit commercial et exploite à son tour les intermédiaires les plus faibles. C'est cette même structure du marché et l'allocation des profits commerciaux qui en découle qui contraignent chaque intermédiaire — paysan inclus — à chercher à consolider, à améliorer et préserver sa position de monopole, afin d'assurer sa propre protection. Le demandeur résiduel de tout ce processus est évidemment le dernier producteur paysan — qu'il soit minifundiste, métayer ou salarié agricole — qui est dépourvu de terre, de capital et de toutes les autres sources génératrices d'un monopole dans le cadre de la structure économique, et dont la part résiduelle est par conséquent à la fois réduite et précieuse.

Le faible pouvoir de négociation du producteur paysan — dû à son manque de terre, de crédit, de capital, de moyens de transport et d'autres privilèges d'ordre institutionnel — l'oblige à vendre son produit sur le marché à un prix réduit et à acheter d'autres biens (comprenant souvent ceux qu'il vient de vendre) à des prix élevés. Cette même faiblesse contraint le paysan à accepter — au lieu d'y échapper ou d'y résister — des contractions permanentes ou saisonnières artificiellement créées au niveau de la demande des produits qu'il vend et des restrictions relatives à l'offre des biens qu'il achète.

Un organisme de commercialisation (*marketing organisation*) associant le secteur public au secteur coopératif peut contribuer au redressement de ce déséquilibre du pouvoir de négociation en intervenant dans le marché local et régional pour acheter des produits d'origine paysanne, et ce concurremment aux acheteurs existants. Cet organisme de commercialisation, pour être efficace, ne devra pas forcément supplanter les marchands du secteur privé. Il suffit

237

qu'il procure la concurrence qu'ils tendent à éliminer. Pour maximiser son utilité, cet organisme devrait se concentrer sur l'achat des cultures de traite (*cash crops*) industrielles ou d'exportation, des cultures de traite d'ordre alimentaire, et, quand cela se révèle nécessaire, des denrées alimentaires de base qui ne sont pas produites en quantités suffisantes dans la mesure où, en raison de leur volume important et de leur faible valeur commerciale, les commerçants du secteur privé ne leur procurent pas un marché organisé suffisamment étendu. Pour intervenir avec efficacité au niveau de la structure des négociations sur les marchés ruraux des produits, l'organisme public/coopératif devra entrer en concurrence avec les monopoleurs marchands en offrant un prix supérieur pour un même produit et en achetant des quantités suffisantes pour empêcher la formation d'un monopole privé sur le marché. Ainsi, cet organisme de commercialisation peut, dans une certaine mesure et en ce qui concerne les produits les plus importants, agir contre les prix d'achat excessivement bas et les manipulations spéculatives de l'offre, de la demande et des prix et, à long terme, contre le gonflement des prix à la consommation. Ces activités d'achat de l'organisme de commercialisation public/coopératif devront s'accompagner de services d'entreposage, de transport, et évidemment de crédit qui contribueront de la même manière à améliorer les alternatives commerciales et la puissance de négociation de la majorité paysanne.

Afin de permettre et d'assurer la *participación popular*, l'organisme de commercialisation public/coopératif doit limiter l'accès de ses services et la participation à ses bénéfices à ceux dont le pouvoir de négociation courant est relativement faible. Bien que cela puisse paraître inopportun sur le plan de la gestion, l'organisation de commercialisation devra définir des limites relativement basses à l'achat de biens auprès d'un vendeur unique. De même, elle devra limiter l'accès de ses services d'entreposage et de transport aux seuls petits producteurs et petits négociants. Ces dispositions seront directement bénéfiques pour la grande majorité de ceux qui sont actuellement désavantagés et, de plus, elles pourront se révéler indirectement avantageuses pour certains en amenant les grands producteurs et marchands à liquider leurs entreprises ou à céder certaines de leurs installations à des producteurs ou à des négociants moins importants afin de partager avec ceux-ci les bénéfices découlant des prix supérieurs de l'organisation de commercialisation et de ses possibilités nouvelles en matière de transports et d'entreposage. Il est toutefois possible que de telles possibilités de liquidation ou de cession puissent mener à des abus intolérables qu'il convient de prévenir ou de supprimer. Sans ces limitations d'accès et de participation aux opérations des organismes publics/coopératifs, ces derniers, loin d'améliorer le revenu, la situation productive et le pouvoir de négocation de la grande majorité de la masse paysanne, deviendraient un instrument de plus livré par le secteur public aux quelques grands propriétaires fonciers et grands commerçants qui verraient ainsi leur pouvoir de négociation et leur pouvoir monopoliste renforcés au détriment de la majorité des paysans.

Ce même organisme public/coopératif — ou quelque autre organisme du même type — peut aussi intervenir sur la partie du marché où la majorité des ruraux sont des acheteurs désavantagés. Il peut utiliser les stocks de produits de base précédemment accumulés (en tant qu'acheteur spécial auprès de petits producteurs) aussi bien que les produits achetés aux grands producteurs aux prix du marché pour les revendre au public à des prix égaux ou inférieurs à ceux du marché. Par-dessus tout, l'organisme de commercialisation doit absolument contrer les pénuries temporaires ou locales, naturelles ou artificielles, qui affectent tel ou tel produit en vendant — et même si cela est nécessaire en bradant — sur le marché concerné pour en diminuer les prix. Toute action en ce sens peut produire d'importantes améliorations du revenu et, partant, de la capacité de production de la majorité rurale.

Ce même organisme — ou toute autre institution du même type — peut également représenter une certaine concurrence à l'égard des commerçants locaux en ce qui concerne la vente de produits industriels et autres dans les centres urbains. La simple existence de ces magasins publics ou de ces coopératives de consommation, qui vendent certains articles à des prix nettement inférieurs à ceux des marchands privés, est susceptible, sinon de faire disparaître ceux-ci, au moins de réduire le déséquilibre des pouvoirs de négociation entre le nombre relativement restreint des vendeurs et celui, partiellement élevé, des acheteurs.

Les organismes de commercialisation doivent comprendre, en plus des fonctionnaires publics nommés à partir de la capitale nationale, une représentation importante émanant des organisations paysannes locales et régionales. Cette représentation doit pouvoir siéger dans les conseils d'administration locaux et régionaux. Ces conseils locaux publics/populaires peuvent, en tenant compte des besoins et de la politique de la nation, disposer d'une autonomie importante en ce qui concerne les produits à vendre ou à acheter ainsi que les lieux, les périodes et les prix de ces transactions. En se fondant sur les rapports de leurs membres, les représentants populaires peuvent informer l'organisme de commercialisation local et national des pénuries existantes et surtout des tentatives monopolistiques et spéculatives visant à provoquer des pénuries artificielles, afin que l'organisme puisse les combattre lui-même.

L'appartenance aux conseils d'administration doit évidemment être réservée aux seuls représentants authentiques des organisations populaires ; il convient en effet d'empêcher les organismes de commercialisation de tomber aux mains de ceux dont il s'agit justement de limiter le pouvoir de négociation. C'est également pour cela que l'organisme public/coopératif doit rester indépendant du gouvernement local qui est habituellement dominé par ces mêmes propriétaires fonciers et ces grands commerçants.

L'intervention légale dans la structure du marché des produits est probablement plus difficile à réaliser et à appliquer — en raison même de la nature et de la variété des transactions en question — que celle qui concerne le marché du travail. Il existe toutefois certaines possibilités pour une telle intervention dans trois domaines principaux.

En premier lieu, il convient d'interdire aux grandes firmes étrangères et à leurs succursales intérieures d'opérer sur les marchés ruraux et provinciaux et d'y acheter les denrées alimentaires de base et les produits des cultures industrielles ou d'exportation. Bien que ces grands acquéreurs étrangers éliminent quelquefois les propriétaires fonciers et les marchands locaux du circuit commercial en offrant au producteur des prix majorés, un tel processus ne fait que renforcer leur situation monopolistique qui est déjà trop puissante sur le marché national et souvent même international — et plus spécialement dans la mesure où ces achats en milieu rural, combinés aux manipulations spéculatives de l'offre et des prix (rendues possibles par leur position dominante) leur permettent de contrôler le marché national. En outre, la puissance financière internationale de ces grandes entreprises étrangères leur permet de se livrer à des opérations de crédit rural par lesquelles elles peuvent organiser la sélection, la production, le financement et la commercialisation des principales cultures de toute une région, de tout un pays, ou même d'un groupe de pays. Cette action se fait selon des critères qui correspondent à l'intérêt de ces firmes, intérêt qui ne correspond pas nécessairement à celui du pays ; ainsi on assiste souvent à la promotion des cultures industrielles ou d'exportation, ou encore de l'élevage, au détriment des cultures vivrières indispensables à une meilleure nutrition de la population rurale et nationale. Pourtant, loin de n'être que tolérée, l'activité commerciale monopolistique de ces sociétés étrangères est souvent encouragée et même financée à l'aide de prêts par le gouvernement national. Cette activité devrait être interdite et il faudrait procéder à une substitution des sociétés étrangères qui seraient remplacées, non par des monopoles intérieurs privés, mais par des organismes de commercialisation publics/coopératifs infiniment plus aptes, par la participation publique et populaire, à servir l'intérêt de la nation et des masses.

Les rapports commerciaux propriétaires fonciers/paysans constituent un deuxième domaine pour l'intervention légale. De nombreux propriétaires fonciers sont en fait bien plus des marchands que des agriculteurs. La véritable signification économique de leur droit de propriété foncière n'est donc pas tant constituée par l'accès à la terre, ni même par l'accès — mentionné plus haut — à la force de travail, dont la production peut aussi être faible, que par l'accès monopolistique à une source assurée de produit agricole permettant un certain revenu à partir d'opérations strictement commerciales. Evidemment, cette fonction de monopsone de l'acheteur des biens produits par les paysans est souvent renforcée par une position monopoliste au niveau de la vente des biens que les paysans achètent à un magasin « d'entreprise » (*company store*) qui fonctionne avec des jetons privés gagnés sur la ferme et dont la fonction et la signification économiques ne sont pas celles d'une institution « archaïque et féodale », mais d'un processus capitaliste et monopoliste fort moderne.

L'intervention légale, jointe à une *participación popular* consciente et organisée, destinée à en imposer le respect, peut donc agir sur cet aspect des rapports propriétaires fonciers/paysans pour interdire ou restreindre la vente ou l'achat forcés qui découlent des positions monopolistes fondées sur la grande propriété foncière. Les contrats écrits ou verbaux stipulant la vente obligatoire au propriétaire foncier ou à ses agents pourront être déclarés illégaux et nuls et les paiements autres qu'en nature ou en monnaie légale seront interdits. De telles dispositions, qui, au mieux, seront difficiles à appliquer, se révéleront évidemment inefficaces sans l'existence simultanée de moyens institutionnels permettant aux parties lésées de dénoncer ces contrats et de s'adresser à d'autres acheteurs ou vendeurs. Dans ce domaine, les organismes de commercialisation publics/coopératifs et les groupements de consommateurs sont appelés à jouer un rôle important.

En troisième lieu, il est nécessaire d'adopter des dispositions légales stipulant que toutes les routes, et plus spécialement celles qui traversent des propriétés privées, seront librement ouvertes à tous. Si de telles dispositions ne sont pas appliquées, la *participación popular* ne pourra atteindre ni ses objectifs économiques ni ses buts généraux.

Les dispositions institutionnelles relatives

à la « participación popular ».

La *participación popular* et les programmes de développement communautaire ne peuvent se passer d'un soutien extérieur institutionnalisé. C'est pour cela que les organismes de commercialisation auxquels nous nous référons sont toujours qualifiés de publics/coopératifs. L'expérience vécue n'a démontré que trop souvent que les coopératives paysannes indépendantes ne disposent pas du capital nécessaire pour effectuer un véritable pas en avant et pour résister aux nombreuses épreuves provoquées par les fluctuations économiques et naturelles et par les monopoles privés qu'elles doivent affronter. Les organismes en question doivent être publics afin de disposer de l'intégration verticale, de l'affiliation et du soutien institutionnels dont ils ont besoin pour contrebalancer le pouvoir de négociation des monopoles privés. La pratique démontre qu'en l'absence d'affiliation publique une telle coopérative de commercialisation ne tarde pas à se convertir — ou plutôt à être convertie ou absorbée — en un simple monopole commercial supplémentaire aux mains de ceux qui disposent déjà de la plus grande puissance de négociation ou de certains autres qui aspirent à la concurrencer et donc à les imiter.

L'organisme de commercialisation doit être non seulement public mais *coopératif*, afin de stimuler et de permettre l'active *participación popular* qui est indispensable pour servir les véritables intérêts commerciaux de la majorité des paysans et pour renverser le déséquilibre des pouvoirs de négociation entre ceux-ci et les propriétaires de la terre et du capital. La représentation paysanne et populaire dans les conseils d'administration de l'organisme de commercialisation est nécessaire pour fournir des informations et exercer une pression dans le sens de la lutte contre les pratiques monopolistiques de spéculation et de restriction sur le marché local des produits.

D'autres formes et d'autres instruments de *participación popular* conviennent aux ouvriers agricoles des *haciendas* et des plantations. La structure institutionnelle et l'administration existante de l'*hacienda* se trouvent évidemment et en premier lieu au service du propriétaire plutôt que de l'ouvrier agricole. A moins d'éliminer la concentration de la propriété foncière, il semble qu'il y ait peu d'espoir de réformer les institutions administratives de l'*hacienda* ou de la plantation pour les mettre au service des travailleurs ou de l'intérêt public en général. L'intervention légale proposée ci-dessus ne peut elle-même que modifier de manière relativement secondaire la structure interne du latifundium. Et même si une telle intervention ou la *participación popular* parviennent à améliorer la répartition du revenu dans le cadre de l'*hacienda,* elles ne pourront pratiquement pas intervenir pour améliorer l'organisation productive et les décisions de l'*hacienda* qui sont largement — et plus qu'on ne le pense généralement — déterminées par le propriétaire ou son représentant en fonction des critères du marché fortement monopolisé des produits agricoles — critères qui ne sont certainement pas les mêmes que ceux de l'intérêt populaire.

La difficulté — ou l'impossibilité — qu'il y a à réformer les institutions existantes de participation sur la grande *hacienda* privée nous amènent à penser que, à moins d'éliminer celle-ci, la seule alternative possible pour développer ou améliorer la *participación popular* dans l'*hacienda* consiste à prévoir l'existence d'une seconde institution, ou administration, ou organisation, au sein de laquelle et par laquelle une telle participation peut avoir lieu. De plus, pour remplir un rôle quelconque, cette institution et la participation populaire qu'elle permet devront servir de « contrepoids de négociation » aux institutions administratives déjà existantes de l'*hacienda*. L'établissement et l'organisation d'une telle *participación popular* implique en un mot la syndicalisation des ouvriers de l'*hacienda*. Pour se donner le pouvoir de négociation qui lui permettra de contrebalancer celui que le propriétaire tire de ses droits sur la terre et le capital et de ses relations commerciales et institutionnelles extérieures, le syndicat des ouvriers de l'*hacienda* a besoin, lui aussi, de soutiens externes et de contacts institutionnalisés. Le syndicat d'une *hacienda* ne doit pas se contenter d'être rattaché à d'autres syndicats du même type. Pour servir efficacement de contrepoids au pouvoir de négociation du propriétaire foncier ou du marchand, le syndicat de l'*hacienda* doit avoir d'authentiques représentants à l'intérieur des conseils d'administration locaux, régionaux et nationaux des organismes de commercialisation précités et il doit disposer d'un accès institutionnel aux centres régionaux, urbains et nationaux du pouvoir politique.

On se demande souvent si un programme de développement communautaire assorti de *participación popular* devrait être dirigé à travers les institutions existantes des ministères nationaux et des gouvernements locaux ou plutôt s'il devrait se fonder sur une institution nouvelle qu'il faudrait alors superposer à celles déjà en place. Cette question ne peut être posée — ni résolue — en termes purement administratifs. Il convient plutôt de penser le problème en fonction de l'équilibre existant au niveau des pouvoirs de négociation et de leur institutionnalisation actuelle, celle-la reposant sur les gouvernements locaux et les antennes administratives et politiques locales du gouvernement national et même de certaines organisations internationales, le tout servant à renforcer le pouvoir de négociation local des propriétaires-marchands. Voilà déjà quarante ans que José Carlos Mariategui a formulé le problème en termes qui demeurent valables : « Le *gamonalisme* rend inévitablement inopérante toute loi ou tout règlement visant à protéger l'indigène. Le fermier, le latifundiaire, est un seigneur féodal. La loi écrite est impuissante contre son autorité maintenue par le milieu ambiant et l'habitude. Le travail gratuit est interdit par la loi, et pourtant, le travail gratuit et même le travail forcé, subsistent dans les latifundia. Le juge, le sous-préfet, le commissaire, l'instituteur, le percepteur sont inféodés à la grande propriété. La loi ne peut remporter l'avantage sur les *gamonales*. Le fonctionnaire qui s'obstinerait à l'imposer serait abandonné et sacrifié par le pouvoir central auprès duquel les influences du *gamonalisme* sont toujours toutes puissantes et agissent directement ou à travers le parlement avec la même efficacité » [16]. En 1963, les Nations unies ont signalé que la citoyenneté nationale soumise à des règles impersonnelles « ne semble pas avoir aboli les rapports de dépendance directe et personnelle par rapport à la structure locale de l'autorité » [17].

---

16. José Carlos MARIATEGUI, *op. cit.*, p. 51-52.
17. Nations unies, CEPAL, *El Desarollo Social de America Latina en la Postguerra*, E/CN. 12/660/11, mai 1963, p. 36.

A partir du moment où la question se trouve posée en ces termes, il devient clair que le développement et la survie de la *participación popular* dépendent également de l'accès direct à un ou plusieurs centres de pouvoir politique extrême, centre national inclus. Le plus souvent, ce n'est qu'ainsi qu'il sera possible de prendre des mesures visant à redresser quelque peu le déséquilibre des pouvoirs de négociation aux niveaux local et régional. Cela implique, parallèlement au développement des mouvements et des organisations de masse, sur le plan national, une appréciation de l'action institutionnelle au niveau local, action qui est relativement indépendante des institutions locales. A l'heure actuelle, l'appréciation des services locaux des ministères et des programmes nationaux se fait inévitablement selon des critères choisis par ceux qui détiennent les postes de commande au niveau local, c'est-à-dire par les grands propriétaires fonciers et marchands eux-mêmes. Il s'agit là d'une vérité que plus d'un fonctionnaire idéaliste a découverte à ses dépens. Il est donc impératif de ne plus confier l'appréciation des programmes de développement communautaire et autres programmes locaux à l' « élite » locale et de développer d'autres voies d'évaluation par l'intermédiaire de la *participación popular*.

N.B. Le rapport original se poursuivait par une étude des alliances de classes qui déterminent les possibilités et les limites politiques d'un soutien public apporté à un programme de développement communautaire comprenant certaines des propositions ci-dessus. Les limitations imposées par les Nations unies rendant extrêmement difficile la discussion de ce problème en termes adéquats, cette section du rapport n'est pas incluse. En dépit de toutes ces contraintes, ce rapport avec les modestes propositions qu'il comporte fut jugé « trop explosif » et « trop révolutionnaire » pour être publié et distribué par les Nations unies.

16

Les trois types de réforme agraire

Des projets de réforme agraire fleurissent aujourd'hui à travers le monde. Mais tous les programmes de réforme agraire ne se ressemblent pas. En Amérique latine, et plus spécialement sous l'impulsion de l'Alliance pour le progrès, plusieurs pays ont promulgué ou sont en train d'élaborer des lois instituant la réforme agraire. Ceux que ces lois concernent aussi bien que de nombreux progressistes examinent de près ces lois et ces projets et les trouvent souvent trop modérés ou bien mal orientés. Il est important de pouvoir opérer une distinction entre les différents types de projets de réforme agraire et de savoir quels sont ceux qui méritent d'être soutenus et ceux que l'on doit combattre.

Ce qui est fondamental pour toute analyse du problème de la réforme agraire, c'est que le processus dont il est question n'est pas de nature tellement administrative ou même économique ; il s'agit d'un processus de caractère essentiellement politique. Par conséquent, à partir de cette notion de processus politique, nous pouvons aisément distinguer trois types de ce que l'on considère — à tort ou à raison — comme une réforme agraire.

Le premier exclut tout changement politique significatif. C'est le type de « réforme agraire » prôné par les conservateurs. On en trouve des exemples dans les lois que les législateurs — souvent contrôlés par les propriétaires fonciers eux-mêmes — ont estimé avantageuses ou nécessaires à l'heure actuelle dans plusieurs pays d'Amérique latine. Il convient de ranger dans la même catégorie les dons volontaires de terres de la part de l'Eglise ou des propriétaires fonciers eux-mêmes. Ce type de « réforme agraire » constitue la dernière ressource dont dispose le propriétaire foncier et, en réalité, il ne s'agit absolument pas là de réforme.

Le second type de réformes vise à intégrer la paysannerie, en partie ou en totalité, à la communauté politique nationale qui existe déjà. Ce type de réforme agraire rencontre le soutien de ceux qui critiquent le type précédemment décrit ; plusieurs groupes politiques latino-américains en préconisent l'adoption, tels que les démocrates-chrétiens et — le plus souvent — les communistes. Le Mexique de Cardenas, le Guatemala d'Arbenz, l'Egypte de Nasser constituent des exemples d'application d'une telle politique. Nous chercherons à établir, en dépit des arguments favorables à ce type de réformes, qu'une réforme agraire qui vise uniquement à intégrer la paysannerie à l'ordre social existant risque de ne même pas atteindre les buts fixés par ses défenseurs.

Les réformes qui relèvent du troisième type tentent d'emblée d'effectuer une transformation rapide et fondamentale de l'ordre existant lui-même. Elles débutent par des transformations profondes de la société tout entière, comme cela s'est produit à Cuba, et apparaissent comme étant les seules à pouvoir répondre aux exigences minimales que l'on peut avoir. Il s'agit donc du seul type de réforme agraire digne de ce nom.

Il existe un indice commode — qui constitue d'ailleurs, comme nous le verrons, plus qu'un simple indice — qui permet d'opérer une distinction entre les différents types de réforme agraire : il s'agit de la rapidité ou de la lenteur qui caractérise la mise en œuvre de la réforme. Compte tenu du rythme de distribution des terres au Guatemala pendant les années qui ont suivi la chute d'Arbenz (1955 à 1961), il faudrait 148 ans pour que toutes les familles paysannes puissent recevoir quelque parcelle de terre — à condition, en outre, qu'il ne se soit produit aucune croissance démographique depuis. Le retour à l'*United Fruit* et à d'autres propriétaires de terres précédemment saisies, l'achat par le gouvernement de terres épuisées, et d'autres mesures du même type indiquent bien que la « réforme » guatémaltèque relève du premier type que nous avons signalé, celui dans lequel il n'existe aucun changement politique. Au Venezuela, pays dont le gouvernement est souvent considéré comme faisant un effort véritable dans le sens d'une réforme agraire en profondeur, les statistiques de la propagande présidentielle parlent de quelque cinquante mille familles recevant 3,5 millions d'acres de terre durant les quatre années du gouvernement Betancourt. (Voir par exemple *Time*, 1er mars 1963, p. 22.) Toutefois, dans un rapport récent publié conjointement par l'Institut agraire national du Venezuela, le ministère de l'Agriculture, la Banque agraire et l'Office de planification nationale, il apparaît qu'au cours des vingt-cinq dernières années, en mettant les choses au mieux, seuls 1,4 million d'acres ont été distribués à 35 622 familles. La proportion des terres qui ont été attribuées par le présent gouvernement n'est pas spécifiée. *En revanche, il est exact que 3,5 millions d'acres ont fait l'objet d'une expropriation et ont été payés en argent liquide à des taux souvent exorbitants dépassant le maximum fixé par la loi.* En d'autres termes, cette « réforme » - là a constitué une excellente affaire pour les propriétaires fonciers qui ont pu ainsi vendre des terres indésirables et investir le produit de cette vente dans d'autres secteurs (situés quelquefois à l'extérieur du pays). Les lois de réforme agraire récemment promulguées au Pérou et au Chili sont encore plus modérées que les réformes déjà appliquées au Guatemala et au Venezuela. Ce sont les propriétaires fonciers plutôt que les paysans qui se voient entourés de toutes les protections concevables. La conclusion est inévitable : les mesures de ce type ne relèvent en aucune façon de la réforme agraire, mais bien plutôt de la supercherie la plus complète.

Le deuxième type de réforme agraire mérite plus ample discussion. Ses partisans se proposent d'incorporer les paysans à la vie politique et sociale de la nation par le moyen d'un processus qui mobilise toutes les forces progressistes contre les conservateurs, mais qui laisse intacts les fondements de leur pouvoir. Simultanément, les réformateurs chercheraient à réorienter le crédit rural, l'assistance technique, etc., afin que ces mesures puissent favoriser les paysans et non plus seulement les grands ou moyens propriétaires fonciers, comme c'est le cas à l'heure actuelle. La période de temps envisagée est généralement de cinq à quinze ans. On trouve des variantes de ce type de réformes dans les expériences du Mexique, du Guatemala avant la contre-révolution de 1954, et de l'Egypte depuis 1952.

Nous pensons que les chances de ce second type de réforme agraire sont très aléatoires ; nous fondons cette conviction à la fois sur des considérations théoriques et sur les enseignements de l'expérience historique. Il existe plus spécialement deux dangers qui risquent de provoquer l'échec de cette politique. En premier lieu, le fait de laisser intact le pouvoir des conservateurs amène obligatoirement une opposition continue aux réformes et dresse des barrages à la mobilisation des forces progressistes. Bien qu'étant peut-être écartés des postes gouvernementaux, les conservateurs ont toujours la capacité de ralentir et finalement de détruire la réforme agraire. Ils ont la possibilité de refuser les fonds d'investissement nécessaires, ils peuvent saboter l'action des agences gouvernementales chargées de mettre en œuvre les réformes, ils peuvent organiser des campagnes de propagande hostiles à cette réforme, recruter des soutiens à l'étranger contre leur propre gouvernement, et ainsi de suite. Pendant ce temps, les manœuvres et les intrigues politiques auxquelles les progressistes doivent se livrer afin de contrer cette opposition conservatrice exigent des compromis qui tendent à saper la réforme et à la transformer en une série de demi-mesures.

Le deuxième danger est le suivant : réaliser une réforme agraire lentement, sur une période de cinq à quinze ans et cela dans le cadre des institutions existantes, a pour effet d'engendrer des groupes qui ont désormais intérêt à préserver leurs nouveaux avantages et qui, par conséquent, s'allient volontiers aux conservateurs pour s'opposer à l'extension de ces privilèges à de nouveaux groupes.

La réalité et l'ampleur de ces obstacles sont établies par les tentatives, à la fois fructueuses et vaines, qui visent à réaliser une réforme relevant de ce deuxième type. La réforme agraire mise en œuvre en 1952 par le gouvernement Arbenz au Guatemala était évidemment bien plus rapide et de plus grande portée que les prétendues réformes qu'avait connues le pays auparavant. Toutefois, alors même que les conservateurs subissaient certains revers, les fondements de leur pouvoir demeuraient presque intacts. En conséquence, ils furent capables avec l'aide des frères Dulles, d'organiser une contre-révolution. L'histoire ne nous apprend donc pas si la continuation des réformes d'Arbenz aurait pu, à long terme, éliminer le second danger — l'opposition ultérieure des premiers bénéficiaires eux-mêmes.

Ce frein à la réforme qui provient des « nouveaux conservateurs » apparaît très clairement avec la révolution mexicaine. Quinze ans seulement après le gouvernement du général révolutionnaire Obregon et cinq ans après la promulgation des mesures agraires du président Cardenas, le processus réformateur fut arrêté en plein déroulement par l'arrivée au pouvoir de la nouvelle bourgeoisie avec le gouvernement de Miguel Alemán. Aujourd'hui, en dépit du fait qu'au cours des années cinquante le Mexique jouissait de l'un des taux de croissance industrielle et agricole les plus élevés de la planète, il n'est guère douteux que le pays soit dans l'impasse par suite de son incapacité face au problème agraire. La réforme agraire mexicaine était celle dont la portée était la plus grande en Amérique latine avant la réforme cubaine et elle avait le mérite d'intégrer véritablement les paysans à la vie nationale. En dépit de cela, la majorité des paysans mexicains des *Ejidos* sont sans ressources, alors que la célèbre croissance économique, concentrée dans la capitale et les sept Etats faiblement peuplés du Nord, encourage, ici comme dans le reste de l'Amérique latine, la monoculture spéculative orientée vers l'exportation qui rapporte d'énormes profits aux enfants de la révolution. Le fils de ce même général Obregon, par exemple, est aujourd'hui gouverneur de l'un des Etats du Nord et il est le propriétaire de plus de 7 500 acres de terres irriguées aux frais du gouvernement. L'écart qui existe entre la capitale et les sept Etats septentrionaux d'une part et le reste du pays d'autre part, ne cesse de s'aggraver, alors que la répartition du revenu devient de plus en plus inégalitaire. Il apparaît ainsi qu'au Mexique, de la même façon que dans ces pays d'Amérique latine qui n'ont même pas amorcé de réforme agraire, le niveau de vie des pauvres est en train de se dégrader. Et cette même mobilité sociale qui est à la fois une cause et un effet de l'intégration des paysans à la vie nationale en fait souvent des conservateurs dont les inté-

rêts sont opposés à l'extension des mêmes avantages à d'autres [1].
D'autres exemples tels que ceux d'Europe orientale après la
Première Guerre mondiale, de Bolivie, d'Egypte confirment les
dangers de ce deuxième type. Dans chacun de ces cas des
gouvernements réformateurs ont suivi des voies à peu près
semblables à celles que proposent les progressistes aujourd'hui.
Les réformes ont été lentement introduites à l'intérieur de la structure sociale existante et les fondements du pouvoir des conservateurs sont demeurés intouchés. Il ne semble pas exagéré d'affirmer qu'à ce jour toutes ces tentatives de réforme agraire ont
échoué ; on peut de la même façon prévoir l'échec obligatoire
de toute future expérience relevant de ce deuxième type.

L'expérience vécue par les pays dont les réformes agraires ont
été couronnées de succès souligne encore les tares du second type
de réformes et démontre la nécessité des politiques relevant du
troisième type. Les exemples marquants de succès relatif en matière
de réforme agraire se trouvent dans les pays socialistes. En Chine
et à Cuba par exemple, la structure tout entière de la société s'est
évidemment trouvée transformée, et dès le début, au moment même
où la réforme agraire était lancée. Il est significatif de noter que
cette transformation a été effectuée par la mobilisation des paysans
eux-mêmes. Les possibilités qu'avaient les conservateurs de s'opposer
aux réformes se sont trouvées radicalement supprimées par l'élimination des fondements de leur pouvoir. Il est vrai que le Japon
et Taïwan (Formose) ont connu un certain succès en matière de
réformes agraires sans provoquer pour cela de transformation radicale des structures sociales. Mais il s'agit là d'exceptions qui
confirment la règle. Dans les deux cas en question, les réformes
ont été passées assez rapidement et sous l'autorité d'une puissance
militaire d'occupation. Dans de telles circonstances, il a été effectivement possible de neutraliser la puissance de l'opposition conservatrice.

Il semblerait qu'en ce qui concerne l'Amérique latine, la transformation de la structure sociale et l'élimination de la puissance conservatrice qui constituent les traits caractéristiques du troisième type
de réforme devraient résulter automatiquement de la liquidation
du *latifundismo* (latifundisme) que l'on décrit souvent comme étant
une institution féodale ou semi-féodale. Ce point de vue semble
être celui des artisans de l'Alliance pour le progrès. Mais la réalité
est tout autre. Bien qu'il soit exact qu'il existe encore des secteurs
de propriété foncière en Amérique latine que l'on pourrait qualifier
de féodaux ou de semi-féodaux, et qu'il y ait des propriétaires
terriens qui détiennent encore un certain pouvoir politique pro-
vincial, il est erroné d'affirmer que ces groupes fonciers détiennent

---

1. Pour une discussion plus approfondie du problème mexicain, voir
« Mexique : le double visage de la révolution capitaliste au xxᵉ siècle »,
p. 270.

un rôle politique décisif au niveau national de n'importe lequel des pays latino-américains. A ce niveau, le pouvoir politique et économique est ailleurs — il est aux mains des bourgeoisies locales commerçantes, bancaires et industrielles, et des grandes firmes étrangères.

C'est là qu'il faut rechercher les tenants les plus importants du *statu quo* ; ce sont ces milieux qui collaborent dans de nombreux pays d'Amérique latine avec les propriétaires fonciers de type féodal, dans le cadre de la défense de leurs intérêts réciproques et mutuels. Les capitalistes qui détiennent le pouvoir final permettent aux « féodaux » de survivre, faisant ainsi le sacrifice de certains marchés ruraux. En échange les féodaux monopolisent la terre et contrôlent les provinces, fournissent aux capitalistes de la force de travail à bon marché, des structures législatives et exécutives conservatrices, et la « stabilité » générale et l'ordre politique dans « l'arrière-cour ». Toutefois, comme l'exemple du Mexique l'indique si clairement, l'élimination des féodaux ne modifie pas l'essence des choses parce qu'elle laisse intact le pouvoir de la bourgeoisie capitaliste qui peut alors s'opposer à des réformes agraires plus radicales. En vérité, ce pouvoir se trouve en fait renforcé lorsque — et tel est généralement le cas — les indemnités d'expropriation accordées aux féodaux leur permettent de se convertir en capitalistes.

La conception selon laquelle l'Amérique latine est — pour reprendre les paroles du célèbre romancier progressiste mexicain Carlos Fuentes — « un château féodal avec une façade capitaliste » ne fait que déformer la réalité. Les mesures que l'Alliance pour le progrès souhaite introduire dans l'espoir de remplacer le féodalisme par le capitalisme ont déjà, en Amérique latine, un passif d'échecs qui remonte à un siècle et demi. Il serait plus exact de dire que l'Amérique latine est un château capitaliste avec une façade féodale. Briser cette façade ne changerait pas grand-chose, pas même sur le plan de la réforme agraire.

Résumons-nous : les réformes agraires du premier type, profitant principalement aux propriétaires fonciers eux-mêmes, ne constituent pas vraiment des réformes. Les réformes agraires du deuxième type, entreprises en majeure partie par la bourgeoisie et en fonction de ses propres intérêts, n'offrent pas non plus de grandes perspectives. La réforme agraire qui s'accompagne d'une transformation socialiste de la société est la seule qui soit vraiment efficace et qui soit digne de ce nom. Une véritable réforme agraire ne peut être mise en œuvre par les conservateurs ou même contre les conservateurs. Elle ne peut être réalisée que *sans* les conservateurs.

17

Instabilité et intégration dans les zones urbaines d'Amérique latine

L'Amérique latine comprend déjà une population urbaine [1] importante et sans cesse croissante qui, dans certains pays, représente plus de la moitié de la population totale [2]. Toutefois, la ville en tant que système économique n'a pas encore fait l'objet d'une étude approfondie ; et l'on comprend fort mal le rôle de la ville en tant qu'unité économique ou en tant que partie de l'économie globale [3]. Il est possible que cette lacune de notre savoir soit à imputer à l'accent mis par les économistes sur la décomposition de l'économie

---

1. Cet article constitue une partie d'un rapport comprenant des recommandations sur le développement communautaire urbain et rural que l'auteur a rédigé à la demande de la commission économique des Nations unies pour l'Amérique latine, pour le séminaire organisé par la Commission en 1964. Toutefois, cette organisation ne peut être tenue pour responsable du contenu de ce texte.

2. Philip M. HAUSER (éd.), *La Urbanizacion en America Latina, op. cit.,* chap. III.

3. C'est ainsi que l'étude récente de l'ECLA, *The Economic Development of Latin America in the Post-War Period,* E/CN. 12/659, du 7 avril 1963, ne fait aucune mention de l'économie urbaine ; et le document qui l'accompagne, ECLA, *The Social Development of Latin America in the Post-War Period, op. cit.,* bien qu'envisageant la ville en tant qu'unité socio-économique, est incapable de décrire et d'analyser la situation de manière satisfaisante ; pour cela, il aurait fallu que des économistes effectuent certaines études de la structure économique urbaine contemporaine.

en secteurs et sur la distribution établie entre les secteurs primaire, secondaire et tertiaire. Ce dernier secteur est pratiquement devenu une catégorie résiduelle servant à classifier les phases les moins stables sur le plan structural et les moins bien comprises de l'activité économique [4]. Et pourtant, c'est précisément ce secteur mal connu qui s'est développé à un rythme fort alarmant en Amérique latine et dans les autres pays sous-développés [5]. Il est possible que la lacune de même type qui concerne la structure socio-économique de la ville soit pareillement imputable à l'accent mis par les sociologues sur la structure de l'habitat urbain et ses manifestations socio-culturelles dans la mesure où ceux-ci relèguent — de manière peut-être inévitable — les facteurs économiques à l'état de variables dépendantes relativement moins étudiées

La population soi-disant « flottante » des zones urbaines constitue un défi d'un type particulier. Comme la population indigène des zones rurales, la population flottante des zones urbaines est souvent considérée comme étant « marginale » en raison de la manière dont elle s'intègre à la société saisie comme un ensemble global. L'étude la plus importante concernant cette population est sans doute celle qui concerne les habitants des structures « auto-construites » et/ou des structures « irrégulières » [6]. On a souvent pensé que ces installations étaient de nature temporaire et que leurs habitants n'étaient que des immigrants récents d'origine rurale qui traversaient une période transitoire devant mener à un emploi et à une résidence stables et urbains. Il est apparu récemment de manière fort claire que, pour un temps indéfini, cet habitat ne sera ni transitoire ni temporaire, mais bien plutôt permanent et croissant. Souvent de nombreux habitants de celui-ci ne sont pas des immigrants d'origine rurale, mais proviennent plutôt d'autres villes, généralement plus petites [7], et souvent de la même ville [8]. L'ECLA considère que ces habitations construites par leurs propres occupants représentent « le rejet par la ville d'indigènes ou d'autres personnes qui y habitaient, et qui diffèrent du reste de la population urbaine plus

---

4. Pour une critique de cette classification qui indique le caractère hétérogène du secteur tertiaire, voir Pèter T. BAUER et Basil YAMEY, « Further notes on Economic Progress and Occupational Distribution », *Economic Journal*, mars 1954. Voir également Solomon ROTTENBERG, *Reflexiones sobre la industrializacion y el desarollo economico*, Santiago Universidad Catolica, 1957.

5. ECLA, *The Economic Development of Latin America...*, op. cit., et *The Social Development of Latin America...*, op. cit.

6. Ce terme est utilisé *in* G. ROSENBLUTH L., *op. cit.* Pour une discussion plus approfondie, voir plus loin.

7. En ce qui concerne les migrations par étapes, voir par exemple, Bertram HUTCHINSON, « The Migrant Population of Urban Brazil », *America Latina*, 6e année, n° 2, avril-juin 1963, et plus spécialement les pages 45 - 50.

8. ECLA, *Urbanization in Latin America*, op. cit., p. 15-16 et 33.

par le degré de leur pauvreté que par leurs origines » [9]. Un auteur qui s'est penché sur le problème suggère d'autre part que ces habitations « doivent être considérées comme un phénomène permanent qui tire ses origines du processus de développement économique et social » [10].

Il est toutefois possible d'exagérer l'importance économique et socio-culturelle de la distinction ville/campagne. En revanche, il serait utile d'envisager la distinction qui existe entre ce que l'on pourrait appeler les secteurs « instables » de l'économie et ceux qui sont « stables » ou bien structurés, aussi bien que la distinction correspondante entre les populations « permanentes » et « flottantes » qui animent ces secteurs. Les secteurs stables existent dans des milieux à la fois ruraux et urbains. Il serait possible de suggérer que les types rural et urbain de ce secteur ont probablement des structures et des origines passablement semblables. Une similitude plus grande encore peut être trouvée entre les ruraux et les urbains qui détiennent ces rôles plus ou moins « déstructurés » et instables. Il est certain qu'ils proviennent fondamentalement du même groupe socio-culturel, surtout si la société en question est de type multiracial ou multi-ethnique ; et il s'agit souvent des mêmes individus qui sont déplacés d'un environnement à l'autre (avec quelquefois des retours au point d'origine). D'ailleurs, ils occupent souvent un grand nombre de ces rôles de manière simultanée ou en succession rapide, en se déplaçant rapidement et aisément parmi les rôles « déstructurés », mais non pas entre ceux-ci et les rôles plus « structurés ».

Si tant est que ces peuples et les rôles qu'ils jouent aient été étudiés, l'accent a été surtout mis sur les aspects sociaux et culturels du problème. Toutefois, ces études jettent quelque lumière sur les différents aspects économiques du secteur « instable ». D'après certaines études portant sur les migrations internes, les origines économiques de ce problème se trouvent dans l'incapacité d'expansion du secteur « stable » produisant des biens primaires et dans l'instabilité du secteur de commercialisation agricole qui lui est associé et qui est souvent de type spéculatif ; elles se trouvent donc également dans le fait que ces secteurs sont incapables de procurer des emplois et des moyens d'existence à la population rurale. Il faut également tenir compte de la « stabilité » correspondante du secteur industriel et de l'économie urbaine instable qui leur est associée. A son tour, ce secteur ne peut absorber la population ainsi expulsée des exploitations rurales et des petites villes [11]. Une grande partie de ces migrations est de type cam-

9. *Ibid.*, p. 15.
10. Guillermo Rosenbluth L., *op. cit.*, p. 99.
11. Cf. ECLA, *The Economic Development of Latin America in the Post-War Period*, *op. cit.*, chap. vii et ECLA, *The Social Development of Latin America in the Post-War Period*, *op. cit.*, chap. ii et iii.

pagne/campagne, campagne/petites villes, petites villes/métropoles et non pas seulement campagne/ville au sens le plus étroit du terme [12]. Dans les petites villes, le secteur instable est sans doute plus vaste encore que dans les centres métropolitains où il s'est imposé plus nettement à l'attention des différents chercheurs qui se sont penchés sur le problème [13].

Etant donné que les secteurs primaire et secondaire ne connaissent pas une expansion suffisante, une grande partie de la population du secteur « instable » est attirée — ou plutôt introduite de force — dans le secteur tertiaire [14]. Une fois là, elle ne s'oriente évidemment pas vers les professions relevant des institutions de services les plus importantes et les plus traditionnellement « stables », mais plutôt vers les petites entreprises de service [15]. Ses membres deviennent alors de petits « entrepreneurs » individuels qui sont leurs propres patrons et qui se livrent au petit commerce ambulant, à de petits travaux divers et, bien sûr, à la domesticité [16]. De nombreux membres de cette catégorie sont des « capitalistes » au sens littéral du terme, sans toutefois posséder de capital financier, humain ou culturel. On pourrait les appeler, pour reprendre l'image de Sol Tax, des « capitalistes de quat' sous » (*Penny Capitalists*) qui auraient revêtu un déguisement urbain ; mais il leur manque même cette petite quantité de capital — et partant, d'indépendance — que leur terre procure aux paysans de Panajachel dans le Guatemala [17]. Toutefois la coïncidence qui existe entre le secteur tertiaire et le secteur instable ne devrait pas nous faire perdre de vue le fait que le secteur secondaire est lui aussi de nature instable. Ainsi, l'ECLA a découvert qu'à Santiago du Chili, sur les 42 % de la force de travail industrielle dont les membres habitent dans la *Callampa* « autoconstruite » et sur les 32 % de travailleurs industriels de la ville dans son ensemble, on comptait respectivement 19 et 6 % (soit près de la moitié pour la *Callampa* et un cinquième pour la ville) de travailleurs faisant partie du secteur notoirement intermittent et instable de la construction et non de la partie manufacturière « stable » du secteur secondaire [18]. Pourtant, dans le secteur manufacturier lui-même, les petites entreprises de type

---

12. Voir par exemple Bertram HUTCHINSON, *op. cit.*, p. 63. Celui-ci note que 20 à 40 % de cette population dans la métropole proviennent d'autres villes.

13. ECLA, *Urbanization in Latin America, op. cit.*, p. 6.

14. ECLA, *The Social Development...*, *op. cit.*, p. 63-65, et ECLA, *Urbanization in Latin America, op. cit.*, p. 28.

15. Voir ECLA, *The Social Development...*, *op. cit.*, p. 62.

16. Voir *ibid.*, p. 63 et ECLA, *Urbanization in Latin America, op. cit.*, p. 28, étude selon laquelle 63 % de l'emploi dans le Grand Santiago et 45 % dans une *callampa* dépendaient du secteur tertiaire et respectivement 17 et 33 % de la catégorie des « sans-patron » (*self-employed*).

17. Voir Sol TAX, *Penny Capitalism*, Chicago, 1953.

18. *Urbanization in Latin America, op. cit.*, p. 28.

« ancien », pauvres en capital et technologiquement inefficientes, ayant une longévité incertaine et offrant un emploi certainement instable, sont créées à un rythme plus accéléré que les usines modernes et technologiquement avancées [19]. Ces petites entreprises instables absorbent un nombre plus grand de travailleurs que les firmes modernes et stables [20]. Toutefois, nous retrouvons ici une relation semblable à celle qui rattache les petits lopins agricoles de subsistance aux *haciendas* et aux plantations ; en effet, les petits producteurs industriels inefficaces sont liés par une relation de type satellite-métropole aux grands entrepreneurs « efficients », à l'ombre desquels ils subsistent et à qui ils fournissent souvent une partie de leurs inputs. De plus, ils subissent toujours une part importante de l'impact des fluctuations de la demande, de l'offre et des prix qui se produisent dans le secteur industriel moderne et « stable ».

L'existence et l'expansion de ce secteur vaste et instable — et qui est à la fois urbain et rural — dans la structure de l'économie nationale et internationale engendrent une importante population également « flottante » et instable dotée d'une faible qualification technique et culturelle et connaissant un emploi hautement instable et une très grande insécurité. Ainsi, l'ECLA note que « le travailleur de la *Callampa* dispose rarement de la sécurité que peut offrir un emploi stable ; il risque de connaître une série d'emplois mal rémunérés et d'une durée incertaine » [21]. Une étude consacrée à Puerto Alegre, au Brésil, a révélé que 40·% des chefs de famille « trouvent du travail de manière irrégulière » et que 55 % sont complètement privés d'emploi [22]. Nombreux sont ceux qui se déplacent fréquemment entre des emplois irréguliers et sans qualification et des activités autonomes qui ne sont souvent que partielles [23] ; ils doivent toujours s'attendre à voir leur source de revenus du moment se tarir assez rapidement. De manière sans doute paradoxale, l'emploi multiple est étroitement associé à un sous-emploi fréquent et élevé. Ainsi, une étude portant sur la population des *Callampas* de Santiago signale que 41 % de la population potentiellement active ont été employés entre quatre et douze mois par an [24]. Ces conditions donnent lieu à des niveaux de revenu tellement bas que, d'après les estimations de l'ECLA, le « régime alimentaire modèle » familial, tel qu'il est établi par le Département de l'alimentation et de la nutrition du service national de la santé du Chili, absorberait respectivement 132 et 121 % des revenus de l'habitant des *Callampas* et de l'ouvrier de Santiago [25]. Et l'instabilité de

19. ECLA, *The Social Development of Latin America...*, *op. cit.*, p. 28.
20. *Ibid.*, p. 59-60.
21. ECLA, *Urbanization in Latin America*, *op. cit.*, p. 28.
22. Signalé *in* G. Rosenbluth L., *op. cit.*, p. 32 (tableau 14).
23. ECLA, *Urbanization in Latin America*, *op. cit.*, p. 28.
24. G. Rosenbluth L., *op. cit.*, p. 79.
25. Signalé *in ibid.*, p. 65-66.

l'emploi et l'insécurité du revenu n'ont d'égal que le fait suivant : 61 % des personnes interrogées par les enquêteurs, ont répondu qu'elles n'étaient couvertes par aucun système de sécurité sociale, bien qu'habitant au Chili qui est considéré comme ayant le système de sécurité sociale le plus développé parmi les pays d'Amérique latine [26].

Comme cela se produit en milieu rural, l'instabilité du marché de l'emploi se double, au moins partiellement, d'une instabilité du marché des produits. Il est possible que les habitants des villes soient moins touchés que les ruraux par le monopole et les fluctuations sur le marché et par la spéculation sur les biens qu'ils achètent (et qu'en partie ils vendent), en raison de certaines considérations d'ordre géographique qui, dans les grandes villes, réduisent la possibilité de monopoliser le marché local. Néanmoins, les marchés urbains et nationaux de nombreux biens comprenant les produits alimentaires (et souvent, le logement) sont notoirement de nature monopoliste. En Amérique latine, on ne subit que trop souvent des pénuries artificiellement créées à l'échelle d'une ville tout entière et visant à permettre la spéculation par les prix sur tel ou tel bien de consommation [27]. Ces pratiques absorbent inévitablement une part du revenu du consommateur qui, pour être sans doute inconnue, n'en est pas moins, et selon toute probabilité, fort importante. On a estimé par exemple qu'au Chili les coûts de commercialisation représentaient 40 % du prix des produits alimentaires dans les villes ; et que ces coûts absorbent à eux seuls 26 % du revenu familial global de l'ouvrier urbain [28].

Le degré et l'impact d'un tel type de monopole, de restriction de l'offre et de spéculation sur les prix des biens de consommation sont sans doute plus importants dans le secteur « instable » que le secteur « stable », et cela surtout dans la mesure où ils se situent physiquement et économiquement dans les zones résidentielles suburbaines autoconstruites et dont les habitants ne disposent que d'un faible revenu. Ces zones sont nettement moins bien dotées de services urbains — et de débouchés au commerce de détail — que la ville dans son ensemble [29]. D'ailleurs, l'instabilité accrue des revenus familiaux rend les populations de ces zones bien plus vulné-

---

26. *Ibid.*, p. 64 n.

27. Un document publié par la présidence de la République brésilienne, *Conselho do Desenvolvimento, Questão Agraria Brasileira* (par Ignacio RANGEL), Brasilia, 1961, page III, parle de monopoles qui « organisent méthodiquement la rareté » et ainsi « imposent des prix abusifs au consommateur ». La *Correo da Manha* (Rio de Janeiro) du 6 juin 1963 signale des hausses de prix de 1 500 % sur des denrées alimentaires produites près de Rio et vendues dans la ville.

28. OCEPLAN, *Las Bases Tecnicas del Plan de Accion del Gobierno Popular*, Santiago, Chili, 1964, p. 17.

29. ECLA, *Urbanization of Latina America, op. cit.*, p. 10.

rables à des pratiques de crédit à court terme de type usuraire. Etant donné que les revenus de ces personnes sont très bas, ils reçoivent incontestablement moins de crédit que les autres habitants des villes, tout en le payant plus cher et en y consacrant une part plus importante de leurs faibles revenus pour régler le coût élevé de l'intérêt [30].

Cette structure économique de la ville et la position désavantageuse dans laquelle elle place un grand nombre de ses habitants se retrouvent évidemment dans de multiples manifestations culturelles et sociales. Dans les pays multiraciaux et multi-ethniques, cette structure se manifeste par une répartition raciale, ethnique et résidentielle fortement inégalitaire au niveau de la ville [31]. La structure résidentielle urbaine qui en résulte constitue l'élément le plus notable et le plus largement étudié. D'importantes (et en général croissantes) fractions de la population urbaine s'entassent dans des zones et des structures d'habitats suburbaines [32], autoconstruites [33], vétustes, situées en dessous de la norme [34] et dispo-

---

30. Voir J. CHONCHOL, *La Reforma Agraria en America Latina*, Santiago, Editorial de Pacifico, 1964, p. 63, soutient par exemple que ce sont les zones et les habitants les plus pauvres de la ville qui payent les prix unitaires les plus élevés pour l'achat de produits alimentaires.

31. Voir par exemple *Aspectos Humanos da Favela Carioca*, O Estado de Saõ Paulo, 15 avril 1960, pour Rio de Janeíro ; et José MATOS MAR, « Migracion y Urbanization — Las Barriadas Limenas : Un Caso de Integracion a la vida urbana », in P.M. HAUSER, *La Urbanization en America Latina*, *op. cit.*, pour le Pérou.

32. Plusieurs pays et plusieurs villes comme Caracas et Santiago ont entrepris de vastes programmes de renouvellement urbain qui « effacent » les habitations autoconstruites et (dans certains cas) anciennes et qui réinstallent quelques-unes des familles déplacées par le moyen de projets d'habitation financés par l'Etat ou par l'attribution (sous contrôle public) de fonds destinés à aider l'autoconstruction de nouvelles habitations. D'habitude, ces nouvelles habitations se situent évidemment à la périphérie des villes et sont souvent fort distantes du centre urbain et/ou des centres d'emploi et de commerce de détail.

33. Pour une distinction architecturale, économique, sociale et culturelle entre ces trois types d'habitat urbain à faible revenu, voir par exemple G.R. ROSENBLUTH L., *op. cit.*, chap. III. Les installations autoconstruites se situent d'habitude soit à la périphérie des villes soit sur des collines ou des rives fluviales centrales mais indésirables. Elles portent des noms variés : *jacales* (Mexique), *ranchos* (Caracas), *barrios clandestinos* (Colombie), *barriadas* (Lima), *callampas* (Santiago), *villas miserias* (Buenos Aires), *villas malocas* (Puerto Alegre), *favelas* (Rio de Janeiro), *mocambos* (Recif), etc.

34. Ces zones et ces structures d'habitat comme de nombreux taudis d'Europe ou d'Amérique du Nord se situent en général à l'intérieur des villes dans la mesure où elles sont constituées par de vieilles habitations urbaines qui sont à présent dans un état de décrépitude avancé et qui abritent une forte densité d'habitants. En Argentine et au Chili on les appelle *conventillos* et au Mexique *Tugurios*.

sant de faibles revenus. Parmi ces différentes catégories, ce sont sans doute les installations autoconstruites qui ont retenu le plus l'attention des instances aussi bien scientifiques que politiques. Bien qu'il existe incontestablement des différences au niveau des structures professionnelles, des niveaux de revenu, des indices sociaux-culturels entre les installations autoconstruites et les deux autres types d'habitat urbain de faible revenu, une étude de l'ECLA a récemment remis en question l'étendue de telles différences [35]. Au Chili, dont le programme de logement public est, avec celui du Venezuela, le plus ambitieux d'Amérique latine, des estimations officielles considèrent que 6 % de la population de Santiago se trouvent dans les *Callampas* et 20 % dans les *conventillos* ; d'autres habitants encore vivent dans les constructions qui sont venues remplacer les *Callampas* et freiner leur croissance à Santiago. Dans certaines autres villes du Chili et d'Amérique latine, dans lesquelles le programme de construction publique est bien moins étendu qu'à Santiago, la population des *Callampas* atteint des pourcentages bien plus élevés, qui dépassent quelquefois 50 %. La population des *conventillos* comprend le tiers des familles des ouvriers et des employés de la ville [36]. D'après l'UNICEF, à Mexico, 30 % de la population habitent dans des installations autoconstruites, 11 % dans des habitations vétustes et délabrées, 14 % dans des habitations « prolétariennes », 26 % dans des « habitations vétustes » et seule une fraction de 19 % connaît un habitat que l'on peut considérer comme « satisfaisant » [37]. Evoquant la situation à Lima, la même organisation note : « Les *barriadas* se sont constituées parce que les gens veulent posséder leur propre toit. Ils se livrent à une " invasion " qui se développe au point de devenir un flux continuel de personnes qui quittent la capitale pour s'installer dans un endroit à eux et pour lequel ils n'ont généralement pas à payer. A cette fin, ils pourront rechercher des terrains vacants sous propriété privée ou publique. Il suffit de considérer le revenu moyen de ces personnes pour comprendre que la quasi-totalité d'entre elles serait incapable de vivre autrement ou de payer des loyers que l'on exige dans les zones urbaines [38]. »

Les installations autoconstruites échappent — presque par définition — à toute planification. Pour cela, elles sont en général presque dépourvues de services urbains. D'habitude, elles manquent d'eau courante, ce qui oblige les femmes et les enfants à rapporter de l'eau dans des récipients à partir de sources voisines ou même éloignées. Quelquefois l'eau est livrée en camion et elle se vend à des prix considérables. L'électricité est inexistante ou bien alors on la capte clandestinement à partir de câbles proches. Les égouts

---

35. ECLA, *Urbanization in Latin America, op. cit.*, p. 11, 33.
36. ECLA, *Urbanization in Latin America, op. cit.*, p. 7.
37. UNICEF, *Boletin Trimestral del UNICEF*, n° 29, 1962, n.p.
38. *Ibid.*, n.p.

(et quelquefois même les fosses d'aisances) sont inconnus. Le ramassage des ordures est inexistant — en revanche le bidonville est souvent construit sur le dépôt d'ordures lui-même. Les rues ignorent tout revêtement ; et comme ces installations s'établissent souvent par la force des choses sur des collines ou en bordure des cours d'eau, les inondations périodiques ne sont que trop fréquentes. Les hôpitaux sont lointains, comme le sont d'ailleurs les téléphones qui pourraient procurer un secours médical d'urgence. Les écoles sont distantes et surchargées, quand elles ne sont pas tout simplement inaccessibles. De nombreuses installations autoconstruites sont loin du centre de la ville, des possibilités d'emploi ; les moyens de transport sont inadéquats, onéreux et lents. La protection de la police et des pompiers est chose rare. Le commerce de détail, comme nous l'avons noté ci-dessus, est rare et cher. Toutefois, l'insécurité de l'emploi mise à part, du point de vue de l'habitant des structures d'habitation autoconstruites sur des terres appartenant à d'autres, ce qui est pire, c'est l'insécurité de l'occupation : « Parce qu'ici nous n'avons aucune sécurité ; ils peuvent nous jeter dehors sans préavis » et « parce qu'ici nous vivons de la charité et que nous pouvons être obligés de partir à tout moment, sur ordre de la ville [39]. »

Les résidents de l'habitat vétuste et délabré du type des *conventillos* ne souffrent pas de cette pénurie de services physiques de manière aussi tragique, dans la mesure précisément où ils sont plus « urbanisés » au sens traditionnel du terme. D'ailleurs, ces habitants sont plutôt des ouvriers ou des membres de la couche inférieure des classes moyennes ; leur situation économique et leur durée de résidence leur permettent à peu près de se payer cet habitat relativement moins déplorable. Les constructions suburbaines pour titulaires de faibles revenus, y compris celles prévues par les autorités publiques semblent malheureusement souffrir de manière trop fréquente des mêmes carences qui sont si caractéristiques des installations autoconstruites « irrégulières ». En raison de divers obstacles économiques et administratifs, un grand nombre de ces ensembles d'habitation connaissent les mêmes pénuries en matière de services urbains et scolaires, d'hygiène et de commerce de détail. De plus, ces ensembles étant souvent encore plus loin du centre que les installations autoconstruites, leurs habitants sont sérieusement désavantagés en ce qui concerne les possibilités d'emploi qui, aujourd'hui pas plus qu'hier, n'ont jamais été situées dans ces zones d'habitation récentes [40].

Bien que la population de ces zones soit très jeune — 51 % de la population des *callampas* de Santiago ont moins de quinze

---

39. Cité *in* ECLA, *Urbanization in America Latina, op. cit.*, p. 23.
40. ECLA, *Urbanization in Latin America*, p. 9-10 ; Banco Obrero, *Proyecto de Evaluacion de los superbloques*, Caracas, 1961.

ans [41] — les services scolaires sont insuffisants et d'un niveau très bas. Cette même étude sur les *callampas* a révélé que 73 % des habitants de plus de quinze ans avaient moins de quatre ans d'éducation scolaire [42]. Fait plus significatif encore, il est apparu que les niveaux de revenu à l'intérieur de ce groupe n'étaient pas influencés par le niveau d'études, ce qui signifie que *seule une scolarisation de plus de quatre ans* — qui n'est atteinte que par 27 % des habitants — confère une supériorité en matière de revenus par rapport à une absence totale d'éducation [43]. L'étude a constaté que 38 [44] à 45 % [45] des enfants d'âge scolaire ne recevaient aucune éducation. En raison de la faiblesse des revenus et des conditions sanitaires défavorables (que nous avons déjà évoquées), l'état de la santé est déplorable. « Le préambule de la constitution de l'Organisation mondiale de la santé définit " un état de complet bien-être physique, mental et social et non pas seulement l'absence de maladie ou d'invalidité ". Si nous devions utiliser ce critère pour juger de l'état de santé de la population des callampas [...] nous serions obligés de conclure que la population des callampas est une population malade [46]. » Le pourcentage de jours d'alitement par suite de maladie y est considérablement plus élevé que le taux moyen, en dépit du fait que les faibles revenus de ces habitants les découragent fortement de sacrifier des jours de travail [47]. Le taux de mortalité infantile est très élevé et dépasse quelquefois celui des zones rurales. Et on ne compte que 2 % de personnes ayant reçu des soins médicaux couverts par la sécurité sociale [48].

Le secteur « instable » de l'économie dont nous venons de parler donne lieu à une mobilité et à une insécurité fort étendues qu'il convient de souligner spécialement. Nous avons noté ci-dessus que la structure contemporaine de l'économie urbaine en Amérique latine entraîne un fort degré de mobilité sur le plan de l'emploi comme sur celui du domicile et cela plus particulièrement dans les trois types de zones résidentielles « irrégulières ». Il est possible de reprendre le même raisonnement en ce qui concerne l'insécurité, encore que sur ce point il soit important d'opérer une distinction entre les installations autoconstruites, d'une part, et les ensembles d'habitations suburbains financés ou directement construits par l'Etat, d'autre part. Il est bien évident que l'insécurité se manifeste plus dans le premier type d'habitat précité dans la mesure où ce sont les personnes dont la situation économique est la plus instable qui

41. ECLA, *Urbanization in Latin America*, p. 18.
42. *Ibid.*, p. 19.
43. *Ibid.*, p. 20.
44. *Ibid.*, p. 21.
45. G. ROSENBLUTH L., *op. cit.*, p. 90.
46. *Ibid.*, p. 68.
47. *Ibid.*, p. 58-69.
48. G. ROSENBLUTH L., *op. cit.*, p. 70.

ont tendance à s'y installer. De plus, l'insécurité du logement se trouve accrue par la nature même des installations autoconstruites et plus particulièrement par le fait qu'elles se situent sur des terrains appartenant à d'autres. Lorsqu'il s'agit de propriétés privées, ces terrains sont fréquemment conservés à des fins de spéculation et pourront être réclamés par le propriétaire sans aucun préavis. Cependant, pour diverses raisons de politique gouvernementale — programmes de « rénovation urbaine » inclus — même les terres appartenant à l'Etat sont souvent converties d'un tel usage « résidentiel » à quelque autre utilisation. En 1964, à Rio de Janeiro, une *favela* autoconstruite fut rasée par la municipalité et remplacée par un nouvel hôtel touristique de luxe. L'une des principales préoccupations de la population des installations autoconstruites est de trouver et de conserver un toit pour s'abriter, si modeste soit-il. Pour cette raison — et pour d'autres encore — cette population a tendance à ne s'intéresser qu'à ses propres problèmes immédiats et quotidiens, à l'exclusion à peu près totale de toute question communale ou — *a fortiori* — nationale ou internationale [49]. Le principal contact social de ses membres tend à s'établir avec leur propre groupe primaire et/ou dans le cadre de la famille au sens large. Les associations de quartier, comme toutes les autres formes d'association volontaire, partis politiques inclus, existent quelquefois dans ces zones, mais n'y rencontrent qu'une faible participation [50]. On ne trouve d'exceptions à une telle situation que dans les pays qui comptent des populations indiennes, tels que le Guatemala et le Pérou où les clubs de type « *les fils de...* », dans le cadre des quartiers ou des villes, procurent aux émigrants ruraux récemment installés des attaches entre eux et avec « le pays natal ». En dehors de cela, le seul exemple significatif de coopération communautaire spontanée est constitué par les efforts quelquefois coopératifs visant à « envahir » une nouvelle zone afin d'y construire et de la défendre contre d'éventuels intrus ou d'autres facteurs d'usurpation éventuelle de leurs foyers. D'ailleurs, dans les pays fortement organisés sur le plan ethnique ou communautaire, qui comptent de vastes populations indigènes, un tel mouvement d'installation et de défense de nouvelles zones est quelquefois organisé sur la base de l'affiliation régionale. Mais dans des pays tels que le Venezuela ou le Chili, ou même le Brésil, il est rare de rencontrer une telle structure de comportement. De toute façon, on ne rencontre jamais dans ces zones le moindre intérêt, ou la moindre participation, ou même un certain degré de connaissances concernant ce que l'on pourrait appeler les « affaires nationales » ou même les programmes populaires des partis politiques du pays [51]. Un observateur des *callampas*

---

49. ECLA, *Urbanization in Latin America, op. cit.*, p. 31-32. Voir également ECLA, *The Social Development..., op. cit.*, p. 65-67.

50. *Ibid.*, p. 30-31.

51. *Ibid.*, p. 32.

de Santiago a suggéré que les « plans élaborés au niveau national ne peuvent tenir compte des besoins des *callampas* étant donné que leurs populations étaient hautement instables et qu'elles se déplaçaient constamment d'un endroit à l'autre, ce qui les tenait pratiquement à l'écart de toute activité de portée nationale » [52].

Le même auteur constate d'un autre côté que « ces populations que nous avons rattachées à des centres suburbains ou " semi-ségrégués " sont en fait, comme leur nom l'implique, semi-ségréguées par manque de services urbains. Mais ces centres se situent à des niveaux différents et supérieurs par rapport aux *callampas*, en ce sens qu'ayant reçu la propriété des sols, leurs habitants jouissent d'un degré de sécurité et de confiance qu'ils ne connaissaient pas auparavant et qui leur permet de se livrer à une série d'efforts visant à améliorer autant que possible le développement de la zone. Cette nouvelle situation engendre une nouvelle série de responsabilités et pour y faire face ils s'unissent en groupes qui sont clairement conscients des buts à poursuivre. Cela se reflète également dans l'intérêt mis à participer à des activités politiques, intérêt qui contraste avec l'apathie et la désorganisation que l'on rencontre chez les habitants des *callampas* [53]. »

Si l'on tient compte des circonstances extérieures, il n'est pas étonnant de voir l'ECLA conclure que « dans ces secteurs, les problèmes de vie urbaine acquièrent une importance supérieure à celle du travail lui-même. Par conséquent, les organisations collectives qui se constituent ne cherchent pas à défendre les intérêts de l'emploi, mais poursuivent plutôt l'amélioration des conditions de vie et, de manière générale, l'obtention des circonstances qui sont nécessaires pour permettre à leurs membres de survivre dans un environnement urbain qui leur paraît souvent hostile [54]. »

La population urbaine flottante est particulièrement sensible aux

---

52. G. ROSENBLUTH L., *op. cit.*, p. 92.
53. Des constatations semblables ont été effectuées dans l'autre ville d'Amérique latine qui dispose de projets de logements publics sur une grande échelle, Caracas. Voir par exemple, *Report of a Community Evaluation Mission to Venezuela*, texte préparé pour le gouvernement du Venezuela par Caroline F. Ware, Ruben Dario Utria et Antoni Wojcicki, Nations unies, Commissariat pour l'Assistance technique, Département des affaires économiques et sociales, TAO/VEN/15, 1er décembre 1963, et plus particulièrement Annexe I, E et Annexe E (non publiées). A Santiago, il convient de signaler l'ensemble d'habitations *José un Maria Caro* et à Caracas les ensembles *23 de Enero* et *Simon Rodriguez*. Chacun d'eux comprend plus de 100 000 habitants. Pour une vision moins précise des choses — due sans doute à une comparaison de la réalité de ces projets à un idéal plutôt qu'à la réalité des communautés autoconstruites — voir également Banco OBRERO, *Proyecto de Evaluacion de Superbloques, op. cit.*
54. ECLA, *The Social Development of Latin America in the Post-War Period, op. cit.*, p. 136.

changements des programmes gouvernementaux comme à ceux des politiques monétaires et fiscales dans la mesure où de tels changements les affectent immédiatement. Ainsi que nous l'avons suggéré ci-dessus, l'instabilité du secteur économique qui constitue l'élément fondamental de cette population a également pour effet de la transformer en amortisseur urbain des à-coups économiques du secteur « stable » et de l'économie dans son ensemble. En conséquence, dans la mesure où elle a pour effet de freiner ou d'amplifier ces fluctuations économiques, l'activité gouvernementale affecte de manière particulièrement brutale cette population flottante.

Les membres de cette population sont les derniers à être embauchés et les premiers à être licenciés dans le courant des fluctuations des secteurs de la construction urbaine, de l'industrie et des services. La politique monétaire et fiscale du gouvernement détermine par conséquent leur situation économique de manière très immédiate par le moyen de ses effets sur le secteur privé. Leurs occasions d'emploi sont également très sensibles à certaines autres activités gouvernementales. En Amérique latine, au cours de ces dernières années, la population flottante a souvent vu ses sources d'emploi augmenter rapidement à la suite d'une poussée dans la construction publique — poussée généralement associée à certaines circonstances politiques bien particulières — pour s'effondrer de nouveau à la suite d'un ralentissement, de nature également politique, de la construction publique. Dans la mesure où le précédent gonflement de l'emploi avait attiré encore plus de monde vers les villes ou même vers le pays lui-même, le caractère temporaire de ce gonflement contribue encore à augmenter la population urbaine flottante et à aggraver son insécurité. Un tel chômage périodique est susceptible d'obliger certaines personnes à abandonner leurs taudis plus anciens de type *conventillo* pour chercher à s'installer dans des bouges autoconstruits plus récents. Dans la mesure où les avantages de la sécurité sociale et des bureaux d'emploi sont liés dans une grande mesure aux institutions économiques dans lesquelles la population occupe des places relativement stables, la population flottante qui a le plus besoin de tels avantages se trouve à peu de chose près démunie de toute protection. Sur tous les plans, c'est elle qui souffre du plus grand degré d'insécurité et, bien entendu, de pauvreté. Les politiques des pouvoirs publics ne peuvent par conséquent modifier de manière significative, et moins encore éliminer, les conditions déplorables qui sont celles de cette population urbaine flottante en l'absence de transformations fondamentales dans la structure de la société et de l'économie qui engendre de telles conditions.

Nous pensons qu'il existe toutefois un domaine d'importance majeure dans lequel l'intervention des pouvoirs publics peut immédiatement donner lieu à une amélioration de la condition de la population urbaine flottante et ouvrir la voie à d'autres entreprises dans le sens du développement. Il s'agit du domaine des zones d'habitation et plus particulièrement des problèmes soulevés par les structures d'habitations autoconstruites.

L'examen du milieu urbain auquel nous venons de nous livrer laisse penser qu'il existe une différence significative dans le type d'organisation sociale et dans la conscience, l'engagement et la responsabilité civiques et politiques entre les habitants des structures et des zones d'habitations autoconstruites d'une part et, d'autre part, le reste de la population urbaine plus ou moins flottante vivant dans les habitations anciennes et délabrées du centre ou dans les ensembles suburbains plus récents. Au-delà des facteurs de différenciation d'ordre économique, la distinction entre les habitants des structures autoconstruites et ceux des autres types d'habitat peut se ramener directement à une différence au niveau de la sécurité de la détention du logement. C'est l'insécurité du droit à un foyer et à une maison, jointe évidemment à l'insécurité de l'emploi et à d'autres facteurs encore, qui semble constituer l'un des principaux obstacles à l'action organisée politique, civique ou coopérative, au niveau du quartier ou ailleurs. A son tour l'insécurité du logement est due en grande partie à l'absence de propriété ou de tout autre droit légal sur le sol et à la puissance bien plus grande des propriétaires ou des demandeurs privés ou publics qui cherchent périodiquement à expulser les occupants des terrains qu'ils habitent.

Ces considérations créent une tâche importante en même temps qu'une occasion pour les pouvoirs publics et l'action communautaire en ce qui concerne l'amélioration des conditions de la population urbaine qui habite dans les zones et les structures d'habitations autoconstruites. Il est vain de s'attendre à une telle action communautaire dans ces zones en l'absence de toute intervention extérieure — qui sera presque nécessairement de caractère public. En revanche, avec un certain degré d'intervention publique adéquate (et pas forcément extensive), l'action communautaire sur cette partie de la population peut s'accroître de manière significative afin de contribuer au développement économique, social et politique futur de la société tout entière. Au-delà de la mesure évidente, mais sans doute irréalisable économiquement, qui consiste à construire des habitations pour ces populations sur des fonds publics, il pourrait exister d'autres mesures immédiatement possibles sur le plan économique qui viseraient à stimuler et à mettre sur pied une organisation communautaire et un développement parmi les zones d'habitations autoconstruites et leurs occupants.

Nous esquissons ci-dessous quelques-unes des mesures qu'il est possible de concevoir pour faire face au problème de l'insécurité du logement dans les zones d'habitations autoconstruites et stimuler l'intérêt et la participation de leurs habitants [55].

---

55. Sur ce point voir également Philip M. HAUSER (éd.), *La Urbanizacion en America Latina*, *op. cit.*, chap. II, « Conclusiones del Seminario », et chap. XIII, « Algunas Consecuencias Politicas de la Urbanizacion ».

Il serait souhaitable de voir les municipalités urbaines centrales incorporer ou amalgamer les communes voisines ou même les communes rurales afin de constituer une zone urbaine ou métropolitaine plus vaste et plus susceptible de servir de cadre à une planification urbaine globale. Compte tenu des problèmes de logement de la population urbaine flottante, il serait alors souhaitable de voir la ville poursuivre une politique d'achats publics de terrains qui dépasse largement les besoins actuels du bâtiment.

Nous proposons deux grands types d'action publique en ce qui concerne les terrains appartenant à la municipalité et le problème des structures d'habitations autoconstruites. En premier lieu, les installations urbaines autoconstruites sur des terrains municipaux devraient bénéficier de garanties publiques contre l'expulsion sans très long préavis et des dispositions publiques devraient faciliter l'installation dans des logements meilleurs situés dans des zones dont la localisation et la desserte en service de transport ne portent pas préjudice aux intérêts des intéressés. En fait, il semblerait raisonnable d'abandonner les politiques et les programmes de rénovation urbaine qui impliquent la destruction de foyers déjà existants et l'expulsion de leurs propriétaires et ce jusqu'au moment — encore impossible à prévoir — où les conditions économiques permettront la poursuite d'une telle politique sans en faire porter la charge par les membres les moins puissants de la société. Cela s'applique non seulement aux hôtels touristiques, mais également aux autres « améliorations » urbaines. En deuxième lieu, la municipalité peut subdiviser les terrains urbains relevant de la propriété publique et les attribuer à ceux des habitants de la population flottante qui ont déjà construit dans les zones habitées et à ceux qui souhaitent installer des habitations autoconstruites dans de nouvelles zones. Les attributions devraient s'accompagner de garanties contre l'expulsion et pourraient exiger en échange une certaine forme de responsabilité minimale de la part des occupants. La possibilité d'un transfert des parcelles attribuées serait prévue, mais en étant assortie de mesures visant à prévenir l'acquisition et la monopolisation de lots multiples par les spéculateurs privés.

Il serait souhaitable d'accorder un maximum de protection publique aux résidents des habitations autoconstruites sur des terrains relevant de la propriété privée. La meilleure protection contre l'expulsion et la spéculation de la part du privé en ce qui concerne ces terrains est constituée par l'acquisition en vertu du droit de domaine éminent et leur subdivision par la municipalité ainsi qu'il est décrit ci-dessus. Le but de l'acquisition publique de terrains au-delà des besoins présents du bâtiment est évidemment de prévenir le développement de tels problèmes relevant de la spéculation sur des terrains urbains privés [56] (ce qui est également

---

56. Ainsi, le *Self Help Housing Guide* de l'Inter-American Housing and Planning Center de la Pan American Union, à Washington, rapporte que

souhaitable pour d'autres raisons que celles qui se rattachent à l'habitat autoconstruit) et de la présence de populations flottantes sur ces terrains. Toutefois, il conviendrait également de protéger les habitants actuels des installations autoconstruites sur des terrains privés contre l'expulsion arbitraire en limitant au nom de l'intérêt public, les conditions juridiques qui rendent légale une telle expulsion.

Un habitat autoconstruit plus adéquat — ou moins adéquat — peut être mis en place en ayant recours à diverses mesures de politique publique et d'action communautaire. Dans la mesure où les moyens précités, visant à accroître la sécurité du logement, seraient adoptés, il deviendrait de plus en plus possible d'inclure les zones et les structures autoconstruites dans le territoire de la planification urbaine telle qu'elle s'applique déjà à d'autres secteurs de la ville. De même, il deviendrait administrativement possible de fournir un minimum de services urbains tels que l'eau, les égouts et l'électricité à la population flottante des zones autoconstruites. De plus, il serait possible de subventionner l'acquisition par cette population de matériaux de construction qui pourraient être à la fois moins chers et de meilleure qualité que ceux auxquels ils ont accès à l'heure actuelle et qui sont livrés par des circuits exclusivement privés et quelquefois même dominés par les monopoles.

Combiner en partie ou en totalité ces mesures afin d'accroître la sécurité de l'occupation et de diminuer les coûts de construction et d'entretien de la population urbaine contrainte d'habiter des structures autoconstruites aurait pour effet de fournir un fondement sensiblement plus important à la participation communautaire de cette population à des affaires qui la concernent immédiatement aussi bien qu'à celles qui ont une portée sociale ou politique plus vaste. Pour un coût relativement bas, ces mesures devraient permettre de retrouver dans une large mesure les circonstances sociales, sinon physiques, qui ont donné lieu à des ensembles d'habitation réussis tels que le 23 de Enero à Caracas et le José Maria Caro à Santiago, ce dernier comprenant, soit dit en passant, une proportion importante d'habitations autoconstruites sur des terrains subdivisés et attribués par la municipalité. D'ailleurs, ces mesures permettraient d'organiser des coopératives de construction et d'entretien reposant sur la participation communautaire à un processus de

---

des coûts d'acquisition de terrains qui atteignent des montants de l'ordre de 57, 40 et 35 % du coût total de prétendus projets de logements autoconstruits avec assistance mutuelle en Colombie, au Nicaragua et au Costa Rica et 33 % pour des terrains sans aménagement aucun au Nicaragua (pages 5 et 29). Marshall Wolfe attribue en grande partie de tels coûts à la spéculation dans son étude *Las Clases medias en Centroamerica : Caracteristicas que presentan en la actualidad y requisitos para su desarollo*, Nations unies, E/CN. 12/CCE/176/Rev., 2/1960, p. 1.

programmation, de construction, et d'entretien d'une partie importante de l'habitat autoconstruit.

Un autre moyen — plus ambitieux que les précédents — pour stimuler cette participation et cette organisation communautaires serait de confier à une agence publique le soin d'organiser la construction d'habitations autoconstruites ou partiellement telles. L'agence publique pourrait fournir les mêmes ressources financières qu'elle consacre à l'heure actuelle aux projets publics d'habitation, mais au lieu de les mettre en œuvre par le moyen d'entrepreneurs privés qui embauchent la main-d'œuvre selon des procédés bien connus et qui retiennent une partie des fonds du projet pour eux-mêmes ou au lieu, même, de remplacer les entrepreneurs privés par l'agence publique qui se chargerait dès lors des fonctions d'entreprise et d'emploi, l'agence publique pourrait assumer la responsabilité de planifier le projet, fournir les matériaux et les services d'architecture et d'entreprise et ensuite employer les membres de la population flottante à la construction du projet en les récompensant non pas en salaires mais en droits sur l'une des habitations à venir, après contribution d'un certain nombre d'heures de travail.

Ces projets d'habitations autoconstruites ne devraient toutefois pas être confondus avec les prétendus « projets de logements autoconstruits grâce à l'aide mutualiste » qui sont décrits (pour l'Amérique du Sud et plus spécialement pour l'Amérique centrale) par la Pan American Union dans son *Self Help Housing Guide* [57] et qui sont souvent financés par la Banque internationale du développement à Washington. En effet il suffit d'examiner la structure des coûts, tels qu'ils sont donnés par ce *Guide* lui-même, pour se rendre compte que ces projets ne relèvent de l'autoconstruction que sur le papier et non dans les faits. Ainsi, les coûts de main-d'œuvre attribués aux ouvriers participants qui seront les futurs propriétaires représentent environ 11 à 12 % des coûts totaux dans la plupart des projets en question, et 4 % dans un projet guatémaltèque. Cela donne au terme « autoconstruit » l'allure d'une farce cruelle. Cruelle, parce qu'il apparaît dans la même analyse des coûts qu'alors que le travail contribué ne s'élève guère au-dessus de 10 % du coût de chaque maison, l'achat du terrain auquel doivent se livrer les futurs propriétaires, son aménagement et les frais administratifs à régler représentent 50 % du coût de la maison ; il faut compter de plus 40 % du coût total pour les matériaux de cons-

---

57. *Op. cit.* ; les renseignements ci-dessous proviennent tous de ce *guide* ; ils ont été sélectionnés et combinés par l'auteur de la présente étude en un seul tableau couvrant la douzaine de projets examinés. Cette méthode, qui n'a pas été retenue par les auteurs du *Guide,* permet d'obtenir la vision d'ensemble ci-dessus, vision qui n'émerge pas très clairement de la présentation (qui est celle du *Guide*) des seuls coûts pour chaque projet considéré en soi et isolément.

truction et la main-d'œuvre professionnelle. Ayant déjà noté ci-dessus les prix élevés des terrains, nous pouvons à présent signaler que les coûts d'administration et de gestion ont représenté 25 % du coût total au Guatemala et plus de 50 % au Panama. Si nous ajoutons à ces observations le fait que le coût total de ces maisons dépasse généralement le chiffre de 2 000 dollars U.S., il n'est guère plus douteux que ce *Guide* de l'habitat à base d'aide mutuelle n'est rien de plus qu'une vaste machination pour promouvoir l'aide mutuelle entre les spéculateurs fonciers, les entrepreneurs d'aménagement du territoire, les entrepreneurs du bâtiment et les bureaucrates.

Pour éviter que de tels agissements se reproduisent et pour promouvoir de véritables projets d'habitations autoconstruites grâce à l'entraide mutuelle, il est possible de formuler les recommandations suivantes : construire des maisons beaucoup moins chères pour des titulaires de revenus bien plus faibles ; réduire le temps de construction d'une durée de un an et demi (que l'on rencontre communément pour les projets précités) à une durée maximale de six mois et, si possible, moins encore. Pour réaliser ces objectifs et d'autres encore, construire surtout pour les membres du secteur tertiaire, pour ceux qui s'auto-emploient ou qui sont en chômage (en comptant d'ailleurs sur leur force de travail pour cette construction) et qui disposent d'une plus grande souplesse au niveau de leur emploi du temps et de leur domicile que les ouvriers ou les employés. Dans la mesure du possible, se soucier du bien-être des participants qui résident sur le site de construction en les logeant dans des cabanes provisoires ou bien en concevant les maisons de manière à permettre la construction et l'occupation pièce par pièce, par étapes. Pour cela, introduire le maximum de standardisation des éléments de la construction qui soit compatible avec un habitat autoconstruit plutôt qu'installé par des professionnels. Combiner les différents stades de la construction de ces projets avec une distribution d'aliments telle que celle du *Food for Peace Program* et avec d'autres programmes de développement communautaire urbain par l'intermédiaire, par exemple, de centres communautaires placés en certains points. Il va sans dire, bien entendu, que ces recommandations et ces projets d'autoconstruction subventionnés par les autorités publiques ne peuvent en aucune manière revêtir un caractère positif s'il n'est pas politiquement possible d'éliminer du contrôle de ces projets les spéculateurs, les politiciens et les représentants d'autres intérêts visant au maintien et à l'extension de la situation précédemment décrite et même recommandée comme un *Guide* par l'Organisation des Etats américains et sa *Pan American Union*. Il n'est sans doute pas étonnant, compte tenu des différences politiques qui existent entre ce pays et certains autres Etats d'Amérique latine, de constater que le Chili semble avoir enregistré les succès les plus marquants dans cette direction ; ainsi que l'indiquent les analyses de coûts effectuées par la *Pan American Union* elle-même, c'est au Chili que les coûts fonciers et administratifs relatifs, bien qu'élevés, sont incontestablement les moins forts parmi les pays examinés disposant de prétendus projets d'autoconstruction sur la base de l'assistance mutuelle.

L'expérience vécue à Caracas suggère que chacune de ces approches des pouvoirs publics pour résoudre le problème du logement des populations flottantes peut provoquer un important degré de conscience sociale et politique et stimuler l'action communautaire consciente parmi des populations autrement très passives. D'ailleurs, et de manière très significative, il est possible d'obtenir de tels résultats sans créer de relations de paternalisme ou de dépendance entre le gouvernement ou l'agence publique et la population participante. Au contraire, l'expérience de Caracas — et dans une certaine mesure celle de Santiago — suggère que le fait de permettre à ces populations d'accéder à une sécurité minimale de logement peut engendrer chez elles le développement d'un sens très sain de responsabilité sociale et d'indépendance politique qui se manifeste par une participation communautaire décuplée dans le cadre de diverses organisations indépendantes composées de volontaires et s'occupant de gestion coopérative et de défense d'intérêts civiques tels que ceux qui se posent au niveau du logement ou du quartier ; elle se manifeste également par un respect mutuel — quelquefois distant mais sain — entre ces populations d'une part et le gouvernement et son agence publique de logement, d'autre part. Sur ce point, l'exemple le plus significatif de responsabilité civique et d'indépendance politique est constitué par l'étendue du mécanisme d'autopolice que l'on rencontre dans le projet de logement *23 Enero* de Caracas et par la réticence des forces de police urbaine quand il s'agit d'intervenir dans les affaires intérieures de la communauté urbaine. Elément sans doute plus important que les conséquences immédiates de ces mesures au niveau des logements et de l'habitat de la population flottante, le fait de stimuler une action politique et communautaire consciente et organisée peut devenir la base d'une participation plus réelle de cette population à des affaires concernant le développement et le bien-être nationaux. Ainsi, « les habitants des "*callampas*" ont souvent pris l'initiative de s'organiser afin d'améliorer leurs conditions de vie et de gérer leurs affaires locales, donnant quelquefois naissance à de véritables organisations politiques [58]. »

---

58. Philip M. HAUSER (éd.), *La Urbanizacion en America Latina, op. cit.*, p. 57-58.

18

Mexique : le double visage
de la révolution capitaliste au XXᵉ siècle

La rupture révolutionnaire du Mexique avec son passé de féodalisme et d'impérialisme hérités du xixᵉ siècle commença en 1910 et se chiffra par un million de morts. Nombreux sont les fruits politiques, économiques, et sociaux de la révolution mexicaine qui furent lents à mûrir et nombreux sont ceux qui ne seront récoltés que dans le futur. Aux yeux des Etats-Unis, le Mexique semblait donner le pire exemple qui soit au reste de l'Amérique latine. En conséquence, les Etats-Unis commencèrent par intervenir économiquement et diplomatiquement, puis envoyèrent des troupes s'emparer de Vera Cruz et, à une date aussi tardive que 1937, qualifièrent le gouvernement mexicain de « bolchevik ». A la même époque, l'Amérique latine, encore soumise à l'alliance entre le féodalisme et l'impérialisme, en vint à considérer la révolution mexicaine comme un éclatant exemple à suivre. A l'heure actuelle, bien des choses ont changé. Aujourd'hui, les Etats-Unis ne tarissent pas d'éloges sur l'exemple mexicain de « progrès économique dans la stabilité politique » ; et le président Kennedy demande en fait au gouvernement mexicain de devenir l'exemple pilote de l'Alliance pour le progrès. L'Amérique latine entre-temps regarde désormais vers Cuba et se demande si l'exemple des cinquante années de révolution mexicaine mérite après tout d'être suivi. Quels sont donc les enseignements que l'expérience mexicaine peut fournir à l'Amérique latine et au monde ?

La révolution mexicaine provoqua une énorme décharge d'énergie populaire qui, une fois les combats terminés, s'orienta vers la construction d'une nouvelle société. La destruction du féodalisme transforma radicalement les rapports sociaux entre les hommes. L'accession des paysans à la dignité humaine, quand on la compare aux conditions de servitude qui persistent encore, dans un pays comme le Guatemala par exemple, constitue peut-être la réalisation la plus importante de la révolution. Cette même énergie fut également libérée par l'amélioration de la santé (le taux de mortalité a diminué de deux tiers depuis 1910) et donna lieu à d'importants progrès du travail fourni, de l'éducation (le taux d'analphabètes diminua de moitié), et des compétences techniques, qui ont à leur tour donné lieu, et cela plus particulièrement depuis 1940, à la remarquable croissance économique mexicaine. Seule une société post-féodale ou non féodale pouvait permettre et engendrer une telle réforme agraire (des millions de petites exploitations furent créées), un tel réseau routier (dont l'importance a été multipliée par sept depuis 1940, de sorte qu'aujourd'hui la moitié ou presque de tous les biens sont transportés par camion et la quasi-totalité des passagers voyagent par autobus), de tels travaux d'irrigation (onze fois plus importants qu'en 1940 de sorte que presque un tiers de toutes les surfaces cultivées sont à présent irriguées), une telle urbanisation (de presque 50 %), une telle industrialisation (multipliée par 3,6 entre 1940 et 1959), une telle production agricole (multipliée par 3,4 entre 1940 et 1959) ; et, en dépit de l'un des taux de croissance démographique les plus élevés du monde, le produit national brut par tête a doublé, passant de 150 à 300 dollars par an. D'après Rostow, le Mexique a dépassé le seuil qui mène à la croissance économique auto-entretenue. De fait, les taux de croissance concernant la production aussi bien agricole qu'industrielle, pour les années d'après-guerre, classent le Mexique dans les six premiers pays du monde [1].

Et pourtant la révolution mexicaine a également revêtu un autre aspect. Le taux brut de mortalité (12,5) demeure supérieur à celui de la Bolivie ou du Pérou, le taux de la mortalité infantile (81 pour 1 000) dépasse celui de l'Argentine. Le taux d'analphabétisme (43 %) que l'on trouvait en 1950 ne peut être comparé à celui du Chili (19 %) et de l'Argentine (13 %). Le taux de la population active travaillant pour l'industrie est toujours de 12 % ; et le revenu par tête (qui est encore inférieur à 300 dollars) situe le Mexique derrière le Chili, l'Argentine, l'Uruguay et Cuba, pour ne pas mentionner le Venezuela, riche de ses pétroles. A la suite de la distribution des terres sur une grande échelle, près d'un million de chefs de familles rurales n'avaient pas encore de terre à eux ; et compte tenu de la croissance démographique, ce chiffre a dû s'élever à deux millions (sur un total de quatre millions) depuis 1950. D'après la FAO, le régime alimentaire moyen au Mexique souffre d'un déficit de calories de — 24,4 ; et les trois millions d'indigènes

---

1. Voir en fin de chapitre une note sur les sources de documentation.

indiens (sur une population actuelle de trente millions) demeurent dans un état économique aussi mauvais ou peut-être même pire que celui de leurs ancêtres *les plus pauvres* de l'époque précolombienne. Si grande que soit l'ampleur de la transformation sociale, de vastes couches de la population n'ont pas profité des bienfaits économiques de la révolution mexicaine — ou en ont été écartées ; 50 % environ de cette population ne reçoivent aujourd'hui que 15 % du revenu national ; et l'on a estimé (bien que certains contestent ce chiffre) que 1 % seulement de la population dispose de 66 % du revenu *monétaire*. De plus, le caractère inégalitaire de la répartition du revenu va en s'accroissant, et non l'inverse.

La prospérité et l'élégance du centre-ville de Mexico City éblouissent le visiteur, et l'industrie lourde de Monterrey rappelle celle de Pittsburgh ; mais on est également frappé à Mexico City par les kilomètres de taudis branlants, comme par la pauvreté poignante des zones rurales du Tlaxcala et du Chiapas. Et il se pose inévitablement la question suivante : les cinquante années de révolution mexicaine ont-elles vraiment constitué un succès ou s'agit-il d'un échec ?

Comparé à ses proches voisins, en Amérique centrale, dans l'Amérique du Sud andine et dans les Caraïbes, le Mexique du XXe siècle semble avoir connu une expérience manifestement réussie, d'autant plus que ces pays ne s'apprêtent à briser qu'à présent les chaînes qui les entravent. Mais la révolution mexicaine n'a-t-elle pas été, elle aussi, un échec qu'il faudrait éviter d'imiter ? Le progrès économique en Europe occidentale a été plus important et ses bénéfices se sont répartis plus largement dans la société. Certains pays européens, petits et mal dotés en richesses naturelles, ont totalement éliminé la pauvreté. Il est vrai que l'Europe occidentale s'est consacrée à cette tâche sur une période plus longue que le Mexique, mais de récentes aggravations du caractère inégalitaire de la répartition du revenu mexicain rendent fortement douteuse, dans un avenir prévisible, une évolution semblable à celle de l'Europe. La comparaison avec le socialisme vient également à l'esprit. L'Union soviétique, dont la révolution s'est produite après celle du Mexique, a pulvérisé tous les précédents records par son taux de croissance économique, surtout si nous faisons abstraction des dix années de la Seconde Guerre mondiale et de la reconstruction consécutive. Il est peut-être audacieux de pousser les comparaisons trop loin et d'établir un parallèle entre les expériences industrielles de l'U.R.S.S. et celles du Mexique, mais l'Union soviétique a éliminé l'analphabétisme et en est venue à défier, et sur de nombreux points — comme l'éducation supérieure et technique — à dépasser les Etats-Unis, sans pour autant brimer ses populations paysannes et nomades non russes. Et en dépit de toutes les difficultés agricoles, l'U.R.S.S. a remporté également de grands succès en matière de nutrition, de santé, de médecine. Plus récemment, le taux de croissance industrielle de la Chine au cours des dix dernières années, et le taux de croissance de sa production agricole depuis les années cinquante ont dépassé les taux correspondants pour le Mexique. Et désormais Cuba a éliminé l'analphabétisme (dont le taux était de 30 %) en une seule année et a presque doublé le taux de scolarisation en l'espace de deux années seulement depuis la révolution. De telles comparaisons sont également inévitables.

Derrière le double visage de la révolution mexicaine, il n'y a qu'une seule tête, qui fait partie d'un seul organisme, dont l'équilibre et le développement sont désormais fort complexes. Afin de tirer les leçons de l'expérience mexicaine pour l'Amérique latine et pour le monde, nous devons essayer de sonder le développement, le fonctionnement actuel et les perspectives d'avenir de l'organisme révolutionnaire mexicain.

L'histoire du Mexique semble se diviser naturellement en périodes : 1) les quatre siècles allant de la Conquête jusqu'à 1910 ; 2) les quinze années ou presque de révolution violente, de contre-révolution, et de reconstruction, symbolisées par Madero, Huerta et Carranza ; 3) les quinze années de réformes réalisées par les présidents Calles et Cardenas ; 4) les quinze années partant de 1940, qui ont été celles du début de l'industrialisation et de la croissance du pouvoir bourgeois et qui sont symbolisées par le président Aleman ; et 5) la consolidation actuelle du « système mexicain » sous la direction de la bourgeoisie et la présidence de Lopez Mateos.

A l'époque de la Conquête, les Espagnols découvrirent un empire aztèque vieux de 150 ans dans le Mexique central, des survivances de culture maya dans le Sud et le Yucatán et des tribus éparses et semi-nomades d'Indiens dans le Nord, qui comprenait l'actuel Sud-Ouest des Etats-Unis. Le Centre, très peuplé, fut bientôt colonisé par les Espagnols, le système social existant largement détruit, les terres et le travail des Indiens exploités, et leur nombre réduit de moitié. Le Nord, en revanche, plus aride, moins peuplé et comprenant une structure plus tribale, ne fut colonisé que graduellement et de manière clairsemée, selon les exigences de l'élevage extensif de bétail et de l'exploitation minière dans cette région. Nous verrons ci-dessous que la différence entre le Nord, d'une part, et le Centre et le Sud, fortement peuplés, d'autre part, domine encore l'expérience économique et sociale du Mexique au cours de ces vingt dernières années.

En 1810, les paysans du Mexique, dirigés par le prêtre Hidalgo, se révoltèrent. Sans pareils dans le reste de l'Amérique latine où les paysans demeuraient — au mieux — passifs et le plus souvent même soutenaient la couronne d'Espagne. Privée du soutien des Espagnols créoles nés en Amérique latine, la révolte échoua. Ce n'est que lorsque les Créoles propriétaires fonciers et surtout commerçants déclenchèrent la lutte que le Mexique et les autres colonies espagnoles d'Amérique purent obtenir l'indépendance. En 1850, sous le commandement de l'Indien Bénito Juarez, les Mexicains essayèrent de nouveau de réformer la structure féodale de leur pays. Mais après l'intervention française et sous le règne de Porfirio Diaz (qui dura trente ans) le péonage revint en force et la concentration de la propriété foncière s'aggrava plus que jamais. Pendant ce temps, le capital étranger, de plus en plus souvent d'origine américaine, pénétra dans le pays selon des conditions particulièrement favorables, pour atteindre le chiffre global de 400 millions de dollars et se concentrer dans l'exploitation rurale, les mines, et le système de transports qu'exigeait l'exportation des produits à l'étranger.

La révolution mexicaine fut ce produit de l'alliance entre la bourgeoisie représentée par Madero, et les paysans menés par Emiliano Zapata et Pancho Villa. Ils affrontèrent un même ennemi, l'ordre féodal et les piliers qui le soutenaient, c'est-à-dire l'Eglise, l'armée et le capital étranger. Mais leurs objectifs devaient inévitablement diverger — la liberté par rapport aux entraves locales et étrangères et l'assouplissement de la structure économique pour la bourgeoisie ; la terre pour les paysans. Bien que Zapata ait continué à défendre les intérêts des paysans jusqu'à son assassinat en 1919, le véritable commandement de la révolution n'échappa jamais des mains de la bourgeoisie, à cela près que ce commandement fut contesté par la réaction de Huerta et l'intervention américaine. (A l'occasion même de l'élection présidentielle de 1958, 23 % seulement de la population ont voté.) La bourgeoisie montante aussi bien que les paysans avaient intérêt à éliminer les rapports sociaux d'ordre féodal. L'éducation devint laïque, la séparation de l'Eglise et de l'Etat s'accentua. Mais il n'avait jamais vraiment été question de laisser la paysannerie accéder au pouvoir.

Aucun des premiers présidents n'était radical (quel que soit le sens que l'on donne à ce terme) et il n'aurait d'ailleurs guère pu l'être sans se faire renverser. Au milieu des années vingt, sous le gouvernement du président Calles, on commença la mise en œuvre d'un programme de travaux publics et, dans une mesure moindre, d'irrigation, programme qui constitue le fondement d'une grande partie du développement économique ultérieur du Mexique. C'est à cette époque également que furent passées les lois faisant suite à l'article 27 de la Constitution relativement avancée de 1917, et qui devaient guider la réforme agraire jusqu'aux années quarante. Cet article prévoyait l'expropriation des terres sous propriété privée dans l'intérêt public et pour la distribution de la terre aux villages, fermes, et communautés voisines qui n'en possédaient pas assez pour couvrir leurs besoins, « en respectant toujours la petite propriété ». Deux importantes interprétations légales de cette disposition apparaissent immédiatement : les terres à distribuer à une communauté donnée seraient prélevées aux domaines privés dépassant une certaine dimension et se trouvant à l'intérieur d'un rayon de sept kilomètres à partir de la communauté en question ; et une partie des domaines privés serait expropriée, partie correspondant à l'augmentation de la valeur de la terre imputable à l'irrigation ou à d'autres travaux entrepris par l'Etat, afin d'empêcher ainsi les grands propriétaires fonciers de devenir les principaux bénéficiaires des investissements mis en œuvre aux frais de la collectivité.

A l'étranger, le gouvernement Cardenas (1934-1940) est sans doute connu par l'expropriation du pétrole mexicain, qui appartenait à des firmes privées, expropriation d'ailleurs prévue par ce même article 27 de la Constitution de 1917. Toutefois, et cela est certes plus important sur le plan intérieur, le gouvernement du président Cardenas expropria et redistribua plus de terres que tous les autres gouvernements mexicains — avant comme après lui — réunis. Suivant la Constitution et les lois de l'administration Calles, ces terres furent prises aux territoires qui entouraient des villages donnés et leur étaient concédées en communauté, comme *ejidos*, devant être exploités quelquefois collectivement, mais dans la plupart des cas individuellement. Une banque des *ejidos* fut créée afin de procurer aux nouveaux propriétaires du crédit agricole. L'irrigation et les autres investissements agricoles en capital ne furent cependant pas développés parallèlement à cette distribution. En fait, il est aujourd'hui manifeste que Cardenas, bien qu'il fût sans aucun doute un homme sincère, ne pouvait, en tant que chef d'un gouvernement bourgeois, fournir à l'agriculture paysanne mexicaine suffisamment de ressources pour lui faire franchir le cap du développement auto-entretenu.

Les éléments suivants, extraits d'une étude approfondie de la région de Bajio (Mexique central), sont assez représentatifs du Mexique dans son ensemble. Ils concernent les ressources relatives de l'*ejido* et de la petite culture privée. (Nous aborderons le problème de l'agriculture de grandes unités en traitant de la période d'après-guerre.) Les *ejidatarios* disposent de moins de terre que les exploitants privés (3,8 contre 16,5 hectares par tête) ; ils ont plus de sols de troisième ordre et moins de sols de premier ordre ; moins d'éducation (environ un dixième de leurs enfants d'âge scolaire suivent l'école primaire contre la moitié pour les enfants des exploitants privés) ; ils comptent plus sur le travail familial et féminin ; le travail féminin se consacre relativement plus à la culture et moins à l'administration ; ils comptent relativement moins sur l'embauche permanente de travailleurs d'origine extérieure ; plus de chômage (85 % du volume total) ; moins d'investissements dans l'irrigation (les exploitants privés disposent d'une superficie irriguée supérieure de 35 % et ils utilisent un volume d'eau supérieur de 65 %) ; moins de capital (40 % du montant dont disposent les exploitants privés, bien que les *ejidatarios* soient trois fois plus nombreux) ; dépendance plus grande par rapport à un crédit et à un approvisionnement en capital presque exclusivement publics, alors que les exploitants privés ont accès à des sources bien plus abondantes de crédit privé.

Compte tenu de tels handicaps, il n'est sans doute pas étonnant de constater que de nombreux *ejidatarios* ont été incapables de parvenir à un niveau de vie décent. En vérité, sur bien des points, la situation est pire, plus défavorable encore que celle qui a été décrite et il apparaît que la structure politique et économique issue de la révolution n'était pas vraiment élaborée pour permettre à la grande masse des paysans de participer au partage de ses fruits économiques. N'oublions pas que plus d'un million — aujourd'hui presque deux millions — de chefs de familles paysannes demeurent complètement démunis de terre.

Le crédit agricole public ne représente guère plus du tiers de l'ensemble du crédit agricole ; de plus, la moitié environ de ce crédit public est fournie non pas par la Banque des Ejidos mais par la Banque Agricole qui prête à de grands propriétaires fonciers. Oscar Lewis cite le directeur de recherche de la Banque des Ejidos : « Nous accordons des prêts à environ un tiers de tous les *ejidatarios*, à ceux qui ont les terres les plus riches et les meilleures. Nous préférons les risques qui s'accompagnent d'un sol fertile et, si possible, d'irrigation. Nous n'avons pas assez d'argent pour prêter à la paysannerie de subsistance qui occupe principalement les terres les plus pauvres. » Mais les crédits privés touchent l'*ejidatario* encore moins ; et une grande partie de ces fonds, comme les 2,5 milliards de pesos prêtés tous les ans aux cultivateurs de coton par le trust américain Anderson et Clayton (chiffre qu'il convient de rapprocher des 1,5 milliard de pesos prêtés par la Banque des Ejidos à tous les *ejidatarios* réunis) est obligatoirement affectée à des fins spéciales.

Faute de capital de fonctionnement, de nombreux *ejidatarios* ont été obligés de louer leurs terres nouvellement acquises à des détenteurs privés disposant de capital et ensuite de travailler pour ces fermiers capitalistes comme travailleurs embauchés *sur leur propre terre*. Il est bien connu que d'autres *ejidatarios* et paysans sans terre sont contraints tous les ans d'émigrer aux Etats-Unis par centaines de milliers afin d'y travailler comme ouvriers agricoles itinérants ; ou bien alors ils émigrent vers les taudis urbains de plus en plus nombreux, en quête d'un emploi.

Nous sommes désormais en droit de nous interroger sur les accroissements de la production agricole et industrielle cités ci-dessus, dans la mesure où il apparaît maintenant que les conditions économiques de la majorité de la population ne se sont pratiquement pas améliorées. Une grande partie de la réponse à cette interrogation nous est donnée par la documentation collectée par Paul L. Yates dans le cadre de son importante étude du développement économique régional au Mexique. Après l'expiration du mandat de Cardenas à la présidence et, plus particulièrement, avec l'avènement au pouvoir de Miguel Alemán entre 1946 et 1952, la majeure partie de l'investissement se réalisa dans le Nord et le district fédéral. Ainsi que nous l'avons noté, les sept Etats du Nord, comparés au Mexique central, comprenaient traditionnellement une partie relativement plus faible de la population totale, une densité de population inférieure, et un pourcentage plus réduit de la force de travail employée dans l'agriculture. Alors que l'investissement par tête demeurait bien inférieur à 1 000 pesos pour la période 1946-1955 dans les dix Etats les moins favorisés, il s'élevait à bien plus de 5 000 dans les sept Etats du Nord et dans le district fédéral. La différence qui existe pour les fonds consacrés à l'irrigation, entre le Nord et le reste du pays, est encore plus frappante : 60 % de la totalité des investissements consacrés à l'irrigation entre 1947 et 1958 se sont effectués dans les seuls Etats de Baja California del Norte, Sonora et Tamaulipas. En conséquence, une grande partie de l'accroissement de la superficie cultivée du Mexique se trouva concentrée dans le Nord relativement moins peuplé. La même région absorba également la grande masse de l'accroissement du crédit agricole et la quasi-totalité de tout l'équipement mécanique agricole (avec un accroissement du nombre des tracteurs, qui passent de 4 620 en 1940 à 55 000 en 1955) autre que celui consacré à la production de sucre (autre récolte ne relevant pas de l'agriculture de subsistance), dans le Sud. En 1950, il n'y avait pas un seul tracteur en service sur l'une des quelconques petites parcelles. Il n'est pas étonnant de constater qu'en 1960 le produit agricole (mais pas le revenu) s'éleva dans le Nord à des moyennes par Etat de 12 000, 20 000 et même 30 000 pesos par travailleur agricole, alors · qu'il demeurait à des niveaux de 2 000 et de 3 000 pesos dans les Etats plus anciens [2]. Cette croissance du produit agricole se concentra toutefois dans les cultures industrielles et surtout dans le coton dont la production s'éleva de 309 % entre 1939 et 1950, alors que celle des cultures vivrières ne s'élevait que de 113 %. D'ailleurs, la majeure partie de ces produits — coton, légumes, sucre (dans le Centre et dans le Yucatan), café (Chiapas), bétail — était destinée à l'exportation vers le marché nord-américain. Les bénéfices issus de ces exportations rurales étaient utilisés de diverses manières : une partie était réinvestie dans la même agriculture d'exportation, une partie s'investissait dans l'industrie ; une partie était consommée (nous nous pencherons plus loin sur la répartition du revenu qui en découlait) ; et une autre partie enfin, malheureusement pour le Mexique comme pour les autres pays exportateurs de biens primaires, demeurait dans le pays importateur par suite du déclin — spécialement marqué au lendemain de la guerre de Corée — des prix des matières premières par rapport à ceux des biens industriels.

Les exigences de la Seconde Guerre mondiale avaient donné de l'élan à l'expansion intérieure de l'industrie, au Mexique comme dans le reste du monde sous-développé. L'industrialisation se poursuivit sous l'impulsion d'Alemán et de ses successeurs. L'investissement industriel et commercial s'était également orienté vers

---

2. Un dollar U.S. égale 12,5 pesos.

les huit Etats favorisés déjà mentionnés, avec des concentrations particulièrement marquées, bien sûr, dans le district fédéral et le Nuevo León et dans les zones de Mexico City et de Monterrey. Les Etats les plus anciens et les plus peuplés n'étaient guère touchés par le mouvement et leur décalage s'accentuait. Une fraction importante des fonds d'investissement et surtout des devises étrangères indispensables était fournie par les recettes des exportations agricoles aussi bien que par le développement rapide du tourisme au Mexique et le travail itinérant de type *bracero* vers les Etats-Unis. Mais simultanément, l'investissement américain direct qui, à la suite de la dépression et de la nationalisation du pétrole, avait atteint un volume minimal de 267 millions de dollars en 1939, recommença de croître rapidement et il dépasse désormais le seuil du milliard de dollars, soit environ un dixième de l'investissement U.S. en Amérique latine. Cet investissement américain a manifesté un déplacement relatif allant du capital d'ordre « général et social » (*social overhead*) vers l'industrie et le commerce, de sorte qu'en 1953 sur les 31 sociétés disposant d'un revenu annuel brut dépassant les 100 millions de pesos, 19 étaient sous propriété ou sous contrôle U.S., 5 dépendaient du gouvernement mexicain, et 7 seulement étaient des entreprises privées mexicaines. De plus, étant donné que les certificats de propriété des entreprises mexicaines sont constitués par des actions et des titres au porteur (et non pas nominatifs) et compte tenu du fait qu'après leur émission, ces certificats ont, de manière typique, tendance à se diriger là où le capital est déjà concentré, il n'est pas toujours facile de déterminer les tenants de la propriété et surtout du pouvoir. Ainsi, il se pourrait bien à l'heure actuelle que les Etats-Unis contrôlent près de la moitié de l'industrie mexicaine. Sur une telle toile de fond, il n'est pas étonnant d'entendre la Chambre mexicaine des industries manufacturières déclarer que « le pouvoir économique de ces grandes entreprises étrangères constitue une sérieuse menace visant l'intégrité de la nation et la liberté pour le pays de programmer son propre développement économique ».

Le capital américain joue également un rôle important dans l'agriculture mexicaine. Bien que les Américains ne possèdent plus de vastes étendues de terre, comme c'est encore le cas en Amérique centrale, le monopole cotonnier américain Anderson et Clayton, comme nous l'avons déjà noté, distribue quelque 200 millions de dollars de crédit pour la production de coton, des semailles au transport d'exportation. Par là même, ce monopole détermine en fait l'acheteur et le prix du coton, et empêche le Mexique de disposer d'une grande partie de sa production de coton selon les modalités qui pourraient lui convenir. Circonstance aggravante, ainsi que nous le verrons ci-dessous, cet état de choses contribue au maintien dans de nombreuses régions du Nord de la monoculture et de l'économie de plantation utilisant une main-d'œuvre embauchée. Ce n'est pas à tort que les « Mexicains commencent à se demander s'ils ne sont pas en train de revenir à l'époque de Porfirio Diaz ».

Les effets relatifs des événements qui se sont déroulés depuis la Seconde Guerre mondiale sur le sud et le nord du Mexique ressortent déjà de la discussion précédente. Les indices de bien-être social reproduits dans le tableau ci-dessous nous en donnent une assez bonne image générale.

Mais une grande partie des détails de l'allocation des ressources et de la distribution du revenu qui en découlent demeure cachée derrière les moyennes régionales auxquelles le tableau se limite forcément. Anfin de découvrir de nouveaux éléments, il est nécessaire d'étudier l'organisation du pouvoir politique et économique et de comprendre son développement depuis la période de Cardenas. Quand Alemán lança sa campagne d'irrigation et d'industrialisation sur une grande échelle, il décréta également certaines modifications légales. Nous avons déjà mentionné les deux dispositions de l'article 27 de la Constitution au cours de notre discussion des gouvernements des présidents Calles et Cardenas. Ces dispositions, se référant à la distribution de la terre sous forme d'*ejidos* contigus aux communautés qui allaient en bénéficier et n'admettant l'expropriation qu'accompagnée du respect de la petite propriété, devaient revêtir, sous l'influence d'Alemán une forte signification différente de celle qu'elles avaient à l'origine — et sans doute de celle qui était souhaitée par les rédacteurs de la Constitution.

En ce qui concerne la première disposition, il convient de garder à l'esprit que les Etats du Nord ont une population clairsemée et qu'ils comportent de vastes zones dans lesquelles on ne trouve aucune communauté permanente. Quand l'irrigation livra ces terres à la culture, l'article 27 fut interprété comme excluant — ou au moins comme n'exigeant pas — leur distribution en terres *ejidos*. Simultanément, la disposition constitutionnelle concernant le respect de la « petite propriété » commença à être interprétée, à la suite d'une « loi de l'inaffectabilité », comme excluant l'expropriation de domaines de 100 hectares pour les sols irrigués, de 150 hectares pour la terre ordinaire, et de superficies encore plus grandes pour les terres de pâturage. En conséquence, les propriétaires qui possédaient déjà le Nord de vastes étendues de terre sans grande valeur, et qui prenaient connaissance des projets étatiques d'irrigation dans leur région, s'empressaient de « vendre » leurs domaines par lots d'une superficie juste assez réduite pour ne pas être saisissable, les « acheteurs » étant tous les membres disponibles de la famille. Il se produisit alors une double conséquence : non seulement ces propriétaires purent conserver un contrôle effectif sur la majeure partie de leurs terres — voir par exemple le cas du fils d'un général-président révolutionnaire, lui-même à l'heure actuelle gouverneur d'un Etat du Nord, et à qui on attribue la possession de 3 000 hectares de terre irriguée, répartis dans trois domaines —, mais ils purent également récolter le bénéfice de l'augmentation,

DIFFERENCES REGIONALES DANS LE DEVELOPPEMENT ECONOMIQUE
PORTANT SUR LES HUIT ETATS LÉS PLUS FAVORISES (EN TETE DE LISTE) ET LES DIX ETATS
LES MOINS FAVORISES (FIN DE LISTE)

	Indices Economiques Généraux				Agriculture			Commerce et Industrie					Bien-être social			
	1 % Force de travail dans l'agriculture, 1950	2 Investiss. Accum. Total 1946-55, dollars/tête	3 Investiss. dans l'infrast. 1946-55, dollars/tête	4 PNB/tête Moyenne nat. — 100	5 Invest. Total Irrigation 1947-1955 dollars/tête de la pop. active	6 Produit agric./tête d'ouvrier agric. en pesos, en 1960	7 Productivité agric. Moyenne nat. — 100	8 Investissement Ind. 1946-55, dollars/tête	9 Produit ind./tête 1955 en pesos	10 Invest. dans le commerce 1946-55, dollars/tête	11 Emploi dans les services, 1950, % de la force de travail	12 Productivité industrielle. Moyenne nat. — 100	13 Mortalité. Moyenne nat. — 100	14 Eau courante. Moyenne nat. — 100	15 Instruction. Moyenne nat. — 100	16 Bien-être général. Moyenne nat. — 100
	51	85	83	104	71	54	104	79	41	81	58	104	105	105	105	105
Baja Calif. Norte	46	7 900	3 200	313	1 300	34 000	705	2 640	1 030	3 200	38	149	160	127	145	204
Dist. Fed.	5	7 000		261		19 000	392	4 260	3 420	2 200	62	175	124	215	145	188
Sonora	54	5 000	2 800	167	8 250	20 000	408	1 190	825	1 080	30	—89	106	97	128	157
Nuevo Leon	41	5 900		186			101	3 960	2 890	1 380	32	206	136	115	139	144
Baja Calif. Sur	52	4 500	2 500	124	1 390	12 000	252	1 210	960	821	29	82	123	92	138	148
Tamaulipas	53	5 600	1 400	154	5 020	12 000	259	3 390	1 149	775	32	135	134	123	132	136

Coahuila	49	3 300	1 000	134	93	8 000	168	1 580	1 162	707	30	95	108	132	130	136
Chihuahua	55	4 000	300	110		8 000	163	2 020	1 200	553	27	119	103	104	128	147
Chiapas	79	500		38			89	41	45	117	14	10	91	80	61	52
Oaxaca	78	900		27	1 420	2 000	41	164	98	88	11	14	75	65	64	43
Tabasco	76	900		40			83	167	81		17	20	95	45	102	70
Tlaxcala	70	900	500	36	52	2 000	40			44	15	44	83	66	97	60
Guerrero	81	500	200	37	136	2 500	70	162	114	137	11	24	115	75	55	58
Hidalgo	71			33			52		201	53	17	26	74	84	71	65
Querétaro	70	900	400	43	129		50		261			37	83	81	62	70
Guanajuato			400	49		2 400	62				17	51	82	76	77	65
Zacatecas	79			46		3 000	51	269		113	12	84	107	70	105	56
Michoacan	73	1 000		36		2 000	66	320	149	110	16	24	115	90	80	72

Source : Paul L. Yates, *El Desarollo Regional de Mexico.*

Les chiffres au sommet de cette page renvoient à l'ouvrage de Yates pour chaque colonne.

Notes : Les huit Etats favorisés sont tous situés dans le nord du Mexique, à l'exception du district fédéral, qui comprend la capitale. Les Etats les moins favorisés se situent au centre et au sud. Les blancs et les chiffres en italique indiquent que l'Etat en question ne se situe pas dans le groupe le plus ou le moins favorisé pour cette catégorie et constitue donc une exception au schéma. La colonne 16 est un ensemble complexe élaboré par Yates et qui tient compte de la mortalité, du degré d'instruction, de l'eau courante, de la sécurité sociale, du sucre, de l'essence, de l'électricité, etc.

toujours importante et quelquefois astronomique, de la valeur de la terre imputable à l'irrigation financée par l'Etat. Ainsi, ils rendirent inopérants la lettre et l'esprit de la loi Calles qui était censée canaliser les bénéfices de l'irrigation financée par l'Etat et en faire profiter le grand public. Au lieu de cela, sous la loi Alemán, les terres de ces propriétaires étaient devenues inaliénables ! Le plus souvent, les dispositions fiscales destinées à reprendre aux propriétaires privés les profits représentés par les hausses des valeurs foncières furent — et demeurent encore — inappliquées. De la

INDICES DE BIEN-ETRE SOCIAL
(moyenne nationale = 100)

	Mortalité réciproque °	Eau courante	Degré d'instruction	Bien-être général
Huit Etats les plus favorisés				
Baja Calif. No.	160	127	145	204
Dist. Fed.	124	215	145	188
Sonora	106	97	128	157
Nuevo Leon	136	115	139	144
Baja Calif. Sur	123	92	138	148
Tamaulipas	134	123	132	136
Coahuila	108	132	130	136
Chihuahua	103	104	128	147
Dix Etats les moins favorisés				
Chiapas	91	80	61	52
Oaxaca	75	65	64	43
Tabasco	95	45	102	70
Tlaxcala	83	66	97	60
Guerrero	115	75	55	58
Hidalgo	74	84	71	65
Querétaro	83	81	62	70
Garrajuato	82	76	77	65
Zacatecas	107	70	105	56
Michoacan	115	70	105	54

° Cet indice est ainsi fait qu'un taux de mortalité *plus faible* donne un chiffre *supérieur*.

Source : Paul L. Yates, *El Desarollo Regional de Mexico*.

Notes : Les huit Etats favorisés sont tous situés dans le nord du Mexique, sauf pour le district fédéral qui comprend la capitale. Les Etats les moins favorisés se situent dans le centre et dans le sud. En tout, il existe 29 Etats plus deux territoires et le district fédéral. L'indice général de bien-être est une grandeur complexe élaborée par Yates.

sorte, d'après le recensement de 1950, alors que les superficies de type *ejido* augmentaient de 21 % et que les petites exploitations privées augmentaient de 20 %, les domaines privés plus importants connaissaient une hausse de 48 % ; et la part des exploitations supérieures à 5 hectares, passa de 39 à 43 % par rapport à la surface totale des terres cultivables. La véritable superficie de terre qui relève effectivement de la grande exploitation est toutefois incontestablement supérieure ; en effet, la classification utilisée par les recensements ne peut effectuer une distinction adéquate entre les exploitations véritablement ou formellement séparées. L'affaire semble plus complexe encore si l'on tient compte des terres à pâturages, et le problème échappe à toute évaluation si nous raisonnons en termes de *valeurs* (et de leurs augmentations spectaculaires) plutôt qu'en termes de superficie.

Les événements des années d'après-guerre, décrits ci-dessus, ont inévitablement provoqué certains effets sur la structure socio-politique et économique de la société et sur les existences des gens qui la composent. Ces effets comprennent le développement d'une agriculture de type néo-latifundiaire qui n'est plus intégrée dans le cadre d'un système féodal d'*haciendas,* avec des serfs produisant en vue de la consommation locale, mais qui est organisée en plantations modernes, gérées comme des entreprises capitalistes par des propriétaires qui habitent la ville, embauchent des ouvriers agricoles salariés, et produisent des cultures d'exportàtion, souvent uniques, et ne relevant pas de l'agriculture de subsistance.

Les Etats du Nord sont ainsi devenus des centres d'attraction pour l'immigration interne des paysans sans terre ou des *ejidos* qui abandonnent les villages du Centre et du Sud. Ce mouvement contribue quelque peu à redresser l'équilibre de la répartition du revenu, dans la mesure où les ouvriers agricoles du Nord connaissent des conditions de vie légèrement supérieures à celles de leurs frères sans terre, ou *ejidatarios,* du Sud. Toutefois, le tableau des indices de bien-être social en termes de régions a sans doute pour défaut de surestimer considérablement le caractère privilégié du Nord, si on le considère comme le reflet d'une différence non pas régionale mais personnelle entre l'exploitant du Nord et celui du Sud ; en effet, les chiffres régionaux subissent probablement une influence assez lourde de la part du décalage des revenus entre bourgeois et paysans. Il suffit de visiter le Nord pour se convaincre qu'une grande partie de ses habitants ne partagent pas sa prospérité.

Les nouveaux propriétaires privés et certains anciens, grands ou petits, sont déjà — ou sont en train de devenir — des bourgeois dans tous les sens du terme. Même les plus petits propriétaires fonciers, quand ils disposent d'un certain capital, ont une position et un revenu qui leur permettent un type de vie de classes moyennes et souvent même une résidence urbaine. Leur entreprise agricole leur procure souvent un beau revenu, qu'ils consacrent quelquefois à l'investissement réel à Mexico, ou bien qu'ils placent à l'étranger, ou bien dont ils se servent pour construire et spéculer dans l'immobilier urbain, ou encore avec lequel ils se livrent à l'importation de produits de luxe. Et ils disposent du pouvoir, économique aussi bien que politique. Avec leurs semblables industriels, commerciaux, et quelquefois professionnels, ils dominent et gèrent l'Etat. Ils ont réussi, et cela plus particulièrement depuis le gouvernement Alemán, à se servir de cet Etat pour se mettre en avant. Mais ils n'ont pas eu intérêt jusqu'ici à faire progresser la paysannerie avec eux. Est-il étonnant de constater que, d'après l'étude récente de Mme Navarete sur la répartition du revenu, la part du revenu national total allant aux 20 % des familles les plus riches s'est élevée de 59,8 % en 1950, à 61,4 % en 1957, alors que les 50 % les plus pauvres voyaient leur part tomber de 18,1 % à 15,6 % ?

Il reste à savoir comment le « système mexicain » fonctionne aujourd'hui sous le gouvernement du président Lopez Mateos et quelles sont ses perspectives d'avenir. Le Mexique est une pyramide économique et sociale à l'intérieur de laquelle se trouve une pyramide politique. Tout en bas se trouvent les indigènes indiens, qui demeurent toujours à la même place. Au niveau suivant, se trouvent les ruraux sans terre et les habitants des villes sans emploi ou n'ayant que des emplois intermittents. Ces derniers constituent plus spécialement un véritable *lumpenproletariat,* dépossédés par l'économie rurale et non intégrés à l'économie urbaine, vivant en marge de la société, isolés d'elle et aliénés par elle, coupés des autres et souvent d'eux-mêmes. Puis, viennent les *ejidatarios* et ceux des petits exploitants privés qui sont pauvres au point de travailler leur terre tout seuls. Bien qu'ils connaissent une sécurité économique plus grande, ils ont un statut social quelquefois inférieur à celui des urbains marginaux, peut-être parce que les *occasions* de mobilité sociale sont plus importantes pour ceux-ci. Au-dessus d'eux se situent les ouvriers au sens le plus étroit du terme, et, plus particulièrement, ceux qui sont syndicalisés et qui, au Mexique comme dans de nombreux autres pays d'Amérique latine, d'Asie et d'Afrique constituent aujourd'hui une espèce « d'aristocratie du prolétariat ». La couche suivante peut être qualifiée de classe moyenne ou de petite bourgeoisie. Elle comprend une grande variété de positions économiques et sociales — les petits propriétaires, les membres des professions libérales, les membres du clergé, les fonctionnaires et les « cols blancs », les politiciens de faible envergure — mais elle permet une mobilité latérale et interne considérable, d'une occupation à l'autre. Au Mexique, les lunettes de soleil constituent l'emblème de ses membres, au même titre que la serviette en Europe occidentale — même s'il fait sombre ou s'il y a peu de documents à porter. Et cet emblème représente un contrepoids par rapport au revenu quelquefois supérieur des ouvriers situés à un échelon inférieur. La haute bourgeoisie, qui comprend les principaux manipulateurs et bénéficiaires du système, compte les grands propriétaires fonciers, les directeurs effectifs des mécanismes financiers, commerciaux, industriels, professionnels, gouvernementaux et militaires et, *noblesse oblige* [1], quelques intellectuels. La base économique viable de la classe supérieure, plus aristocratique, fut détruite par la révolution. Mais plusieurs de ses membres et une bonne partie de ses richesses survécurent. Leur argent s'investit dans les finances, le commerce, l'industrie et, plus tard, il s'orienta à nouveau vers l'agriculture ; et les ex-aristocrates devinrent le noyau de la nouvelle bourgeoisie. Leurs rangs furent bientôt grossis par l'arrivée parmi eux de leurs anciens ennemis, ceux qui tiraient individuellement profit de cette même révolution et qui comprenaient de nombreux généraux et politiciens. La consolidation de leur position économique entraîne celle de leur pouvoir politique, exercé à travers le PRI, le tout-puissant Parti révolutionnaire institutionnel par l'intermédiaire duquel ils ont géré la vie politique — et donc, indirectement économique — du pays au cours de cette dernière génération. C'est le PRI et non le mécanisme électoral qui attribue la présidence et les autres principaux postes politiques (à ses fidèles) ; et la direction et le contrôle du PRI ne s'étendent en aucune façon à la base de la pyramide économique et sociale.

Mais la pyramide mexicaine n'est pas statique ; elle ne constitue pas un système de caste comme c'est en majeure partie le cas pour le Pérou ; il y a une certaine mobilité. Il existe des chemins politiques, économiques et sociaux qui offrent des possibilités — ou peut-être même des chances — à ceux qui acceptent de jouer le jeu selon les règles. Il y a la migration du Centre et du Sud vers le Nord, qui implique non seulement un mouvement géographique, mais également une amélioration économique qui s'accompagne d'ailleurs de la rupture de certaines attaches communautaires et de la participation à une société plus ou moins rigide. Il existe un très important mouvement migratoire allant de la campagne vers la ville, et plus spécialement vers Mexico qui est passée de 1,4 million d'habitants et 7 % de la population totale en 1940 à plus de 4 millions d'habitants et 13 % de la population du Mexique à l'heure actuelle. Il est évident qu'une telle migration n'offre aucune garantie de succès économique et social, mais elle améliore statistiquement les chances de l'immigrant. Il existe un mouvement vers les emplois de « cols blancs » et assimilés et vers les divers types de spéculation qu'offre une économie en croissance. Et, bien entendu, il existe, pour ceux qui peuvent y accéder, l'éducation et le mariage « réussi ». Il s'agit là sans doute des deux plus importants véhicules de réussite pour l'émigrant social et économique lui-même ; et pour ses enfants, ils constituent en fait une garantie de mobilité sociale.

Une telle mobilité, toutefois, ne peut se faire qu'individu par individu. Les individus, ou du moins certains d'entre eux, sont

---

1. En français dans le texte. (N.d.T.)

laissés libres (ou même encouragés) de « s'améliorer », à condition que cela se fasse dans le cadre du « système » et d'après ses règles. En fait, le « système » et le Parti cooptent des gens qu'ils font pénétrer dans leurs rangs afin de les empêcher de « secouer la barque ». La mesure sans doute la plus représentative de ce procédé est constituée par l'invitation récente lancée par le président Lopez Mateos aux sept ex-présidents encore en vie (et leur acceptation), pour les amener à rejoindre son administration à des postes mi-officiels et mi-honorifiques, mesure qui fut prise pour stabiliser la situation politique au Mexique « après Cuba ». A un niveau plus ordinaire, les leaders syndicalistes, qualifiés communément de *charros*, sont cooptés dans le système des affaires et reçoivent des récompenses en échange d'une politique syndicale inoffensive. Ces dernières années, les jeunes marxistes eux-mêmes peuvent espérer obtenir des postes de responsabilité et auront donc tendance à défendre le système. En vérité, le parti communiste mexicain est quelquefois qualifié de principale école pour la formation des conservateurs au Mexique. Fait plus important encore, la structure sociale et sa mythologie ont donné aux couches inférieures de la classe moyenne et même à certains membres de la classe inférieure le sentiment qu'il est possible de s'élever, en partie à l'intérieur du système et en partie avec celui-ci.

Si la mobilité individu par individu est permise, la mobilité par groupe, elle, est interdite. Si une pression de groupe se manifeste en un point quelconque du système politico-économique, le premier pas, ainsi qu'il est suggéré ci-dessus, est de coopter ou de recruter la tête du mouvement. De plus, des concessions réduites pourront être utilisées pour faire tomber la pression et freiner le mouvement. Ainsi, pour prendre un exemple, le maïs (*maiz*) et le cinéma (!) sont subventionnés à Mexico, pour aider les pauvres selon certains ou pour détourner l'agitation populaire selon d'autres. Semblablement, à la suite d'une importante poussée populaire, le président Lopez Mateos a récemment créé quelques *ejidos* d'élevage dans le Nord ; toutefois, il n'a pas encore accordé le moindre arpent de terre irriguée à un *ejido*. Si de telles mesures se révèlent inefficaces, le gouvernement a finalement recours à la répression. Les grèves, et plus particulièrement celles qui avaient une coloration politique (comme les grèves des syndicats les plus militants, celle par exemple des cheminots il y a trois ans ou celle des enseignants l'année dernière), ont été sévèrement réprimées. Depuis le regain d'activité de la vie politique et l'introduction sur une grande échelle de la guerre froide après la révolution cubaine, les leaders de gauche, syndicalistes et autres, se sont retrouvés de plus en plus souvent en prison. Pour démontrer que personne, quel que soit son statut, n'est à l'abri d'un tel sort, il n'est que de rappeler que le peintre le plus célèbre du Mexique, David Alfaro Siqueiros, mondialement connu et âgé de 65 ans, et son amie la journaliste de renom Filomena Mata, âgée de 73 ans, sont tous les deux en train de purger

des peines de huit ans (!) de prison pour avoir prétendument provoqué la grève du syndicat des enseignants, dont ils ne sont d'ailleurs
même pas membres. Ils sont officiellement accusés de tentative
de « dissolution sociale » (*sic*). En outre, l'influence droitière, de
la part même de l'Eglise, dont les ailes ont pourtant été rognées
à deux reprises, au milieu du siècle dernier et au début de ce
siècle, n'a guère cessé de croître et de se consolider.

Ainsi, le système offre la gloire à certains individus, du pain et
des jeux de cirque aux masses — plus souvent d'ailleurs des jeux
que du pain — en guise d'ample récompense pour l'abandon de
l'activité militante. Des concessions économiques (elles ne sont jamais
politiques) sont quelquefois accordées quand cela se révèle nécessaire et la répression est utilisée quand tout le reste a échoué.
Dans l'ensemble, le système semble fonctionner fort bien : il est
significatif que le Mexique ne consacre que 8 % de son budget
national à l'armée contre 30 % en Colombie ou 45 % à Haïti ; seul
le Costa-Rica, qui est relativement un pays de classe moyenne,
consacre en Amérique latine une part moindre de son budget aux
forces armées. Mais il est également vrai que le système comporte
une véritable participation populaire et de vrais avantages pour le
peuple mexicain.

Quelles sont les perspectives d'avenir ? L'industrialisation, pour
rapide qu'elle ait été, l'éducation, l'intégration capitalistique de
l'agriculture, les travaux publics et les autres mesures de « modernisation » n'ont guère été vraiment suffisants pour absorber l'accroissement démographique et, *a fortiori*, pour relever le niveau économique de la base paysanne. D'ailleurs, le gouvernement actuel a
réduit de moitié les dépenses annuelles consacrées à l'irrigation
par Alemán ; et le taux de croissance spectaculaire du PNB (8 à 10 %)
observé au milieu des années cinquante a régulièrement décliné
pour atteindre l'année dernière, le taux fort alarmant de 0 %. Compte
tenu de la structure économique et de l'organisation du pouvoir
économique et politique de la bourgeoisie, compte tenu également
de l'accroissement relatif de l'investissement privé sur l'investissement public au cours de ces dernières années, il y a tout lieu
de croire que l'économie du pays ne pourra accorder à la grande
masse des Mexicains une amélioration réelle du niveau de vie.
Elle ne promet certainement pas les progrès économiques et culturels
réalisés au cours de ce siècle, et plus particulièrement depuis la
Seconde Guerre mondiale, par les pays socialistes. Pourtant, comme
nous venons de le constater, le système parvient à fonctionner
cahin-caha, comme celui du Guatemala ou du Pérou, et contrairement à ceux du Venezuela, de Colombie et d'autres pays latino-
américains dont le mécanisme est bloqué. Et il parvient à opérer
des ajustements çà et là. L'économie procédant par cooptation, le
système politique et son parti font de même, de manière d'ailleurs
plus accentuée. Rien ne semble pouvoir fonctionner en dehors du
PRI ; et tout ce qui est possible ne peut être réalisé qu'en rejoi-

gnant ce même PRI et en y travaillant. La fonction de président est toute-puissante, quelle que soit la personne qui l'occupe : il y a plus qu'une boutade littéraire ou journalistique dans l'affirmation que les Mexicains ont transformé les noms de leurs présidents en noms communs et en adjectifs servant à qualifier leurs administrations et même leurs époques. Et un ex-président ne compte guère plus qu'un citoyen quelconque s'il n'a pas politiquement accès à l'entourage du titulaire en poste.

Ainsi, bien que Cardenas, apparemment stimulé par la révolution cubaine, soit récemment sorti d'une retraite politique de vingt années pour rejoindre des hommes plus jeunes et fonder le MLN (Mouvement de libération nationale) afin de mobiliser et d'unifier la gauche politique mexicaine, il a néanmoins accepté l'invitation lancée aux ex-présidents pour qu'ils rejoignent l'administration de Lopez Mateos, imitant en cela ses collègues plus conservateurs. D'autre part, la vague actuelle de répression gouvernementale contre la gauche n'est pas forcément synonyme de mouvement permanent vers la droite. L'Amérique latine dans son ensemble progressant vers la gauche, au cours des années à venir, la pression sur le Mexique pourrait devenir si puissante que la gauche mexicaine serait appelée à jouer à nouveau un rôle prépondérant (aidée en cela par les actes répressifs des Etats-Unis destinés à la mater) — mais en travaillant à l'intérieur et par l'intermédiaire du PRI. Pablo Gonzalez Casanova, doyen de la toujours progressiste Ecole de sciences politiques et sociales de l'université nationale et membre éminent du MLN suggère : « Nous pensons que le général Lazaro Cardenas a indiqué la bonne voie : soutenir l'institution et organiser le peuple. »

Il est facile d'être d'accord avec ce jugement. Mais organiser le peuple pour quoi faire ? Pour se contenter d'arracher son destin des mains de la bourgeoisie et du PRI ? Pendant que le peuple mexicain « s'organise », d'autres peuples latino-américains déclencheront inévitablement des révolutions bien plus radicales que celle du Mexique. Ces révolutions à l'étranger accentueront tout aussi inévitablement les antagonismes entre la droite et la gauche mexicaines, comme cela s'est déjà fait avec la révolution cubaine. Toutes les victoires modérées et limitées que la gauche mexicaine peut remporter dans le cadre du système actuel « en chevauchant la vague de la révolution sociale » parmi ses voisins, toutes ces victoires ne peuvent que reculer le jour où la gauche mexicaine devra briser radicalement le pouvoir de la bourgeoisie et commencer à prendre elle-même en main la destinée du pays.

Note sur les sources.

L'article ci-dessus est fondé en partie sur des observations et des enquêtes personnelles, et en partie sur des ouvrages publiés. En dehors des journaux mexicains et de certaines publications américaines comme le *New York Times* et *Time,* les sources principales sont les suivantes :

— Casanova, Pablo Gonzalez, « Mexico : El Ciclo de una Revolucion Agraria », *Cuadernos Americanos,* janvier-février 1962.

— Castillo Carlos Manuel, « La Economia Agricola en la Region del Bajio », *Problemas Agricolas e industriales,* VIII, N. 3 - 4, 1956.

— Lewis, Oscar, « Mexico since Cardenas », *in* Richard N. Adams (et d'autres), *Social Change in Latin America Today : Its implications for United States Policy,* Vintage books, New York, 1961.

— Yates, Paul Lamartine, *El Desarollo Regional de Mexico,* Banco de Mexico, 1961.

19

La démocratie mexicaine
du docteur Pablo Gonzalez Casanova

Je suis reconnaissant aux organisateurs de cette table ronde sur
« la démocratie au Mexique » de m'avoir invité bien qu'étant étranger
et je désire féliciter le Dr Pablo Gonzalez Casanova d'avoir écrit
un livre si important, non seulement pour les Mexicains, mais aussi
pour tous ceux qui s'intéressent au développement économique des
pays sous-développés.

Avec son livre, le Dr Gonzalez Casanova rejoint des auteurs aussi
remarquables que les Brésiliens Celso Furtado et Helio Jaguaribe,
les Argentins Aldo Ferrer et Gino Germani, les Chiliens Anita
Pinto et Alberto Baltra, et d'autres encore qui, en Amérique latine,
s'occupent de ce que l'on pourrait appeler, selon l'heureuse expression de Juscelino Kubitchek, le *desenvolvimentismo* (« développementisme »). Je souhaite que cette table ronde soit capable de
faire justice au thème et aux arguments du Dr Gonzalez Casanova,
qui sont de première importance pour tous ceux qui étudient scientifiquement le sous-développement et le développement économiques.
C'est exclusivement de ce point de vue scientifique que j'ai l'intention de l'aborder. Je laisserai l'examen des aspects plus mexicains
et plus politiques à mes collègues qui sont sûrement, cela va sans
dire, plus qualifiés que moi pour le faire.

La structure et le développement essentiels des arguments du
livre sont, à ma connaisance, les suivants : l'auteur se propose [1],
à la page 5, d'aborder le problème du développement économique
et de son éventuelle solution. Dans la seconde partie, et surtout

---

1. La traduction française de *La démocratie au Mexique* a paru aux
Editions Anthropos après que la traduction de ce livre fut achevée. Les
renvois concernent, de ce fait, l'édition espagnole.

dans le chapitre v, il expose le fondement de toute son argumentation ultérieure, à savoir l'existence d'une société pluraliste ou dualiste. A la page 69, il fait référence à deux Mexiques : l'un, selon ce qu'il veut démontrer à grand renfort de données statistiques, est en marge de l'autre, surtout du point de vue culturel, mais aussi social et politique, de même qu'en fonction de l'accès aux biens de consommation. Sachant que ce « marginalisme » se fonde, selon l'auteur, en premier lieu sur des différences ethniques et une économie de subsistance prédominante, le secteur le plus marginal est le secteur indigène. Le second point essentiel qui, selon l'auteur, est étroitement lié au premier aspect de la société dualiste est le colonialisme interne : il y a deux Mexiques et l'un colonise l'autre.

Le point culminant de l'argumentation se situe dans la quatrième partie. C'est là qu'on trouve le troisième point essentiel qui donne la clef de toutes les conclusions postérieures. Ce point, affirmé à la page 135, répété à la page 138 de nouveau à la page 145, est constitué par l'affirmation que le Mexique n'est pas un pays capitaliste, mais à peine un pays précapitaliste ou semi-capitaliste. Outre qu'il veut appuyer son affirmation sur Marx, Engels et Lénine, l'auteur dit que le qualificatif de précapitaliste pour le Mexique est confirmé par deux faits : 1) qu'il existe un colonialisme interne ; 2) que la bourgeoisie n'est pas parvenue à une pleine domination et ne « se confronte pas de façon satisfaisante » à la domination étrangère. Pour ces raisons le Dr Gonzalez Casanova ne pourra trouver un développement pleinement capitaliste au Mexique, comme il le dit à la page 136, tant que subsistera le colonialisme interne et qu'un relatif niveau d'égalité avec les Etats-Unis ne sera pas atteint. D'où la conclusion de l'auteur que les deux philosophies les plus opposées de notre temps, le marxisme et le libéralisme, indiquent aujourd'hui — je cite — une seule et même voie : le développement du capitalisme. Tous deux ont le même objectif : la question réside dans les moyens. Le problème, dit l'auteur à la page 146, est de savoir si la bourgeoisie peut triompher, si le gouvernement peut s'orienter vers le capitalisme. Bien qu'à la page 147 il mentionne qu'il y a des conditions favorables et défavorables pour cela, l'auteur termine le chapitre à la page suivante sans nous dire quelles pourraient être ces conditions, et encore moins si (ou pourquoi) les conditions favorables au développement économique capitaliste y ont plus de poids que les conditions défavorables. Il signale à peine dans son dernier chapitre qu'il subsiste quelques obstacles sur la voie de la démocratie, tels que la société pluraliste, le traditionalisme et l'autoritarisme politique sur les pauvres. En fin de compte, il nous assure que, malgré tout, les chances de la démocratie augmentent et que quelques Nord-Américains le démontrent statistiquement. C'est ainsi qu'il termine son analyse et son argumentation.

Après avoir démontré que le Mexique n'est pas capitaliste, il affirme que tout le monde, et particulièrement tout prolétaire et tout marxiste conséquent, se convertit, avec les sociologues nord-américains, en allié de la bourgeoisie et tombe d'accord sur la même et unique voie indiquée par l'auteur, à savoir le développement économique capitaliste sous la direction de la bourgeoisie, bien que celle-ci ne soit pas pleinement développée. Mais l'auteur ne signale pas si cette voie est possible ou comment elle pourrait l'être. Pablo Gonzalez Casanova nous laisse le soin de répondre à cette très importante question en se fondant sur un examen empirique et théorique. J'essaierai de répondre dans la mesure du possible par une comparaison entre la structure de la réalité historique et actuelle et la structure des arguments de ce livre.

La seconde partie du livre, qui constitue 40 % du texte, est consacrée aux éléments qui, par la suite, serviront de principal fondement à ses conclusions : la société dualiste, le colonialisme interne et les liens étroits entre les deux. Or, ici, nous devons nous demander en premier lieu comment tout cela peut-il se faire ? Comment 10 à 25 % de la population du pays peuvent-ils vivre entièrement en marge d'un Mexique, d'une société dualiste comme l'affirme l'auteur, et être à la fois colonisés par l'autre Mexique ? Comment ces gens-là peuvent-ils être à la fois marginaux et colonisés ? Comment peut-il y avoir une société dualiste à colonialisme interne ? C'est impossible. Ainsi déjà dans son principe, l'argument de base de ce livre révèle une contradiction. Si la réalité était vraiment telle, elle serait assez paradoxale. Mais une fois que nous aurons examiné la véritable réalité historique passée et présente, ce que le livre ne fait pas malgré la profusion de statistiques que l'on y trouve, nous verrons que le paradoxe apparent disparaît et que la contradiction contenue dans l'ouvrage en question s'accentue de plus en plus.

La réalité résout le paradoxe pour deux raisons : 1) parce que, en réalité, il n'y a pas de société dualiste ni de marginalisme comme l'affirme l'auteur ; 2) parce que le colonialisme interne, qui existe, est très différent de celui sur lequel le livre fonde son argumentation.

La réalité, et la triste vérité, c'est qu'avec l'arrivée de Cortés s'est rapidement formée une société unique et intégrée — entièrement intégrée ce qui plus est dans le système mondial d'expansion mercantiliste et de développement capitaliste — qui n'a jamais cessé de l'être par le seul fait que les uns exploitaient les autres. Permettez-moi de faire deux citations qui illustrent l'histoire et la réalité actuelles. La première est de Hernan Cortés. Après être arrivé sur ces terres, il affirme que les Espagnols avaient une maladie au cœur pour laquelle le remède spécifique était l'or ; peu après, ils trouvèrent d'ailleurs un autre remède : l'argent.

La deuxième citation est de l'historien contemporain José Miranda, analysant l'*encomienda* en Nouvelle-Espagne : « Le tribut fournissait aux *encomenderos* les ressources matérielles et la main-d'œuvre qui constituèrent, dans les premiers temps de la colonie, le fondement principal de leurs entreprises. Le capital comme le travail que ceux-ci utilisaient pour mettre en place l'économie coloniale provenaient en grande partie du tribut [...] Le *encomendero* investissait le tribut dans des entreprises diverses : mines, agriculture, élevage, industrie, commerce. C'est toutefois — et la chose est logique — dans les mines et, par la suite dans l'élevage que l'investissement était le plus concentré [...] L'*encomendero* est avant tout un homme de son époque, mû par le souci du profit [...] Ainsi donc l'*encomendero* accorde la primauté à l'élément de répartition capitaliste de l'*encomienda* qui est le seul qui puisse le conduire à ce qu'il recherche avec ténacité : la richesse [...] dans le mécanisme compliqué de ses entreprises, nous voyons fréquemment l'*encomendero* pris dans un véritable réseau de dispositifs économiques et de rapports juridiques : il a des participations dans plusieurs compagnies minières [...] possède un élevage de porcs ou de moutons qu'il fait paître sur les terres d'un autre *encomendero* [...] sous la surveillance d'un berger espagnol [...] et tout cela après avoir donné le pouvoir général à une personne de la famille, un ami ou un domestique pour administrer ses gens et après avoir donné des pouvoirs particuliers à d'autres personnes pour gérer ses propriétés [...] ses *ingenios* [...] ou pour gérer ses intérêts partout où cela est nécessaire. »

Après l'or vint l'argent. Son accumulation ne résulta pas de l'institution de l'*encomienda*, mais de la *mita* ou travail forcé et ensuite de l'utilisation de valets de ferme, ceux que l'on appelait travailleurs libres, mais qui étaient attachés à la mine ou à la ferme pour cause d'endettement. Les institutions changent, mais non l'essence structurale du système. La production d'argent fut la force motrice de toute l'économie ; elle augmenta beaucoup au XVIe siècle, baissa au XVIIe et augmenta de nouveau au XVIIIe siècle. Elle fixa de grandes populations dans le centre du pays et rendit mondialement célèbres les noms de Guanajuato, Zacatecas, San Luis Potosi et Pachuca, aujourd'hui capitale de l'Etat de Hidalgo.

Cherchons à savoir à présent où notre livre situe la population marginale de ladite société dualiste. A la page 154, il cite le Sud et le Centre ; à la page 92, il cite textuellement le Chiapas, l'Oaxaca, le Guerrero, le Tlaxcala, l'Hidalgo, le Guanajuato, le San Luis et le Zavatecao. Il note plusieurs caractéristiques d'une grande partie de ces régions : à la page 30, le *caciquisme*, à la page 109 le clientélisme, à la page 39, le catholicisme et l'anticommunisme fanatique, à la page 92, la pauvreté — tout un modèle — et à la page 154, la raison supposée de tout cela : « l'économie de marché ne domine pas ». Tout cela est exact, sauf cette dernière « raison » qui falsifie la vérité en voulant la « mettre en avant » comme le faisait Hegel d'après Marx. Le centre du pays, loin de se trouver encore en dehors du marché a été au contraire, comme nous l'avons vu, avec la capitale, la partie la plus intégrée et la plus importante de l'économie de marché : il fut le véritable cœur et la source du sang vital, non seulement du marché régional ou national, mais du marché mondial. Mais le commerce s'éteignit et ces régions ultra-développées déclinèrent, régressèrent et devinrent sous-développées. C'est un schéma connu qu'ont vécu et vivent encore le nord-est du Brésil et les Antilles avec leur sucre ; le Minas Gerais, le Haut Pérou et le centre du Mexique avec leurs mines qui sont aujourd'hui ultra-sous-développés, et où règne par excellence le *caciquisme* appelé *gamonalisme* au Pérou et *colonelisme* au Brésil. Le clientélisme politique, le « christianisme oui, communisme, non » comme on dit à Minas Gerais d'où est parti le coup d'État qui imposa l'actuel régime militaire au Brésil. Tout cela étant dû non pas à l'insuffisance de l'économie de marché capitaliste, mais au contraire au fait qu'elle a dominé ces régions, y est devenue florissante et y est tombée en déclin selon le processus intégral et normal du développement capitaliste mondial et national.

La tâche du scientifique n'est pas, comme le fait Pablo Gonzalez Casanova, de prendre ces faits comme des données ou de les attribuer à des réalités inexistantes, mais de rechercher leurs causes, de leur trouver une explication comme le firent à leur époque Alejandro Humboldt et Mariano Otero. Le premier remarqua que « des *haciendas* s'installaient à proximité des mines [...] et que cette influence des mines sur le démembrement progressif du pays est plus durable qu'elles ne le sont elles-mêmes. Lorsque les filons sont épuisés et lorsque le travail sous terre est abandonné [...] Le colon est lié par l'attachement dont il s'est pris pour le sol [...] et autant au début de la civilisation qu'au moment de sa décadence ». Otero ajoute : « Il ne reste que l'activité minière pour apporter le changement [...] les produits de cette branche [l'activité minière] ont diminué d'une façon si considérable qu'aujourd'hui [1948] ils n'atteignent probablement pas la moitié de ce qu'ils étaient lorsque le savant baron Humboldt les calcula au début de ce siècle ; et comme nos produits diminuaient tandis que le luxe augmentait très rapidement les besoins des classes aisées, il s'en est suivi un résultat véritablement terrible [...] dont la cause principale est l'état de ruine et de décadence de la commercialisation des produits dans un pays où tout est à faire [...] de là il résulte que l'agriculture ne progresse pas : un système commercial amorphe [...] la décadence de l'agriculture et la faillite de tous ses capitaux. »

Par conséquent, l'état misérable de ces régions centrales du pays n'est pas dû à un prétendu dualisme et marginalisme qui fait que « l'économie de marché n'y prévaut pas encore », comme le maintient le Dr Gonzalez Casanova, mais, comme le signalèrent Humboldt et le progressiste Otero, il est dû à son incorporation intégrale dans le développement inégal et contradictoire du système capitaliste mondial et national lui-même. Cela étant dit pour le centre du pays, passons au sud.

Permettez-moi à nouveau de faire des citations : premièrement, de Stavenhagen, le maître de cette école et ensuite de l'Instituto nacional indigenesta : « Le système colonial fonctionna en fait à deux niveaux. Les restrictions et les prohibitions que l'Espagne imposait à ses colonies se répétaient, en s'amplifiant, dans les relations entre la société coloniale et les communautés indigènes. Les monopoles commerciaux, les restrictions à la production, les contrôles politiques que l'Espagne exerçait sur la colonie furent exercés par la société coloniale sur les communautés indigènes. Elle représentait pour les communautés indigènes ce que l'Espagne était pour la colonie : une métropole coloniale. Le mercantilisme pénétra alors dans les villages les plus isolés de la Nouvelle-Espagne. » La métropole mondiale transforma sa capitale et celles de beaucoup d'autres pays en satellites et celles-ci en tant que métropoles nationales transformèrent à leur tour leurs provinces en satellites. Ainsi le système mercantiliste international et national pénétra jusqu'au coin du monde le plus isolé et l'intégra au système. Comme l'observa Humboldt « plus l'endroit où se trouve l'*hacienda* est isolé, plus il est attrayant pour les habitants des montagnes [...] l'homme semble se repentir de la sujétion qu'il s'est imposée en entrant dans la société [...] une longue et triste expérience l'a fatigué de la vie sociale [...] les peuples de race aztèque aiment habiter les sommets et les pentes des montagnes les plus escarpées. Ce trait particulier de leurs coutumes contribue singulièrement à étendre la population dans la région la plus montagneuse du royaume du Mexique. » Mais comme nous le verrons, ce n'est pas pour autant qu'elle parvient à y échapper. Elle n'aura rien d'une société dualiste.

Si les indigènes se sont trouvés intégrés de la sorte dans le système colonialiste de la colonie, se sont-ils mis « en marge » lorsque le mercantilisme s'est transformé en l'actuel système capitaliste ? L'institut national indigène nous donne la réponse, non seulement pour la période après l'indépendance, mais aussi pour l'actuelle période postérieure à la révolution :

« En fait, il est rare que les Indiens vivent isolés de la population *mestiza*, ou population nationale ; il existe entre ces deux groupes une symbiose dont nous devons tenir compte. Entre les *mestizos,* qui vivent dans le noyau urbain de la région, et les Indiens, qui vivent dans le *hinterland,* il y a en fait des relations d'interdépendance économique et sociale plus étroites qu'il n'y paraît à première vue [...] A vrai dire la population *mestizo* vit presque toujours dans une ville, centre d'une région interculturelle, qui joue le rôle de métropole et maintient une liaison intime avec les communautés sous-développées qui relient au centre les communautés satellites. [Notre étude a montré] que la communauté indienne, ou communauté traditionnelle, est une partie interdépendante d'un tout jouant le rôle d'unité, de telle sorte que les mesures affectant l'une des parties ont inévitablement des répercussions sur les autres parties et, par conséquent, sur le tout. Il est impossible d'envisager séparément la communauté ; il faut nécessairement prendre en considération dans sa totalité le système interculturel dont elle est une partie [...] Non seulement la ville a voulu, mais encore elle a imposé par la force à la grande masse des Indiens le maintien dans leur situation ancestrale de subordination [...] [C'est à] Ciudad de las Casas que [...] l'on trouve l'expression la plus achevée de la domination exercée par les *ladinos* [2] sur les ressources économiques et politiques et sur la propriété en général. » (I.N.I., 1962, p. 33-34, 27, 60.)

Dans une étude de l'Institut national indigène de la région de Tlaxiaco, dans l'Etat d'Oaxaca, l'auteur, Alejandro Marroguin, fait ressortir quelques-uns des traits qui caractérisent « la communauté indigène ou *folk* [qui] faisait partie intégrante d'un tout fonctionnant comme une unité. Sept paires de mains se sont interposées entre le producteur et le consommateur, provoquant une hausse du prix [des œufs], qui est passé de 16 à 50 cents, soit une augmentation de plus de 300 %. Les produits indiens arrivent à Tlaxiaco pour être ensuite dispersés dans les grands centres urbains du pays ; mais leur bref transit par Tlaxiaco contribue au renforcement du secteur commercial de cette ville. Ce bénéfice que des parasites extraient de la misère d'Indiens affamés renforce le pouvoir et la force concentrique que confère à Tlaxiaco son rôle de noyau fondamental de l'économie mixtèque ».

Pour nous résumer, nous pouvons énumérer comme suit les caractères généraux du marché urbain de Tlaxiaco : 1) prédominance absolue du système capitaliste marchand ; 2) lutte concurrentielle acharnée, comme dans tout système économique capitaliste ; 3) influence puissante des monopoles de distribution ; 4) existence d'un réseau dense d'intermédiaires qui pèse lourdement sur l'économie indienne ; 5) aspect parasitaire de l'économie de Tlaxiaco, fondée sur l'exploitation du travail dévalué des Indiens...

En conclusion :

1) La concentration et la centralisation économiques observées à Tlaxiaco ont provoqué un contraste notable entre la vie urbaine, relativement opulente, et la vie pauvre et difficile des villages de la région. Ce contraste se manifeste également, dans la ville même,

---

2. Le terme *ladinos* désigne les ex-Indiens et parfois aussi les descendants de *criolles* (créoles), qui se distinguent des Indiens économiquement et ethniquement et constituent les couches intermédiaires de la société dans les pays d'Amérique latine où la population indienne est importante. Dans les autres régions du Mexique, on les appelle *mestizos*, dans les pays andins *cholos* ou, pour les couches un peu supérieures, *mistis*. Pour une classification culturelle de la stratification sociale en Amérique latine, voir, entre autres, Wagley, 1955.

entre les faubourgs clairsemés de la périphérie rurale et le noyau central urbain.

2) La ville profite de sa position privilégiée dans le domaine des moyens de communication pour exploiter les villages et les faubourgs indiens, ce qui engendre une contradiction profonde entre le noyau central urbain et le reste de la région.

3) La réforme agraire née de la révolution a détruit l'équilibre socio-économique des villages, avec la disparition des *haciendas*, centre de gravité de l'ancien système social. Le magasin du gros négociant est ainsi devenu le centre de gravité de la région, le gros négociant héritant du *hacendado* le rôle patriarcal. Tout en les exploitant et en tirant son bénéfice de leur production, le gros négociant se présente aux Indiens comme leur grand bienfaiteur...

4) Etant donné sa structure économique propre, Tlaxiaco ne forme pas un tout homogène, mais se divise en secteurs et en classes sociales dont les intérêts sont de plus en plus opposés.

5) Les nouveaux moyens de transport apparus au cours de ces dix dernières années ont profondément transformé l'économie de Tlaxiaco. Leurs effets les plus importants sont les suivants : 1) ruine ou décadence de la majorité de l'artisanat et de commerces tels que fabrication de chandelles, de savon, de poteries, industrie textile, etc. ; 2) forte stimulation de la production et de la consommation d'alcool ; 3) apparition et développement d'un important centre économique : Chalcatongo ; 4) développement à Tlaxiaco même d'une économie artificielle en ce sens que cette ville, ne produisant pas ce qu'elle consomme, exerce une action stimulante sur l'échange, la distribution et la concentration des marchandises ; 5) enfin, les moyens de communication nouvellement créés ont ouvert le marché de Tlaxiaco aux représentants des gros monopoles et des gros spéculateurs de Mexico, qui ont ruiné les monopoles locaux et provoqué une hausse du coût de la vie, et qui, par la même occasion, se lancent, au détriment de la population indienne, dans des manipulations spéculatives de grande envergure.

Quels enseignements tirer de tout cela ? Un grand nombre de réalités et de vérités que l'argumentation de « la démocratie au Mexique » de Pablo Gonzalez Casanova méconnaît ou contredit. En premier lieu, qu'il n'y a pas de société dualiste. Les indigènes ne sont pas en dehors de l'économie de marché, ne l'ont jamais été et ne vivent pas dans une économie d'autosubsistance. Quand ils ne produisent pas pour le marché, ce n'est pas parce que cela ne leur convient pas. Lorsque le prix du café baisse — par sa cotation mondiale et sa manipulation monopoliste et spéculative locale — au point que les indigènes de Chiapas ne peuvent acheter qu'un kilo de maïs avec un kilo de café qu'ils récoltent ; logiquement ils cessent donc de produire du café et deviennent producteurs de maïs, c'est-à-dire qu'ils deviennent ceux que l'on appelle « paysans marginaux vivant en autosubsistance ». Mais même ainsi ils ne parviennent pas à « subsister » parce qu'il leur manque encore les terres et ils doivent fabriquer des chapeaux de paille et d'autres produits commerciaux, travailler dans les propriétés de Chiapas ou de Californie pour pouvoir acheter le peu de biens qu'ils trouvent à des prix élevés sur le marché des monopoles. L'autre alternative qui reste à ces « marginaux » est celle d'émigrer vers le district fédéral ou dans les Etats du Nord où ils produisent des biens pour le marché national ou nord-américain et offrent à la bourgeoisie une source de main-d'œuvre bon marché. Logiquement, la plus forte émigration s'observe principalement dans les Etats mentionnés (sauf le Chiapas dans les années d'augmentation de la production de café) que Gonzalez Casanova considère comme marginaux par rapport à l'économie nationale, où « l'économie de marché n'a pas encore la primauté ». Nonobstant sa renommée, le Dr Gonzalez Casanova ne voit pas « le tout qui fonctionne comme une unité », dont, comme nous le fait remarquer l'Institut national indigène « on doit tenir compte globalement ». Ainsi la première leçon que nous donne cette histoire sur « la population marginale » (indigène ou non indigène) est la suivante : leur existence et la misère dans laquelle ils vivent ne sont que le produit entier et exclusif de leur complète intégration économique au système mondial et national dans lequel ils vivent depuis la Conquête. Des traits ethniques et le manque de culture de ces gens supposés marginaux que le livre prend comme point de départ de son argumentation, loin d'être le point de départ ou le fondement réel de leur situation, constituent au contraire leur point d'arrivée ; ils sont le produit du colonialisme interne et externe qu'ils subissent.

En second lieu, les faits nous enseignent qu'effectivement le colonialisme interne existe. Mais il diffère du « colonialisme interne » qui est la base de l'argument de notre livre sur deux points essentiels. L'un est que ce colonialisme est essentiellement et par-dessus tout économique et non culturel ou social, comme il ressort de l'ouvrage en question. Bien que l'auteur, aux pages 74 et 75, mentionne des caractéristiques de décapitalisation et d'exploitation, la structure essentielle de l'argument de ce livre et la voie qui conduit, de la base qu'est la société dualiste interethnique, à la conclusion présupposée au départ, est de toute évidence un prétendu « colonialisme interne » fait de différences culturelles, sociales, politiques, mais pas de rapports économiques. La lecture du livre le démontre et l'appendice statistique le confirme, car parmi les 65 tableaux, pas un seul ne concerne ces rapports économiques, la décapitalisation, l'exploitation ou le véritable colonialisme interne.

Le second point de divergence entre ce que le livre appelle « colonialisme interne » et le véritable colonialisme interne qui existe ici comme dans les autres parties du système capitaliste mondial est précisément que le colonialisme interne fait partie et est étroitement lié au colonialisme externe ou impérialisme. Ceux-là sont liés à tel point que « cinquante ans de révolution » mexicaine n'ont pu rompre ces liens qui existent depuis la Conquête et trouvent leurs racines dans la structure même et le développement du système global qui a été le mercantilisme et qui est aujourd'hui l'impérialisme. L'auteur dit vrai lorsqu'il affirme que le colonialisme interne est semblable au colonialisme externe qui est, lui aussi, interethnique et culturel, comme il suppose que l'est le colonialisme interne, mais plutôt parce que ces deux colonialismes sont essentiellement économiques et s'appuient mutuellement sur le même et le seul système capitaliste mondial.

Cette vérité nous conduit à la troisième leçon de l'histoire et à l'examen de la conclusion de ce livre : nous vivons dans un système capitaliste, pleinement capitaliste, avec toutes les caractéristiques essentielles propres au système capitaliste, telles que la structure de classes, la structure colonialiste métropole-satellite et le développement contradictoire et inégal qui fait que la métropole se développe en engendrant le sous-développement de ses satellites extérieurs et intérieurs et que la bourgeoisie s'enrichit en exploitant le peuple. Appeler ce système « précapitaliste » comme Pablo Gonzalez Casanova veut le faire pour fonder sa conclusion et sa politique n'est en aucune manière scientifiquement acceptable puisqu'il va à l'encontre de toute réalité empirique et de toute démarche théorique. Maintenir comme il le fait, à la page 136, que le Mexique est précapitaliste et ne sera pas capitaliste tant que subsistera le colonialisme interne et tant que ne sera pas atteint un relatif niveau d'égalité avec les Etats-Unis d'Amérique, est une absurdité théorique et contredit la triste réalité empirique d'un pays dont le colonialisme économique interne remplit la presse mondiale de sa revendication « liberté maintenant » cent ans après l'émancipation de la population noire qui constitue 10 % de la population nord-américaine (comme les 10 % d'indigènes au Mexique) et la promesse du président Johnson de la « Grande Société » pour les 25 % des Nord-Américains qui, selon ses chiffres, vivent dans « l'autre Amérique » (et qui correspondent aux 25 % de « marginaux » mexicains de Pablo Gonzalez Casanova).

Les deux faits principaux que l'auteur signale pour soutenir sa thèse selon laquelle le Mexique n'est pas capitaliste, à savoir sa faiblesse économique et son colonialisme interne, loin de la confirmer sont précisément les deux faits qui ont engendré le sous-développement capitaliste au Mexique. Nous avons vu que s'est formée toute une série de chaînes de métropoles et de satellites qui naissent dans la métropole mondiale, aujourd'hui impérialiste, traversent les capitales nationales, régionales et locales au point d'intégrer l'indigène le plus isolé de l'économie appelée « de subsistance ». Chaque métropole a colonisé et continue d'exploiter par ses monopoles ses satellites qui, à leur tour, exploitent leurs propres satellites. La métropole mondiale, qui n'est satellite de personne, a expérimenté le développement capitaliste appelé « classique ». Dans chaque métropole nationale, ce type de développement « classique » n'a pas pu et ne peut encore se présenter de façon précise parce que son développement est limité par sa condition de satellite de la métropole impérialiste mondiale. C'est un développement limité ou un développement sous-développé, et la plus grande partie de son développement est due, non pas à l'aide de la métropole mondiale, comme on le dit souvent, mais à l'exploitation simultanée de son prolétariat et de ses satellites nationaux dont le développement est par conséquent encore plus limité et sous-développé. Aussi le colonialisme interne et externe, le « marginalisme » des bénéfices du développement capitaliste et le sous-développement lui-même ne cessent de faire partie du développement capitaliste, mais, bien au contraire, ils ont été et continuent d'être à la fois le germe et le fruit de ce développement capitaliste. Par conséquent, il n'existe pas non plus de fondement empirique et théorique, c'est-à-dire scientifique pour soutenir ou espérer que ces caractéristiques disparaîtront grâce à une politique bourgeoise visant à substituer à un supposé « précapitalisme » un capitalisme « classique » bien que statique.

Le colonialisme n'a pas non plus, comme on l'affirme à la page 76, « une fonction explicative beaucoup plus large que les classes sociales ». La structure du colonialisme interne — et aussi du colonialisme externe ou système impérialiste — ne se substitue pas à la structure des classes, mais en est le complément. Ainsi donc la théorie du colonialisme interne et externe du système capitaliste ne peut — comme Pablo Gonzalez Casanova essaye de nous le faire croire — être une alternative à la théorie des classes. Au contraire, l'examen de cette structure métropole-satellites, aussi bien internationale que nationale, met en relief la structure de classes dans laquelle la bourgeoisie se forme, se développe pleinement ou non selon que sa position est dominante ou satellisée, se maintient économiquement par l'exploitation du peuple dans les villes comme dans les campagnes et, par conséquent, se maintient et s'efforce politiquement de préserver cette structure d'exploitation génératrice du sous-développement.

Finalement, l'analyse empiriquement et théoriquement erronée de l'auteur se rapportant aux rapports internes du Mexique est étroitement liée à sa démarche concernant les relations extérieures. A la page 7, l'auteur dit textuellement : « Nous n'abordons pas le problème en termes " d'impérialisme " car celui-ci est chargé de valeurs et nous fait perdre la perspective de *souveraineté nationale*. Nous nous référons à ce que Perrau appelle " l'effet de domination " des grandes nations et des grandes entreprises. » Malheureusement, la vérité est exactement l'inverse. Ne pas tenir compte de l'existence, de la structure et du développement de l'impérialisme, comme le fait ce livre, fait perdre la perspective globale et scientifique qui est nécessaire pour juger des limites de la souveraineté nationale. Les contradictions du système impérialiste limitent la souveraineté nationale de son chef de file, les Etats-Unis, comme nous le voyons aujourd'hui au Vietnam, en Europe et avec le problème des Noirs et celui de la balance des paiements... Cependant, face aux Etats-Unis, la souveraineté économique des grandes puissances d'Europe occidentale est aussi de plus en plus affaibli. La revue d'affaires nord-américaine *Newsweek* du 8 mars dernier nous donne l'opinion d'un responsable d'Olivetti : « Nous avons étudié très soigneusement la possibilité d'une solution européenne. Mais même si nous avions fusionné avec les Machines Bull en France et Siemens en Allemagne (qui, par la suite a passé un accord d'exploitation sous licence avec RCA), nous aurions quand même été étouffés et éventuellement éliminés par les géants américains. Il n'existe pas de solution européenne à ces problèmes. Les coûts de recherche sont trop élevés. Le décalage technologique entre les deux rives de l'Atlantique est un fait objectif. » (*Newsweek*, 1965, p. 67-72.) *Newsweek* résume en disant que les « puissantes économies industrialisées et développées d'Europe occidentale souffrent d'une colonisation, d'une satellisation, d'un asservissement de plus en plus grands ». Si tel est le fait des pays d'outre-Atlantique quel ne sera pas le sort des faibles économies semi-industrialisées et sous-développées d'Amérique latine et de leurs bourgeoisies nationales respectives ? Il ne s'agit pas, ici, d'un pur effet de domination qui permet de voir « la souveraineté nationale » que l'impérialisme est supposé cacher. Il s'agit d'un système mondial dont la structure contradictoire et le développement inégal bénéficient inévitablement au vu et au détriment des autres et dont le monopole — fondé de plus en plus sur la technologie dans le futur — soumet les bourgeoisies les plus puissantes. En Argentine, premier pays d'Amérique latine à avoir tenté de s'industrialiser au cours de ce siècle, la bourgeoisie a connu un tel sort au cours des années cinquante. Ce fut au tour du Brésil l'année dernière. Le Mexique est le troisième pays à tenter l'expérience.

En Argentine d'abord, et aujourd'hui au Brésil, les difficultés rencontrées par la bourgeoisie ne l'ont pas amenée à démocratiser le pays et encore moins à limiter son exploitation du peuple. Bien au contraire, comme nous le voyons cruellement et dramatiquement au Brésil, ce processus et la baisse des profits ont obligé la bourgeoisie de tenter de conserver sa rente habituelle en recourant à un degré d'exploitation encore plus grand du salariat des villes, à un colonialisme interne chaque fois plus aigu et à la « démocratie des gorilles ». Où se trouve la souveraineté nationale qui peut donner l'indépendance, décoloniser et démocratiser un pauvre pays précapitaliste ?

Pour conclure, franchement, je ne sais comment qualifier la tentative par laquelle le Dr Gonzalez Casanova, à la page 135, fait appel à l'autorité de Engels et Lénine pour défendre la thèse de l'existence d'un précapitalisme et de la non-existence de l'impérialisme. Mais après examen de l'argumentation de l'auteur et de la réalité du Mexique, nous savons que la tentative de s'appuyer sur l'existence supposée d'une « société dualiste », sur le dénommé colonialisme interne et sur le pur « effet de domination » pour soutenir que le développement historique et le sous-développement actuel du Mexique sont « précapitalistes » et non capitalistes, est empiriquement erroné, théoriquement illogique et, par conséquent, totalement inacceptable du point de vue scientifique.

Ce fondement empirique, analytique et théorique qui fait affirmer à l'auteur, à la page 145, que, pour les ouvriers et paysans du Mexique à qui la conscience de classe fait défaut parce qu'ils vivent dans un pays précapitaliste, « l'intégration d'une véritable organisation du prolétariat ne peut se réaliser que par la tactique d'alliance et de lutte avec la bourgeoisie nationale », et à la page 162, que « cette situation fait que tout marxiste conséquent se convertit nécessairement en allié » de cette même bourgeoisie. Tout cela fait qu'il est bien difficile pour un ouvrier, un paysan ou un marxiste conséquent de suivre le Dr Gonzalez Casanova dans sa politique tout en restant proche de la réalité vécue ou en demeurant fidèle à quelque critère scientifique. Et le fait que l'auteur accuse — à la page 141 — d' « opportunisme » ou de « sectarisme verbaliste et aventuriste » tout lecteur qui ne serait pas d'accord avec *la démocratie au Mexique* du Dr Pablo Gonzalez Casanova, est proprement inacceptable.

20

La prérévolution brésilienne de Celso Furtado [1]

Brésil : Quel type de révolution ? demande Celso Furtado dans son article paru dans *El trimestre economico* (vol. XXIX, n° 115) ainsi que dans de nombreuses autres revues à travers le monde. Répondant à sa propre question, Furtado rejette la révolution « marxiste-léniniste » et propose une « société ouverte » et le « gradualisme » (*gradualismo*) comme méthodes appropriées pour parvenir au développement économique d'un pays. La thèse et la conclusion méritent une attention spéciale, aussi bien au niveau national qu'au niveau international, surtout dans la mesure où elles ont été incorporées aux travaux de Furtado quand celui-ci était responsable du SUDENE (Organisme gouvernemental pour le développement économique du nord-est du Brésil) et ensuite du plan triennal du gouvernement Goulart. Les arguments de Furtado exigent donc un examen critique et si leur validité ne résiste pas à un tel examen — ainsi que nous prétendons le démontrer —, les conclusions et les vues évolutionnistes de l'auteur doivent être rejetées, ou tout au moins sérieusement mises en question.

Sa préoccupation apparente est de résoudre le problème posé par la réalisation d'un développement économique humain au Brésil. Il commence son étude par une analyse de la misère du pays et des effets du développement économique, en considérant la concentration croissante de ses fruits aux mains d'une petite minorité,

---

1. *Economia* (Mexico), n° 4, mai-juin 1965.

concentration qui rejette l'immense masse du peuple brésilien dans une situation de misère abjecte, sans aucune augmentation de revenu. Ensuite, Furtado se pose la question suivante : comment le Brésil pourrait-il accéder à un développement économique plus intense tout en réduisant les coûts humains ? La solution marxiste-léniniste, dit-il, profondément enracinée dans la jeunesse idéaliste du pays, ne procure pas seulement un diagnostic, mais constitue également un guide pour l'action résolutive. De plus, la voie marxiste comprend à son actif la réussite remarquable de la croissance économique de l'U.R.S.S., « obtenue au prix de coûts humains considérables ». Par ailleurs, des milliers de Brésiliens sont fauchés tous les ans par la faim et les épidémies. C'est pour cela, dit Furtado, que les masses des pays sous-développés n'attachent pas habituellement autant d'importance que « nous » à la valeur de la liberté. En réalité, ajoute Furtado, la prétendue nécessité du conflit entre la liberté économique et le développement économique accéléré constitue un faux problème.

Les sociétés ouvertes.

Furtado tente ensuite de démontrer sa thèse. Le marxisme-léninisme fait la preuve de son efficacité en ce qui concerne la subversion totale de structures socio-politiques rigides comme celles de la Russie tsariste, de la Chine occupée par les Japonais, et de Cuba sous Batista. Cependant ces mêmes méthodes se sont révélées inapplicables dans les « sociétés ouvertes » et plus particulièrement dans celles d'Europe occidentale. Par conséquent, dit Furtado, « le problème fondamental qui se pose à nous est constitué par l'élaboration de techniques qui rendent possibles de rapides transformations sociales dans le cadre d'un modèle de société ouverte. Avant de traiter des problèmes spécifiquement brésiliens, je tiens à noter brièvement qu'en ce qui concerne les méthodes révolutionnaires, étant donné que le marxisme-léninisme se fonde avant tout sur la substitution de la dictature d'une classe par la dictature d'une autre classe, il serait politiquement rétrograde de l'appliquer à des sociétés qui sont parvenues à des formes sociales plus complexes, c'est-à-dire aux sociétés ouvertes modernes ».

Parlant spécialement du cas brésilien, Furtado observe que la société est ouverte pour les travailleurs industriels, mais reste fermée pour les paysans et les travailleurs agricoles. Appliquées au secteur agricole les méthodes marxistes-léninistes sont toujours efficaces et dans un tel secteur une rupture cataclysmique se révèle beaucoup plus probable, tandis que le secteur « ouvert » tend à suivre une progression plus « graduelle ». « Par conséquent, si nous voulons atteindre un taux élevé de développement économique selon des critères véritablement sociaux, nous devons apporter un certain

nombre de modifications importantes à nos structures économiques. »
Furtado développe ensuite les points énoncés ci-dessus et il déclare :
« Si nous voulons éviter un régime dictatorial aux mains d'une
classe sociale, d'un groupe idéologique, ou d'un appareil de parti
rigide, nous devons : a) empêcher toute forme de recul de nos
structures sociales et b) créer des conditions pour un changement
rapide et efficace de la structure agraire archaïque du pays. »
Une telle conclusion appliquée au secteur rural afin de permettre
le développement graduel et évolutif (dans le but d'éviter une
transformation révolutionnaire) est conforme aux plans du SUDENE
et au plan triennal dirigés par Furtado ; c'est d'ailleurs sur un tel
programme que se fondait la politique explicitement annoncée par
Kennedy et appliquée par l'ALPRO.

Un examen plus détaillé de l'argumentation de Furtado démontre
qu'il ne fait pas dériver ses conclusions sur le « gradualisme ouvert »
d'une comparaison entre son efficacité et celle du marxisme en ce
qui concerne la réalisation d'un développement économique humain.
Ce qui plus est, même son argument sur la liberté individuelle
est inacceptable et trompeur. Nous démontrerons que l'argument
est tautologique en ce sens que la conclusion est déjà contenue
dans la définition, tout comme le lapin du prestidigitateur se trouve
déjà dans son chapeau.

Europe, Chine et Cuba.

Afin de réaliser le développement économique à un coût réduit,
Furtado n'envisage que deux voies : la voie marxiste et celle de
la « société ouverte ».

Au lieu de procéder à un examen de leur efficacité relative quant
à la mise en œuvre d'un tel développement, Furtado interrompt
son argumentation pour considérer deux questions totalement différentes. La première consiste à se demander si le marxisme pouvait
être introduit en Europe occidentale (et cela non pas pour engendrer
le développement). La seconde, à savoir quelle méthode procure
le plus de libertés (contredisant ainsi son affirmation, formulée plus
haut, selon laquelle le dilemme entre la liberté individuelle et le
développement constitue un faux problème). Le marxisme n'ayant
pas été introduit dans les « sociétés ouvertes » d'Europe occidentale
et n'ayant pas procédé à la destruction des libertés individuelles
là où il a été introduit, Furtado tire à présent la conclusion erronée
selon laquelle le marxisme ne doit pas être introduit au Brésil.

Pour rendre acceptables ses arguments concernant ces deux nouveaux points, Furtado devrait démontrer (ce qu'il ne fait pas) que
le Brésil est aujourd'hui plus développé, plus complexe et plus ouvert
qu'autrefois, qu'il se situe par exemple à un niveau comparable à
celui de l'Europe à la fin de la guerre. Il devrait également démon-

trer que l'alternative du gradualisme n'entraîne pas une suppression des libertés. Ces deux propositions sont cependant en totale contradiction avec les faits. Ainsi, quand il se réfère à l'alternative marxiste, Furtado devrait prendre en considération la différence qui existe entre le passage au socialisme dans un monde comprenant déjà plusieurs pays socialistes, et le passage au socialisme dans un monde sans aucun autre pays socialiste. Par ailleurs, il est peut-être possible à l'heure actuelle — comme cela est démontré par le cas de la Chine, de Cuba et de l'Europe orientale — de réaliser le développement économique humain dans le socialisme plus facilement qu'aux premiers temps de l'Union soviétique.

L'argumentation de Furtado ne justifie pas les conclusions qu'il en tire. Et même s'il pouvait préciser ses thèses concernant ces deux questions introduites tardivement, cela laisserait sans réponse aucune et hors de toute considération la question première, la plus importante : quelle méthode est la plus efficace pour atteindre un développement économique humain. Par conséquent, il apparaît que Furtado, en prétendant tirer sa réponse — le « gradualisme dans une société ouverte » — d'une argumentation sur le développement économique, ne fait que tirer le lapin blanc du chapeau.

Pour répondre à cette question essentielle sur la méthode la plus efficace pour atteindre le développement économique, Celso Furtado devrait au moins poser les questions suivantes (et y répondre) qui concernent les deux méthodes, la méthode marxiste et celle du gradualisme ouvert : 1) Offrent-elles une méthode de développement ? 2) Cette méthode a-t-elle connu le succès une fois mise en pratique ? 3) A-t-elle échoué ? 4) Une telle méthode est-elle applicable au Brésil ? 5) Enfin (et en fonction des réponses apportées aux questions précédentes) la méthode peut-elle s'appliquer avec succès au Brésil ? Celso Furtado ne donnant pratiquement aucune réponse à ces questions, essayons de le faire pour lui :

1) Les deux conceptions de Furtado comprennent leurs méthodes respectives, et qui sont largement reconnues.

2) Il reconnaît que la méthode marxiste a été appliquée avec succès dans l'expérience soviétique. L'autre méthode, bien qu'il n'en fasse pas mention, a également connu le succès, à condition de ne pas tenir compte du fait qu'elle a eu besoin de la révolution bourgeoise pour s'imposer en Angleterre, en France et aux Etats-Unis (où elle a pris la forme d'une guerre civile entre le nord industrialisé et le sud agraire).

3) La méthode marxiste a également réussi à engendrer le développement économique là où elle a été mise en application. Ainsi que nous l'avons déjà précisé, pour Furtado l'échec de la méthode marxiste ne réside qu'en son incapacité de s'introduire en Europe occidentale, dans la mesure où il reconnaît son succès là où il a été possible de l'introduire. En revanche, l'autre méthode a échoué au XXe siècle : elle n'a pu donner lieu à une économie développée

dans les pays sous-développés où elle a été appliquée, avec l'exception possible — et partielle — du Japon. Et si elle avait réussi au Brésil, Furtado n'aurait pas écrit cet article et n'aurait pas inventé le SUDENE.

4) Celso Furtado lui-même pense que l'introduction du marxisme au Brésil est possible, et qu'elle serait de nature à provoquer un développement économique. De fait, il considère cela comme étant inévitable si le pays ne suit pas la voie qu'il recommande. Cela nous amène à ce qui constitue sans doute la question essentielle : la société gradualiste ouverte peut-elle être introduite, ou, dans la mesure où elle existe déjà, peut-elle être étendue de manière à engendrer un développement humain au Brésil ? La réponse de Furtado est évidemment affirmative. Toutefois, ainsi que nous l'avons déjà vu, il ne nous donne, au cours de son argumentation, aucune raison qui justifie une telle opinion. D'autre part, il existe des faits essentiels, dont l'existence est reconnue par les marxistes comme par les non-marxistes, et que Furtado lui-même prend en considération. Ces mêmes faits jettent de sérieux doutes quant à la possibilité d'appliquer la solution qu'il propose. En premier lieu, la structure de la société brésilienne, contrairement à ce qui est impliqué dans l'étude dont nous faisons ici la critique, n'est évidemment pas la même que celle d'Europe occidentale. L'existence, reconnue entre autres par la CEPAL (aux travaux de laquelle Furtado a participé au moment où ce point était discuté), de puissants pays industrialisés donne au problème du développement une forme sensiblement différente de celle qu'ont connue les pays métropolitains il y a un ou deux siècles. En vérité, si certains pays sont aujourd'hui sous-développés, cela est justement imputable au fait que certains autres sont développés. Les pays actuellement développés sont passés par des stades de non-développement, mais ils n'ont jamais connu le sous-développement au sens actuel du terme. C'est confondre les termes et les concepts aussi bien que la réalité que de donner de prétendues « leçons » aux pays sous-développés quand ces leçons sont séparées de leur contexte spécifique.

S'il demeurait une illusion quelconque à ce propos, l'examen du cas mexicain serait suffisant pour la détruire. Le Mexique est en effet un pays sous-développé qui même avec l'aide d'une révolution, contemporaine de la révolution soviétique et de nature bourgeoise et non marxiste, s'est révélé incapable en cinquante ans d' « ouvrir » de façon adéquate sa société, laquelle continue d'être sous-développée à l'heure actuelle, quelle que soit la définition du sous-développement que l'on adopte. En second lieu, la méthode du gradualisme ouvert n'a jamais réussi non plus à éviter (sur le plan intérieur comme sur le plan extérieur, à travers l'esclavage, le colonialisme et l'impérialisme, et surtout pour un pays comme le Brésil) ces mêmes coûts de souffrance humaine que Furtado comme la jeunesse marxiste veulent éviter ou éliminer, suivant en cela des voies différentes.

5) Celso Furtado insiste sur le fait que les marxistes peuvent réussir à réaliser un développement économique au Brésil, et son argumentation ne semble pas contenir d'erreur. Il prétend par ailleurs que l'autre méthode peut s'appliquer avec succès au Brésil ; sa démonstration demeure cependant, ainsi que nous l'avons vu, totalement inacceptable. Quant à nous, en considérant la non-pertinence évidente de l'exemple européen et la non moins évidente pertinence de l'exemple constitué par l'échec de la voie gradualiste chaque fois qu'elle a été appliquée au monde sous-développé, Brésil inclus, en considérant également le fait que cette voie, non seulement n'a pas éliminé, mais a accentué les coûts en souffrance humaine, nous parvenons à la conviction que cette voie du « gradualisme ouvert » est inapte à engendrer un véritable développement économique au Brésil et ailleurs.

Pour finir, nous sommes d'accord avec Furtado quand celui-ci affirme que le dilemme entre le développement économique et la liberté individuelle constitue un faux problème. Toutefois, les raisons qui justifient une telle affirmation, et que Furtado ne nous donne pas, sont les suivantes. En premier lieu vient le fait que l'immense majorité des Brésiliens connaît toujours et depuis des générations non seulement la faim et la maladie mais aussi l'absence des libertés les plus élémentaires. A la campagne, cela est dû au fait que le propriétaire foncier mobilise tout son pouvoir économique, politique et policier contre le paysan. Dans les villes, la lutte pour l'existence ne permet pas de jouir de la liberté au plein sens du terme. La seconde raison est que les pays qui se sont engagés dans la voie marxiste ont connu un développement de la liberté ou un dégel évident à la suite d'une période de temps relativement brève, tout en traversant une phase de développement économique manifeste. A partir de telles réalités, il convient de poser la question suivante : Pourquoi le sacrifice de la liberté sous un système de « gradualisme ouvert » ?

En conclusion, il est clair que pour Furtado la « prérévolution » se traduit par « prévention de la révolution ».

Il est clair que le penchant de Celso Furtado et de certains autres pour l'évolution ouverte et leur refus de la révolution marxiste ne se fondent pas — ainsi que l'on pourrait le croire — sur l'efficacité relative de la première voie par rapport à la seconde en ce qui concerne la réalisation du développement économique. En réalité, Celso Furtado lui-même reconnaît que la seconde peut être plus efficace et, de fait, qu'elle l'est. Il est clair aussi que son option en faveur de l'évolution et contre le marxisme ne découle pas non plus d'un intérêt réel porté à la possibilité d'éviter le sacrifice des vies et des libertés populaires dans tel ou tel processus de développement historique et économique. De fait, sur ce point comme sur le précédent, Furtado se contredit lui-même en affirmant que ce choix constitue en principe un faux problème, alors que les révolutions marxistes ont sauvé des vies et des libertés populaires que l'évolution capitaliste sacrifie ouvertement. Nous voyons ainsi que l'intérêt proprement scientifique n'est pas à l'origine des prises de position de Furtado. Il est donc légitime et nécessaire de poser en toute responsabilité la question suivante : quelle est la véritable nature de l'*intérêt* qui se trouve derrière le choix en faveur de l'évolution ouverte de Celso Furtado, de son plan triennal et du SUDENE au Brésil ; de l'alliance pour le progrès en Amérique ; et de la « démocratie au Mexique » ?

Conclusion.

Bien que nous ne puissions nous livrer ici à un examen détaillé et à une évaluation plus précise du livre *La démocratie au Mexique* (*La democracia en Mexico*) de Pablo Gonzalez Casanova, qui sera longuement commenté dans le prochain numéro de la présente revue, les essais ci-dessous peuvent servir de fondement partiel à la critique de son argument central. Nous avons démontré qu'il n'existe aucune société dualiste ou précapitaliste au Mexique ou ailleurs. Nous affirmons au contraire que les pays sous-développés font intégralement partie du système impéraliste capitaliste mondial dont les contradictions internes ont engendré (et engendrent encore et de façon plus intense) le sous-développement capitaliste dans ses colonies économiques en tant que contrepartie dialectique du développement économique de ses métropoles. Ces mêmes contradictions et le développement inégal auquel elles donnent lieu existent aussi à l'intérieur des colonies nationales et apparaissent de nouveau à leurs niveaux régionaux et locaux. Plus encore, et ceci revêt une importance capitale pour apprécier l'argument du politicien Pablo Gonzalez Casanova au Mexique, de l'économiste Celso Furtado au Brésil et de certains autres comme le sociologue Gino Germani en Argentine, le colonialisme externe ou impérialisme et le colonialisme interne sont intimement et inexorablement liés : tous deux s'engendrent et se soutiennent mutuellement. Si tel est le cas, si nous prenons en considération le fait, facilement démontrable par ailleurs, que les conclusions de nos auteurs constituent un *deus ex machina* plus que la suite logique de leur propre analyse d'une société prétendument dualiste, nous pourrons alors résoudre les deux problèmes clefs suivants : est-il objectivement possible qu'un capitalisme national puisse se développer dans les colonies selon un modèle métropolitain (le seul que Gonzalez Casanova reconnaisse comme étant « capitaliste ») ? Et même s'il pouvait se développer, un tel capitalisme pourrait-il — si démocratique qu'il soit — libérer véritablement les colonies de l'impérialisme « externe » et du colonialisme interne ?

Dans ces deux cas la réponse ne peut être que négative.

21

La bourgeoisie nationale
et l'éviction de Goulart [1]

Il y a quelque vérité dans les comptes rendus de la presse selon lesquels le Brésil est en train de connaître « un de ces habituels coups d'Etat militaires latino-américains ». Il est de fait que l'histoire se répète selon un schéma familier au Brésil. Toutefois, la description que donne la presse de ce schéma n'est pas exacte et la déformation qui en résulte suffit à voiler la réalité sous-jacente. Pour bien comprendre le sort du président Joao Goulart, il faut remonter à celui de son prédécesseur Janio Quadros en 1961 et même à celui du père politique de Goulart, Getulio Vargas en 1954.

Getulio Vargas s'est tué en 1954. Dans sa « note de suicide », désormais célèbre, il mettait ses compatriotes en garde contre les forces de la réaction étrangère et locale qui l'avaient contraint à se tuer. Les étrangers, disait-il, sont en train de piller le rare capital dont dispose le Brésil pour l'expédier hors du pays, et ce à un rythme alarmant ; et leurs alliés de l'oligarchie locale avaient réussi à s'opposer à ses tentatives de libérer le Brésil de son statut colonial. Vargas venait seulement de créer une société pétrolière d'Etat, la Petrobras, et il s'apprêtait à inaugurer une firme du même type, l'Electrobras. Bien que Vargas eût été récemment élu et bien qu'il soit devenu un nationaliste très populaire, les dépêches des agences de presse américaines ne le qualifiaient jamais que de « dictateur fasciste ». Après la naissance de la Petrobras, les réactionnaires

---

1. *The Nation*, 27 avril 1964.

brésiliens et américains mobilisèrent toutes leurs forces et, l'accusant d'immoralité politique, poussèrent le septuagénaire Vargas au suicide. La voix qui se fit entendre le plus dans cette offensive fut celle de Carlos Lacerda, un ancien communiste devenu violemment conservateur (Lacerda est à l'heure actuelle gouverneur du Guanabara qui comprend Rio de Janeiro). Le projet Electrobras mourut avec Vargas et la Petrobras, privée de toute protection et se trouvant toujours contrée par des sociétés pétrolières locales et étrangères, fut abandonnée à un sort pour le moins précaire. Après avoir éliminé les cadres dirigeants populaires des organisations ouvrières, étudiantes et autres, ayant mis le parti communiste hors la loi et ayant accordé des privilèges importants au capital étranger, la réaction s'installa confortablement sous le leadership de Cafe Filho.

En 1956, les élections suivantes portèrent à la présidence Juscelino Kubitchek, armé d'un mot d'ordre de « développementisme ». Il construisit Brasilia et porta le taux de croissance économique à 3,9 % par tête pour les années 1957-61. Mais il y arriva en aggravant l'endettement extérieur, en accordant plus de privilèges encore au capital américain et en permettant aux capitaux étrangers et locaux de s'engouffrer dans le secteur des biens et services de consommation politique, qui augmente le revenu à court terme mais ne peut entretenir la croissance. La corruption devint florissante ; et les intérêts commerciaux, industriels et agricoles se trouvèrent relativement satisfaits.

L'élection présidentielle de 1960 entraîna la victoire de Janio Quadros qui brandissait un balai en guise de symbole moralisateur. Joao Goulart, fils politique et ex-ministre du Travail de Getulio Vargas, désormais à la tête du parti travailliste brésilien (PTB) fondé par Vargas, fut élu vice-président. De tempérament fantasque, Quadros essaya de s'appuyer directement sur le peuple pour se donner un soutien politique. Il négligea ses relations politiques avec les groupes d'intérêts extérieurs et intérieurs, engagea le Brésil dans une politique étrangère fortement nationaliste et indépendante et expulsa sans cérémonie de son bureau tous ceux qui venaient se plaindre (y compris le représentant présidentiel américain, A.A. Berle). Les résistances ne cessaient de se renforcer contre lui — avec, une fois de plus, Carlos Lacerda à leur tête — et, après l'attitude indépendante du Brésil à Punta del Este et la décoration du Che Guevara par Quadros, celui-ci démissionna en août 1961. On pense qu'il espérait retrouver son poste à la tête d'un mouvement populaire, ce qui lui aurait conféré une puissance accrue pour faire face à la réaction. Mais aucun soutien populaire organisé n'avait été préparé et un tel mouvement n'eut pas lieu. Le vice-président Goulart se trouvant à l'étranger, c'est Ranieri Mazzilli en tant que président du Congrès qui devint président du Brésil par intérim (il l'est devenu à nouveau au début de ce mois-ci, avec la seule différence que le président Goulart n'a pas démissionné).

Ayant obtenu le suicide du nationaliste Vargas, qu'ils qualifiaient de fasciste, et la démission du nationaliste Quadros qu'ils traitaient de fou, Carlos Lacerda et les groupes étrangers et locaux dont il est le porte-parole essayèrent d'ignorer la constitution et d'empêcher Goulart d'assumer la présidence. Oubliant pour plus de commodité qu'ils avaient traité son guide politique de fasciste, ils accusaient à présent Goulart d'être un communiste. Ils ne furent battus sur ce point que par la mobilisation populaire menée dans l'Etat natal de Goulart, le Rio Grande do Sul, par le beau-frère de Goulart, Leonel Brizola qui était gouverneur de l'Etat et qui était soutenu par la troisième armée stationnée dans la capitale du Rio Grande. Goulart retourna au Brésil et assuma la présidence. Toutefois, sans écouter Brizola qui lui conseillait d'aller jusqu'au bout alors qu'il avait le pays derrière lui, Goulart accepta la proposition de l'opposition d'amender la constitution en adoptant un système parlementaire ministériel de type européen qui faisait passer tout le pouvoir des mains du président à celles d'un Premier ministre. Tout en conservant malgré cela le pouvoir effectif, Goulart gouverna faiblement durant dix-huit mois au cours desquels le taux de croissance tomba à zéro et l'inflation s'éleva, jusqu'en janvier 1963 quand, par un plébiscite, les électeurs rejetèrent le nouveau système parlementaire par un vote retentissant à six contre un et rendirent à Goulart les pleins pouvoirs présidentiels.

Tout le monde pensa alors que Goulart amorcerait enfin son programme de réformes longuement annoncé. A grands renforts de fanfare, il lança un plan triennal de réforme économique et sociale devant commencer en 1963 et en confia la responsabilité à un éminent économiste progressiste, Celso Furtado. Le plan devait inaugurer des réformes, et entre autres une réforme agraire, selon les recommandations de l'Alliance pour le progrès ; il devait accroître le taux annuel de croissance économique pour le porter à 7 % en chiffres bruts et à 4 % par tête ; il devait réduire le taux de l'inflation à 30 % la première année et à 10 % au cours de la troisième. La puissance et la popularité de Goulart permettaient d'anticiper le succès et le cours de la devise brésilienne s'éleva par rapport au dollar. Pourtant, au cours de l'année 1963, l'économie déclina, les prix connurent une hausse de 85 % et les projets de réforme, au lieu d'être mis en œuvre, n'atteignirent même pas le congrès.

L'histoire se répète. Un an plus tard, Goulart fut expulsé par la réaction, accusé au Brésil par le même Carlos Lacerda et à l'étranger par les agences de presse américaines d'être un dangereux extrémiste nourrissant des ambitions totalitaires et cherchant à détruire la démocratie au moyen d'un gouvernement noyauté par les communistes et de réformes ultra-radicales. Cette version modernisée des accusations portées contre Vargas et Quadros n'est évidemment devenue que trop usuelle dans la presse quand celle-ci rend compte du déclin et de la chute de Frondizi en Argentine, d'Arosema en Equateur, de Bosch à Saint-Domingue, et d'autres encore qui, comme

Goulart, avaient formulé — sans les tenir — des promesses de réformes et qui avaient néanmoins été renversés par des coups d'Etat militaires. Si elles étaient fondées, les accusations portées contre Goulart auraient dû être provoquées par un ensemble de réformes progressistes concrètes et d'alliances politiques contractées avec des forces de gauche capables de le soutenir en cas de besoin. Et pourtant, le bilan du gouvernement Goulart révèle une réalité diamétralement opposée : à l'intérieur, beaucoup de discours concernant les réformes, discours accompagnés par de très réelles braderies en faveur des forces locales et étrangères opposées à tout changement ; et à l'extérieur, une politique étrangère indépendante dans les formes mais conservatrice dans les faits, destinée à apaiser la gauche brésilienne. Le programme intérieur de Goulart se révéla n'être rien de plus qu'une série de mesures au service des intérêts ploutocratiques et totalement incapables de faire face à la crise économique sans cesse plus grave que Goulart lui-même et le Brésil avaient héritée des germes de « développement » semés quelques années auparavant par Cafe Filho, Kubitchek et leurs alliés américains. Loin d'adopter de dangereuses mesures radicales, Goulart fut vaincu par son incapacité d'imposer la moindre réforme réelle.

Le premier cabinet qu'il constitua, après avoir reçu les pleins pouvoirs présidentiels au début de 1963, laissait présager les événements à venir. Face à un marasme industriel, à une production agricole insuffisante, à une inflation croissante et à un énorme endettement extérieur, Goulart ne désigna pas le cabinet progressiste auquel on s'attendait au lendemain de son écrasante victoire électorale, victoire qui lui avait donné une importante marge de manœuvre politique. Au lieu de cela, il choisit un cabinet conventionnel tout à fait acceptable aux yeux de la droite. Son ministre des Finances, San Thiago Dantas, mit rapidement en œuvre la première étape du plan triennal, cet amer remède prescrit par les Etats-Unis et le Fonds monétaire international en guise de condition première à l'attribution de prêts. Il élimina les subventions gouvernementales à la culture du blé et aux transports (par le biais de l'essence), et ralentit encore plus les ajustements au coût de la vie des traitements et salaires publics déjà dévalués par l'inflation. Ces mesures furent toutes prises aux dépens des groupes disposant de revenus faibles ou moyens ; on prétendait qu'elles lutteraient contre l'inflation en réduisant les dépenses gouvernementales financées par la monnaie fiduciaire.

Le plan fut alors abandonné comme n'étant pas opérationnel ; en effet, la prochaine étape aurait consisté à appliquer le remède anti-inflationniste majeur, de ralentir la marche de la planche à billets grâce à laquelle la Banque du Brésil (gouvernementale) alimente les banques privées et, à travers celles-ci, les grands monopoles privés du Brésil (certains d'entre eux étant américains) qui fonctionnent habituellement grâce à des emprunts en capitaux publics. En revanche, l'interruption du large soutien accordé aux prix du café afin de soutenir les exportateurs géants de café (qui comprennent une fois de plus des Américains) ne fut même jamais envisagée. Toutefois, avant que le plan ne soit officiellement abandonné, le ministre des Finances Dantas effectua un pèlerinage aux Etats-Unis pour aborder la question de la dette extérieure brésilienne et pour obtenir des prêts pour les services « anti-inflationnistes » déjà rendus. Alors qu'il se trouvait encore aux Etats-Unis, le Congrès reçut le témoignage de Lincoln Gordon, ambassadeur U.S. au Brésil, selon lequel le gouvernement Goulart était truffé de communistes. Cela étant, Dantas dut promettre, avant de mettre la main sur de nouveaux prêts, d'utiliser une partie de ces prêts pour racheter, à des prix plusieurs fois supérieurs à leur valeur, quelques services publics anciens et depuis longtemps amortis appartenant à des Américains, que le Brésil envisageait d'exproprier. En conséquence de tout cela, la dette extérieure s'élève à 3 milliards de dollars — dette dont la moitié vient à échéance cette année et l'année prochaine, contraignant ainsi le Brésil à de nouvelles concessions en échange d'un recul des échéances. Les répercussions politiques internes de cette nouvelle braderie en faveur des intérêts américains et de leurs alliés réactionnaires brésiliens furent tellement sévères que Goulart fut obligé de sacrifier Dantas et les protégés de son ministère.

A cette date, nombreux sont ceux qui espérèrent que Goulart formerait un cabinet moins sensible aux exigences des conservateurs en matière de mesures inutiles — sauf pour eux — et qui soit plus décidé à réaliser les réformes fondamentales annoncées. Au lieu de cela, il nomma un cabinet qui comprenait le banquier Carvalho Pinto au poste vital de ministre des Finances. La presse conservatrice américaine et brésilienne qualifia avec ravissement le nouveau ministre de « responsable » ; il avait déjà fait ses preuves en tant que gouverneur de São Paulo. La planche à billets accéléra le rythme de l'émission et l'inflation s'accentua.

Goulart continua de parler de la réforme agraire à venir sans toutefois prendre de mesures pour la mettre en œuvre. Et même le plus modéré de plusieurs projets de réforme ne fut même pas soumis à un vote au Congrès. Pourtant, alertés par les nombreuses manifestations de masse convoquées par Goulart et par d'autres actes de bravade du même type, les propriétaires fonciers s'employaient activement à l'achat de mitrailleuses, juste en cas... Au cours des différentes crises politiques, Goulart parlait haut et fort mais cédait en silence à la pression de la droite. Cela est particulièrement vrai à propos du choix qu'il dut effectuer concernant le soutien ou le non-soutien aux grèves politiques des travailleurs, grèves qui constituaient des mouvements susceptibles d'être organisés et de le soutenir par la suite. Quand son ministre de la Guerre, le général Kruel, s'aligna activement sur la droite sur ce point comme sur bien d'autres, le président le destitua ; mais il refusa de nommer à sa place le commandant de la première armée, le général Osvino Alves qui était pleinement soutenu par les milieux politiques de la gauche et du centre. Au lieu de cela, Goulart appela au ministère de la Guerre le commandant de la troisième armée, Jair Dantas, un homme moins marqué politiquement. De même, quand le général Peri Belacuva de la deuxième armée se joignit à l'ultra-réactionnaire gouverneur de São Paulo, Ademar de Barros, pour réprimer des grèves et des manifestations de masse appelées pour le soutien des réformes que Goulart lui-même avait annoncées, il retira à Belacuva son mandement mais en fit le chef d'état-major ; et pour être sûr de ne pas offenser la réaction, il envoya à São Paulo son vieil adversaire, le général Kruel. Ces mesures politiques de Goulart, qui comptent parmi les plus importantes qu'il ait prises, étaient tellement « dangereuses » et « extrémistes de gauche », qu'aujourd'hui ce même Kruel se sert de son commandement à São Paulo pour mener l'attaque rebelle de la deuxième armée contre Goulart et Rio de Janeiro ; l' « apolitique » Jair Dantas tire sa révérence et abandonne le ministère de la Guerre en pleine crise « pour raisons de santé » ; le général Osvino Alves, actuellement à le retraite et nouvellement installé à la tête de Petrobras, est jeté en prison ; et Goulart est même abandonné par les première et deuxième armées de Rio et de Puerto Alegre dont les commandants antérieurs l'avaient défendu, lui et la Constitution, contre la seconde armée du São Paulo industriel et la quatrième armée du nord-est rural (cette dernière étant commandée par le général Costa e Silva, plus tard ministre de la Guerre et chef de file de la « ligne dure »), armées où se fomentent traditionnellement les coups d'Etat réactionnaires.

Ces manœuvres et d'autres encore effectuées par Goulart tout en paraissant « neutres » étaient en fait conciliantes à l'égard de la droite et garantissaient que les réformes ne seraient jamais réalisées. N'étant jamais franchement contrée par le gouvernement, la crise politique s'aggrava inévitablement. En décembre 1963, Leonel Brizola observa qu'il fut un temps où le niveau des prix mettait quatre ans pour doubler ; puis ce temps se réduisit à deux années, puis au cours des derniers mois à un peu plus d'un an et que si la situation demeurait inchangée en 1964, les prix doubleraient en six mois, puis en trois, et qu'avant les élections prévues pour 1965, le niveau des prix doublerait tous les jours. De la sorte, Brizola (grâce à l'attitude résolue duquel son beau-frère Goulart avait pu accéder à la présidence en août 1961) affirmait désormais publiquement que si Goulart continuait d'éviter d'affronter la crise, cette même crise rendrait les élections de 1965 politiquement impossibles. D'autres, comme l'auteur du présent article, affirmaient que Goulart ne pourrait jamais aller jusqu'au bout de son mandat. Au cours des derniers mois de 1963 et au début de 1964, toute une série de coups d'Etat, de coups d'Etat préventifs et de contre-coups-d'Etat furent préparés et à plusieurs reprises presque déclenchés par des groupes représentant diverses zones du spectre politique et économique. Il était quasiment certain que l'un d'eux finirait par se dérouler. Les seules inconnues concernaient le prétexte, le moment, et l'instrument qui seraient utilisés et l'identité du vainqueur.

Suivant le schéma fasciste classique d'Allemagne, d'Italie, de France et d'autres pays encore, l'inflation, l'insécurité économique et l'instabilité politique apportèrent le soutien croissant des classes moyennes aussi bien qu'une aide financière locale et étrangère aux ennemis jurés de Goulart, les gouverneurs « anticommunistes » Carlos Lacerda et Ademar de Barros à Rio de Janeiro et à São Paulo. Une enquête parlementaire fédérale révéla que Lacerda, abondamment doté de fonds versés par l'Alliance pour le progrès avait importé de véritables commandos de choc d'Allemagne pour encadrer ses forces de police, installé un camp de concentration et torturé ses prisonniers. De plus il est le candidat présidentiel de l'ultra-réaction et de son propre — et fier — aveu il a été le principal conspirateur du complot qui a renversé le président Goulart et son gouvernement.

Les forces progressistes, comprenant des milieux d'affaires brésiliens nationalistes avaient proposé à Goulart une alternative : les laisser participer véritablement à la gestion du pays. Groupés, bien que non organisés, ils formaient un front populaire interpartis qui réunissait de manière assez lâche les parlementaires progressistes, les fédérations syndicales paysannes et ouvrières, les associations d'étudiants, les groupes d'officiers et de sous-officiers progressistes dans les forces armées aussi bien que les groupes d'affaires nationaux qui les soutenaient. Ce front pressait Goulart de confier plusieurs ministères à ses représentants, avec Leonel Brizola et le général Osvino Alves aux ministères clefs des Finances et de la Guerre. Goulart hésita — et refusa. Désignant au contraire un autre banquier représentant les intérêts financiers brésiliens et américains au poste de ministre des Finances, Goulart essaya de continuer sa politicaillerie comme d'habitude. La crise économique se poursuivit : le taux du cruzeiro qui avait atteint le chiffre de 600 pour un dollar après le plébiscite et était tombé à 1 000 à la fin de l'année s'écroula et dépassa 1 700 à la veille du putsch.

En mars, Goulart essaya encore de différer les exigences des forces progressistes. Sur le plan étranger, il prit une position ferme sur le problème urbain, la crise chypriote, le débat pour le désarmement à Genève, et par-dessus tout au cours de la Conférence mondiale du commerce de Genève où le Brésil et ses intérêts économiques nationaux prirent la tête du défi lancé par les nations sous-développées aux intérêts économiques américains et européens. Et à l'intérieur il joua un peu plus la comédie politique. Après l'avoir longuement édulcoré, Goulart signa enfin un décret économiquement insignifiant par lequel il expropriait des exploitations politiquement sélectionnées, supérieures à 500 hectares et situées en bordure de certaines routes et voies d'eau fédérales ; il expropria par ailleurs quelques petites compagnies pétrolières *brésiliennes* (et ce faisant il renforça la position de leurs concurrents américains) ; et il déposa un projet de loi au Congrès tendant à légaliser à nouveau un parti communiste disposant déjà de deux députés, dont les membres très peu nombreux au point d'être insignifiants le soutenaient politiquement par crainte de la répression personnelle qu'ils endurent, avec bien d'autres, à l'heure actuelle. Le parti a longuement démontré qu'il est bien plus conservateur que le beau-frère lui-même de Goulart, Brizola, et que les groupes d'affaires qui soutiennent celui-ci.

Désormais les intérêts commerciaux-agricoles américains et locaux et leurs représentants politiques et militaires jonglaient plus fiévreusement que jamais avec différents plans de putsches et d'alignements. Qu'il s'agisse ou non d'une coïncidence, il est bon de noter que ceux-ci se cristallisèrent en une action réelle — tout comme en 1954, après l'institution de la Pétrobras et de l'Electrobras par Vargas et en 1961 après la politique d'indépendance suivie par Quadros à la conférence de Punta del Este — immédiatement après un nouveau défi brésilien aux intérêts américains, cette fois à la Conférence mondiale du commerce à Genève. Le seul élément nouveau est constitué par la rapidité et l'immoralité totale du soutien officiel apporté par les Etats-Unis au coup d'Etat militaire. Dans les vingt-quatre heures, et bien avant que l'on ne sache si le président Goulart allait quitter le Brésil, Lyndon Johnson envoya à l'ancien remplaçant Ranieri Mazzilli ses « vœux les plus chaleureux pour son avènement à la présidence des Etats-Unis du Brésil » et il notait que « l'amitié et la coopération entre nos gouvernements et nos peuples sont [...] un bien précieux dans la vie de paix, de prospérité et de liberté dans cet hémisphère et dans le monde entier ». Le secrétaire d'Etat Rusk et son assistant Thomas Mann promirent rapidement une « aide » accrue en échange d'une telle coopération — le changement de la politique brésilienne concernant Cuba, les échanges, les expropriations, etc.

Il est manifeste que, loin d'avoir jamais déclenché ou menacé sérieusement de déclencher un programme de réformes progressistes et *a fortiori* révolutionnaires, Goulart, comme Frondizi et d'autres avant lui, s'était constamment gardé d'attaquer l'une quelconque des causes de la crise dont il devint la victime. La leçon est claire : Goulart fut renversé par les conservateurs brésiliens et américains non pas pour s'être rapproché de la gauche, ce qu'il ne fit pas, mais parce qu'il se cramponna à la droite et fut ainsi totalement incapable de faire face à la crise économique fondamentale. Dans une ambiance de chaos politique et économique, si loin que l'on aille vers la droite, celle-ci ne sera que temporairement apaisée ; elle ne sera jamais satisfaite. La réaction finit toujours par sacrifier ses domestiques hésitants.

22

Détruire le capitalisme,
pas le féodalisme [1]

La description de Carlos Fuentes qui affirme que l'Amérique latine est un « château féodal délabré ayant une façade capitaliste en carton-pâte » est certainement poétique. Mais elle est erronée. Il serait plus exact de dire que l'Amérique latine est un château capitaliste délabré muni d'une façade d'aspect féodal. L'erreur de Fuentes est symptomatique et même directement représentatrice de l'étude parue récemment dans la *Monthly Review Press* intitulée *Whither Latin America ?* [2]. En effet, la plupart des auteurs du livre imputent de nombreux maux — présents ou passés — dont souffre l'Amérique latine au féodalisme plutôt qu'au capitalisme. Cela trahit la conception erronée qu'ils ont du développement passé du continent et, partant, du capitalisme lui-même. Par là même leur discussion de l'avenir latino-américain est ambiguë et trompeuse — dans le meilleur des cas. Il est possible de donner une image synthétique des douze essais — à l'exception principale des « Notes » de conclusion rédigées par Sweezy et Huberman — en reprenant, sans polémique et sans mauvaise foi à l'égard des neuf auteurs, les propositions suivantes :

1) L'Amérique latine ne fait que pénétrer dans le courant de l'histoire mondiale, de manière intégrale et déterminante.

---

1. Extrait de *Monthly Review*, n° 8, vol. 15, décembre 1963.
2. *Où va l'Amérique latine ?* François Maspero, 1964.

2) Son rôle (ou son absence de rôle) résulte de la construction par l'Europe d'un château féodal qui, bien qu'il ait pu connaître des jours de gloire, est désormais en état de délabrement.

3) Pendant ce temps, les régions de capitalisme avancé, se développant de manière plus ou moins indépendante par rapport au reste du monde, ont laissé l'Amérique latine loin derrière, à macérer dans son jus féodal.

4) Parce qu'un tel procédé s'est produit non seulement entre pays mais également au sein des différents pays. L'Amérique latine est composée à l'heure actuelle de sociétés dualistes — ou même doubles — comprenant un secteur agraire, féodal ou semi-féodal, archaïque, rétrograde, etc., et un secteur urbain, capitaliste, commercial, industriel, moderne, etc. ; chaque secteur connaissant dans une large mesure un déterminisme propre et une grande indépendance par rapport à l'autre.

5) L'impérialisme consiste en premier lieu en une activité économique étrangère d'exploitation ; et le développement économique de l'Amérique latine gagnerait à voir cette activité arrêtée, contenue ou contrôlée.

6) Ce sont les cinq points précédents qui, avec la pauvreté, persistante et généralisée, caractérisent le sous-développement.

7) Le développement économique en Amérique latine — passé, présent et à venir — est surtout attribué à une sorte de radiation émanant d'un centre métropolitain national et/ou étranger ; et il est soutenu que la périphérie peut, par la coopération, l'accord et l'alliance avec la métropole capitaliste, tirer profit d'une telle relation ou d'un tel flux.

8) Ce flux et, partant, ce développement économique ont été trop faibles, donnant lieu ainsi à deux conséquences alternatives ou même simultanées : des mouvements économiques et politiques bourgeois, parlementaires et de gauche ont jailli, tels que l'APRA au Pérou, l'Accion Democratica au Venezuela, le Goulartisme au Brésil, qui promettent — ou qui promettaient — de transformer véritablement tout ce qui précède et de rendre ainsi le socialisme dénué de sens pour le pays en question.

9) L'Amérique latine est à l'heure actuelle dans un tel état de fermentation révolutionnaire que les peuples, résolus et décidés, s'apprêtent à détruire d'un jour à l'autre l'ensemble de cette structure branlante et à la remplacer par un socialisme libérateur.

Nous prétendons que ces descriptions interprétatives sont foncièrement erronées lorsqu'on les considère séparément et très sérieusement trompeuses quand elles sont prises dans leur ensemble.

Il est bon de reprendre certaines erreurs que commettent les auteurs sur le plan des faits ou de l'interprétation. Le fondement du pouvoir politique, contrairement à ce qu'affirme Fuentes, n'est pas entre les mains des propriétaires fonciers et les armées latino-américaines ne sont pas des armées de caste. Les surplus agricoles du Brésil ne sont pas, comme Johnson l'affirme, imputables à l'efficience de la production agricole. Péron n'avait pas de programme d'industrialisation de l'Argentine et il n'a pas provoqué les troubles qui ont secoué le pays. L'APRA et l'Accion Democratica ne sont pas des partis de gauche. La réforme agraire du Venezuela est loin d'être ambitieuse. La réforme agraire de « type conservateur I » n'est pas seulement le dernier recours dont disposent les propriétaires fonciers. Les paysans ne sont pas vraiment en état de non-intégration par rapport à la société nationale. Les échecs du Mexique ne sont pas dus exclusivement à l'incapacité de résoudre le problème agraire. Et les systèmes du Guatemala, du Pérou, du Venezuela, de la Colombie, etc., continuent tant bien que mal de fonctionner et n'envisagent pas un écroulement imminent.

Une image plus précise sur le plan des faits et plus juste sur le plan théorique peut être esquissée de la manière suivante :

Les sociétés latino-américaines sont le résultat de l'expansion mondiale du mercantilisme, du capitalisme et de l'impérialisme « occidentaux ». De façon caractéristique, cette expansion a partout pris la forme d'un développement dialectique, simultané et corrélatif dont les manifestations, chacune à la fois « cause » et « effet » de l'autre, sont aujourd'hui connues sous les noms de développement et de sous-développement économiques. Ce développement capitaliste, qui s'accompagne de l'exploitation du secteur « sous-développé » par sa contrepartie « développée », à travers le monopole que détient cette dernière en matière de puissance, de capital et de commerce, se manifeste à plusieurs niveaux : sur le plan international entre les pays métropolitains et périphériques et sur le plan intérieur entre les régions « avancées » et « en retard », entre la ville et la campagne, entre le commerce et l'industrie d'une part et l'agriculture de l'autre, entre l'agriculture « moderne » et l'agriculture « primitive ». Si ce processus n'est pas considéré comme un ensemble — comme le développement dialectique d'un système capitaliste unique — la porte est ouverte à l'erreur qui interprète les effets du phénomène comme émanant d'un système dualiste ou de deux systèmes — le monde des riches et le monde des pauvres — et à l'erreur qui en découle et qui attribue au premier de ces mondes le caractère de « capitaliste » et au second celui de « féodal ». Pourtant, comme nous le verrons, cette erreur se retrouve (et entraîne des conséquences assez sérieuses) tout au long des essais en question.

Contredisant l'image présentée dans *Whither Latin America ?*, nous proposons la description suivante : depuis près de cinq siècles, le continent a eu une part intégrale et contributive dans le développement mondial. Contrairement aux affirmations de Carlos Fuentes et de certains autres auteurs, le « retard », le « sous-développement » et les rapports d'aspect féodal, loin de constituer les dernières séquelles en Amérique latine de quelque ordre féodal, sont le résultat du « développement » sous le capitalisme lui-même. En vérité, il est difficile de comprendre pourquoi ou comment — ainsi qu'il est affirmé — le système capitaliste industriel ou commercial en pleine expansion aurait eu intérêt (ou possibilité) d'établir un système féodal, c'est-à-dire fermé, en Amérique latine. Il s'est évidemment produit le phénomène inverse : ce système capitaliste a incorporé l'Amérique latine (aussi bien que l'Asie et l'Afrique) dans sa propre structure. Par ce processus, une sorte de société dualiste s'y est bien constituée, mais sans pour autant former deux parties séparées (dans le sens précédemment décrit), avec un secteur paysan « féodal » « isolé » de la société capitaliste nationale et internationale. Au contraire, il s'agit d'une société dialectiquement dualiste comprenant des parties différentes mais non séparées, l'une exploitant l'autre. Si les Indiens des Andes et de la Sierra Madre sont « isolés » c'est parce que la retraite a constitué pour eux la seule (et très aléatoire) protection contre l'exploitation capitaliste de leurs terres et de leur travail. Le pouvoir, comme toute autre chose dans les secteurs ruraux « provinciaux », est intimement relié à la société capitaliste urbaine et internationale et ce à travers les rapports économiques (avant tout commerciaux), politiques (avant tout d'ordre parlementaire et soutenus par la force) et sociaux qui les unissent. Les surplus, qu'ils soient agricoles ou non, résultent non pas de l'efficience dans la production, mais sont au contraire le produit de la monopolisation des relations précitées, au même titre d'ailleurs que l'exploitation et les produits qui s'y associent. Enfin et surtout, est-il exact — ou même possible — que le fondement du pouvoir national en Amérique latine reste entre les mains des propriétaires fonciers « féodaux » ? Au contraire, le pouvoir et la détermination du destin national ont été le fait de l'oligarchie bourgeoise commerciale et financière, étrangère et nationale, dont le devenir est lié à sa participation au système impérialiste.

Ainsi, l'impérialisme ne peut se ramener à l'exploitation de l'économie latino-américaine par telle ou telle société étrangère ; il est constitué par la structure du système économique, politique, social et culturel tout entier auquel l'Amérique latine et toutes les zones qui la constituent, si « isolées » soient-elles, participent en tant qu'élément exploité. La primauté de cette structure impérialiste dans la détermination de toutes choses exclut que les troubles d'Argentine soient dus à Péron ou même au péronisme ; elle rend fort improbable que la raison principale de l'échec de la révolution mexicaine réside dans l'incapacité de résoudre le problème agraire ; il est également fort douteux que la réforme agraire soit nécessairement plus significative que la nationalisation du pétrole. Pauvreté et richesse sont les symptômes du développement et du sous-développement, qui s'insèrent à leur tour dans la structure d'exploitation du système colonialiste-impérialiste-capitaliste et qui déterminent la forme dualiste — gratte-ciel d'aluminum/route du tabac — que prend cette structure. Le développement ne peut donc pas irradier du centre vers la périphérie. Au contraire, la périphérie ne peut se développer qu'en brisant la relation qui l'a menée au sous-développement et qui l'y maintient ou en détruisant le système tout entier. Enfin et surtout, il n'est donc pas exact ni même possible qu'une relation de coopération ou d'alliance entre les deux parties capitalistes du système puisse agir au profit de la partie sous-développée. Cette relation d'exploitation constitue l'une des contradictions principales du capitalisme, contradiction qui, tant qu'elle ne sera pas résolue, continuera à engendrer le sous-développement.

Si l'image de l'Amérique latine que nous venons de tracer est exacte, ne serait-ce que dans ses grandes lignes, il apparaît, comme le soulignent fort justement Sweezy et Huberman dans leurs « Notes », que la révolution capitaliste bourgeoise (contre le féodalisme) n'est pas « encore à faire » en Amérique latine et que les mouvements bourgeois — par le processus électoral, la « réforme agraire » telle que celle de Betancourt ou tout autre procédé qui demeure dans le cadre de l'actuelle structure — ne peuvent abolir le sous-développement et la misère. L'Etat en Amérique latine, plus encore que l'Etat décrit par Lénine (*l'Etat et la Révolution*), est un instrument de la bourgeoisie car avec les institutions qui s'y associent il est non seulement partie du système capitaliste national mais également du système capitaliste international, c'est-à-dire de l'impérialisme. Cet enchevêtrement d'exploitation doit par conséquent être brisé ; et cette rupture ne peut évidemment s'accomplir par le seul recours aux institutions capitalistes-impérialistes elles-mêmes. Par ailleurs, le schéma ci-dessus ne nous donne aucune raison de croire que le système soit incapable de continuer à avancer vaille que vaille — bien que cela entraîne des coûts très lourds — ou que la révolution socialiste soit imminente ou appelée à se dérouler automatiquement dès lors que les masses latino-américaines décideront enfin qu'elles en ont assez et que l'heure est venue de se révolter. Au contraire, la révolution est le produit de l'aggravation de ces contradictions au sein du capitalisme et de l'organisation révolutionnaire qui résulte de ces contradictions et qui doit obligatoirement en tirer profit.

La seconde faiblesse majeure de l'ouvrage critique se trouve dans le fait que les auteurs omettent presque tous d'examiner les rapports qui existent entre le développement de ces contradictions et l'organisation du processus et de l'effort révolutionnaire. Incapables de rattacher leur propos sur l'avenir à leur analyse du passé (ou de faire découler ce propos de cette analyse) ils ont recours à des prédictions *ad hoc* qui, et la chose n'est pas étonnante, sont souvent erronées. Les essais qui font le moins montre de cette faiblesse — l'essai de conclusion de Sweezy et Huberman et celui de Salazar Bondy — se révèlent être ceux dont l'analyse du passé est la plus conséquente avec l'interprétation du développement capitaliste avancée dans cette revue et le moins en accord avec l'image composite décrite dans les autres essais. En ce qui concerne ces derniers, leur vision du futur est principalement sujette à critique (et à rejet) sur trois points. En premier lieu, leurs auteurs parviennent à faire dériver différents avenirs fort incompatibles entre eux — l'imminence de la révolution socialiste voisine avec le progrès bourgeois qui rend le socialisme dénué de sens — à partir d'une analyse commune du passé. En second lieu, aucune de ces prédictions ne semble en voie de se réaliser. Enfin, il n'y a aucune tentative dans ces essais pour indiquer *comment* ces prédictions et ces politiques pourront se concrétiser dans la réalité.

Il n'est évidemment pas possible, dans le cadre d'une brève étude, de présenter quelque chose qui se rapproche d'une analyse globale de ce que pourrait être l'avenir probable de l'Amérique latine. Néanmoins, la critique purement négative n'est visiblement pas suffisante : un effort doit au moins être accompli afin d'indiquer certains des principaux facteurs qui doivent être pris en considération.

Le développement du capitalisme international depuis la Seconde Guerre mondiale a entraîné une aggravation de la contradiction entre développement et sous-développement dans le monde non socialiste. L'écart s'est creusé et le conflit s'est accentué entre la métropole impérialiste et sa périphérie ; et dans cette dernière zone, le sous-développement s'est accru en termes absolus : un symptôme de ce phénomène est constitué par le fait que la production et la consommation par tête des denrées alimentaires ont en général baissé depuis la guerre en Asie non socialiste, en Afrique et en Amérique latine. De même, la contradiction entre développement et sous-développement s'est aggravée entre les régions et les secteurs qui composent la périphérie elle-même. En Amérique latine la dépression et la guerre ont engendré un isolement relatif (ou une protection !) qui à son tour a donné lieu dans certains pays à une poussée d'industrialisation autonome. Il s'en est suivi une « lune de miel d'après-guerre » fondée sur des devises étrangères accumulées pendant le conflit et sur une vague de régimes « libéralisants ». Mais la lune de miel a été de courte durée. Avec le retour du capitalisme à la « normale » et avec son offensive renouvelée (dont la guerre de Corée fut le point marquant), les termes de l'échange ont commencé une fois de plus à décliner — et le déficit de la balance des paiements à s'accroître — une vague de gouvernements « dictatoriaux » s'est mise à déferler alors que leurs pays se trouvaient déjà dans une mauvaise passe, ces gouvernements ont encore aggravé le problème — aggravation qui porte ses fruits à l'heure actuelle et ce de manière évidente — en accordant des concessions « libérales » à l'impérialisme non plus seulement dans les secteurs des mines et des services publics mais également dans ceux des biens de consommation et des services qui pourvoient principalement aux besoins des détenteurs de revenus élevés. L'Amérique latine, déjà endettée et dépendante par rapport à la métropole, est tombée de plus en plus sous la domination impérialiste. En dépit de la pauvreté de la zone en question, et contrairement à toutes les règles de l'économie politique orthodoxe, les exportations de capitaux vers la métropole, et principalement vers les Etats-Unis, se sont accentuées, ouvrant ainsi la voie à une dépendance et à une domination accrues.

L'aggravation du sous-développement structural interne en Amérique latine a pu échapper pendant un temps aux observateurs locaux, comme c'est le cas aujourd'hui avec l'opinion publique métropolitaine, grâce à certaines apparences extérieures de développement économique et cela plus spécialement en ce qui concerne la production des biens de consommation et la fourniture des services et le « développement des classes moyennes » qui produisent et qui consomment ces biens. Quatre groupes sociaux ont, pourrait-on dire, de l'importance. La monopolisation de la production et de la *distribution* agricoles, la baisse du taux de croissance des exportations des biens primaires, le déclin des recettes d'exportations et même l'augmentation des importations de produits alimentaires en provenance des Etats-Unis, tous ces processus ont contraint les paysans à quitter la terre au cours d'un massif exode rural. Plusieurs de ces anciens paysans sont demeurés « non intégrés » à l'économie urbaine et sont allés alimenter le sous (ou peut être lumpen) prolétariat sans cesse croissant qui peuple les taudis que l'on retrouve partout en Amérique latine. Il s'agit là du premier des quatre groupes auxquels nous faisions allusion. D'autres, expulsés de la terre ou partant des taudis, se sont incorporés au deuxième groupe, constitué par la classe ouvrière au sens le plus étroit du terme, en trouvant des emplois dans l'industrie ou les services. Un troisième groupe consiste en majeure partie de « cols blancs » — employés dans les bureaucraties gouvernementales bourgeonnantes, les bureaux commerciaux, les banques, etc. Dans certains pays, ce groupe a atteint 40 à 45 % de la force de travail. Enfin, les profits découlant de tous ces processus et par-dessus tout de l'inflation qui les accompagne ont eu pour effet à la fois de gonfler et de transformer le quatrième groupe, composé de la bourgeoisie proprement dite.

Contrairement aux prévisions dérivées de la théorie fondée sur l'expérience de la métropole et du rôle antérieurement progressiste des classes moyennes indépendantes de cette métropole, ces processus ont, en Amérique latine, contribué non pas au développement mais à un sous-développement croissant. De plus, ces groupes constituent en grande partie une force conservatrice et non progressiste.

En Amérique latine, l'économie est de plus en plus fondée sur l'exportation d'un seul produit primaire dépendant d'un marché étranger instable et dont la croissance est de moins en moins rapide, marché qui est le seul fondement d'un secteur tertiaire hypertrophié. Ce qui manque, ce sont les industries lourdes de biens de production qui, quand elles existent, sont de plus en plus dominées par des intérêts étrangers qui s'infiltrent dans ce secteur à un rythme alarmant. En conséquence, il est inévitable que l'économie n'ait pas de possibilités de croissance auto-entretenue dans le long ou même dans le moyen terme, qu'elle soit sujette à de lourdes pressions inflationnistes, qu'elle soit hautement instable et qu'elle constitue une proie facile pour toute nouvelle pénétration impérialiste. Tous ces éléments et ces forces s'aggravent mutuellement et entrent en corrélation avec les conditions structurales profondes pour donner lieu à un cercle vicieux, que le cas de l'Argentine illustre au mieux.

Les conséquences politiques ne sont pas immédiatement encourageantes. Les membres des trois premiers groupes sociaux et les nouveaux membres du quatrième considèrent de manière typique que l'accession récente à cet ensemble constitue leur « révolution personnelle ». Les membres du groupe ouvrier et du groupe moyen deviennent, un peu à la manière des « cols blancs » de C. Wright Mills, les éléments d'une bureaucratie privée ou publique qui entretient des rapports marqués de clientélisme avec la bourgeoisie. Ils obtiennent une position sociale, bénéficient de « l'économie de bien-être » (*welfarism*) et touchent un revenu apparent de la part de la bourgeoisie, toutes choses qui les différencient des paysans et du sous-prolétariat urbain ; en échange, et cela plus particulièrement par le soutien syndical de travailleurs organisés et le soutien politique des couches moyennes, ils défendent les mesures politiques droitières et centristes qui visent au maintien du *statu quo*. Leur revenu n'est évidemment qu'apparent, dans la mesure où l'inflation efface systématiquement leurs gains monétaires et opère un transfert de revenu de l'ensemble de ces trois groupes et des paysans vers la bourgeoisie et les impérialistes qui profitent des mesures inflationnistes.

Toutefois, ces nouveaux arrivants constituent quand même des groupes relativement privilégiés et forment une véritable aristocratie prolétarienne. Celle-ci peut devenir une force progressiste — de manière limitée — aussi longtemps qu'elle espère obtenir de nouveaux acquis ; en revanche, quand ses conquêtes passées sont menacées (et cela est plus spécialement exact pour les couches moyennes qui en font partie), elle est la principale source du soutien populaire accordé aux politiciens d'extrême-droite et aux « solutions » qui promettent de « restaurer la stabilité », c'est-à-dire de protéger et de conserver les positions nouvellement acquises. Ainsi, quand le marché d'exportation s'effondre et que les revenus supérieurs sont menacés, ces groupes sont les premiers qui cessent de réclamer un meilleur avenir pour se tourner vers le passé et essayer de conserver ce qu'ils détiennent déjà, et ce en soutenant la droite de type fasciste. Paradoxalement, ils sont rejoints dans cette manœuvre politique par de nombreux éléments qui ont connu une situation antérieure plus favorable (le plus souvent en province) avant que l'écart croissant développement/sous-développement ait miné leurs positions intermédiaires ; ceux-ci adoptent à présent une attitude rigoureusement semblable à celle de l'autruche, en enfonçant la tête dans les sables mouvants de l'extrême-droite. La bourgeoisie en Amérique latine comme dans la métropole est évidemment la principale bénéficiaire du système. Malgré les conflits d'intérêt et l'instabilité des alliances, les prétendues contradictions fondamentales entre la « bourgeoisie nationale », les « propriétaires fonciers féodaux », la « bourgeoisie compradora » et les « impérialistes » ne constituent en majeure partie qu'un mythe, ainsi que Sweezy et Huberman le soulignent fort justement, s'opposant aux affirmations des autres auteurs de l'ouvrage en question. En premier lieu, ainsi qu'il a été dit ci-dessus, les économies latino-américaines sont parvenues à leur situation actuelle en tant que parcelles du système capitaliste — qui fut d'abord colonialiste avant d'être impérialiste. En deuxième lieu, en dehors de l'Argentine, du Mexique et du Brésil, il n'existe pas, à proprement parler, de bourgeoisie nationale dans la mesure où le rôle joué par la plupart des pays dans le cadre du système général ne laissait aucune place à l'industrie nationale. Leurs bourgeoisies, loin d'être indépendantes au sens européen classique du terme, sont constituées par les groupes locaux qui sont les clients des intérêts étrangers et les bénéficiaires intérieurs de l'ensemble du système capitaliste, système qui s'étale de New York au village ou à la ferme provinciale la plus isolée. Loin d'être en conflit fondamental avec l'un quelconque de ces exploitants étrangers et impérialistes ou « féodaux » et intérieurs, les bourgeoisies les relient intimement entre eux, en prélevant un péage aux carrefours économiques, politiques et sociaux du système.

Dans les pays ayant quelques industries, la situation n'est pas fondamentalement différente, elle est seulement plus complexe en ce sens que les intérêts industriels internes sont également liés, économiquement et politiquement, à des intérêts agraires, miniers, financiers, commerciaux (locaux et internationaux) et, de manière générale, spéculatifs. Souvent, plusieurs de ces « secteurs » se combinent en un seul groupe, ou firme, ou famille, d'ordre financier. Ces groupes peuvent se payer le luxe de s'opposer les uns aux autres, mais quand le fonctionnement du système l'exige, ou que les pressions populaires menacent leur source commune de profit d'exploitation, ils serrent rapidement les rangs pour former un front réactionnaire, entraînant avec eux autant d'autres groupes sociaux que possible. La contradiction fondamentale dans le monde sous-développé étant celle qui les oppose à tous ceux qu'ils exploitent, comment pourrait-il en être autrement ?

L'Amérique latine — et avec elle le monde tout entier — se trouve prise une fois de plus dans une telle vague droitière. Comme l'attestent la stagnation du continent tout entier en matière de taux de croissance et l'aggravation du déficit de la balance des paiements, l'économie est entrée une fois de plus dans une phase de « désastre menaçant ». Au même moment, Cuba provoque une certaine panique parmi ceux qui ont quelque chose à perdre et les Etats-Unis lancent en Amérique latine une campagne « anticommuniste » d'une ampleur sans précédent. En conséquence, l'Amérique latine, loin de se « diriger à gauche », ainsi qu'il a été si généralement proclamé, s'avance une fois de plus « vers la droite », les bourgeoisies guidant le mouvement par des voies parlementaires « légales » là où cela est possible, et par des coups d'Etat militaires dans le cas inverse. Il est sans doute impossible de prévoir la durée de ce recul renouvelé et temporaire vers la droite.

Les paysans, et dans certains cas quelques ex-paysans devenus chômeurs urbains, sont ceux qui n'ont rien à perdre et tout à gagner en cas de révolution. Dans le cas de nombreux pays latino-américains comme le Brésil, le Venezuela, l'Argentine et Cuba (d'avant la révolution) il est en fait inexact et trompeur de parler de « paysans » dans le sens traditionnel de cultivateurs plus ou moins indépendants et se suffisant à eux-mêmes. De fait, ces « paysans » constituent le véritable prolétariat — la source de travail indépendante, exploitée, sans sécurité, souvent bureaucratisée, touchant un revenu résiduel — qu'ils résident encore à la campagne ou qu'ils soient rejetés dans les taudis des villes. C'est sur leurs épaules que repose l'ensemble du « château délabré ». Paradoxalement toutefois, c'est dans les milieux relativement plus privilégiés et plus prévoyants du monde du travail, des couches moyennes, de l'intelligentsia et même de l'armée que l'on parle le plus de révolution. En fait, quand les jeux sont faits, et souvent même bien avant, ces éléments ont tendance à quitter les rangs de la révolution et à se contenter de réformes. En d'autres termes, les discussions sur le thème de la révolution ne sont que trop souvent de purs bavardages. Les prolétaires des campagnes et des taudis ont au contraire tendance à raisonner à court terme et n'ont à l'esprit que la terre et les emplois qu'ils désirent mais qu'ils n'ont pas. Le leadership « révolutionnaire », et plus spécialement celui des syndicats ouvriers et des partis communistes, ne s'est manifesté à ce jour que dans les rangs des bavards et n'a suivi, comme il est démontré par les faits, qu'une ligne réformiste-révisionniste. Par ailleurs, dans la totalité des cas avant Cuba et dans la majorité des cas à l'heure actuelle, les leaders n'ont fait que tourner en rond, abandonnant le prolétariat des campagnes et des taudis urbains et le lumpenprolétariat — s'il s'agit vraiment de cela — à leurs faibles moyens. Et même à présent, alors que certains efforts commencent à se faire en direction des campagnes, on ne retrouve dans la plupart des cas qu'une extension vers les milieux ruraux de ce même révisionnisme réformiste de la ville, longuement expérimenté et clairement failli.

Dans ces conditions, quand et comment la révolution peut-elle se produire ? La réponse à cette question ne saurait être simple et l'espoir et les prophéties ne suffisent pas. La contradiction développement/sous-développement ira incontestablement en s'aggravant, sur le plan international comme sur le plan local. Dans le monde sous-développé, le mécanisme du capitalisme dépendant n'a pas permis à ce jour de trouver une échappatoire au sous-développement et il ne semble pas près de le faire. Le sous-développement ira en s'aggravant. La combinaison éprouvée joignant (de manière successive ou même simultanée) la mystification « libéralisante » au recul « dictatorial » et à l'infiltration étrangère intensifiée, combinaison menée par et pour la bourgeoisie marquera encore à l'avenir ses victimes. Les « réformes » droitières réussiront sans doute de moins en moins bien dans leur tâche mystificatrice ; et leurs actions les plus offensives (qualifiées de « défensives » par leurs auteurs) appelleront çà et là des réactions populaires de gauche. Celles-ci devront être utilisées pour contribuer à créer des conditions révolutionnaires. Les échecs répétés du réformisme bourgeois doivent se traduire par une clarification populaire portant sur les racines profondes des difficultés rencontrées. Il faut corriger en partie la perspective courte des masses populaires. C'est là la tâche des révolutionnaires, étant donné que les réformistes ne cherchent qu'à pousser le peuple à remplacer une réforme par une autre réforme. Les réactions populaires aux offensives de la bourgeoisie doivent s'orienter vers des formes révolutionnaires significatives et cumulatives afin de ne pas dissiper l'énergie populaire et ne pas contribuer à un sentiment populaire d'impuissance et d'échec. Il s'agit là également de la tâche des révolutionnaires, et non des réformistes. Ces deux consignes révolutionnaires doivent, si elles sont appliquées, gagner au mouvement populaire révolutionnaire certains groupes populaires, une fraction de l'armée incluse, que la bourgeoisie a réussi jusqu'ici à corrompre pour les entraîner dans la mystification et la répression du sentiment populaire. C'est l'ensemble de ces processus qui se déroule à l'heure actuelle en Amérique latine, et ce à des degrés divers.

Mais les peuples et leurs chefs devront également poursuivre l'offensive ; ils ne peuvent se contenter d'attendre que les conditions mûrissent. Une avant-garde de la révolution, comme les Forces armées de libération nationale (FALN) au Venezuela, se doit de prendre l'offensive alors même que la victoire finale est hors de vue, et spécifier l'objectif à atteindre à l'intérieur du pays, de la même manière que le monde socialiste le fait sur le plan international ; elle doit forcer la main de la bourgeoisie en l'obligeant par exemple à retirer le masque « démocratique » et en contribuant à l'accumulation de l'expérience révolutionnaire. Il est essentiel que ces mesures préparent le peuple et ses chefs à agir résolument quand l'occasion se présente — et ce généralement sans préavis ou presque. Il s'agit là encore du travail des révolutionnaires. Au cours de ces dernières années, les réformistes révisionnistes ont au contraire amené les peuples latino-américains à être de moins en moins prêts à profiter d'une occasion révolutionnaire. Il ne suffit pas d'attendre que le fer soit chaud pour le battre. Il faut également — en partie tout au moins — battre le fer pour le chauffer et pour se donner l'expérience qui sera nécessaire quand le temps sera vraiment venu de le forger. L'ouverture récente du « troisième grand débat » entre Révolution et Réforme contribuera peut-être à la formation des révolutionnaires en Amérique latine, ainsi que l'avait déjà fait le second débat en Union soviétique.

23

Les classes sociales, la politique et Régis Debray[1]

Il n'est guère possible de se livrer à une critique constructive et honnête de l'œuvre de Régis Debray sans rendre hommage à son importance et à ses mérites. En tant que document révolutionnaire dans la meilleure tradition de la littérature politique, la série d'essais rédigés par Debray affronte franchement — en obligeant chacun de nous d'en faire autant — ces problèmes politiques essentiels de notre temps que beaucoup ont essayé d'ignorer. Debray a critiqué de façon convaincante des tendances pseudo-révolutionnaires et a formulé un sincère appel à la lutte révolutionnaire armée. De plus, son comportement personnel n'a cessé d'être conséquent avec cet appel, ce qui n'est certes pas le cas pour la plupart d'entre nous. Néanmoins, et Debray serait le premier à être d'accord sur ce point, tout cela ne place pas son œuvre à l'abri de la critique. En fait, ce qui vient d'être dit rend la critique des écrits de Debray, quand celle-ci est menée objectivement, encore plus importante.

A nos yeux, les thèses de Debray appellent la critique sur deux points fondamentaux : 1) Elles ne dérivent pas d'une analyse fondamentale de la société latino-américaine et bien moins de sa *structure de classes.* 2) En conséquence, elles établissent un divorce entre la théorie et la pratique et, se trompant sur la nature de la révolution latino-américaine, elles sous-estiment le rôle *politique* de l'activité

---

1. En collaboration avec S.A. Shah.

militaire et de la participation des masses, et les interrelations qui existent entre elles. L'absence d'analyse de la société ne serait pas grave dans un tract politique (qu'il ne faut pas confondre avec une œuvre analytique) si elle ne donnait lieu à la continuation sous une forme différente de cette même faiblesse politique de l'action révolutionnaire en Amérique latine que Debray lui-même cherche à surmonter. En formulant ces critiques, nous les dirigeons contre ses thèses centrales bien connues plutôt que contre les affirmations isolées et « citables » que l'on trouve dans les écrits de Debray et qui contredisent souvent ses propres thèses principales.

1. Les écrits de Debray constituent des tracts politiques et non des analyses politiques de la société latino-américaine, et ils devraient être considérés comme tels. Même dans *Stratégie,* que l'on peut considérer comme le texte le plus analytique, on ne trouve guère d'analyse économique et sociale de l'Amérique latine. Plus particulièrement, il n'existe aucune analyse de la structure de classes ou de la structure productive d'Amérique latine ou de l'une de ses régions. De même, Debray ne se livre à aucune analyse politique de la société latino-américaine — dans la mesure où une telle analyse est distincte, et où elle peut servir de base à l'analyse des mouvements politiques latino-américains qu'il effectue. Debray ne prévoit d'ailleurs à aucun moment l'insertion d'une telle analyse politico-socio-économique dans son programme politique pour la révolution latino-américaine.

Le manque d'analyse — et le refus de se fonder sur l'analyse — du milieu social et de sa dynamique, milieu dans lequel les révolutionnaires latino-américains doivent travailler, distingue certainement Debray aussi bien que la révolution cubaine des révolutions soviétique, chinoise et vietnamienne dans lesquelles non seulement Lénine, Mao Tsé-toung et Ho Chi-minh mais aussi de nombreux autres leaders se sont distingués par l'analyse sociale sur laquelle se fondaient aussi bien la théorie que la pratique révolutionnaires. Les cadres de ces révolutions étudiaient et comprenaient les sociétés dans lesquelles s'effectuait leur victorieux travail politique. Et, d'après les déclarations de Debray au cours de son « procès » en Bolivie, le Che lui-même écrivait une économie politique d'Amérique latine tout en se battant en Bolivie.

L'analyse, contrairement à l'approche empirique essais/erreurs, ne consiste pas à importer le schéma « bourgeoisie nationale contre féodalisme » de Moscou ou la formule « front uni des quatre groupes » de Pékin ou la rubrique « développement inégal et combiné, révolution permanente » de Trotski. En Amérique latine, il est nécessaire d'analyser comment la structure de classe a pu se former et comment elle se transforme à travers la structure coloniale et néo-coloniale que le développement capitaliste mondial a imposée en chaque point du continent. Cela exige que l'on se fonde sur la *méthodologie* marxiste pour étudier la réalité, et les différentes formes de cette réalité en Amérique latine ; et cela exclut la simple application (comme c'est le cas même de Debray) d'étiquettes ou de schémas tels que « oligarchie féodale ».

2. Chez Debray, il existe un divorce, ou au moins une absence d'union, entre la théorie révolutionnaire et la pratique révolutionnaire. En niant la pertinence de la question (et par là même de sa réponse) de savoir si la révolution latino-américaine est bourgeoise ou socialiste, Debray se trompe sur la nature politique de la révolution. Nous pensons que cette erreur est une conséquence directe de l'absence d'analyse indispensable de la réalité socio-économique latino-américaine — quelle que soit la mesure dans laquelle Debray, au dire de certains, conteste la pertinence des enseignements européens et asiatiques. En outre, la théorie de Debray sur la révolution cubaine elle-même contredit sur plusieurs points importants la pratique révolutionnaire cubaine. Par exemple, l'ensemble du mouvement du 26 juillet, au-delà de la Sierra Maestra, et la signification politique qu'il a revêtue pour la pratique et la théorie révolutionnaires n'ont guère de contrepartie dans le modèle de Debray (observer que ce mouvement n'a eu que peu d'utilité pour l'approvisionnement en armes de Fidel ne suffit pas à décrire sa signification politique et ne constitue que l'une des nombreuses manifestations du fait que Debray sous-estime la politique révolutionnaire, qu'elle soit ou non cubaine). D'ailleurs, le succès de la révolution cubaine n'a pas été assuré uniquement dans la Sierra Maestra avant le 2 janvier 1959, comme Debray le donne à entendre, mais également par son développement à travers Cuba après cette date, et Debray sera sans doute d'accord sur ce point. En effet, comme le soulignait Fidel dans son discours du 8 avril 1968 : « ... En toute sincérité, nous ne pouvons dire que le premier janvier a constitué le triomphe de la révolution. Traditionnellement, nous avons identifié la révolution avec la seule lutte armée, mais en réalité le premier janvier, c'est la rébellion qui a triomphé [...] Au cours de ces premiers temps, pouvions-nous dire en vérité que nous savions ce qu'était une révolution ? En ces temps-là, nous avions un sentiment, qui était le sentiment de la lutte, le sentiment de la rébellion... » Mais comme le 26 juillet 1953 ou le 2 décembre 1956 auraient pu ne pas mener à la guerre de guerila (après tout telle n'était pas l'intention de départ et d'autres soulèvements prévus ou réalisés n'ont pas eu cette suite), ainsi les combats dans la Sierra Maestra ne menaient pas forcément et *a priori* à la révolution socialiste. Si la révolution cubaine avait été incapable d'aller au-delà de 1959, elle aurait évidemment été déviée et totalement écrasée. Heureusement, la dynamique et l'orientation de la révolution cubaine (issues partiellement de la mobilisation politique au-delà de la Sierra Maestra) se sont révélées capables de lui faire franchir l'obstacle bourgeois. Les mouvements révolutionnaires — mouvements de guerilla inclus — n'ont pas tous connu la victoire. La plupart d'entre eux et notamment le mouvement algérien, ont échoué ; et de Prestes au Brésil à Machado au Venezuela, la lutte armée n'a

guère fourni de garantie politique contre le réformisme. En revanche, c'est par une direction politique de leur action militaire que les Chinois et les Vietnamiens ont empêché la révolution d'échouer. De plus, il faut noter que la structure de classes à Cuba, la décision prise par la bourgeoisie cubaine — et la possibilité qu'elle avait de la prendre — de jeter l'éponge et d'aller s'installer à Miami, et la corrélation des forces internationales, ont rendu l'obstacle bourgeois bien plus facile à surmonter à Cuba que dans les autres pays d'Amérique latine à l'heure actuelle. Ainsi, l'exposé de Debray manque d'exactitude ; et surtout si la révolution cubaine doit être considérée comme avant-garde et partie intégrante de la révolution latino-américaine, son modèle ne peut constituer un guide sûr.

Si Debray avait uni un programme d'action révolutionnaire à une analyse de la société latino-américaine ou peut-être même de la société cubaine, au lieu de le faire dériver principalement d'une analyse (valable ou pas) des mouvements révolutionnaires latino-américains ou cubains, il n'aurait jamais été conduit à conseiller la pratique révolutionnaire sans théorie révolutionnaire — ou plutôt avec une théorie révolutionnaire erronée. Plus précisément, une analyse de la structure de classes et de la structure néo-coloniale en Amérique latine aurait permis à Debray de constater que le développement actuel de la théorie révolutionnaire socialiste en Amérique constitue un complément certainement indispensable, sinon suffisant de la pratique révolutionnaire. De manière plus particulière, la théorie révolutionnaire est indispensable pour garantir qu'au premier obstacle cette même pratique censément révolutionnaire ne sera pas déviée vers un *Frente amplia* (large front) tel que celui que vient de rejoindre Prestes, vers une *paz democratica* (paix démocratique) telle que celle qui est prônée par Machado au Venezuela ou vers un *NASAKOM* (Nationalisme, Islam, Communisme) tel qu'il fût pratiqué en Indonésie par Soekarno, déviation à la suite de laquelle elle ne pourra échapper aux inévitables conséquences d'une telle voie.

Une analyse de la structure de classes latino-américaine pourrait révéler l'identité de l'ennemi à combattre (la bourgeoisie aussi bien que l'impérialisme), la nature des armes politiques dont il dispose (réformisme et corruption), les éléments sur lesquels la révolution peut compter, les méthodes à employer pour mobiliser politiquement ces éléments, en un mot, la théorie et la pratique de la révolution latino-américaine. Ce n'est pas inutilement que dans son appel pour « deux, trois, de nombreux Vietnam » le Che a déclaré que « la révolution dans notre Amérique serait presque inévitablement de nature socialiste ».

Le refus de Debray d'analyser la société latino-américaine et de relier entre elles la théorie et la pratique révolutionnaires a pour conséquence normale de l'amener à sous-estimer l'importance de la participation politique des masses dans la révolution et à omettre le rôle politique de l'activité militaire dans le cadre d'une telle participation des masses. Debray fait appel à une poussée de guerilla pour faire démarrer la révolution et il espère qu'en confiant la direction de cette révolution à une guerilla rurale plutôt qu'à un parti urbain et moins encore à des révolutionnaires de salon, la révolution pourra marcher vers la victoire à travers la formation d'une armée populaire. Mais à aucun moment Debray ne nous explique comment le groupe de guerilla pourra par la suite se développer en une armée et en un mouvement politique populaires indispensables à la révolution. Loin d'exposer comment le foyer de guerilla pourrait créer les conditions politiques ou même militaires d'un tel développement ultérieur, la critique que fait Debray du travail politique d'autodéfense et de guerilla dans les zones rurales et le peu de cas qu'il fait des liens entre la guerilla et des mouvements de type « 26 Juillet » à Cuba comme dans les autres pays d'Amérique latine semblerait exclure l'organisation d'un mouvement politique plus vaste. Et pourtant Fidel a déclaré à la conférence de l'OLAS que le besoin d'un noyau de guerilla pour le mouvement révolutionnaire « ne signifie pas que le mouvement de guerilla peut se déclencher sans aucun travail préalable ; il ne signifie pas que le mouvement de guerilla est quelque chose capable d'exister sans direction politique. Non ! nous ne nions pas le rôle des organisations politiques. La guerilla est organisée par un mouvement politique, par une organisation politique ».

Ainsi, les actions militaires exigent-elles une direction et un soutien politiques adéquats, sous peine de ressembler à ces maisons construites sur de faibles bases dont la première tempête détruit à la fois la superstructure et les fondations. Une analyse de classes clairement exposée est essentielle pour que des actions armées soigneusement (tactiquement) choisies et politiquement (stratégiquement) orientées puissent remporter des victoires militaires contre l'ennemi et réussissent politiquement à mobiliser les gens pour en faire des amis de la révolution. Une zone de *base populaire* est nécessaire non seulement pour assurer l'approvisionnement, les communications et les besoins de propagande de l'activité militaire ; elle doit également, par l'intermédiaire de cette activité, permettre une extension de la mobilisation politique et de la participation des masses populaires. Ainsi, une action militaire victorieuse et une mobilisation politique juste exigent-elles une analyse de classe correcte de la société latino-américaine. Une telle analyse politique conduirait également et de manière incontestable à la guerre de guerilla, mais elle pourrait également éliminer certaines des contradictions contenues dans le programme de Debray pour la révolution latino-américaine et en revaloriser la stratégie politique.

24

Développement capitaliste
ou révolution socialiste[1]?

Cet essai a pour objet d'avancer les thèses suivantes :

1. L'ennemi immédiat de la libération nationale en Amérique latine est constitué sur le plan tactique par la bourgeoisie intérieure au Brésil, en Bolivie, au Mexique, etc., et par la bourgeoisie locale dans les campagnes latino-américaines. Nous retrouvons la même situation en Asie et en Afrique, en dépit du fait que, sur le plan stratégique, l'ennemi principal est incontestablement l'impérialisme.

2. La structure de classes latino-américaine a été formée et transformée par le développement de la structure coloniale du capitalisme international, du mercantilisme à l'impérialisme. Successivement, grâce à cette structure coloniale, les métropoles d'Espagne, d'Angleterre et d'Amérique du Nord ont assujetti l'Amérique latine à l'exploitation économique et à la domination politique qui ont déterminé sa structure socio-culturelle et sa structure de classes actuelle. La même structure coloniale s'étend sur toute l'Amérique latine, les métropoles nationales assujettissant leurs centres provinciaux et ces centres dominant les centres locaux, par le moyen d'un colonialisme interne semblable. Etant donné que les structures s'interpénètrent complètement, la détermination de la structure de

---

1. Cet article constitue une version développée du mémoire présenté au Congrès culturel de La Havane en janvier 1968.

classes latino-américaine par la structure coloniale n'empêche pas les contradictions fondamentales d'Amérique latine d'être « internes ». Cela est également vrai pour l'Asie et l'Afrique.

3. Aujourd'hui, la lutte anti-impérialiste en Amérique latine doit être menée à travers la lutte de classes. La mobilisation populaire contre l'ennemi de classe immédiat, sur les plans nationaux et locaux, donne lieu à une confrontation plus vigoureuse avec l'ennemi principal impérialiste que celle qui découle de la mobilisation anti-impérialiste directe. La mobilisation nationale à travers l'alliance politique des forces anti-impérialistes les plus larges ne constitue pas un affrontement adéquat de l'ennemi de classe immédiat et, en général, elle ne donne pas même lieu à une véritable — et nécessaire — confrontation avec l'ennemi impérialiste. Ce qui précède s'applique également aux pays néo-coloniaux d'Asie et d'Afrique et peut-être aussi à certains pays coloniaux, à moins qu'ils ne soient déjà sous l'occupation militaire de l'impérialisme.

4. La coïncidence stratégique de la lutte de classes avec la lutte anti-impérialiste et la priorité tactique de la lutte de classes en Amérique latine sur la lutte anti-impérialiste contre la bourgeoisie métropolitaine s'appliquent manifestement à la guerre de guerilla qui doit d'abord se déclencher contre la bourgeoisie nationale du pays ; et elles sont également valables en ce qui concerne le combat politique et idéologique qui doit viser non seulement l'ennemi impérialiste et colonial, mais également l'ennemi de classe local.

Qui fera la révolution en Amérique latine, et contre qui se fera-t-elle ? En guise de réponse, Che et son exemple nous guident dans la lutte révolutionnaire contre tous les obstacles, où qu'ils se trouvent et quelle que soit leur nature, contre l'impérialisme qui existe dans la société latino-américaine elle-même, et même dans l'idéologie et la pratique contre-révolutionnaires de certaines personnes dans les pays socialistes et les partis marxistes. Le dernier message du Che nous demande de commencer immédiatement à combattre l'ennemi sur le champ de bataille immédiat de nos propres pays et d'étendre la révolution à tout le monde en partant de là. Son message, parti de ce même champ de bataille, est parvenu à la Tricontinentale. « Où que la mort nous surprenne, qu'elle soit la bienvenue, pourvu que notre cri de guerre ait pu atteindre quelque oreille réceptive et qu'une autre main se soit tendue pour porter nos armes... » L'arme du Che, c'est son exemple, celui d'un révolutionnaire qui était également un intellectuel plutôt qu'un intellectuel aspirant à être aussi un révolutionnaire. A quelqu'un qui lui demandait un jour ce qu'il pouvait faire pour la révolution en tant qu'écrivain, le Che répondit : « J'étais un médecin. »

Fidel consacra son discours à l'OLAS à répondre à cette question et déclara entre autres choses : « Que de vaines paroles n'ont-elles pas été gaspillées dans l'attente d'une bourgeoisie libérale, progressiste, anti-impérialiste. Et nous nous demandons s'il y a quelqu'un qui, à l'heure actuelle, est capable de croire qu'il existe sur ce

continent une bourgeoisie pour jouer un rôle révolutionnaire. »
Il continua en déclarant : « Le monde et, par-dessus tout, le monde
latino-américain a besoin d'idées directrices [...] Il y a un besoin
d'idées directrices ! Et les idées révolutionnaires seront le seul guide
véritable de nos peuples. » Néanmoins, « cela ne signifie pas que
l'action doit attendre le triomphe des idées, et cela constitue l'un
des aspects essentiels de la question [...] L'action est l'un des
instruments les plus efficaces pour amener le triomphe des idées
parmi les masses. Quiconque s'arrête pour attendre que les idées
triomphent parmi la majorité des masses avant de lancer l'action
révolutionnaire ne sera jamais un révolutionnaire [...] Et ce qui
distingue le vrai révolutionnaire du faux, c'est précisément ceci :
le premier agit pour stimuler les masses et le second attend que
les masses prennent conscience avant de commencer l'action. »

L'OLAS a été le reflet d'une lutte idéologique et a constitué
une victoire des idées révolutionnaires. Ces idées, symbolisées par
les portraits de Simon Bolivar et de Che Guevara qui dominaient
les sessions plénières et finales, sont les suivantes : pour nous la
mère patrie, c'est l'Amérique et le devoir de chaque révolutionnaire
est de faire la révolution, en se fondant surtout sur la lutte armée
à la campagne, où le foyer de guerilla sert de semence et de noyau
à une armée de libération de masse dont le but est de prendre
le pouvoir politique et d'établir le socialisme. L'OLAS a convenu
que toutes les autres formes de lutte, qu'elles soient politiques ou
idéologiques, devraient servir à promouvoir — et non à décou-
rager — la lutte armée, qui est fondamentale ; et que, ainsi que
l'indique Fidel, ce mouvement populaire en Amérique latine est
bien plus large qu'un mouvement qui serait composé uniquement
des seuls partis communistes.

Régis Debray adopte certaines positions politiques complémentaires, selon lesquelles, dans les circonstances contemporaines en
Amérique latine, un foyer de guerilla qui unifie et qui, simultanément, exerce un leadership politique et militaire en milieu rural
doit avoir la priorité sur la formation d'un parti de masse ou d'un
parti d'avant-garde en milieu urbain.

Ces idées révolutionnaires doivent maintenant être réaffirmées et
la lutte révolutionnaire doit être étendue ; car non seulement l'impérialisme cherchera à exploiter son assassinat du Che mais également,
au cours de l'interminable lutte idéologique à laquelle Fidel fait
allusion, il y aura des éléments pour affirmer que ces idées révolutionnaires manquent de réalisme. Pourtant, la vivacité et le réalisme
de ces idées sont démontrés à la fois par l'engagement révolutionnaire et par l'expérience politique et l'étude scientifique de
l'histoire et de la réalité latino-américaines. Simultanément, ces
idées révolutionnaires doivent être étendues et amplifiées par de
nouvelles activités révolutionnaires, à la fois par la pratique politique
et militaire et par la recherche scientifique et le développement
d'une théorie et d'une idéologie révolutionnaires. C'est donc ici

que se trouve le défi lancé au révolutionnaire, à l'intellectuel révolutionnaire, au révolutionnaire intellectuel et même à l'intellectuel non révolutionnaire d'Amérique latine et plus spécialement au spécialiste des sciences sociales ; en effet, si celui-ci doit être responsable ou, en d'autres termes, s'il doit être un intellectuel tout court, il se doit lui aussi de tenir compte des problèmes politiques fondamentaux de sa société, quelle que puisse être sa propre position politique par rapport à ces problèmes.

La question politique fondamentale, celle de savoir qui doit faire la révolution, et contre qui, peut se reformuler ainsi : « Qui est l'ennemi principal et qui est l'ennemi immédiat ? » Il existe parmi les révolutionnaires, et même parmi de nombreux réformistes, un point d'accord général : l'ennemi principal est l'impérialisme. Mais qui est l'ennemi *immédiat*, le premier ennemi qu'il est nécessaire de combattre dans la lutte révolutionnaire ? L'ennemi immédiat est-il également constitué par l'impérialisme et la bourgeoisie métropolitaine ; ou bien s'agit-il de la bourgeoisie latino-américaine (ou brésilienne, ou péruvienne, ou guatémaltèque, ou mexicaine) et en fait de la bourgeoisie locale des campagnes d'Amérique latine ? Mobilise-t-on le maximum de forces populaires contre les maillons les plus faibles du système capitaliste impérialiste en ayant recours à la coalition politique la plus large contre l'impérialisme en tant qu'ennemi principal ou bien en se livrant à la lutte populaire la plus vigoureuse contre la bourgeoisie latino-américaine en tant qu'ennemi immédiat ? Devons-nous limiter la contrepartie idéologique de ce combat révolutionnaire au champ de bataille colonial du nationalisme ou devons-nous l'étendre à la lutte des classes pour le socialisme ?

Pour répondre à cette question, il est utile de faire une distinction entre la structure coloniale (ou néo-coloniale) de l'Amérique latine, et sa structure de classes. La structure de classes peut s'identifier en considérant les rapports qui existent entre le peuple et les moyens de production et par sa participation au procès de production, en quelque point que ce soit. La structure coloniale rattache entre eux des lieux ou des secteurs ou des groupes raciaux ou ethniques identifiables. Le système capitaliste a une structure coloniale à travers laquelle la métropole impérialiste exploite ses colonies d'Amérique latine ou d'ailleurs (aussi bien que ses colonies internes afro-américaines) ; les métropoles nationales latino-américaines — par le « colonialisme interne » — exploitent leurs centres provinciaux qui, à leur tour, vivent sur leurs *hinterlands* respectifs, en une chaîne coloniale qui s'étend sans interruption du centre impérialiste à la région rurale la plus isolée d'Amérique latine ou des autres pays sous-développés.

Cette distinction n'a pas pour objet de démontrer que la structure de classes et la structure coloniale sont séparées, mais au contraire de chercher à savoir comment elles se rattachent ou se déterminent mutuellement et de découvrir où et comment les combattre toutes deux. La recherche historique et sociale menée, selon les lignes que nous proposons ci-dessous, démontrera probablement qu'à travers l'histoire de l'Amérique latine, les rapports de production et de distribution coloniaux et néo-coloniaux établis entre la métropole capitaliste — mercantiliste ou impérialiste — et l'Amérique latine aussi bien que les rapports entre les métropoles nationales latino-américaines et les colonies internes dans leurs *hinterlands* respectifs, ont façonné la structure de classes de l'Amérique latine au niveau aussi bien national que local, dans une mesure bien plus grande que la relation de détermination inverse. En conséquence, et bien que cela puisse sembler paradoxal, nous soutenons ici qu'en Amérique latine la mobilisation populaire contre l'ennemi de classe immédiat aux niveaux national et local engendre un défi plus puissant et donne lieu à une confrontation plus importante avec l'ennemi principal colonial ou impérialiste que ne le fait la mobilisation directe contre l'ennemi impérialiste ; et la mobilisation nationaliste contre l'impérialisme en tant qu'ennemi principal ne mène pas à une confrontation adéquate de l'ennemi de classe capitaliste latino-américain au niveau national ou local. Bien que l'impérialisme soit l'ennemi principal, il est nécessaire de le combattre à travers la lutte immédiate contre l'ennemi de classe, dans chaque pays.

Cette proposition qui semble contredire une doctrine largement admise de la politique révolutionnaire en Amérique latine ne représente en aucune façon, comme on pourrait le croire, une tentative pour freiner ou faire dévier l'indispensable lutte anti-impérialiste en Amérique latine. Il s'agit d'une proposition pour la discussion et l'examen scientifique des conditions de la réalité latino-américaine, discussion et examen dont les développements ci-dessous constituent un exemple. Et l'expérience révolutionnaire nous donne des preuves à l'appui de cette proposition : la confrontation entre le peuple cubain et l'impérialisme fut engendrée par la mobilisation populaire contre l'ennemi de classe cubain, à la fois dans la Sierra Maestra et à La Havane, et non l'inverse. La révolution d'Octobre qui engendra la contradiction et la confrontation entre le socialisme et l'impérialisme fut la résultante de la lutte contre l'ennemi de classe local, l'impérialisme étant même partiellement neutralisé après Brest-Litovsk. Il est d'ailleurs possible d'affirmer que les échecs de plusieurs tentatives de révolution socialiste sont à imputer à une exagération de l'importance accordée à l'ennemi étranger, à l'exclusion des ennemis internes ou locaux. Et même la confrontation des forces constitutionalistes de Saint-Domingue avec l'impérialisme ne s'est produite qu'après le défi lancé par ces forces à l'ennemi de classe local. En raison toutefois de la structure coloniale du système impérialiste et local, et grâce au renforcement mutuel des structures coloniales et de classe, le renversement populaire de la bourgeoisie ou même le défi populaire lancé à son hégémonie, entraîne les forces impérialistes dans la lutte. Cependant, sauf si ces forces se trouvent déjà dans le pays en tant que force militaire occupante, comme elles l'étaient en Chine, en Yougoslavie, au Viet-nam, ou comme elles le sont dans les pays coloniaux — en tant que ceux-ci diffèrent des pays néo-coloniaux — les forces impé-rialistes sembleraient plus puissamment défiées à travers la lutte contre l'ennemi de classe immédiat, dans chaque pays, que par des tentatives nationalistes de coalitions de classes visant à mobiliser le peuple contre un ennemi impérialiste situé à l'étranger et dont le plus souvent l'aspect n'est que trop abstrait. Dans les zones rurales en particulier, le peuple souhaitera lutter — ou devra être amené à le faire — contre l'ennemi de classe immédiat qui l'oppresse sur place plutôt que contre un ennemi étranger qu'il ne voit ni ne connaît. Et la stratégie des foyers de guerilla doit certainement mobiliser le peuple pour le diriger contre l'ennemi de classe immé-diat, non seulement dans la capitale nationale, mais également au niveau de la zone de guerilla elle-même. Cette ligne — et cette ligne seulement — pourra engendrer une confrontation directe avec l'impérialisme, de manière assez rapide.

Histoire.

Quelle est par conséquent la nature de la structure de classes et de la structure coloniale en Amérique latine ; quelles sont ses caractéristiques dans les différentes régions du continent ; quels sont leurs rapports avec le système impérialiste dans son ensemble ; et comment l'exploitation coloniale et l'exploitation de classe peuvent-elles — ou doivent-elles — donner lieu à la révolution ?

L'Amérique latine, comme les autres parties du monde qui ont pénétré dans le sous-développement, a été intégrée depuis longtemps au système mondial du capitalisme mercantiliste en expansion, puis au système impérialiste en tant que colonie politique et/ou écono-mique. Toute compréhension adéquate des caractères économiques, sociaux, politiques et culturels de l'Amérique latine et des autres zones sous-développées exige par conséquent un examen scienti-fique, non seulement des sociétés qui les composent — en soi et pour soi — mais également de la structure coloniale et de la struc-ture de classes de ce système mondial dans son ensemble. Cette étude, dans ses aspects historiques comme dans ses aspects contem-porains doit être partiellement entreprise par des historiens et des spécialistes des sciences sociales appartenant à ces mêmes pays sous-développés, pour parvenir à la compréhension de leurs propres sociétés. Cela est d'autant plus nécessaire que l'analyse de la capacité productive et des rapports capitalistes et impérialistes, y compris celle effectuée par la plupart des marxistes, a été menée jusqu'ici à partir d'une perspective métropolitaine dans laquelle les pays coloniaux sont considérés plutôt comme des annexes supplémentaires que comme une partie intégrante de la structure et du développement de ce système capitaliste. La déformation qui en résulte, au niveau de la description comme de l'analyse du capitalisme, se doit d'être corrigée plus spécialement par des spécialistes des sciences sociales issus de la partie sous-développée du système capitaliste ; ceux-ci devront se livrer à un examen scientifique de cette partie en se plaçant dans une perspective mondiale qui correspond à la nature internationale de la réalité capitaliste.

La réalité et le sous-développement actuels de l'Amérique latine sont issus de son intégration à ce système mondial capitaliste, mercantiliste et impérialiste. La compréhension de cette réalité et l'analyse des causes de ce sous-développement doivent découler de l'examen scientifique de la participation latino-américaine au processus historique — et qui se déroule toujours — du développement capitaliste mondial. Cela est surtout le cas pour ces parties d'Amérique latine qui comprennent la majorité de sa population et de sa superficie et, notamment, les Caraïbes, le Brésil, et les pays du cône méridional, où ce processus historique façonna la société contemporaine pratiquement *ex nihilo,* les populations indigènes étant inexistantes ou bien immédiatement remplacées à l'arrivée des Européens. Il convient toutefois de noter que la société indo-américaine contemporaine, comprenant quelque 50 millions de descendants de la population préhispanique, n'en a pas moins été façonnée par ce même processus historique. Les Indiens ont volontairement livré leurs terres et leur force de travail au développement des métropoles nationales ou étrangères, au cours des périodes coloniale, nationale, et contemporaine. Prétendre que ces Indiens n'ont pas été fondamentalement touchés par ce processus historique, ou qu'ils sont à l'heure actuelle effectivement isolés de la société capitaliste mondiale et latino-américaine, est contraire à toute réalité historique et contemporaine.

Essentiellement, la structure de classes de l'Amérique latine n'a été, au cours de ce processus, que le produit de la structure coloniale que les métropoles (d'abord ibérique puis anglaise et nord-américaine) ont imposée et imprimée à l'Amérique latine au cours de leur tentative victorieuse de transformer les peuples de cette région en producteurs et fournisseurs de matières premières *et de capital* pour le processus productif mondial qui a donné le développement économique métropolitain. Ainsi — cela étant vrai non seulement sur le plan national mais également au niveau local — l'Amérique latine a été dotée d'une structure de classes correspondant à une économie d'exportation coloniale ou néo-coloniale, structure qui est toujours la sienne.

Ferrer note que « l'extraction minière, l'agriculture tropicale, la pêche, la chasse, l'exploitation forestière (activités qui sont toutes fondamentalement reliées au commerce d'exportation) ont été les branches " développantes " dans les économies coloniales et, en tant que telles, ont attiré les ressources humaines et le capital disponibles […] Les groupes ayant des intérêts dans les activités d'exportation étaient composés de marchands et de propriétaires disposant de revenus élevés, et de hauts dignitaires de la Couronne et de l'Eglise. Ces secteurs de la population [...] constituaient à la fois le marché colonial interne et la source de l'accumulation de capital [...] Plus la concentration de richesses aux mains d'un petit groupe de propriétaires, de marchands et de politiciens influents était grande, et plus importante était la propension à obtenir des biens de consommation manufacturés et durables de l'étranger [...] Ainsi, la nature même du secteur d'exportation interdisait la transformation du système dans son ensemble [...] [et constituait] l'obstacle fondamental à la diversification de la structure productive interne et, partant, à l'élévation conséquente des niveaux techniques et culturels de la population, au développement des groupes sociaux liés à l'évolution des marchés internes, et à la recherche de nouvelles voies d'exportation qui soient indépendantes de l'autorité métropolitaine. »

Ce qui restait de capital potentiellement investissable fut orienté par la structure du sous-développement en partie vers des entreprises minières, commerciales, agricoles, de transport, travaillant pour l'*exportation* vers la métropole ; une part importante en fut consacrée à l'*importation* en provenance de la métropole, et seule une fraction réduite de ce capital se dirigea vers la production industrielle ou la consommation rattachées au marché interne. Grâce à la finance et au commerce étrangers, les intérêts économiques et politiques de la bourgeoisie minière, agricole et commerciale n'étaient pas liés au développement interne.

Les rapports de production et la structure de classes du latifundium, de la mine et leur *hinterland* économique et social se sont développés pour répondre aux besoins colonialistes d'exploitation des métropoles étrangères et latino-américaines. Ces rapports et cette structure n'étaient pas — contrairement à une opinion aussi répandue qu'erronée — le produit du transfert d'institutions féodales ibériques au cours du xvie siècle. Le développement de cette structure de classes et ses conséquences économiques et sociales contemporaines doivent faire l'objet de recherches complémentaires.

Il est toutefois possible d'affirmer, sur la seule base des données qui sont aujourd'hui universellement connues, que la structure de classes et les rapports de production associés au cours des xixe et xxe siècles au latifundium de Cuba, d'Argentine, du Pérou côtier, du São Paulo producteur de café, et du Mexique du Nord contemporain et postérieur à la réforme agraire, ne peuvent avoir rigoureusement rien de commun avec la prétendue importation d'institutions féodales à partir de la péninsule ibérique au cours de l'époque coloniale (la même thèse étant également valable en ce qui concerne les institutions semblables que l'on trouve dans les Antilles britanniques). Comme je l'ai exposé par ailleurs, le même phénomène nous est révélé par l'expérience historique du Chili au

XVIIIe siècle, du Mexique au XVIIe siècle et par celle d'autres pays encore. En fait, ce sont les exigences (au niveau de la production et du commerce) du système capitaliste mercantiliste colonial ou impérialiste qui ont façonné la structure de classes essentiellement capitaliste des régions agricoles et d'exportation minière ; c'est précisément ce phénomène qui appelle de nouvelles recherches. Les conséquences de l'introduction de l'industrie moderne dans cette structure coloniale et cette structure de classes seront examinées plus loin.

Jusqu'à l'avènement de l'impérialisme, la seule exception à ce schéma avait été constituée par l'affaiblissement des liens de la finance et du commerce extérieurs au cours des guerres ou des dépressions métropolitaines (telles que celles qui s'étaient produites au XVIIe siècle) et par l'absence initiale de tels liens effectifs entre la métropole et les régions isolées et non orientées vers l'exportation à l'étranger, ce qui permettait la formation d'une accumulation de capital naissante temporaire ou autonome et d'un développement industriel pour le marché interne, tel que celui qui apparaît au XVIIIe siècle à São Paulo au Brésil, à Tucuman en Argentine, à Asuncion au Paraguay, à Queretaro et Puebla au Mexique, et en d'autres lieux encore.

Au cours de l'ère coloniale du développement capitaliste, le capital étranger fut donc, en premier lieu, un complément et un stimulant au pillage des ressources, à l'exploitation du travail, et au commerce colonial qui fut à l'origine du développement de la métropole européenne qui se produisait en même temps que le sous-développement des satellites latino-américains.

Le pouvoir économique et politique de l'Angleterre et l'indépendance politique de l'Amérique latine au lendemain des guerres napoléoniennes laissaient subsister trois principaux groupes d'intérêts pour décider, par leurs luttes tripartites, de l'avenir de la région : 1) les intérêts agricoles, miniers et commerciaux latino-américains qui cherchaient à maintenir la structure économique d'exportation génératrice de sous-développement — et qui ne souhaitaient rien d'autre que de ravir à leurs rivaux ibériques leurs positions privilégiées ; 2) les groupes d'intérêts industriels et assimilés issus des régions énumérées ci-dessus (et de certaines autres) et qui cherchaient à défendre leurs économies génératrices de développement (économies naissantes et encore faibles) d'une poussée de libre-échange et d'un afflux de capitaux étrangers, qui les menaçaient de destruction pure et simple ; et 3) les Anglais victorieux et industrialisés dont le Premier ministre lord Canning notait en 1822 : « L'Amérique espagnole est libre ; et si nous dirigeons convenablement nos affaires, elle sera anglaise. » Les lignes de combat étaient désormais tracées et elles opposaient d'une part les bourgeoisies latino-américaines traditionnelles de l'import-export alliées naturellement aux bourgeoisies métropolitaines industrielles-commerciales et, d'autre part, les puissants nationalistes provinciaux et industriels d'Amérique latine. Le résultat de ce conflit était pratiquement déterminé d'avance, le processus historique passé du développement capitaliste ayant accumulé les atouts en ce sens, avant même le début de la partie.

Au cours de la période allant du milieu des années vingt au milieu des années quarante ou cinquante, les intérêts nationalistes de l'intérieur étaient encore capables dans de nombreux pays de contraindre leurs gouvernements à imposer des protections douanières. L'industrie, la navigation sous pavillon national, et les autres activités génératrices de développement connurent des regains de vitalité. Au même moment, les Latino-Américains eux-mêmes remirent en usage des mines anciennes, en ouvrirent de nouvelles et commencèrent à développer leur agriculture et leurs autres secteurs de biens primaires d'exportation. Pour permettre et promouvoir le développement économique interne aussi bien que pour répondre à une demande externe croissante de matières premières, les libéraux firent pression en faveur des réformes en général et de la réforme agraire en particulier aussi bien que de l'immigration qui aurait pour effet d'accroître la force de travail locale et d'agrandir le marché interne.

Les bourgeoisies latino-américaines, orientées vers la métropole par le moyen de l'import-export, et leurs alliés des secteurs nationaux minier et agricole s'opposèrent à ce développement capitaliste autonome dans la mesure où il se déroulait sous la protection douanière, aux dépens de leurs intérêts d'import-export ; et ils purent combattre et vaincre les industriels provinciaux et nationalistes qui défendaient les droits des Etats fédéraux au cours des guerres civiles fédéralistes/unitaristes des années trente et quarante. Les puissances métropolitaines aidèrent leurs associés commerciaux latino-américains en leur fournissant des armes, en se livrant à des blocus maritimes et, quand cela se révélait nécessaire, à des interventions militaires directes ou à la fomentation de nouvelles guerres, comme celle de la triple alliance contre le Paraguay, qui coûta à ce pays les six septièmes de sa population mâle alors qu'il essayait de défendre son chemin de fer, construit à partir de fonds nationaux, et de poursuivre un effort de développement autonome véritablement indépendant.

L'épée et les échanges préparaient l'Amérique latine à l'intégration au commerce libre métropolitain ; et pour ce faire, la concurrence du développement industriel latino-américaine devait être éliminée ; avec la victoire des groupes d'intérêts économiques tournés vers l'extérieur sur les groupes d'intérêt national, les économies et les Etats latino-américains se trouvaient de plus en plus soumis à la métropole. Ce n'est que par ce processus que le commerce pouvait devenir libre et les milieux de la finance étrangère reprendre le dessus. Un nationaliste argentin contemporain notait : « Après 1810 [...] la balance commerciale du pays a connu un net déficit et les commerçants locaux ont essuyé des pertes irréparables. Le commerce d'exportation de gros aussi bien que le commerce d'importation de détail sont passés aux mains des étrangers. Il semble donc évident que le fait d'ouvrir le pays aux étrangers s'est révélé nuisible pour notre balance commerciale. Les étrangers ont remplacé les nationaux non seulement dans le commerce, mais également dans l'industrie et l'agriculture. » Un autre nationaliste ajoutait : « Il n'est pas possible que Buenos Aires ait dû sacrifier du sang et des richesses dans le seul but de devenir un consommateur des produits et de l'industrie des pays étrangers, car cela est humiliant et ne correspond pas à l'énorme potentiel dont la nature a doté le pays [...] Il est erroné d'assurer que la protection engendre le monopole. Le fait est que l'Argentine, qui a vécu sous un régime de libre-échange depuis vingt ans, est à présent dominée par une poignée d'étrangers. Si le protectionnisme devait déloger les marchands étrangers de leurs positions de prééminence économique, le pays aurait l'occasion de se féliciter pour avoir accompli le premier pas dans le sens d'un retour à l'indépendance économique [...] La nation ne peut continuer d'exister sans restreindre les échanges extérieurs, étant donné que seule cette restriction peut rendre possible l'expansion économique ; elle ne peut subir plus le fardeau des monopoles étrangers qui étranglent toute tentative d'industrialisation. » (Cité *in* Burgin, 234.) Elle a cependant continué à « subir le fardeau »...

Comme Burgin le démontre avec justesse dans son étude du fédéralisme argentin, « le développement économique de l'Argentine post-révolutionnaire a été caractérisé par un déplacement du centre de gravité économique, de l'intérieur vers la côte, déplacement provoqué par l'expansion rapide de la zone côtière et le recul simultané des régions intérieures. Le caractère inégal du développement économique a engendré ce qui constitue en quelque sorte une inégalité se perpétuant elle-même. Le pays s'est divisé en provinces riches et provinces pauvres. Les provinces de l'intérieur ont été contraintes d'abandonner des fractions sans cesse plus grandes du revenu national à Buenos Aires et aux autres provinces orientales » (Burgin 81). Au Brésil, au Chili, au Mexique, dans l'Amérique latine tout entière, les industriels, les patriotes, et les économistes clairvoyants dénoncèrent en termes analogues cet inévitable processus de sous-développement capitaliste. Mais en vain, le développement capitaliste mondial et sa puissance militaire avaient mis le libre-échange à l'ordre du jour. Et dans son sillage arrivèrent les capitaux étrangers.

Ainsi que le nationaliste allemand Friedrich List le notait avec justesse, le libre-échange était devenu le principal bien d'exportation de la Grande-Bretagne. Ce n'est pas un hasard si le libéralisme manchestérien a vu le jour dans la ville du coton. Mais il fut adopté avec enthousiasme, ainsi que l'a souligné Claudio Veliz, par les « trois pieds de la table » économique et politique d'Amérique latine, ces « trois pieds » qui avaient survécu à la période coloniale, triomphé de leurs rivaux nationaux partisans du développement, s'étaient emparés de l'Etat, et étaient à présent, tout naturellement les alliés et les domestiques des étrangers dans l'entreprise destinée, par le biais de la liberté du commerce à s'assurer, et à assurer également aux intérêts métropolitains, un monopole national fermé.

Si la chose est regrettable, il n'est toutefois pas étonnant de constater qu'en ce qui concerne la réalité historique aussi bien que nos besoins politiques et idéologiques actuels, nous devons la plupart des interprétations de ces événements et de bien d'autres encore à des historiens contemporains libéraux, dont le désintéressement n'est pas total et qui ont forgé notre image de la réalité selon leurs propres intérêts. Malheureusement, les marxistes qui se sont consacrés en premier lieu à la théorie métropolitaine ne sont servis surtout, dans le cadre de leur analyse, de faits issus de recherches libérales. En conséquence, ils n'ont que trop souvent distillé un mélange libéral de vin et d'eau, sous une étiquette marxiste. La politique révolutionnaire actuelle pourrait bien bénéficier d'une réinterprétation marxiste véritablement scientifique de personnages historiques tels que Rosas et Rivadavia en Argentine, le Dr Francia et les Lopez père et fils au Paraguay, Rengifo et Balmaceda au Chili, Macra et Nabuco au Brésil, Mora ou Lucas Alaman et Juarez au Mexique, et leurs différentes politiques, générales ou économiques. Certains de ces personnages semblent dès le début du XIXe siècle avoir tenté de réaliser — et d'autres de combattre ou d'absorber — la révolution démocratique bourgeoise et le programme d'industrialisation nationaliste au nom desquels certains intérêts politiques tentent de rallier un soutien populaire vers la fin du XXe siècle.

La période précédente avait préparé l'apparition de l'impérialisme et de ses nouvelles formes d'investissement extérieur tant dans la métropole qu'en Amérique latine ; en Amérique latine, le libre-échange et les réformes libérales, agraires et autres, avaient entraîné la concentration des terres entre un moindre nombre de mains, renforçant ainsi les rangs de la main-d'œuvre disponible, ouvriers agricoles et chômeurs, et mis au pouvoir des gouvernements qui dépendaient de la métropole et ouvraient maintenant la porte non seulement à un commerce métropolitain accru, mais encore au nouveau financement par investissements impérialistes qui ne tarda pas à mettre à profit cette situation nouvelle.

La nouvelle demande métropolitaine de matières premières et l'intérêt que présentaient leur production et leur exportation en Amérique latine même, attirèrent les capitaux d'Amérique latine, tant privés que publics, dans l'entreprise d'expansion de l'infrastructure nécessaire à cette production pour l'exportation. Au Brésil, en Argentine, au Paraguay, au Chili, au Guatemala, au Mexique (à ma connaissance, mais ce fut probablement aussi le cas d'autres pays), la première voie ferrée fut construite avec des capitaux nationaux, publics ou privés. Au Chili, ce furent des capitaux nationaux qui permirent de mettre en exploitation les mines de nitrate et de cuivre qui devaient assurer l'essentiel de l'approvisionnement mondial en engrais commerciaux et en métal rouge. Au Brésil, des capitaux nationaux financèrent les plantations qui devaient fournir le café pour ainsi dire partout dans le monde. Il en alla de même ailleurs. C'est seulement lorsque l'affaire se fut révélée florissante et que la Grande-Bretagne dut trouver des marchés pour son acier que les capitaux étrangers pénétrèrent dans ces secteurs et que leurs détenteurs devinrent propriétaires et directeurs de ces entreprises en achetant, souvent avec des capitaux d'Amérique latine, les concessions des nationaux.

En Amérique latine, ce même commerce et ce même financement impérialistes provoquèrent un accroissement énorme du volume de la production, du commerce et des profits. Près de 10 milliards de dollars y furent accumulés sous forme d'investissements. La métropole impérialiste se servit du commerce et du financement extérieur pour pénétrer bien plus totalement l'économie de l'Amérique latine et pour exploiter le potentiel productif de ce satellite bien plus efficacement et bien plus à fond que la métropole coloniale n'avait jamais su le faire. Comme le notait Rosa Luxemburg, à propos d'un autre pays où s'est déroulé un processus analogue : « Si l'on fait abstraction de tous les échelons intermédiaires qui masquent la réalité, on peut ramener ce rapport au fait que l'économie paysanne égyptienne a été engloutie dans une très large mesure par le capital européen. D'immenses étendues de terres, des forces de travail considérables et une masse de produits transférés à l'Etat sous forme d'impôts, ont été finalement transformés en capital européen et accumulés. » (Luxemburg, t. II.)

En Amérique latine, l'impérialisme alla plus loin. Non seulement il usa de l'Etat pour envahir l'agriculture, mais encore il s'empara de la presque totalité des institutions économiques et politiques afin d'intégrer l'économie tout entière au système impérialiste. Le développement des latifundia, surtout en Argentine, en Uruguay, au Brésil, à Cuba, au Mexique et en Amérique centrale, prit un rythme et des proportions inconnus jusqu'alors. Avec l'aide des gouvernements d'Amérique latine, des étrangers entrèrent en possession d'immenses étendues de terre — généralement pour une bouchée de pain. Là où ils ne devenaient pas possesseurs de la terre, ils en obtenaient de toute façon le produit, car la métropole établit également son monopole sur la commercialisation des produits agricoles et de la plupart des autres produits. La métropole s'empara des mines d'Amérique latine et en augmenta la production, épuisant parfois en quelques années des ressources irremplaçables (cas des nitrates chiliens). Pour faire sortir ces matières premières d'Amérique latine et pour y faire entrer son matériel et ses marchandises, la métropole poussa à la construction de ports, de voies ferrées, et à la création d'entreprises d'intérêt public pour assurer l'entretien de ces installations. Loin de ressembler à des réseaux, le réseau ferré et le réseau électrique rayonnaient de façon à relier l'*hinterland* de chaque pays, et parfois de plusieurs pays, au port d'entrée et de sortie, lui-même relié à la métropole. Aujourd'hui, au bout de près de quatre-vingts ans, cette structure d'export-import subsiste dans une certaine mesure, parce que c'est encore ainsi que les voies sont posées, mais surtout parce que les détenteurs des droits acquis nés du développement urbain, économique et politique axé sur la métropole, que l'impérialisme a engendré en Amérique du XIXe siècle, se sont efforcés au XXe siècle d'entretenir et d'étendre ce développement du sous-développement de l'Amérique et qu'ils y sont parvenus avec l'appui de la métropole.

S'étant implantée à l'époque coloniale, ayant renforcé son emprise pendant l'ère du libre-échange, la structure du sous-développement fut consolidée en Amérique latine par le commerce et le financement impérialistes du XIXe siècle. L'économie de l'Amérique latine fut convertie en une économie centrée sur l'exportation d'une seule matière première, tandis que le prolétariat, ou même *lumpenprolétariat* rural, employé sur les latifundia ou frappé d'expropriation, était exploité par une bourgeoisie satellisée qui agissait par l'intermédiaire de l'Etat corrompu d'un pays qui n'avait de pays que le nom : le « Mexique barbare » (Turner) ; les « républiques de la banane » d'Amérique centrale, qui ne sont pas les magasins des sociétés capitalistes mais leurs « pays » ; « L'inexorable évolution du latifundium à Cuba : surproduction, dépendance économique et pauvreté croissante » (Guerra y Sanchez) ; « L'Argentine britannique » et le « Chili, cas pathologique » dont l'historien Francisco Encina écrivait en 1912 dans l'ouvrage intitulé *Nuestra Inferioridad Economica : sus causas y consecuencias* : « Depuis quelques années, notre développement économique manifeste des symptômes caractéristiques d'un véritable état pathologique. Jusqu'au milieu du XIXe siècle, le commerce extérieur du Chili se trouvait presque exclusivement entre les mains de Chiliens. En moins de cinquante ans, le négociant étranger a tué dans l'œuf notre commerce extérieur ; au Chili même, il nous a éliminés du commerce international et nous a pour une large part supplantés dans le commerce de détail [...] La marine marchande est en proie à de terribles difficultés et continue de céder du terrain aux marines étrangères, même pour le commerce de cabotage. La plupart des compagnies d'assurances qui opèrent chez nous sont des succursales de sociétés étrangères. Les banques nationales continuent de céder du terrain aux succursales de banques étrangères. Une proportion de plus en plus grande des obligations émises par les instituts d'épargne passe aux mains d'étrangers résidant à l'étranger. »

Avec le développement de l'impérialisme au XIXe siècle, l'investissement étranger en vint à jouer un rôle presque aussi important que celui du commerce extérieur dans l'entreprise qui consistait à atteler l'Amérique latine au char du développement capitaliste et à transformer son économie, sa société et sa politique jusqu'à ce que la structure du sous-développement y fût solidement implantée.

Le nationalisme bourgeois.

La Première Guerre mondiale avait donné un répit aux économies satellites d'Amérique latine, les soulageant de l'étreinte du commerce et du financement extérieurs et relâchant leurs autres liens avec la métropole. Aussi, comme ils l'avaient fait auparavant et devaient encore le faire par la suite, les pays d'Amérique latine suscitèrent-ils le développement de leur propre industrie, essentiellement pour les besoins du marché intérieur des biens de consommation. A peine la guerre eut-elle pris fin que l'industrie des Etats-Unis gagna précisément les régions et les secteurs que les nationaux venaient d'ouvrir à l'industrie et dont ils avaient démontré la rentabilité, en particulier les régions de Buenos Aires et de São Paulo où étaient établies les industries de biens de consommation. Là, les gigantesques sociétés américaines et britanniques usèrent de leur puissance financière, technique et politique pour évincer l'industrie nationale et même pour s'y substituer, c'est-à-dire la chasser du pays. Il en résulta naturellement des crises de la balance des paiements ; on y fit face au moyen d'emprunts à l'étranger, qui devaient couvrir les déficits des pays d'Amérique latine et permettre d'extorquer aux gouvernements de ces pays des concessions destinées à renforcer la pénétration de la métropole dans les économies d'Amérique latine.

Le krach de 1929 entraîna une importante réduction du financement extérieur ainsi que du volume du commerce extérieur et des prix et, par conséquent, un net ralentissement des transferts en métropole des ressources investissables du satellite. Ce relâchement des liens économiques entre le satellite et sa métropole, accompagné d'une baisse de l'influence politique de la métropole en Amérique latine, fut provoqué par la crise de 1930, entretenu par la récession de 1937 et maintenu jusqu'au début de la période 1950-1960 sous l'effet de la Seconde Guerre mondiale et des reconstructions qu'elle nécessita. Il créa en Amérique latine des conditions économiques nouvelles et rendit possibles des transformations politiques ; ces conditions économiques et politiques firent que l'Amérique latine s'engagea dans une politique nationaliste et une campagne d'industrialisation indépendante, telles qu'elle n'en avait pas connues depuis la période qui suivit l'indépendance (1830-1850), et peut-être même de toute son histoire.

Il est essentiel de comprendre que les récentes transformations intervenues dans la structure de classes du Brésil, d'Argentine, du Chili, du Venezuela, du Mexique, et d'autres pays d'Amérique latine se sont produites à la fois dans le cadre de leur structure coloniale interne et externe et, dans une large mesure, en tant que réaction par rapport aux changements d'origine métropolitaine, changements qui affectaient leurs rapports coloniaux. Et il est important d'interpréter ces transformations de la structure de classes par rapport à la structure coloniale sous-jacente. Cette tâche doit également revenir en premier lieu aux chercheurs et aux intellectuels latino-américains qui sont parvenus à se libérer de l'adhésion politique et idéologique à l'ordre bourgeois impliquée par ces développements.

Le choc économique provoqué par la réduction massive de la capacité d'importation latino-américaine, la diminution des exportations de caractère industriel en provenance de la métropole et la réduction des investissements et des prêts étrangers, comme l'ensemble des phénomènes engendrés par la grande crise dans la métropole, entraînèrent d'importantes conséquences politiques et économiques en plusieurs points d'Amérique latine. Il est fondamental de comprendre à la fois l'étendue *et les limites* de ces conséquences avant de pouvoir saisir convenablement les problèmes politiques et économiques qui se posent aujourd'hui — et qui en découlent. En Amérique latine, la grande crise transforma à tel point le revenu national et sa répartition que la superstructure institutionnelle existante fut incapable de procéder aux ajustements nécessaires : des révolutions se produisirent à partir de 1930 au Brésil, en Argentine, au Chili, à Cuba ; et la révolution mexicaine de 1910, qui s'était pratiquement arrêtée, retrouva un souffle nouveau. L'activité révolutionnaire secoua d'autres points du continent. Les milieux exportateurs liés à la métropole furent contraints de former une coalition avec les groupements industriels encore faibles et (au moins dans le cas du Brésil) avec les nouveaux intérêts régionaux, dont les représentants s'introduisirent dans les gouvernements. Des contre-révolutions, représentant une partie des intérêts traditionnels furent tentées durant deux ou trois ans ; elles furent d'ailleurs partiellement victorieuses à Cuba et au Chili, mais elles échouèrent dans les trois principaux pays latino-américains. De manière générale (à l'exception de Cuba), la paralysie relative de l'intervention politique impérialiste et le relâchement des liens économiques coloniaux avec la métropole engendrés en Amérique latine par la dépression métropolitaine, eurent également pour effet de jeter les bases de nouveaux alignements de classes et de nouvelles politiques d'industrialisation. Tant que les gouvernements nationaux continuaient de protéger les intérêts liés à l'exportation (le cas le plus typique étant celui du gouvernement brésilien qui pratiquait une politique de soutien au prix du café), les représentants de ces intérêts étaient désormais d'accord (et même quelquefois fortement désireux) pour permettre la promotion de l'industrie locale — à une époque où la dépression avait, de toute façon, ruiné l'économie d'exportation.

Quelques pays latino-américains commencèrent à produire chez eux les biens de consommation précédemment importés. Mais ce processus de « substitution d'importations » portait en lui-même deux grandes limites, qui découlaient toutes deux de la structure de classes existante. En premier lieu, ces pays devaient partir de la répartition du revenu et de la structure de la demande existantes. En d'autres termes, ils devaient se concentrer sur les biens de consommation et, en premier lieu, sur les biens destinés au marché des hauts revenus. En l'absence d'une transformation majeure dans la structure de classes et dans la répartition du revenu, le marché interne ne pouvait s'étendre assez rapidement pour soutenir indéfiniment le processus de substitution des importations. Pour la même raison, ces pays ne pouvaient produire suffisamment d'outillages industriels ou biens de production (relevant du secteur I en termes marxistes) ; ainsi, ils furent de plus en plus contraints d'importer ces biens de l'extérieur afin de maintenir en fonctionnement le processus de substitution des importations. En d'autres termes, ils n'aboutirent qu'à remplacer certaines importations par d'autres importations. Ce phénomène aggrava leur dépendance par rapport à la métropole et conduisit à une reprise de l'investissement étranger. Pour éviter ces deux limites, ces pays latino-américains auraient dû suivre le modèle d'industrialisation soviétique dans lequel c'est l'Etat, plutôt que la demande du consommateur, qui détermine les biens qui seront produits en premier — en l'occurrence, les biens de production. Mais pour cela, ces pays auraient dû avoir un Etat soviétique, c'est-à-dire une structure de classes socialiste. Les combinaisons politiques locales des années trente purent durer quelque temps au-delà de la crise parce que la Seconde Guerre mondiale, bien qu'elle améliorât la situation de l'exportation, ne permettait pas encore la reprise des importations en provenance de la métropole. La fin de la guerre de Corée mit un terme à cette lune de miel latino-américaine au cours de laquelle les milieux coloniaux de l'exportation avaient connu un mariage agité avec les milieux bourgeois de l'industrie nationale et avec un prolétariat industriel grandissant, mariage dont le rejeton fut constitué par une industrie nationale malformée, l'impérialisme bénissant le tout du bout des lèvres.

Il est particulièrement important de comprendre le sens, non seulement du succès, mais également des limites de cette période, dans la mesure où des problèmes politiques majeurs de notre époque émanent de la survivance de ce « rejeton malformé » et des tentatives effectuées par certains pour lui redonner vie ou pour engendrer un semblable produit. Cette période vit l'épanouissement des mouvements politiques et idéologiques de Vargas, de Péron, de Cardenas, de Haya de la Torre, de Aguirre Cerda, de Betancourt, de Figueres, d'Arevalo-Arbenz (et l'on pourrait ajouter aussi de Ghandi et de Nehru, en un autre lieu colonial du même système mondial). Et ce fut l'époque du nationalisme économique, du développement national et quelquefois industriel, de la croissance numérique des travailleurs industriels urbains et des couches moyennes (*capas*), du réformisme démocratique, du *welfarisme*, du populisme, que l'on associe à ces noms (à l'exception de Haya qui n'occupa jamais le pouvoir et de Betancourt pour lequel cette analyse n'est valable qu'en ce qui concerne son premier passage à la présidence). Ces phénomènes appellent une étude plus approfondie qui devra plus particulièrement se pencher sur les différences de portée et de chronologie que l'on observe entre eux. Pourquoi par exemple, le péronisme et l'arevalo-arbenzisme apparaissent-ils si tardivement dans cette période par rapport aux évolutions semblables du Brésil, du Chili et du Mexique ?

Il est tentant de considérer ces phénomènes comme étant l'œuvre de la bourgeoisie nationale en Amérique latine, bourgeoisie qui a peut-être tenté de mettre en œuvre une version coloniale de la « révolution démocratique bourgeoise » ou du « mariage du seigle et du fer » sur le modèle de l'Allemagne bismarckienne ou du Japon de l'ère Meiji, en profitant de l'affaiblissement temporaire des liens coloniaux provoqué par la crise et la guerre dans la métropole impérialiste. Toutefois, s'il nous faut rechercher une révolution démocratique bourgeoise, il paraît plus exact sur le plan historique de la situer cent ans plus tôt, à l'époque où Francia, Lopez, Rosas (avant que celui-ci, comme Betancourt, ne change de bord), Juarez et, plus tard, Nabuco et Balmaceda symbolisaient essentiellement de semblables tentatives visant à un développement national et nationaliste.

Quelle que soit notre réponse à cette question, il est impératif de comprendre que ce développement industriel, ce nationalisme bourgeois, cette alliance de la classe ouvrière avec des éléments de la bourgeoisie nationale contre l'impérialisme de l'étranger et les milieux de l'exportation à l'intérieur, aussi bien que l'ensemble de la superstructure idéologique qui les accompagne ont constitué le produit de certaines circonstances historiques données, circonstances qui ont pris définitivement fin avec le relèvement de la métropole après la Seconde Guerre mondiale et avec les importantes transformations que la métropole et le reste du monde ont connues depuis, transformations qui comprennent en premier lieu la révolution technologique et la militarisation des Etats-Unis, la révolution et le développement socialistes dans certaines ex-colonies de la métropole. Ces événements, ces transformations dans la structure coloniale du système capitaliste mondial rendent impossible la continuation d'un tel développement nationaliste bourgeois en Amérique latine et donnent un aspect totalement utopique aux rêves qui parlent d'une relance de ce développement — ces rêves constituant évidemment une utopie pour la bourgeoisie et un suicide politique pour le peuple. Et cela reste vrai non seulement pour l'Amérique latine mais également — comme l'indique la réalité des récentes néo-colonies d'Afrique et d'Asie et plus particulièrement celle de l'Indonésie — pour l'ensemble du secteur colonial du système impérialiste.

Le néo-impérialisme.

Aujourd'hui l'impérialisme constitue certainement le principal ennemi de l'humanité. Mais comment une telle entité s'exprime-t-elle au cœur de la société latino-américaine actuelle ? Quelle forme l'ennemi y prend-il, et comment devons-nous le combattre ? Pour trouver les réponses à ces questions, il est utile d'examiner de manière plus approfondie les rapports complexes et changeants qui existent entre la structure de classes et la structure coloniale en Amérique latine. Nous pouvons amorcer cette tâche par l'examen de certaines questions posées par les transformations de la structure coloniale.

La relation coloniale de type classique existant entre la métropole et l'Amérique latine, relation dans laquelle l'exploitation de la seconde par la première se faisait principalement par la division productive du travail et l'échange monopoliste des biens fabriqués et des matières premières, est en train d'être remplacée ou tout au moins complétée par une nouvelle forme d'exploitation qui se réalise à travers l'investissement étranger et la prétendue aide extérieure. Au fur et à mesure que la métropole parvient, chez elle, à des formes de production d'une intensité capitaliste supérieure et d'un niveau technologique plus complexe, elle tend de plus en plus à remplacer l'échange international simple par l'investissement externe dans les succursales productrices de l'étranger qui produisent désormais localement les biens de consommation et certains biens de production antérieurement importés — avec toutefois un outillage et une technologie importés de la maison-mère (matrice ou *matriz*) située dans la métropole impérialiste. La perte de capital subie par les colonies latino-américaines en raison des termes de l'échange (et non seulement de la *détérioration* des termes de l'échange dont se plaignent la CEPAL et l'UNCTAD, mais aussi de l'exploitation monopoliste que ces termes de l'échange impliquent à leur niveau le moins défavorable, celui par exemple de la période de la guerre de Corée) se trouve ainsi de plus en plus aggravée par un flux additionnel de capital allant des colonies vers la métropole et constitué par les versements de profits, le service de la dette, les royalties, etc. Ainsi, en 1961-1963, les paiements effectués par l'Amérique latine au titre de ces « services financiers invisibles » ont représenté 40 % des recettes latino-américaines en devises ; et les paiements au titre des transports et autres services fournis par l'extérieur se sont élevés à 21,5 %, soit un total de 61,5 % de ses recettes en devises que l'Amérique latine a été obligée de consacrer à l'achat de services, à l'exclusion de toute importation de biens matériels. Cela a entraîné une dépense annuelle de 6 000 millions de dollars US soit 7 % du produit national brut (PNB) d'Amérique latine pour ces mêmes années. Il est intéressant de comparer ces données à la détérioration des termes de l'échange depuis le début des années 1950, détérioration qui constitue le grief principal formulé par la CEPAL et qui a représenté une perte (additionnelle) de 3 % pour le PNB latino-américain (Nations unies, p. 33) ; il est également utile de les comparer au volume global des dépenses latino-américaines en matière d'éducation, privée ou publique, de la maternelle à l'université, volume qui s'est élevé à 2,6 % de son PNB (Lyons, p. 63). Depuis cette époque, l'écoulement de capital imputable au service de la dette a augmenté de 15 à 19 % (en 1966) des recettes en devises étrangères, faisant ainsi passer le total des paiements de services à plus de 65 % des recettes en devises, soit presque 8 % du PNB — et il convient d'ajouter les 3 % (ou plus) que représente la détérioration des termes de l'échange et la perte, incalculable pour l'Amérique latine, provoquée par l'exploitation monopoliste de ces mêmes termes. Pourtant, cette fuite calculable de capital est elle-même trois ou quatre fois plus grande que celle qui est mentionnée dans la seconde déclaration de La Havane et dans les récentes estimations de Fidel. Il n'est donc pas étonnant que cette relation coloniale transforme l'excédent de la balance commerciale latino-américaine en un déficit chronique et croissant de la balance des paiements qui, suivant en cela un véritable cercle vicieux, rend la bourgeoisie latino-américaine de plus en plus dépendante de l'impérialisme. Ce problème, dont l'ampleur va croissant, mérite une étude bien plus poussée que celles dont il a fait l'objet à ce jour.

Il existe toutefois un élément plus néfaste encore que le drainage de capital : il s'agit de la structure du sous-développement avec les blocages et les distorsions qu'elle impose au développement national, structure que l'impérialisme renforce en Amérique latine par l'intensification de l'investissement étranger. Les mécanismes institutionnels, à travers lesquels s'effectue ce flux de capital allant des pauvres vers les riches, soulèvent également un certain nombre de questions. Quelle est l'origine de ce capital en Amérique latine et, plus particulièrement, comment s'opère le financement des investissements étrangers et surtout américains ? Il semble évident qu'une part sans cesse plus réduite du capital d'investissement « nord-américain » est amenée en Amérique latine à partir de l'Amérique du Nord, et qu'une part croissante de ce capital est dégagée en Amérique latine même.

Ainsi d'après le Department (ministère) of Commerce des Etats-Unis, sur le capital total obtenu et utilisé en opérations U.S. au Brésil en 1957, on comptait 26 % de capitaux en provenance des Etats-Unis, le reste provenant du Brésil, y compris 36 % en provenance de sources situées hors des entreprises U.S. (McMillan, p. 205). Cette même année, sur le capital américain directement investi au Canada, 26 % provenaient des Etats-Unis, alors que le reste était, là aussi, d'origine locale (Safarian, 235, 241, pour toute documentation concernant le Canada). A partir de 1964, cependant, la part des investissements U.S. au Canada en provenance des Etats-Unis était tombée à 5 %, portant ainsi la contribution U.S. moyenne au capital total utilisé par les sociétés U.S. au Canada durant la période 1957-1964 à 15 % seulement. Tout le reste de « l'investissement étranger » fut obtenu au Canada par le moyen de gains non distribués (42 %), de charges d'amortissement (31 %) et de fonds collectés par les sociétés U.S. sur le marché canadien des capitaux (12 %). D'après une étude portant sur les sociétés U.S. investissant directement au Canada au cours de la période 1950-1959, 79 % des firmes obtinrent plus de 25 % du capital nécessaire à leur activité canadienne au Canada même, 65 % obtinrent plus de 50 % au Canada, et 47 % des firmes U.S. ayant des investissements au Canada obtinrent la totalité du capital nécessaire à leur activité canadienne au Canada même. Il y a lieu de croire que cette tendance U.S. à compter sur le capital étranger afin de financer « l'investissement étranger » est plus forte encore dans les pays sous-développés pauvres qui sont bien plus faibles et plus vulnérables que le Canada. Telle est donc la source du flux de capital d'investissement des pays sous-développés pauvres aux pays développés riches.

Il n'est donc pas étonnant de constater qu'entre 1950 et 1965 le flux de capital imputable à l'investissement privé (d'après les chiffres donnés par l'U.S. Department of Commerce) a été de 9 000 millions de dollars U.S. dans le sens Etats-Unis vers le reste du monde (moins le Canada et l'Europe), et de 25 600 millions de dollars des pays d'Asie, d'Afrique et d'Amérique latine vers les Etats-Unis. Sur ces chiffres globaux, 3 800 millions de dollars U.S. sont allés des Etats-Unis vers l'Amérique latine et 11 300 millions d'Amérique latine vers les Etats-Unis. Il est donc nécessaire d'étudier de manière approfondie le système bancaire latino-américain (les banques d'Etat, les banques privées sous propriété nationale, et les banques privées appartenant à des milieux étrangers), les marchés de valeurs et les autres institutions financières, aussi bien que les entreprises industrielles et commerciales étrangères, nationales et, surtout, celles de nationalité mixte, qui rendent possible ce flux de capital.

Ce qui est surtout important, sur les plans aussi bien économique que politique, c'est l'association croissante du capital national et du capital étranger au sein de ces entreprises mixtes ; et il convient d'insister de manière toute particulière sur un point qui n'est guère étudié, l'émergence récente d'entreprises mixtes qui associent le capital étranger privé aux gouvernements nationaux latino-américains, comme c'est le cas pour la « chilianisation » du cuivre, qui procure la majeure partie du capital (probablement les Latino-Américains) ; qui détient déjà (ou qui obtient) le contrôle effectif des entreprises et qui, par conséquent, décide quels biens seront produits, quels outillages et quels processus productifs seront utilisés, à quel moment il faudra s'étendre ou se contracter, etc.

(probablement les Américains) ; et qui récolte l'essentiel des profits (probablement les Américains) ; et qui se retrouve face aux pertes quand les affaires vont mal (probablement les Latino-Américains) ? Quelles sont les conséquences *politiques* de cette association — ou plutôt de cette incorporation —, non plus seulement des intérêts latino-américains liés à l'exportation, mais également de la bourgeoisie industrielle latino-américaine, cette bourgeoisie « nationale » d'antan, avec — ou par — les monopoles impérialistes ? Certains pays latino-américains ont fait passer des lois exigeant une participation « nationale » de 49 ou de 51 % dans certaines entreprises, soi-disant afin de « protéger » l'intérêt national. Il est désormais évident que ces mesures n'ont servi qu'à soumettre les derniers éléments de bourgeoisie « nationale » à la bourgeoisie impérialiste. Ensuite, certains gouvernements bourgeois d'Amérique latine se sont proposé de « protéger » ou même « d'étendre » l'intérêt « national » en pénétrant eux-mêmes dans de telles associations mixtes. A cela, il ne peut y avoir qu'une seule conséquence : ces gouvernements coloniaux vont perdre le peu de pouvoir de négociation (*bargaining power*) qui leur restait dans leur association déjà trop inégalitaire avec l'impérialisme. Ce point exige également un effort accru de clarification politique et scientifique.

L'autre instrument de l'offensive économique et politique actuelle de l'impérialisme américain en Amérique latine est constitué par « l'aide extérieure » et plus particulièrement par les formes institutionnelles qu'elle adopte, dans le cadre de « l'alliance pour le progrès » et de « l'intégration économique ». Ces phénomènes ont été dénoncés par la gauche en Amérique latine (encore que l'intégration ne l'ait jamais été résolument) ; mais ils n'ont en aucune façon fait l'objet d'une analyse adéquate. Qui est exactement l'allié de qui, et qui reçoit l'aide de qui ? Il semblerait, et ce point mérite des recherches complémentaires, qu'une grande partie de l'aide n'atteint même pas la bourgeoisie latino-américaine et, *a fortiori*, le peuple latino-américain, pour se diriger vers les firmes américaines qui opèrent en Amérique latine. Si la bourgeoisie latino-américaine entend bénéficier de cette fraction de l' « aide », elle ne peut le faire qu'en s'associant à ces monopoles impérialistes. En conséquence, quelle est la nature exacte du rapport qui existe entre cette aide et l'investissement extérieur ? Ce que l'on dénonce le plus, ce sont les conditions d'ordre monétaire ou fiscal ou bien celles relevant de la politique salariale ou commerciale qui se rattachent aux prêts étrangers accordés par les agences des Nations unies et des Etats-Unis et, plus spécialement, par le Fonds monétaire international. Pourtant ces politiques sont profitables non seulement pour la bourgeoisie impérialiste, mais aussi pour la plupart des secteurs de la grande bourgeoisie latino-américaine qui les acceptent et les exécutent avec empressement — comme c'est le cas pour la dévaluation. Pourquoi ? Quelles sont les implications politiques de la chose ?

L'Alliance pour le progrès commença par émettre une propagande intensive concernant les réformes agraires, fiscales et autres, qui avaient été antérieurement mises en avant par les secteurs les plus progressistes et les plus nationalistes de la bourgeoisie latino-américaine et qui, plus récemment, avaient fait l'objet de recommandations de la part de leur porte-parole idéologique, la commission économique des Nations unies pour l'Amérique latine (CEPAL). Toutefois, ces propositions de réformes devaient bientôt être reléguées aux archives, avec les « plans » économiques qui s'y attachaient (pour des raisons que nous examinerons plus loin) ; et l'on ne parle plus désormais que de propositions visant à accélérer la formation d'un marché commun « latino-américain », comme cela a été confirmé au cours de la dernière réunion présidentielle « interaméricaine » tenue à Punta del Este en 1967. Cette dernière proposition jouit, aux yeux des Etats-Unis, des grandes bourgeoisies des principaux pays latino-américains et des gouvernements qui les servent (y compris celui du « nationaliste » Frei), d'un degré de réalisme économique bien plus grand et d'un soutien politique bien plus actif. Il est manifeste qu'il est bien plus réaliste d'essayer de développer l'industrie en réajustant la structure coloniale à l'étranger qu'en faisant subir des réformes à la structure de classes à l'intérieur de ces pays latino-américains — surtout si au cours de ce processus le degré de monopole et le volume de profit monopoliste peuvent être accrus aux dépens d'une bourgeoisie moyenne déjà faible et des classes populaires, c'est-à-dire grâce à ce qui constitue en dernière analyse une contre-réforme de la structure de classes interne des pays latino-américains. Il convient de noter que cette proposition d' « intégration économique » jouit également de la bénédiction de ce défenseur des intérêts de la bourgeoisie prétendue « nationale », la CEPAL. Et pourtant, on ne compte guère qu'une demi-douzaine d'articles, et pas une seule étude sérieuse, sur les fondements économiques, les conséquences et les implications politiques de cette tentative d'intégration économique — et partant, politique et militaire — par les bourgeoisies impérialistes et latino-américaines. Qui fera la *Patria America,* et sur quelles bases ? L'impérialisme ou la révolution ?

La structure de classes.

Quelle est donc la structure de classes en Amérique latine et comment la lutte de classes et le combat anticolonial pourront-ils déboucher sur le socialisme ? Il est possible d'examiner tour à tour la structure de classes au niveau national, urbain, et rural. Le plus souvent, les gouvernements « nationaux » sont encore plus coloniaux que les bourgeoisies qu'ils représentent. Il paraît légitime de se demander — et, dans le cas de l'Afrique contemporaine, la chose ne fait guère de doute — dans quelle mesure des Etats nationaux, au sens classique du terme, ont-ils existé en Amérique latine depuis l'indépendance, et dans quelle autre mesure les rouages étatiques n'ont-ils pas constitué, le plus souvent, de simples instruments d'une coalition réunissant la bourgeoisie métropolitaine et les principaux secteurs des bourgeoisies latino-américaines, secteurs qui n'ont d'ailleurs jamais été que les associés mineurs ou même seulement les exécutants de l'impérialisme. Des gouvernements militaires ont été installés pour gérer les affaires de l'Etat au nom de ces intérêts, chaque fois que les gouvernements civils étaient incapables de le faire. (Le cas des récents gouvernements militaires du Brésil et de l'Argentine sera abordé plus loin.)

La bourgeoisie agricole et minière dont les intérêts sont liés à l'exportation doit son existence et sa survie à la structure coloniale et sa loyauté est acquise à ses patrons coloniaux. Cela est vrai à la fois de son secteur productif et de son secteur commercial, à la campagne comme à la ville. L' « oligarchie » latifundiaire n'a pas d'existence indépendante et nous devons en fait nous demander — comme nous le faisons ci-dessous — dans quelle mesure il est même possible de l'identifier de manière distincte par rapport à la bourgeoisie commerciale et — désormais — industrielle. Cette dernière fraction de la bourgeoisie a été elle aussi — ainsi qu'il ressort de l'étude de l'investissement étranger — solidement intégrée à la coalition entre l'impérialisme et ses partenaires et exécutants des bourgeoisies compradore et bureaucratique d'Amérique latine. Depuis le milieu des années cinquante, la combinaison de la pénétration impérialiste, du déclin des termes de l'échange, de la dévaluation et de la réduction consécutive de la capacité d'importer des outillages industriels, a pratiquement contraint le producteur industriel « national » moyen et ses distributeurs à se retirer des affaires ou à être absorbé par l'empire économique d'un « investisseur » étranger. Alors, l'entreprise étrangère le transforme souvent en un véritable employé bureaucratique de la firme impérialiste dans laquelle il peut « continuer » en étant le « directeur » ou le « conseiller » de son ancienne entreprise, en échange d'un traitement ou d'un lot d'actions de la firme impérialiste. Quelle fraction de la bourgeoisie nationale qui s'est développée dans des conditions particulières durant les années trente ou quarante a-t-elle pu survivre à ce processus au cours des années cinquante ou soixante ? Quel pouvoir politique ceux qui survivent — s'il y en a — détiennent-ils encore pour s'en servir dans la lutte anti-impérialiste, alors que la pression impérialiste les oblige, comme c'est le cas au Brésil, à réagir en accentuant à leur tour la pression sur leurs ouvriers, ce qui ne peut manquer de saper leur alliance politique d'antan avec le prolétariat industriel syndicalisé, alliance qui constituait justement pour la bourgeoisie nationale l'une des sources principales de son pouvoir politique !

Le développement industriel a engendré dans certains pays latino-américains un prolétariat industriel important. Tel est également le cas pour l'activité extractive et l'industrie du pétrole, encore que cette dernière n'ait jamais compté une fraction importante de la force de travail. Ce prolétariat industriel et, en premier lieu, celui de la grande industrie a été partiellement syndicalisé sous l'égide de la bourgeoisie nationale (qui voulait s'assurer à la fois le soutien politique de ce mouvement ouvrier et un contrôle sur lui) et les partis communistes ont été, dans une grande mesure, les alliés de cette bourgeoisie nationale. Les ouvriers industriels syndicalisés, bien qu'étant exploités, étaient souvent récompensés par des revenus salariaux relativement élevés et par une sécurité sociale pratiquement impossible à obtenir pour la plupart des autres couches populaires.

Etant donné que la métropole exerce son droit de préemption sur une fraction croissante des affaires les plus rentables et condamne ce dont elle ne veut pas à des difficultés économiques de plus en plus grandes, la bourgeoisie d'Amérique latine, qui vit de ces affaires moins rentables, n'a pas d'autre ressource que de lutter pour survivre, même si c'est en vain, en agissant sur les salaires et sur les prix de façon à exploiter davantage la petite bourgeoisie, les ouvriers et les paysans, à tirer encore un peu de sang de la pierre ; dans certains cas, elle doit, pour arriver à ses fins, recourir directement à la force armée. C'est pour cette raison — sans nul doute plus que par idéalisme ou même par idéologie — que la bourgeoisie d'Amérique latine est presque tout entière jetée dans l'alliance politique, autrement dit dans les bras de la bourgeoisie métropolitaine ; l'une et l'autre ont intérêt à la défense de l'exploitation capitaliste, non seulement à longue échéance, mais encore à court terme ; même à court terme, la bourgeoisie d'Amérique latine ne peut être nationale ou défendre des intérêts nationalistes en contractant alliance avec les ouvriers et les paysans — comme le voudrait la politique de front populaire — pour s'opposer aux empiétements de l'étranger, parce que ces mêmes empiétements du néo-impérialisme la contraignent à exploiter de plus en plus durement les ouvriers et les paysans, ses alliés présumés, et par conséquent à renoncer à la seule possibilité d'alliance politique qui lui reste. La bourgeoisie d'Amérique latine ne peut pas s'assurer l'appui des travailleurs contre la bourgeoisie de la métropole tout en adoptant une politique de prix et de salaires qui mène au renforcement de l'exploitation et en réprimant les travailleurs lorsqu'ils exigent en toute légitimité qu'il soit mis un terme à cette exploitation. D'autre part, cette exploitation, économiquement inefficace, influe défavorablement sur l'épargne intérieure destinée à l'investissement, si bien que la bourgeoisie doit demander à l'étranger les capitaux destinés au financement immédiat.

Comme nous l'avons noté plus haut, la bourgeoisie brésilienne tente de s'en tirer autrement : il y a d'abord eu la politique étrangère « indépendante » des présidents Quadros et Goulart (qui cherchaient de nouveaux marchés en Afrique, en Amérique latine et dans les pays socialistes) ; maintenant que cette solution s'est révélée inapplicable dans un monde déjà soumis à l'impérialisme, il y a la politique étrangère sous-impérialiste « d'interdépendance » dans laquelle s'est engagé l'actuel gouvernement militaire qui joue le rôle d'associé subalterne des Etats-Unis. Ce sous-impérialisme nécessite le maintien de bas salaires au Brésil afin que la bourgeoisie brésilienne puisse se présenter sur le marché d'Amérique latine avec de bas prix de revient, car elle n'a pas d'autre atout, à part l'outillage encore moderne, quoique dépassé, que lui ont fourni les Etats-Unis. Dans les pays d'Amérique latine soumis à ce sous-impérialisme, l'invasion brésilienne a également pour conséquence la baisse des salaires, la seule mesure défensive à laquelle la bourgeoisie locale puisse avoir recours. Ainsi le sous-impérialisme aggrave lui aussi dans chacun de ces pays les contradictions entre la bourgeoisie et la classe ouvrière.

Par conséquent, le néo-impérialisme et le développement du capitalisme de monopole en Amérique latine amènent la classe bourgeoise de ce continent tout entière — y compris ses secteurs compradore, bureaucratique et national — à une alliance économique et politique de plus en plus étroite avec la métropole impérialiste et à une dépendance de plus en plus accusée à l'égard de celle-ci. C'est donc aux peuples d'assumer la tâche politique qui consiste à mettre fin au développement du sous-développement.

Dans de telles conditions, quel est l'avenir économique et politique de ce prolétariat industriel et de ses organisations politiques ? Le récent marasme économique d'une grande partie de l'Amérique latine s'est traduit entre autres choses par une baisse des salaires réels de ces ouvriers. Ce phénomène, joint au déclin de la bourgeoisie nationale, semble avoir sérieusement sapé cette alliance bourgeois-ouvriers. Les coups d'Etat de 1964 et 1966 au Brésil et en Argentine, loin d'être de simples révoltes de palais dans le style latino-américain « traditionnel » ont pratiquement détruit ce qui restait d'un mariage instable entre les intérêts bourgeois, coloniaux et nationaux, datant de Vargas et de Péron et ont en fait cimenté le mariage entre les milieux impérialistes-exportateurs étrangers et la bourgeoisie commerciale et industrielle. (Sur le plan international, ces coups d'Etat correspondent à la contre-offensive mondiale de l'impérialisme, qui comprend également les putsches africains et indonésien.) Ce nouveau régime bourgeois continuera-t-il de réprimer les exigences démocratiques d'ordre politique et économique formulées par les travailleurs de l'industrie, comme c'est le cas au Brésil, ou tentera-t-il et réussira-t-il à coopter le mouvement ouvrier comme l'avait déjà fait la bourgeoisie nationale, selon le modèle mexicain ? Et quelle sera la voie suivie par les travailleurs et leur mouvement dans les autres pays latino-américains ? Les partis communistes dont l'essentiel du pouvoir politique repose sur cette base d'ouvriers syndicalisés ont-ils été effectivement et bureaucratiquement intégrés à *l'establishment* bourgeois ? Quel sera le rôle des travailleurs de l'industrie et des partis communistes à l'étape actuelle du processus révolutionnaire ?

Il existe encore deux autres « secteurs » urbains, les (ou la) « classe(s) » moyenne(s), ou petite-bourgeoisie, et la population « marginale », « flottante », qui provient en partie — mais en partie seulement — des zones rurales et qui habite dans les *favelas,* les *villas miserias,* les *callampas,* les *barriadas,* les *ranchos,* etc., et dans les *conventillos* situés à l'intérieur des villes (bien qu'une partie de cette population comprenne aussi des travailleurs ou des ex-travailleurs de l'industrie). Ces secteurs comprennent la grande masse, toujours croissante, de la population urbaine. Il n'est pas fortuit de constater que ces groupes démographiques sont généralement définis par leur situation *au milieu* des autres classes et/ou par leur lieu de résidence. Cela s'explique par le fait que leurs relations par rapport aux moyens de production ou même par rapport au procès de production sont — au mieux — incertaines, leur comportement politique étant, dans le pire des cas, extrêmement inconstant. En d'autres termes, ces secteurs sont tous deux caractérisés par des ensembles de rapports économiques et sociaux et de comportements politiques extrêmement complexes et changeants, structures qui exigent une analyse scientifique extrêmement poussée. Ces couches moyennes, ou certaines fractions d'entre elles, sont-elles politiquement progressistes parce que (à l'exception des couches aisées des classes moyennes) leur revenu est comprimé et leur horizon économique et social se trouve restreint par la polarisation de l'économie et la stagnation d'une grande partie de ses secteurs ? Ou bien est-il plus exact d'affirmer que la diminution de leur revenu et la menace de la prolétarisation leur font adopter des comportement politiques réactionnaires à travers l'alliance avec la grande bourgeoisie et son régime militaire ? De larges fractions de la classe moyenne ont soutenu avec enthousiasme les putsches militaires, au Brésil et ailleurs, pour connaître d'amères désillusions au vu des politiques économiques du nouveau régime. Pourquoi cette « classe » moyenne engendre-t-elle des mouvements progressistes petits-bourgeois et plus spécialement les mouvements étudiants qui, à ce jour, ne sont toutefois pas représentatifs de la majorité de leur base sociale ? Est-il vraiment juste de freiner la lutte de classes afin de maintenir ou d'attirer ces groupes sociaux dans une lutte électorale « anti-impérialiste », ou bien des secteurs sans cesse plus larges de la petite-bourgeoisie doivent-ils être menés à l'opposition politique contre la grande bourgeoisie latino-américaine et, partant, contre l'impérialisme ?

La population « flottante » ou « marginale », qui représente peut-être bien la moitié de la population urbaine d'Amérique latine (qui elle-même se rapproche de la moitié de la population totale de la région) est-elle un *lumpenproletariat* ? Ses membres sont-ils vraiment intouchables sur le plan idéologique et inertes et inorganisables sur le plan politique ? Tel n'est certes pas l'avis de la bourgeoisie et de l'impérialisme qui n'ont réussi que trop bien à les faire servir leurs visées politiques, ainsi qu'en témoigne partiellement le soutien électoral accordé par ces groupes à Odria, Frei, Adhemar de Barros, etc. Et pourtant, à Caracas, la gauche a pu mobiliser une partie de cette population, qui à Saint-Domingue a fini par soutenir le colonel Caamano.

En ce qui concerne la structure de classes à la campagne, la première et la plus importante question à poser est sans doute la suivante : dans quelle mesure cette structure est-elle distincte et différente de la structure de classes urbaine et nationale en Amérique latine ? L'importance de cette question découle de la réponse quasi universelle qui est donnée par les scientifiques et les leaders politiques aussi bien marxistes que bourgeois, et selon laquelle une grande partie des campagnes latino-américaines se trouve encore dans un autre monde « semi-féodal », à l'écart du système capitaliste urbain, national, et international ; elle découle également de la ligne politique associée à cette vision des choses. L'Amérique latine connaît-elle vraiment une économie et une société « dualistes », comprenant un secteur dans lequel « survit » un ensemble de rapports de production féodaux ou semi-féodaux et même une structure de classes non capitaliste ? Cette « survie » appelle-t-elle vraiment une révolution démocratique bourgeoise ou même une révolution démocratique nationale afin d'étendre le capitalisme à la campagne ? Ou bien s'agit-il là de l'un des modèles « marxistes », prétendument révolutionnaires et scientifiques, « portant le numéro 12, ou 13, ou 14 », que Fidel a dénoncés dans son discours de l'OLAS comme constituant un catéchisme révolutionnaire ?

L'histoire aussi bien que la réalité contemporaine, dont nous avons recommandé ci-dessus l'étude scientifique, suggèrent qu'au cours des quatre derniers siècles, c'est la structure capitaliste coloniale, mondiale et nationale qui a façonné les rapports de production et la structure de classes des campagnes latino-américaines. Par conséquent, cette fraction de la société n'a jamais été séparée des métropoles capitalistes mondiales et nationales ; et si elle est restée différente du reste de la société, c'est parce que les intérêts bourgeois des métropoles l'ont souhaité et l'ont imposé. L'Amérique latine rurale a été exploitée colonialement par la métropole capitaliste mondiale, à la fois directement et indirectement, par l'intermédiaire des métropoles nationales latino-américaines. Ces dernières soumettent leur *hinterland* rural (et urbain) au même type d'exploitation coloniale « interne » et à la même saignée de capital que ceux qu'ils subissent de la part de l'impérialisme. La bourgeoisie dans la métropole nationale collabore avec l'impérialisme dans le cadre de l'exploitation coloniale et de l'exploitation de classe de son propre peuple. Et les fractions de la bourgeoisie qui possèdent les latifundia et qui exercent un contrôle de type monopoliste sur les échanges intérieurs constituent évidemment une partie intégrale de ce système de classes capitaliste et colonial. Loin de nous demander quel est le degré d'isolement et de « féodalisme » de cette « oligarchie » rurale, nous devons chercher à comprendre comment la bourgeoisie latifundiste (si tant est qu'elle soit rurale) se rattache commercialement aux principaux monopoles commerciaux et industriels des villes ; dans quelle mesure le monopole foncier ne repose-t-il pas sur la propriété des mêmes personnes, familles ou firmes qui détiennent déjà les monopoles commerciaux et industriels ; dans quelle mesure les latifundistes tirent-ils leur revenu de la production agricole sur leur terre et dans quelle autre mesure leur monopole de la propriété foncière ne rend-il pas tout simplement possible l'exploitation commerciale, financière et politique de ceux qui travaillent sur le latifundium et sur les terres avoisinantes ? Mais cela nous amène une fois de plus à nous demander comment l'exploitation capitaliste coloniale engendre et maintient les rapports de production au niveau du latifundium et la structure de classes dans le cadre des campagnes latino-américaines qui peuvent sembler superficiellement « féodales », mais qui rendent possible cette exploitation capitaliste. Enfin, nous devons poser la question de savoir qui souhaite la transformation de ces rapports de production — et il ne s'agit certainement pas de la grande bourgeoisie latino-américaine — et comment cette transformation doit-elle se faire — et là encore il ne s'agira sûrement pas d'une révolution démocratique bourgeoise « antiféodale » ou « anti-impérialiste ».

Quelle est par conséquent en Amérique latine la nature exacte du rapport essentiel qui existe entre les grands propriétaires fonciers-marchands et ceux qui travaillent la terre ? Ces derniers constituent-ils une paysannerie libre ou bien assujettie au servage ? Nous pensons qu'un examen plus approfondi de la question révélera qu'en dépit de la multitude des formes de rémunération qui existent entre ceux qui possèdent et ceux qui travaillent la terre, la relation essentielle entre eux est constituée — comme c'est le cas dans l'industrie — par l'exploitation des travailleurs, qui sont dépourvus des moyens de production indispensables par ceux qui possèdent ces moyens. Nos connaissances sont terriblement insuffisantes en ce qui concerne la grande variété de formes de rapports que l'on rencontre, plus particulièrement pour les vastes étendues du Brésil (comme le Nord-Est), de l'Argentine, des Caraïbes, mais aussi pour les pays à population indienne comme le Pérou et le Guatemala dans lesquels de larges fractions de la population rurale sont constituées essentiellement par des ouvriers agricoles — qui forment un véritable prolétariat rural — travaillant en échange de ce qui est en fait un salaire (même si celui-ci est faible et variable) au cours de migrations qui les conduisent d'exploitation en exploitation, de région en région et même vers d'autres pays (comme c'est le cas pour les *braceros* mexicains) quand les conditions économiques et climatiques l'exigent. Ils ne travaillent d'ailleurs pas seulement pour les grands propriétaires fonciers. Ils travaillent quand ils peuvent et où ils peuvent, que ce soit ou non dans le cadre de l'agriculture. Et ils sont embauchés également par des propriétaires moyens, ou par de petits propriétaires ou même par des tenanciers qui s'en servent quelquefois pour réaliser le quota de travail qu'ils doivent à leurs propriétaires. Quelle est la nature de cette structure complexe d'exploitation ? Dans quelle mesure ce prolétariat rural s'intéresse-t-il à la terre plutôt qu'à des salaires plus élevés et à une sécurité de l'emploi plus grande ? Et dans quelle mesure les petits propriétaires et petits tenanciers qui sont eux-mêmes exploités, mais qui embauchent une main-d'œuvre salariée, ont-ils intérêt à empêcher les salaires de s'élever et à bloquer les lois instituant des salaires minimaux dans les zones rurales, de peur de voir leur position compétitive affaiblie par rapport aux monopoles qui, mieux lotis en terre, peuvent se permettre plus facilement de telles augmentations de rémunération de la force de travail ? Dans quelle mesure ces petits propriétaires et ces tenanciers ne sont-ils pas eux-mêmes des travailleurs salariés — ayant intérêt à voir les salaires s'élever — et/ou des marchands — intéressés par la hausse ou la baisse des prix —, dans la mesure où la terre qu'ils possèdent, ou qu'ils louent, ou qu'ils occupent en tant que métayers, ne suffit pas à la survie de leur famille ? Dans quelle mesure les propriétaires des exploitations de taille moyenne ne sont-ils en aucune façon des paysans, mais bien plutôt des commerçants, des employés, des petits bourgeois ruraux et urbains qui cherchent à arracher le maximum à ceux qui travaillent leur terre ? Certains prétendent que les petits propriétaires et les tenanciers sont susceptibles d'être mobilisés politiquement bien avant les prolétaires ruraux, et l'expérience révolutionnaire semble leur donner raison. Mais d'autres prétendent l'inverse. Dans de telles conditions, où faut-il amorcer le travail politique, avec quels slogans, avec quels alliés ?

Les Indiens latino-américains sont censés vivre dans un monde à part. Il est vrai que chaque fois qu'ils le peuvent, ils essayent de préserver leur culture en opposant à l'intrus le front commun d'une communauté structurée. Il s'est agi là de leur meilleure protection — qui s'est d'ailleurs révélée inadéquate dans le meilleur des cas — contre l'exploitation qu'ils subissent après avoir été rabaissés aux niveaux les plus bas de la structure coloniale-interne et de la structure de classes. Loin d'être placés à l'extérieur de la structure coloniale et de la structure de classes, ils en sont les membres les plus intégralement exploités. En tant que tels, ils éprouvent de justes soupçons (fondés sur une expérience quatre fois centenaire) concernant toutes les propositions visant à éliminer l'exploitation qu'ils subissent au moyen de réformes venues d'en haut. Cela signifie-t-il qu'ils ne s'intégreront pas à la lutte révolutionnaire de base, s'ils en viennent à la percevoir comme telle — et si elle devient suffisamment révolutionnaire pour permettre et justifier une telle perception ? La réalité historique nous démontre que l'Indien peut être politiquement mobilisé, comme ce fut le cas au Guatemala ; qu'en fait les mouvements de masse à la base peuvent mobiliser le *leadership* révolutionnaire et l'entraîner vers une action plus militante, comme ce fut le cas en Bolivie en 1952. La question n'est pas tant de savoir si l'Indien participera à la lutte, mais plutôt de savoir si les cadres révolutionnaires seront capables de canaliser cette participation vers la révolution ou si, au contraire, ils ne la ramèneront pas en arrière vers la réforme et la réaction.

Ce point soulève d'autres questions concernant les organisations révolutionnaires et réformistes à la campagne — et leurs rapports avec l'organisation politique de la révolution au niveau de la ville, de la nation, du continent, et du monde entier.

A ce jour, les chaînons les plus faibles du capitalisme mondial se sont trouvés non pas dans la structure de classes métropolitaine, mais dans la structure coloniale impérialiste. C'est au niveau de cette dernière structure que les révolutions soviétique, chinoise, cubaine se sont produites. A l'heure actuelle, où se trouvent donc les maillons les plus faibles de la structure coloniale du monde et de l'Amérique latine ? Que poursuit la bourgeoisie impérialiste et latino-américaine en essayant de renforcer ces maillons par le développement communautaire, la santé, l'éducation, la « réforme agraire » et d'autres programmes encore que le Che qualifia de « latrinisation » de l'Amérique latine à la conférence de l'Alliance pour le progrès à Punta del Este ? Jusqu'où peut-on mener ces programmes — le dernier effort en date consistant à améliorer encore à la campagne la réputation des forces d'occupation militaire en Amérique latine en entreprenant des versions latino-américaines du programme de « participation » impérialiste au Vietnam — et quel effet pourront-ils avoir, sinon l'accélération du développement économique au moins sur le freinage du développement politique à la campagne ?

Si nous parvenons à déterminer les maillons les plus faibles de la structure coloniale et de la structure de classes, comment faire pour les briser ? Ce n'est certainement pas en exhortant les masses à combattre un ennemi impérialiste invisible par des nationalisations au bénéfice de « tout le peuple » ; il ne s'agit pas non plus de se livrer à des explications pédantes pour rendre Wall Street ou même le Palais présidentiel perceptibles à partir de la cabane du paysan ou de l'ouvrier agricole. Ces lieux et ce qu'ils représentent ne se rendront *eux-mêmes* que trop visibles lorsque les masses rurales latino-américaines — ou même une fraction réduite d'entre elles — s'animeront pour lutter contre ceux qui les oppressent depuis longtemps et de manière immédiatement visible et qui sont les agents économiques et politiques locaux de la structure capitaliste nationale de classe et de la structure coloniale... Quels sont les alliés dont disposent ces forces populaires — quelles sont les alliances qu'elles peuvent contracter *a priori*, et sur quelles bases peuvent-elles se faire — dans chaque pays, en Amérique latine, dans le monde, alliés qui seraient prêts à les soutenir quand les bourgeoisies, d'abord latino-américaines, puis impérialistes, interviendront pour tenter de sauver leurs agents locaux et par là-même l'ensemble de la structure coloniale oppressive et de la structure de classes capitaliste ? L'organisation et la mobilisation politique révolutionnaires pourraient tirer profit d'une analyse marxiste de la structure coloniale et de la structure de classes de certaines zones ou de certaines régions locales particulières. Cette étude ne peut évidemment pas être entreprise à l'étranger selon un schéma général préconçu. Elle doit être poursuivie par des marxistes révolutionnaires sur place et participant au mouvement politique appelé à tirer profit de l'étude. Mais ce même principe s'applique également au travail théorique concernant des problèmes politiques plus vastes. La véritable théorie marxiste ne peut être produite qu'à travers la pratique politique révolutionnaire. Et pour l'intellectuel d'Amérique latine ou des autres régions sous-développées, cela implique également un combat idéologique.

Idéologie et marxisme.

La structure coloniale et la structure de classes engendrent des contreparties afin de se justifier, et celles-ci se reflètent également dans la « science » sociale que l'on utilise pour les « étudier ». Pour les révolutionnaires, le conflit comprend donc un champ de bataille idéologique, ainsi que le suggère Fidel. Pour les spécialistes des sciences sociales qui sont des révolutionnaires, la lutte idéologique s'étend au domaine de ces mêmes sciences sociales. L'idéologie dominante avec sa composante des « sciences sociales » a été élaborée par la bourgeoisie métropolitaine aussi bien pour être utilisée à l'intérieur de la métropole que pour être exportée vers les colonies. Ces dernières, au moins en Amérique latine, ont toujours eu quelque conscience des éléments colonialistes compris dans cette idéologie et cette science. Les milieux nationalistes d'Amérique latine ont essayé de résister à ces éléments colonialistes et de les remplacer par des facteurs nationalistes, plus particulièrement pendant et après les périodes de soulèvements nationalistes. Les alternatives nationalistes sont présentées comme un défi direct à l'ordre colonial et en tant que telles elles sont censées être essentiellement différentes de l'idéologie et de la science impérialistes. Toutefois, à partir de l'instant où cette alternative nationaliste provient de la bourgeoisie nationale d'Amérique latine, elle réaffirme plutôt qu'elle ne conteste la structure de classes interne des différents pays. Les révolutionnaires doivent s'interroger sur le degré exact d'autonomie de cette idéologie et de cette science latino-américaine. Peut-être nous faut-il, sur ce front idéologique du conflit comme sur les fronts politiques et militaires, combattre également — ou même en premier lieu —

l'idéologie de l'ennemi de classe afin de lutter par là-même contre l'ennemi principal, c'est-à-dire l'impérialisme ?

Depuis le siècle dernier, les principales exportations idéologiques de la bourgeoisie impérialiste ont été constituées par le libéralisme, le positivisme et, à l'heure actuelle, par une espèce de pragmatisme technologique ou technologisme pragmatique. Une partie de la bourgeoisie latino-américaine a accepté chacune de ces doctrines avec avidité, devenant quelquefois plus royaliste que le roi — comme ce fut le cas pour les milieux latino-américains d'exportation par rapport à la doctrine du libre-échange. Certains secteurs de la bourgeoisie et de la petite bourgeoisie ont résisté aux aspects les plus manifestement colonialistes de ces doctrines ; cependant, chaque fois que cela servait leurs intérêts de classe par rapport aux masses populaires, ils en retenaient l'essentiel.

L'invasion idéologique la plus récente consiste à affirmer que le « savoir-faire » et la technologie U.S. sont capables de résoudre tous les problèmes qui se posent aux peuples du monde, à la seule condition de permettre aux Nord-Américains de les appliquer en toute liberté. Au niveau de l'industrie, cela entraîne l'investissement étranger et un degré de monopole — et de sous-emploi — supérieur. En agriculture, il s'agit des méthodes, des semences, des engrais, de l'outillage agricole, etc., américains — et de la production de ces engrais et de ces outillages par la Standard Oil et par Ford. Pour la population, cela signifie contrôle des naissances et pilules contraceptives — et donc production pharmaceutique.

Sur le plan de la culture, c'est l'*American way of life* à travers — et avec — les *mass media*, l'éducation « populaire », la « science » statistique des ordinateurs, etc., le tout sans aucune, ou plutôt *contre* toute révolution politique et sociale. La grande bourgeoisie latino-américaine accepte tout cela en tant qu'associé mineur. Les éléments « nationalistes » de la bourgeoisie (et une partie de la petite bourgeoisie) rejettent la partie « nord-américaine » mais acceptent l'aspect technologique, qu'ils prétendent appliquer eux-mêmes — en mieux !

Il est possible d'affirmer qu'à l'heure actuelle, l'offensive idéologique de l'impérialisme au niveau des sciences sociales à revêtu deux formes principales, le structuralisme et la dégénérescence de celui-ci dans l'institutionalisme, le culturalisme ou le behaviorisme. Le structuralisme a longtemps dominé l'économie et la sociologie qui prétendaient analyser la structure du marché et la structure sociale. Mais il ne s'agissait — et il ne s'agit toujours — que de l'étude abstraite de types idéalisés de marchés concurrentiels ou de sociétés consensuelles pouvant se référer à n'importe quel système social imaginaire allant de la famille à l'ensemble du monde, étude qui ne pouvait — et ne peut — expliquer un système social réel donné. Quelquefois également les structuralistes traitent de systèmes sociaux particuliers qui sont toujours des unités locales, régionales ou nationales qui, elles-mêmes, ne constituent jamais l'ensemble social déterminant. Ce « structuralisme » — abstrait ou concret, mais toujours limité — détourne l'esprit du chercheur du système capitaliste mondial réel, de sa structure de classes et de sa structure coloniale, et de l'histoire de son développement, qui ont déterminé la réalité sociale à la fois dans la métropole et dans la partie coloniale du système impérialiste.

Les récents développements de la science sociale métropolitaine et leur exportation vers les pays sous-développés détournent encore plus l'esprit des chercheurs des problèmes sociaux et politiques fondamentaux et de leurs solutions. L'institutionalisme décrit les prétendues institutions sociales et politiques de la société et de la « démocratie » bourgeoises, telles qu'elles apparaissent en surface. Le culturalisme se concentre sur les manifestations culturelles de la structure économique et sociale sous-jacente et même à l'heure actuelle sur ses caractéristiques psycho (c'est-à-dire individuelles) culturelles. Le behaviorisme (qui ne connaît plus de frein en « sciences » politiques et, de plus en plus, dans les autres sciences sociales) avance des techniques fondées plus encore sur les ordinateurs, qui analysent statistiquement et de manière rigoureuse toutes sortes de variables sociales sans jamais aborder le problème de la structure et du développement du système social — de crainte que nous ne puissions penser que celui-ci exige une transformation structurelle. En plus des limites (qui sont des avantages du point de vue de la bourgeoisie) du structuralisme, ces dégénérescences permettent la différenciation d'une même entité et la comparaison entre éléments différents : le fait que la métropole et ses colonies font partie du même système capitaliste est masqué par la découverte de l'existence censément indépendante de ces mêmes différences culturelles et institutionnelles qu'engendre cette relation coloniale. De plus, la découverte de similitudes superficielles au niveau des comportements et des institutions, entre les pays capitalistes et socialistes, permet à la bourgeoisie de « démontrer » statistiquement (c'est-à-dire avec une apparente « neutralité » idéologique) à la classe qu'elle exploite que la structure de classes n'est pas vraiment déterminante — et qu'il n'est donc pas nécessaire de la transformer.

Cette idéologie qui tient lieu de science est aujourd'hui propagée à travers le monde capitaliste — et même à l'intérieur du camp socialiste — par d'innombrables facteurs. Les éléments éclairés de la bourgeoisie coloniale latino-américaine coopèrent avec enthousiasme à ce processus, aujourd'hui comme par le passé, alors que certains éléments de la bourgeoisie nationale tentent de lancer leur propre offensive idéologique dans le domaine des sciences sociales. Après le soulèvement nationaliste bourgeois des années trente et quarante — avec, semble-t-il, un retard culturel de plus d'une dizaine d'années —, ces milieux bourgeois latino-américains ont établi plusieurs institutions dont l'objet expressément affirmé est le développement d'une idéologie nationaliste scientifique. La première et la plus marquante de ces institutions est constituée par la Commission économique des Nations unies pour l'Amérique latine

(CEPAL) et son produit le plus récent, l'Instituto latinoamericano de planificacion economica y social (ILPES), qui siègent tous deux à Santiago du Chili. Au Brésil, il y a l'Instituto superior de estudios brasileiros (ISEB), en Argentine, l'Instituto Torcuato di Tella, au Mexique l'Escuela nacional de ciencias politicas y sociales de l'Université nationale (UNAM). Les noms de leurs fondateurs, de leurs directeurs et de leurs principaux collaborateurs sont universellement connus dans la science sociale latino-américaine et même dans des cercles intellectuels plus larges : Raul Prebisch, Anibal Pinto, Oswaldo Sunkel, Celso Furtado, Helio Jaguaribe, Gino Germani, Pablo Gonzalez Casanova, etc.

Leurs thèses essentielles sont bien connues aussi : la métropole exploite l'Amérique latine, principalement à travers la détérioration des termes de l'échange. De la sorte, ils se plaignent d'une relation coloniale, mais ils ne poursuivent pas jusqu'à l'analyse de la structure coloniale monopoliste et du rôle croissant de l'investissement étranger et de l'aide extérieure au sein de cette structure. Cet investissement et cette aide sont généralement les bienvenus, et on ne les soumet qu'à certaines « garanties ». Ces économistes attribuent le sous-développement latino-américain au choix erroné du « sous-développement vers l'extérieur », au moment où l'Amérique latine fut enfin tirée de son sommeil féodal au milieu du xixe siècle. Si l'Amérique latine avait, à cette époque, « choisi le développement vers l'intérieur », elle n'aurait pas subi la détérioration des termes de l'échange et elle aurait été capable de s'industrialiser. En conséquence, l'affirment-ils, l'Amérique latine devrait à l'heure actuelle opter pour le développement capitaliste national vers l'intérieur.

L'obstacle, d'après eux, qui surgit alors est constitué par les dimensions réduites du marché interne. Donc sur le plan intérieur ils avancent pratiquement la même interprétation de l'Amérique latine que celle qui est proposée par l'Alliance pour le progrès et le structuralisme « éclairé » : l'Amérique latine comprend une société et une économie « dualistes », dont une partie est capitaliste et progressiste et l'autre féodale et rétrograde. Les réformes agraires, fiscales, etc., et les « planifications » économiques mises en avant par les classes moyennes et les industriels progressistes devraient éliminer les obstacles « féodaux » et permettre l'intégration d'une vaste population rurale, comprenant surtout les Indiens, au sein de la société et du marché nationaux. Ces idéologues « scientifiques » prétendent que les pauvres des milieux ruraux sont pauvres parce qu'ils se trouvent exclus de l'économie de marché ou économie monétaire ; c'est également pour cela que le développement économique et industriel ne se fait pas. Ils s'intitulent « structuralistes » et se servent de tous les éléments de théorie et de terminologie marxistes dont ils ont besoin — pour proposer une *réforme* des structures.

Mais ces « structuralistes », qui se plaignent de l'exploitation métropolitaine, ne considèrent ni n'analysent la structure coloniale interne de l'Amérique latine, structure à travers laquelle la métropole nationale draine hors de la campagne « féodale » la majeure partie du capital destiné à son propre développement et à son propre investissement industriel, tous deux étant d'ailleurs fort limités. Ces idéologues de la bourgeoisie nationale n'analysent pas non plus la structure de classes interne de l'Amérique latine. Au contraire, ils importent les techniques nord-américaines les plus récentes pour l'étude des « élites » et de la « stratification sociale », et leurs étudiants sont de plus en plus trompés par la proposition métropolitaine visant à substituer une analyse objective et statistique à une étude et une solution politiques et scientifiques aux problèmes latino-américains.

En premier lieu, il nous est donc possible d'affirmer que la version « progressiste-nationaliste » de cette science sociale bourgeoise n'est que superficiellement — et non fondamentalement — différente de son modèle impérialiste. En deuxième lieu, l'offensive idéologique nationaliste dans les sciences sociales n'a vraiment commencé qu'après que le mouvement économique, social et politique d'où elle est issue a atteint son point culminant et a déjà commencé à décroître historiquement. Enfin, au cours des années soixante, l'impérialisme a également lancé une contre-offensive dans ce domaine ; il s'ensuit que sa « science » behavioriste est en train de neutraliser de manière croissante les éléments de la petite bourgeoisie latino-américaine qui étaient encore politiquement progressistes quelques années auparavant. En ce sens, il est bon de noter que l'impérialisme utilise maintenant la méthode des conférences, des bourses, des projets de « recherche commune » U.S. - latino-américains, etc., à la fois aux Etats-Unis et dans les pays latino-américains, méthode consistant à séduire ces mêmes intellectuels de gauche qui jusque-là étaient mis en quarantaine ou persécutés.

Quelle est la réponse de la gauche révolutionnaire latino-américaine face à cette offensive idéologique dans le domaine de la science sociale ?

Plusieurs milliers d'étudiants et de travailleurs latino-américains — et peut-être parmi eux un autre Fidel, ou un Che ou un Camilo... — sont à la recherche d'une orientation politique et scientifique au-delà de celle qui leur est offerte par la bourgeoisie métropolitaine, par les partisans ou les réformateurs latino-américains, ou par certains révisionnistes marxistes. Devront-ils être instruits et guidés par les modèles « marxistes » d'origine métropolitaine qui portent les numéros 14, 13 ou 12 (l'image sarcastique de Fidel à l'OLAS), modèles d'après lesquels l'humanité tout entière passe successivement par les stades du communisme communautaire, de l'esclavage, du féodalisme, du capitalisme, du socialisme et du communisme ? Ces étudiants et ces travailleurs industriels et agricoles seront-ils unis par des théoriciens qui leur disent — tout comme les idéologues de la bourgeoisie nationale — que l'Amérique latine est à l'heure actuelle divisée en deux parties, l'une encore à l'état féodal et l'autre au stade du capitalisme ; que les obstacles au développement national sont constitués par une oligarchie féodale et par l'impérialisme et non par la bourgeoisie ? *Les Latino-Américains ne seront jamais menés à la révolution* par la principale thèse politique dérivée de cette pseudo-science « marxiste » qualifiée par Fidel à l'OLAS de « fameuse thèse sur le rôle des bourgeoisies nationales, par exemple [...] combien de papier, combien de phrases, combien de bavardages insignifiants gaspillés à attendre l'apparition d'une bourgeoisie libérale, progressiste, anti-impérialiste [...] Et l'on raconte à de nombreuses personnes qu'il s'agit là de marxisme [...] et en quoi cela diffère-t-il du catéchisme, et en quoi cela diffère-t-il d'une litanie, d'un rosaire » ?

Cela signifie que la nécessité politique nous met en face d'une tâche idéologique que nous devons remplir pour assurer la fermeté des militants révolutionnaires et pour recruter en nombre sans cesse croissant des Latino-Américains, et plus spécialement des jeunes. Nous avons également un important travail à réaliser pour compléter la pratique révolutionnaire d'une indispensable théorie révolutionnaire. Et nous devons analyser la société latino-américaine, et plus spécialement ses régions rurales, afin d'aider les forces populaires dans leur lutte révolutionnaire. Pour cela, les marxistes devront produire les idées révolutionnaires directrices dont comme le dit Fidel a besoin la révolution latino-américaine. La clarté idéologique concernant ces problèmes devient particulièrement essentielle à un moment où le mouvement révolutionnaire se trouve temporairement ralenti ; en effet, c'est au cours de telles périodes qu'une grande fermeté idéologique est nécessaire pour résister aux tentations — toujours offertes par la bourgeoisie — de reculer vers une ligne réformiste en parlant par exemple d'une prétendue possibilité ou d'une nécessité de « paix démocratique », comme c'est le cas à l'heure actuelle pour le PCV. Afin de parvenir à cette clarté idéologique et théorique, les marxistes devront produire du travail intellectuel, mais pas seulement intellectuel, en s'inspirant de l'exemple du Che qui est d'abord un révolutionnaire et ensuite un intellectuel.

La poursuite de cet objectif idéologique et révolutionnaire, qui constitue la véritable responsabilité de l'intellectuel latino-américain et, plus particulièrement, celle des marxistes, implique — comme Che l'a découvert — de laisser les liens institutionnels impérialistes à la bourgeoisie. L'intellectuel latino-américain — et cela est vrai aussi bien pour l'artiste ou l'écrivain que pour le spécialiste des sciences sociales — devra prendre conscience du fait qu'il n'a fait que travailler pour la bourgeoisie. Il devra également réaliser qu'avec l'aggravation des contradictions le processus révolutionnaire avancera de plus en plus vite, la bourgeoisie permettra de moins en moins à l'intellectuel latino-américain de profiter des institutions bourgeoises — universités, maisons d'éditions, presse, etc. — pour développer une théorie et une pratique marxistes véritablement révolu-

tionnaires. Dans certaines parties du continent, l'heure est déjà venue
où les portes des institutions bourgeoises se ferment aux marxistes ;
ailleurs, cette heure ne saurait tarder. L'intellectuel marxiste latino-
américain devra décider : restera-t-il à l'intérieur pour y poursuivre
le réformisme ou bien sortira-t-il, avec le peuple qui fait la révolution ?

Table

REPRINT/AUBIN, 86240 LIGUGÉ
DÉPÔT LÉGAL 3ᵉ TRIMESTRE 1979
IMPRIMEUR Nᵒ 193
ISBN 2-7071-0313-6